필요한 유형으로 꽉 채운 **핵심유형서**

날선 유형

확률과 통계

You have to expect things of yourself before you do them.
Michael Jordan.

어떤 일을 하기에 앞서 스스로 그 일에 대한 기대를 가져야 한다. *마이클 조던.*

이 책을 공부하기 전에 기대하는 것

1 ______

2 ______

3 ______

4 ______

년 월 일 서명

날카롭게 선별한 유형

날선유형

학교시험의 트렌드

변화하는 학교시험에 대비하는 새로운 유형서는 없나요?

시험에 나오는 문제를 유형별로 익히는 **날선유형**으로
자신 있게 **수학시험**에 도전하세요.

표지 속 인물

피셔

(Fischer, R. A., 1890~1962)

현대 추측통계학의 창시자이다.
유전학과 진화, 질병역학과 관련된 많은 통계적 이론을 발표하였고
F-분포와 Fischer's information이라 불리는 통계량을 개발하는 등
현대 통계의 많은 수학적 업적을 이룩했다.

1. 학생의 마음을 읽는 동아수학콘텐츠 연구팀

동아수학콘텐츠 연구팀은 동아출판의 수학 교재 기획 및 개발 연구원,
학교와 학원의 현장 선생님, 그리고 원고 집필 전문가들이
공동 연구를 통해 최적의 콘텐츠를 개발하는 연구팀입니다.

2. 원고 개발에 참여하신 선생님들

김태중　　양정은

3. 교재 검토에 도움을 주신 선생님들

강장헌(경남 창원)	고호근(광주 남구)	구명선(인천 계양구)
길승호(대전 유성구)	김국철(광주 서구)	김기홍(경기 의왕)
김도규(서울 금천구)	김미애(서울 영등포구)	김아린(인천 서구)
김인혜(서울 구로구)	김장현(경기 안양)	김재삼(서울 금천구)
김종관(서울 강남구)	김종익(부산 사하구)	김차순(전북 익산)
김형철(광주 북구)	남덕우(서울 서초구)	남정순(대구 북구)
박민선(경기 성남)	박신애(경남 창원)	박운학(부산 북구)
서보성(서울 송파구)	설향순(서울 구로구)	송우찬(경기 안양)
안영준(서울 구로구)	양경실(서울 노원구)	오석주(대구 북구)
오주영(경남 창원)	오현진(충북 청주)	위혜진(부산 남구)
유병빈(서울 광진구)	유한칠(경기 안양)	윤여민(대구 수성구)
이경희(서울 노원구)	이고운(광주 광산구)	이동훈(대구 서구)
이상수(서울 서초구)	이승열(광주 북구)	이종석(경기 성남)
이창성(인천 부평구)	이태섭(경기 수원)	이홍민(대구 북구)
임용석(대구 수성구)	장성수(광주 남구)	전병민(대구 달서구)
전상호(부산 부산진구)	전재성(경북 경산)	정미라(전북 익산)
정민교(서울 송파구)	정석(광주 서구)	정재현(대구 서구)
조병교(충북 청주)	차현근(경남 창원)	채기주(대구 수성구)
최범열(전북 익산)	최원필(전북 익산)	홍재룡(서울 노원구)
황상훈(서울 관악구)		

I. 경우의 수

01 순열과 조합

➔ 본책 6쪽~21쪽

001 (가) : 3, (나) : 3, (다) : 1		**002** 6	**003** 120
004 24	**005** 48	**006** 36	**007** 240
008 25	**009** 81	**010** 6	**011** 9
012 243	**013** 125	**014** 360	**015** 420
016 (가) : 3, (나) : 5, (다) : 10		**017** 6	**018** 3
019 9	**020** 9	**021** 6	**022** 4
023 35	**024** 45	**025** 4	**026** 70
027 21	**028** 28	**029** ㄷ	**030** ㄹ
031 ㄱ	**032** ㄴ	**033** ④	**034** 1440
035 ⑤	**036** 240	**037** 8	**038** 180
039 ④	**040** 840	**041** ①	**042** ④
043 ②	**044** 240	**045** ④	**046** ④
047 112	**048** 512	**049** ④	**050** 4
051 ⑤	**052** ③	**053** ①	**054** ④
055 ②	**056** 126	**057** ③	**058** 44
059 ①	**060** 900	**061** ①	**062** ③
063 1080	**064** ③	**065** ②	**066** ④
067 ③	**068** 21	**069** 13	**070** ⑤
071 30	**072** ②	**073** 54	**074** 28
075 51	**076** ②	**077** ⑤	**078** 34
079 ①	**080** ③	**081** ③	**082** 18
083 ④	**084** ④	**085** ④	**086** ⑤
087 75	**088** ⑤	**089** 10	**090** ⑤
091 50	**092** ③	**093** 70	**094** ④
095 ②	**096** ③	**097** 90	**098** 228
099 63	**100** ②	**101** ⑤	**102** 840
103 ③	**104** 40	**105** ①	**106** ②
107 120	**108** 120	**109** 252	

02 이항정리

➔ 본책 22쪽~27쪽

110 $a^3+3a^2b+3ab^2+b^3$			
111 $x^5-10x^4+40x^3-80x^2+80x-32$			
112 -160	**113** 24	**114** 128	**115** 0
116 64	**117** 0	**118** $a^4+4a^3b+6a^2b^2+4ab^3+b^4$	
119 $x^6-6x^5y+15x^4y^2-20x^3y^3+15x^2y^4-6xy^5+y^6$			
120 ${}_5C_3$	**121** ${}_9C_3$	**122** ${}_9C_3$	**123** ②
124 ④	**125** ②	**126** 3	**127** ⑤
128 2	**129** ⑤	**130** ③	**131** 210
132 ③	**133** ③	**134** ③	**135** ⑤
136 ③	**137** ③	**138** ①	**139** 201
140 ②	**141** ②	**142** 64	**143** ③
144 ③	**145** ②	**146** ④	**147** ①
148 54	**149** 1		

Ⅱ. 확률

01 확률의 뜻과 활용

➔ 본책 30쪽~43쪽

150 $\{1, 2, 3, 4\}$ **151** $\{1\}, \{2\}, \{3\}, \{4\}$

152 $\{1, 3\}$ **153** $\{1, 2, 3, 4\}$ **154** $\{2, 3\}$ **155** $\{4\}$

156 ○ **157** ○ **158** ○ **159** ×

160 ○ **161** ○ **162** $\frac{1}{2}$ **163** $\frac{2}{3}$

164 $\frac{1}{2}$ **165** $\frac{1}{6}$ **166** $\frac{5}{36}$ **167** $\frac{1}{18}$

168 $\frac{4}{45}$ **169** $\frac{3}{5}$ **170** $\frac{9}{10}$ **171** $\frac{1}{8}$

172 $\frac{3}{8}$ **173** $\frac{1}{2}$ **174** ㄱ, ㄴ, ㄷ, ㅁ, ㅂ

175 0 **176** 1 **177** $\frac{3}{4}$ **178** $\frac{1}{6}$

179 0.77 **180** $\frac{1}{2}$ **181** $\frac{2}{5}$ **182** $\frac{1}{20}$

183 $\frac{17}{20}$ **184** $\frac{1}{2}$ **185** $\frac{3}{5}$ **186** $\frac{7}{8}$

187 ⑤ **188** ③ **189** 23 **190** ③

191 ② **192** 16 **193** ④ **194** $\frac{17}{36}$

195 ② **196** $\frac{14}{55}$ **197** ① **198** $\frac{2}{5}$

199 ① **200** ② **201** ④ **202** ③

203 ② **204** 46 **205** ④ **206** $\frac{1}{36}$

207 ② **208** $\frac{4}{9}$ **209** ③ **210** ③

211 ⑤ **212** ② **213** $\frac{13}{33}$ **214** 5

215 $\frac{3}{5}$ **216** ② **217** $\frac{7}{9}$ **218** ⑤

219 ③ **220** ③ **221** 17 **222** ㄱ

223 95 **224** ① **225** $\frac{67}{100}$ **226** ①

227 $\frac{1}{3}$ **228** ② **229** ④ **230** ⑤

231 ④ **232** $\frac{103}{108}$ **233** ① **234** ⑤

235 ④ **236** $\frac{13}{36}$ **237** ④ **238** ②

239 ② **240** $\frac{18}{55}$ **241** 3 **242** ②

243 ④ **244** 979 **245** ⑤ **246** 12

247 707 **248** $\frac{11}{21}$

02 조건부확률

➔ 본책 44쪽~59쪽

249 $\frac{1}{3}$ **250** $\frac{1}{2}$ **251** $\frac{5}{6}$ **252** $\frac{1}{6}$

253 $\frac{1}{5}$ **254** $\frac{1}{3}$ **255** $\frac{1}{2}$ **256** $\frac{4}{9}$

257 $\frac{4}{7}$ **258** $\frac{5}{9}$ **259** $\frac{3}{7}$ **260** 1

261 1 **262** 0.2 **263** 0.25 **264** $\frac{2}{3}$

265 $\frac{3}{5}$ **266** $\frac{2}{5}$ **267** $\frac{1}{6}$ **268** $\frac{1}{12}$

269 $\frac{5}{18}$ **270** $\frac{1}{9}$ **271** $\frac{7}{18}$ **272** $A \cap B$

273 $\frac{2}{3}$ **274** $\frac{2}{3}$ **275** 독립 **276** 독립

277 종속 **278** 0.4 **279** 0.5 **280** 0.2

281 0.7 **282** 종속 **283** 독립 **284** $\frac{5}{24}$

285 10 **286** $\frac{8}{243}$ **287** $\frac{80}{243}$ **288** $\frac{1}{2}$

289 $\frac{5}{16}$ **290** $\frac{7}{32}$ **291** $\frac{216}{625}$ **292** $\frac{32}{81}$

293 ① **294** ② **295** ③ **296** $\frac{5}{8}$

297 ④ **298** ① **299** $\frac{7}{30}$ **300** ③

301 ③ **302** ② **303** ③ **304** 75

305 ④ **306** ③ **307** ② **308** $\frac{9}{10}$

309 ④ **310** ② **311** ② **312** $\frac{1}{4}$

313 ① **314** $\frac{6}{13}$ **315** ④ **316** ⑤

317 ⑤ **318** ③ **319** 24 **320** ④

321 $\frac{3}{7}$ **322** ① **323** ④ **324** ⑤

325 $\frac{1443}{4096}$ **326** $\frac{1}{36}$ **327** ① **328** ④

329 ② **330** $\frac{27}{64}$ **331** ④ **332** 810

333 43 **334** ② **335** $\frac{1}{2}$ **336** ⑤

337 ④ **338** ③ **339** ① **340** ④

341 $\frac{103}{300}$ **342** 46 **343** ⑤ **344** 8

345 ⑤ **346** ② **347** 15 **348** ③

349 769 **350** $\frac{4}{13}$ **351** $\frac{171}{512}$

연산으로 개념을 다지는 유형입문서

날선유형

확률과 통계

아~ 열심히 공부했는데 …….
도대체 왜! 시험지만 보면 하나도 모르겠는걸까?

열심히 공부했는데도 수학 성적이 나오지 않는다면 공부 방법을 바꿀 필요가 있어!
아래 방법만 완벽하게 따라한다면

수학 1등급은 나의 것!

첫째, 개념과 공식은 이해한 후 반드시 외운다.

개념 정리를 읽고 '아~' 하는 것은
개념을 '아는 것'이 아니라 그냥 한 번 '본 것'입니다.
빈 종이에 해당 단원의 개념을
막힘없이 쓸 수 있을 때까지 반복해서 외우세요!

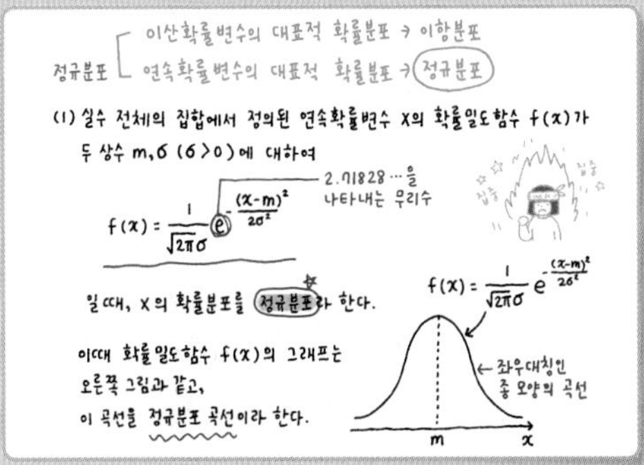

둘째, 문제를 풀 때 ○, △, × 표시를 이용한다.

문제를 푸는 건 내가 무엇을 모르는지 확인하는 단계입니다.
확인만 하고 책을 덮어버리면 수학 성적이 절대 오르지 않아요.
날선유형의 유형 제목 위에는 ○, △, × 표시가 있어요.

○△×
유형 14 이항분포와 정규분포의 관계

확률변수 X가 이항분포 $\mathrm{B}(n, p)$를 따를 때, n이 충분히 크면 X는 근사적으로 정규분포 $\mathrm{N}(np, npq)$를 따른다. (단, $q=1-p$)

○△× 확실히 맞은 유형문제는 ○
○△× 실수로 틀렸거나 우연히 맞은 유형문제는 △
○△× 틀린 유형문제는 ×
표시를 해 두세요.
△, × 표시가 된 문제는 다시 풀어서 ○표로 만들어 보세요.
그리고 틀린 문제들만 모아서 시험 전에 확인하면 끝!

셋째, 문제를 다 풀고 나면 해당 단원의 내용을 혼자서 설명해 본다.

이 단원에는 어떤 개념이 있고,
이 공식이 왜 나왔으며,
문제 유형은 어떤 것들이 있는지
친구들에게 가르쳐준다고 생각하고 설명해 봅니다.
설명하다 막히는 부분이 생기면 그 부분을 다시 복습하세요!

Structure

날선유형은
학교시험 대비에 최적화된
핵심유형서입니다.

1 새 교육과정에 맞게 최신 기출문제를 분석하여 유형별로 분류했습니다.

최신 기출문제를 반영하고, 새 교육과정에 맞게 모든 수학 문제를 분석하여
유형별로 분류하였습니다.

2 시험에 꼭 나오지만 자주 실수하는 유형을 날카롭게 선별했습니다.

출제자가 어떤 의도로 문제를 만들었는지,
다른 친구들은 어느 부분에서 실수를 많이 하는지,
첨삭 설명과 캐릭터의 대화를 통해 짚어볼 수 있습니다.

3 실제 시험에는 어떻게 출제되고 있는지 살펴볼 수 있습니다.

교과서 심화, 교육청 기출, 평가원 기출, 수능 기출 문제를 통해
학교 시험과 모의고사에서 출제되고 있는 실제 시험 문제를 엿볼 수 있습니다.

4 서술형 문제를 강화했습니다.

서술형 문제와 따라하기 문제를 통해 점점 강화되고 있는 서술형 시험에서
어떻게 모범 답안을 작성할 수 있는지 살펴볼 수 있습니다.

STEP 1 개념 학습 마스터

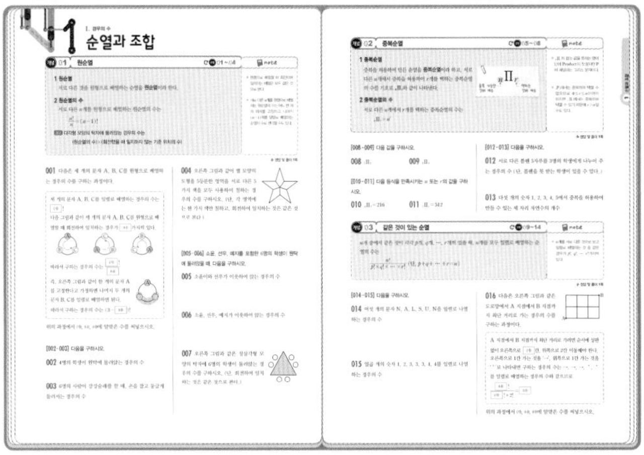

알찬! 개념 정리

알차게 정리된 개념을 학습하고, 문제로 개념을 꼼꼼히 정리할 수 있습니다. 개념과 공식을 바로 적용할 수 있는 문제로 개념을 내 것으로 만들어 보세요.

STEP 2 유형 학습 마스터

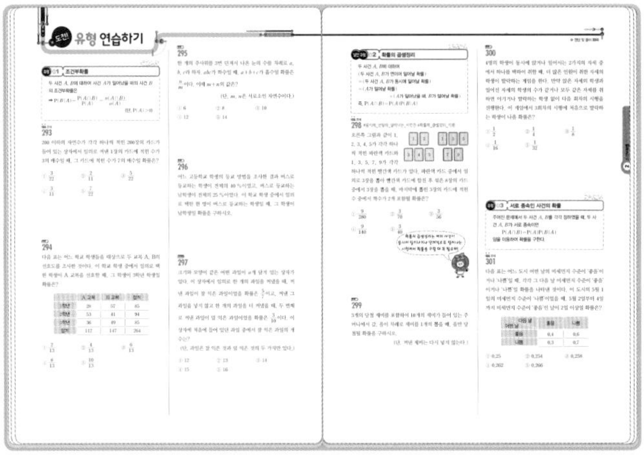

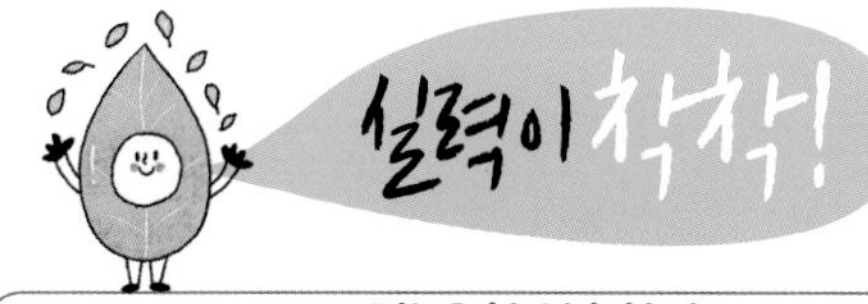

도전! 유형 연습하기

최신 트렌드를 반영한 유형 문제를 통해 실력이 착착 쌓이는 것을 느껴보세요. 문제를 보는 순간 어떻게 풀면 되는지 떠올릴 수 있게 됩니다.

날선 유형 시험에 꼭 나오지만 자주 실수하는 문제를 날카롭게 선별했습니다. 특히, 문제에서 어떤 개념이 사용되고 있는 지 해설을 보면 더욱 자세히 이해할 수 있습니다.

STEP 3 시험 문제 마스터

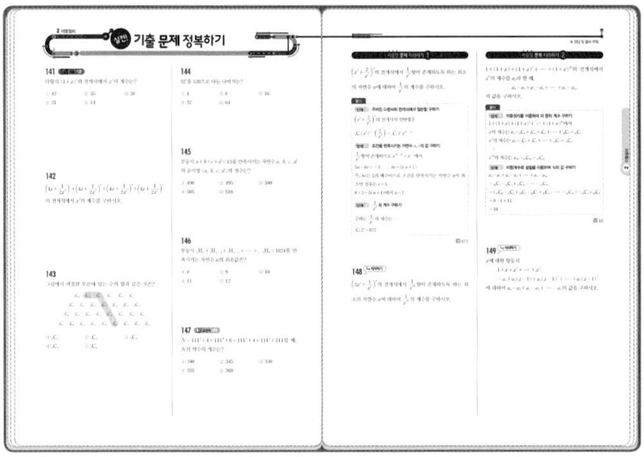

실전! 기출문제 정복하기

공부한 내용이 학교시험과 모의고사에는 어떻게 출제되고 있을까요? 교과서 심화 문제, 기출 문제, 서술형 문제까지 살펴보고 학교시험에 대비해 보세요.

Contents

I 경우의 수

II 확률

III 통계

I

경우의 수

1 순열과 조합
2 이항정리

선생님 Talk!

- 이 단원을 시작하기 전에 고등수학에서 배웠던 순열과 조합의 내용을 되짚어 보는 것이 좋습니다.
- '순서를 고려하는가?', '순서를 고려하지 않는가?'에 따라 순열과 조합으로 나뉘고, 각각의 경우에 '중복을 허용하는가?', '중복을 허용하지 않는가?'에 따라 중복순열과 중복조합의 상황이 됩니다. 잘 구별할 수 있도록 많이 연습해 보세요.
- '서로 다른', '중복을 허용하여'와 같은 문구 하나에 따라 전혀 다른 상황이 되니까 문제를 꼼꼼하게 읽는 습관을 들여야 합니다.

선배 Talk!

- 경우의 수 문제를 풀 때에는 절대 서두르지 말고, 중복과 누락이 없도록 기준을 잘 세운다면 문제를 훨씬 더 효율적으로 해결할 수 있어.
- 경우의 수는 문제의 접근 방법과 풀이 방법이 다양해서 재미있는 단원이야. 문제의 답을 맞혔다고 그냥 넘어가지 말고, 해설을 살펴보거나 친구와 풀이 방법을 토의해 보면 내공이 깊어질 거야!
- 이 단원에서 학습하는 내용은 뒤에 나올 확률, 통계 단원의 밑바탕이 되니까 끝까지 포기하지 말고 힘내자!

꼭 외우자!

- 서로 다른 n개를 원 모양으로 배열하는 원순열의 수는 $\frac{n!}{n}=(n-1)!$
- 서로 다른 n개에서 r개를 택하는 중복순열의 수는 ${}_{n}\Pi_{r}=n^{r}$
- n개 중에서 같은 것이 각각 p개, q개, $\cdots$, r개씩 있을 때, n개를 모두 일렬로 배열하는 경우의 수는 $\frac{n!}{p!\times q!\times\cdots\times r!}$ (단, $p+q+\cdots+r=n$)
- 서로 다른 n개에서 r개를 택하는 중복조합의 수는 ${}_{n}\mathrm{H}_{r}={}_{n+r-1}\mathrm{C}_{r}$

I. 경우의 수

01 순열과 조합

개념 01 원순열

유형 01~04

1 원순열

서로 다른 것을 원형으로 배열하는 순열을 **원순열**이라 한다.

2 원순열의 수

서로 다른 n개를 원형으로 배열하는 원순열의 수는

$$\frac{n!}{n}=(n-1)!$$

참고 다각형 모양의 탁자에 둘러앉는 경우의 수는

(원순열의 수)×(회전했을 때 일치하지 않는 기준 위치의 수)

note

- 원형으로 배열할 때 회전하여 일치하는 배열은 모두 같은 것으로 본다.
- 서로 다른 n개를 원형으로 배열하는 원순열의 수는 어느 한 개의 위치를 고정하고, 나머지 $(n-1)$개를 일렬로 배열하는 순열의 수로 생각할 수도 있다.

→ 정답 및 풀이 1쪽

001 다음은 세 개의 문자 A, B, C를 원형으로 배열하는 경우의 수를 구하는 과정이다.

> 세 개의 문자 A, B, C를 일렬로 배열하는 경우의 수는 [(가)]!
>
> 다음 그림과 같이 세 개의 문자 A, B, C를 원형으로 배열할 때 회전하여 일치하는 경우가 [(나)]가지씩 있다.
>
> 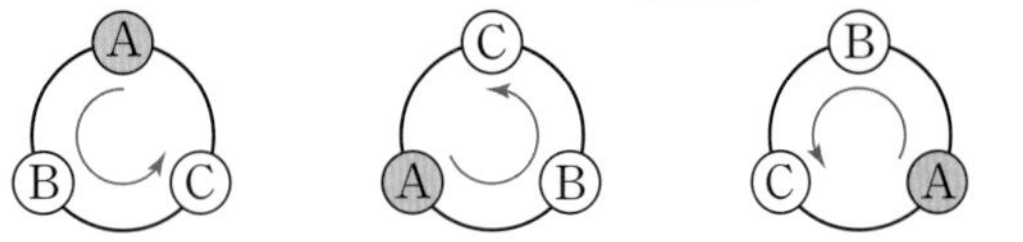
>
>
> 따라서 구하는 경우의 수는 $\frac{\boxed{(가)}!}{\boxed{(나)}}$
>
> 즉, 오른쪽 그림과 같이 한 개의 문자 A를 고정한다고 가정하면 나머지 두 개의 문자 B, C를 일렬로 배열하면 된다.
>
> 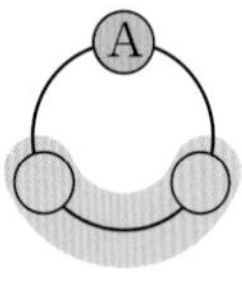
>
>
> 따라서 구하는 경우의 수는 $(3-\boxed{(다)})!$

위의 과정에서 (가), (나), (다)에 알맞은 수를 써넣으시오.

[002~003] 다음을 구하시오.

002 4명의 학생이 원탁에 둘러앉는 경우의 수

003 6명의 사람이 강강술래를 할 때, 손을 잡고 둥글게 둘러서는 경우의 수

004 오른쪽 그림과 같이 별 모양의 도형을 5등분한 영역을 서로 다른 5가지 색을 모두 사용하여 칠하는 경우의 수를 구하시오. (단, 각 영역에는 한 가지 색만 칠하고, 회전하여 일치하는 것은 같은 것으로 본다.)

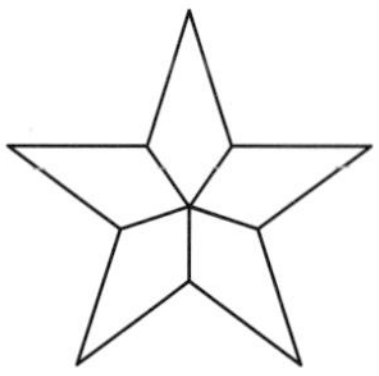

[005~006] 소윤, 선우, 예지를 포함한 6명의 학생이 원탁에 둘러앉을 때, 다음을 구하시오.

005 소윤이와 선우가 이웃하여 앉는 경우의 수

006 소윤, 선우, 예지가 이웃하여 앉는 경우의 수

007 오른쪽 그림과 같은 정삼각형 모양의 탁자에 6명의 학생이 둘러앉는 경우의 수를 구하시오. (단, 회전하여 일치하는 것은 같은 것으로 본다.)

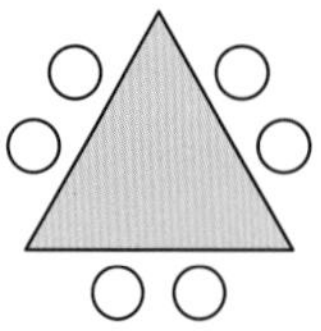

개념 02 중복순열 ↻ 유형 05~08

1 중복순열

중복을 허용하여 만든 순열을 **중복순열**이라 하고, 서로 다른 n개에서 중복을 허용하여 r개를 택하는 중복순열의 수를 기호로 ${}_n\Pi_r$와 같이 나타낸다.

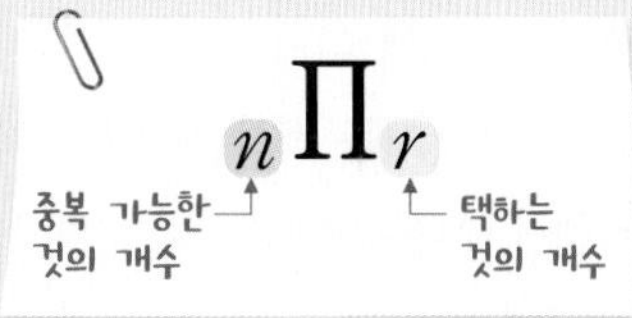

2 중복순열의 수

서로 다른 n개에서 r개를 택하는 중복순열의 수는

$${}_n\Pi_r = n^r$$

note

- ${}_n\Pi_r$의 Π는 곱을 뜻하는 영어 단어 Product의 첫 문자인 P에 해당하는 그리스 문자이다.
- ${}_nP_r$에서는 중복하여 택할 수 없으므로 $0 \le r \le n$이어야 하지만 ${}_n\Pi_r$에서는 중복하여 택할 수 있기 때문에 $r > n$일 수도 있다.

➔ 정답 및 풀이 1쪽

[008~009] 다음 값을 구하시오.

008 ${}_5\Pi_2$

009 ${}_3\Pi_4$

[010~011] 다음 등식을 만족시키는 n 또는 r의 값을 구하시오.

010 ${}_n\Pi_3 = 216$

011 ${}_2\Pi_r = 512$

[012~013] 다음을 구하시오.

012 서로 다른 볼펜 5자루를 3명의 학생에게 나누어 주는 경우의 수 (단, 볼펜을 못 받는 학생이 있을 수 있다.)

013 다섯 개의 숫자 1, 2, 3, 4, 5에서 중복을 허용하여 만들 수 있는 세 자리 자연수의 개수

개념 03 같은 것이 있는 순열 ↻ 유형 09~14

n개 중에서 같은 것이 각각 p개, q개, $\cdots$, r개씩 있을 때, n개를 모두 일렬로 배열하는 순열의 수는

$$\frac{n!}{p! \times q! \times \cdots \times r!} \text{ (단, } p+q+\cdots+r=n)$$

note

- n개를 서로 다른 것으로 보고 일렬로 배열하는 것 중 같은 경우가 $p!$, $q!$, $\cdots$, $r!$가지씩 있다.

➔ 정답 및 풀이 1쪽

[014~015] 다음을 구하시오.

014 여섯 개의 문자 N, A, L, S, U, N을 일렬로 나열하는 경우의 수

015 일곱 개의 숫자 1, 2, 3, 3, 3, 4, 4를 일렬로 나열하는 경우의 수

016 다음은 오른쪽 그림과 같은 도로망에서 A 지점에서 B 지점까지 최단 거리로 가는 경우의 수를 구하는 과정이다.

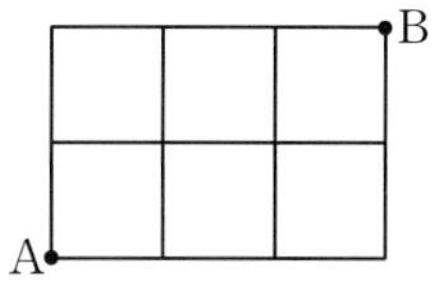

> A 지점에서 B 지점까지 최단 거리로 가려면 순서에 상관없이 오른쪽으로 (가) 칸, 위쪽으로 2칸 이동해야 한다.
> 오른쪽으로 1칸 가는 것을 '→', 위쪽으로 1칸 가는 것을 '↑'로 나타내면 구하는 경우의 수는 →, →, →, ↑, ↑를 일렬로 배열하는 경우의 수와 같으므로
>
> $$\frac{\boxed{(나)}!}{\boxed{(가)}! \times 2!} = \boxed{(다)}$$

위의 과정에서 (가), (나), (다)에 알맞은 수를 써넣으시오.

개념 04 중복조합 ↻ 유형 15~18

1 중복조합

중복을 허용하여 만든 조합을 **중복조합**이라 하고, 서로 다른 n개에서 중복을 허용하여 r개를 택하는 중복조합의 수를 기호로 $_n\mathrm{H}_r$와 같이 나타낸다.

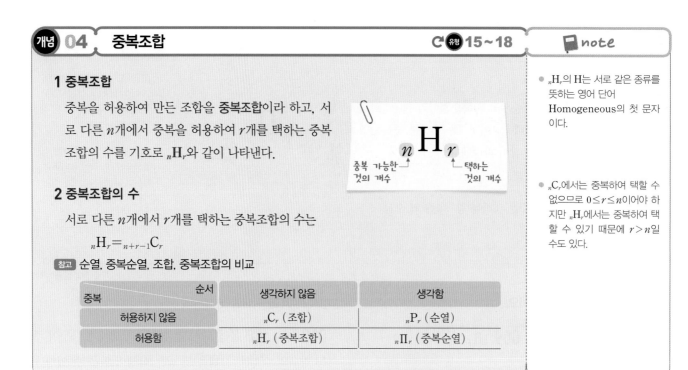

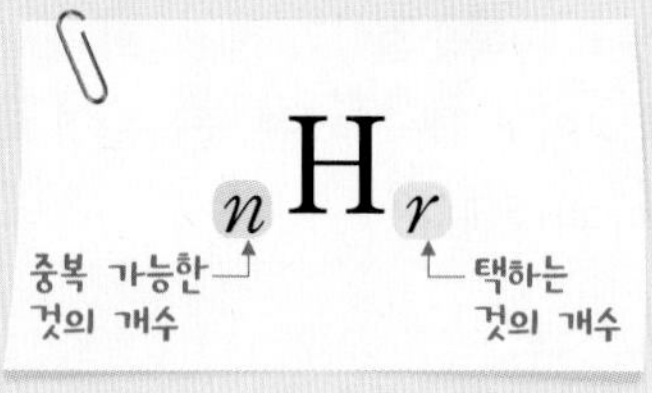

2 중복조합의 수

서로 다른 n개에서 r개를 택하는 중복조합의 수는

$$_n\mathrm{H}_r={}_{n+r-1}\mathrm{C}_r$$

참고 순열, 중복순열, 조합, 중복조합의 비교

중복 \ 순서	생각하지 않음	생각함
허용하지 않음	$_n\mathrm{C}_r$ (조합)	$_n\mathrm{P}_r$ (순열)
허용함	$_n\mathrm{H}_r$ (중복조합)	$_n\Pi_r$ (중복순열)

note

- $_n\mathrm{H}_r$의 H는 서로 같은 종류를 뜻하는 영어 단어 Homogeneous의 첫 문자이다.
- $_n\mathrm{C}_r$에서는 중복하여 택할 수 없으므로 $0\le r\le n$이어야 하지만 $_n\mathrm{H}_r$에서는 중복하여 택할 수 있기 때문에 $r>n$일 수도 있다.

→ 정답 및 풀이 1쪽

[017~020] 다음 등식을 만족시키는 n 또는 r의 값을 구하시오.

017 $_5\mathrm{H}_2={}_n\mathrm{C}_2$

018 $_6\mathrm{H}_3={}_8\mathrm{C}_r$ (단, $r<5$이다.)

019 $_3\mathrm{H}_7={}_n\mathrm{C}_2$

020 $_{10}\mathrm{H}_4={}_{13}\mathrm{C}_r$ (단, $r>5$이다.)

[021~024] 다음 값을 구하시오.

021 $_3\mathrm{H}_2$

022 $_2\mathrm{H}_3$

023 $_4\mathrm{H}_4$

024 $_3\mathrm{H}_8$

[025~027] 다음을 구하시오.

025 2개의 문자 a, b 중에서 중복을 허용하여 3개의 문자를 택하는 경우의 수

026 사과, 배, 참외, 복숭아, 귤만을 파는 가게에서 과일 4개를 사는 경우의 수

027 같은 종류의 컴퓨터용 사인펜 5자루를 3명의 학생에게 나누어 주는 경우의 수
(단, 사인펜을 못 받는 학생이 있을 수 있다.)

028 방정식 $x+y+z=6$에서 음이 아닌 정수인 해의 개수를 구하시오.

[029~032] 다음 경우의 수를 옳게 나타낸 것을 보기에서 고르시오.

보기
ㄱ. $_6\mathrm{P}_3$ ㄴ. $_6\mathrm{C}_3$ ㄷ. $_6\Pi_3$ ㄹ. $_6\mathrm{H}_3$

029 서로 다른 3개의 공을 서로 다른 6개의 주머니에 넣는 경우의 수
(단, 주머니에 넣을 수 있는 공의 개수에는 제한이 없다.)

030 같은 종류의 3개의 공을 서로 다른 6개의 주머니에 넣는 경우의 수
(단, 주머니에 넣을 수 있는 공의 개수에는 제한이 없다.)

031 서로 다른 3개의 공을 서로 다른 6개의 주머니에 넣는 경우의 수
(단, 각 주머니에 넣은 공은 많아야 한 개이다.)

032 같은 종류의 3개의 공을 서로 다른 6개의 주머니에 넣는 경우의 수
(단, 각 주머니에 넣은 공은 많아야 한 개이다.)

도전! 유형 연습하기

➔ 정답 및 풀이 2쪽

○△×

유형 01 원순열의 수

(1) 서로 다른 n개를 원형으로 배열하는 원순열의 수는

➡ $\dfrac{n!}{n}=(n-1)!$

(2) 원형으로 배열할 때

① 이웃하는 것이 있는 경우 ➡ 이웃하는 것을 한 묶음으로 놓고 배열한다.

② 이웃하지 않는 것이 있는 경우 ➡ 이웃해도 되는 것을 먼저 배열한다.

대표 문제

033

네 쌍의 부부가 원탁에 둘러앉을 때, 각 부부끼리 이웃하게 앉는 경우의 수는?

① 72　② 80　③ 88　④ 96　⑤ 104

034

A, B, C를 포함한 8명의 여학생이 강강술래를 할 때, A, B, C끼리는 서로 이웃하지 않도록 둥글게 둘러서는 경우의 수를 구하시오.

035

A, B, C, D, E, F, G, H, I의 9명이 다음 조건을 모두 만족시키도록 원탁에 둘러앉는 경우의 수는?

> (가) A, B, C끼리, D, E, F끼리, G, H, I끼리는 각각 서로 이웃하여 앉는다.
> (나) A와 I는 서로 이웃하지 않는다.

① 128　② 192　③ 256　④ 320　⑤ 384

○△×

날선 유형 02 평면도형을 칠하는 경우의 수

평면도형을 칠하는 경우의 수를 구할 때에는 다른 영역과 가장 많이 맞닿는 영역을 먼저 고려한다.

➡ 회전하여 모양이 일치하는 경우

(기준이 되는 영역) → (나머지 영역)

의 순서로 칠하는 경우의 수를 구한다.

대표 문제

036 #기준이_되는_영역_먼저 #가장_많이_맞닿는_영역_고려

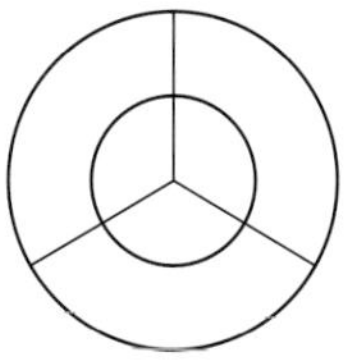

오른쪽 그림과 같이 크기가 서로 다른 두 동심원에 각 원을 삼등분하도록 반지름을 그었다. 이 도형을 서로 다른 6가지 색을 모두 사용하여 칠하는 경우의 수를 구하시오. (단, 각 영역에는 한 가지 색만 칠하고, 회전하여 일치하는 것은 같은 것으로 본다.)

원순열의 수를 이용하여
작은 원의 영역을 칠하고 나면
이 그림은 더 이상 회전하지 않아.

037

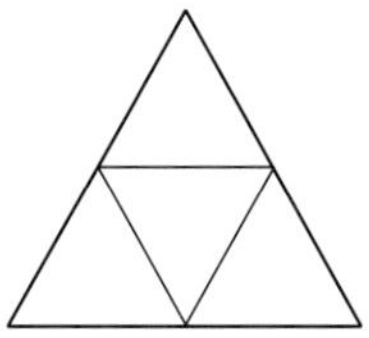

오른쪽 그림과 같이 크기가 같은 정삼각형으로 이루어진 4개의 영역을 빨강, 노랑, 파랑, 보라의 4가지 색을 모두 사용하여 칠하는 경우의 수를 구하시오. (단, 각 영역에는 한 가지 색만 칠하고, 회전하여 일치하는 것은 같은 것으로 본다.)

038

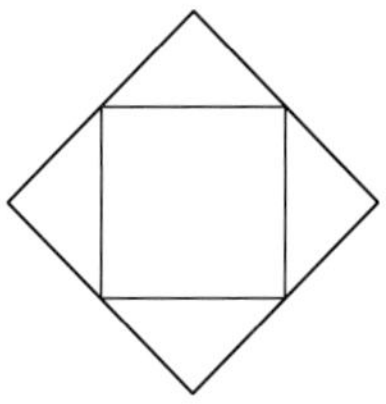

오른쪽 그림과 같이 서로 합동인 4개의 이등변삼각형과 1개의 정사각형으로 이루어진 5개의 영역에 빨강, 파랑, 노랑, 초록, 분홍, 보라의 6가지 색 중에서 5가지 색을 택하여 칠하는 경우의 수를 구하시오. (단, 각 영역에는 한 가지 색만 칠하고, 회전하여 일치하는 것은 같은 것으로 본다.)

유형 03 입체도형을 칠하는 경우의 수

입체도형을 칠하는 경우의 수를 구할 때에는
(밑면) → (옆면)
의 순서로 칠하는 경우의 수를 구한다.

대표 문제
039

오른쪽 그림과 같이 밑면이 정삼각형이고, 옆면이 모두 합동인 삼각뿔대의 각 면에 서로 다른 5가지의 색을 모두 사용하여 칠하는 경우의 수는? (단, 각 면에는 한 가지 색만 칠하고, 회전하여 일치하는 것은 같은 것으로 본다.)

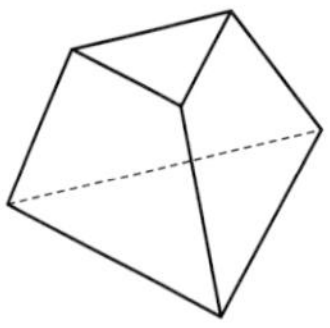

① 10 ② 20 ③ 30
④ 40 ⑤ 50

040

오른쪽 그림과 같은 정육각뿔의 각 면에 서로 다른 7가지의 색을 모두 사용하여 칠하는 경우의 수를 구하시오.
(단, 각 면에는 한 가지 색만 칠하고, 회전하여 일치하는 것은 같은 것으로 본다.)

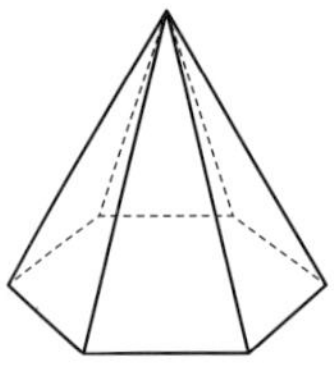

041

오른쪽 그림과 같은 정육면체의 각 면에 1, 2, 3, 4, 5, 6의 숫자를 하나씩 새겨 넣는 경우의 수는? (단, 회전하여 일치하는 것은 같은 것으로 본다.)

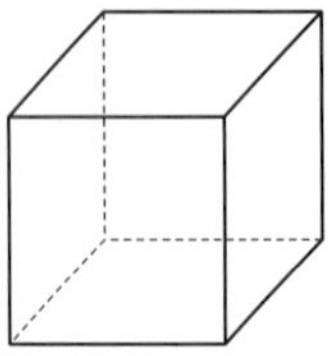

① 30 ② 60 ③ 90
④ 120 ⑤ 150

유형 04 다각형 모양의 탁자에 둘러앉는 경우의 수

다각형 모양의 탁자에 둘러앉는 경우의 수는
➡ (원순열의 수)
×(회전했을 때 일치하지 않는 기준 위치의 수)

대표 문제
042

오른쪽 그림과 같은 정사각형 모양의 탁자에 8명이 둘러앉는 경우의 수는? (단, 회전하여 일치하는 것은 같은 것으로 본다.)

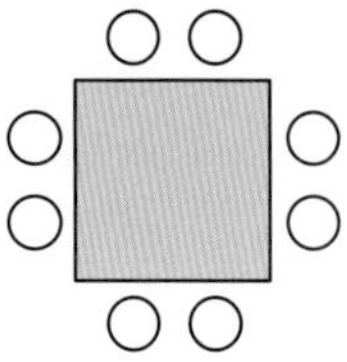

① $\frac{7!}{4}$ ② $\frac{7!}{2}$ ③ $7!$
④ $7!\times2$ ⑤ $7!\times4$

043

오른쪽 그림과 같이 180°를 회전시키면 처음의 모양과 일치하는 육각형 모양의 탁자에 8명이 둘러앉는 경우의 수가 n일 때, $\frac{n}{6!}$의 값은? (단, 회전하여 일치하는 것은 같은 것으로 본다.)

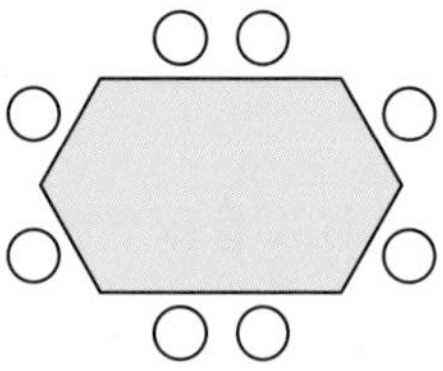

① 14 ② 28 ③ 42
④ 56 ⑤ 70

044

오른쪽 그림과 같은 정삼각형 모양의 탁자에 한 자리는 비워둔 채 5명이 둘러앉는 경우의 수를 구하시오. (단, 회전하여 일치하는 것은 같은 것으로 본다.)

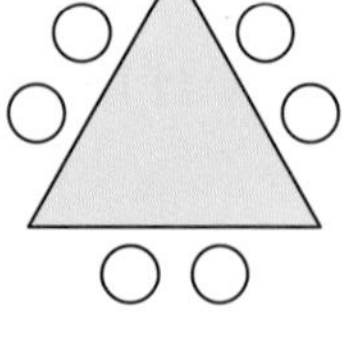

유형 05 중복순열의 수

서로 다른 n개에서 r개를 택하는 중복순열의 수는
➡ ${}_n\Pi_r = n^r$
참고 주어진 조건 중에서 중복이 가능한 것과 가능하지 않은 것을 구별하여 n, r를 정한다.

대표 문제
045

수아는 어느 놀이공원에서 회전목마, 고속열차, 관람차 중에서 중복을 허용하여 세 번을 택하여 탑승할 수 있는 이용권을 구입하였다. 고속열차는 연달아 탑승하지 않는다고 할 때, 수아가 탑승할 놀이기구의 순서를 정하는 경우의 수는?

① 16 ② 18 ③ 20
④ 22 ⑤ 24

046

어느 햄버거 가게의 메뉴에는 4종류의 햄버거와 2종류의 음료수가 있다. 6명의 학생이 각각 햄버거, 음료수 하나씩을 주문하려고 할 때, 학생들이 메뉴를 선택하는 경우의 수는?

① 2^{12} ② 2^{14} ③ 2^{16}
④ 2^{18} ⑤ 2^{20}

047

7명의 학생이 방과 후 활동으로 줄넘기와 배드민턴 중에서 한 종목씩 신청하려고 한다. 한 종목당 신청 가능한 인원이 5명 이하로 제한될 때, 신청할 수 있는 경우의 수를 구하시오.

048

3개의 문자 a, b, c에서 중복을 허용하여 10개를 택하여 다음 조건을 모두 만족시키도록 일렬로 나열하는 경우의 수를 구하시오.

(가) 첫 번째 문자는 a이다.
(나) a의 바로 다음 자리에는 b가 올 수 없다.
b의 바로 다음 자리에는 c가 올 수 없다.
c의 바로 다음 자리에는 a가 올 수 없다.

유형 06 신호 만들기

(1) 서로 다른 n개에서 r개를 택하여 신호를 만드는 중복순열의 수는 ➡ ${}_n\Pi_r$
(2) 서로 다른 n개에서 1개부터 r개를 택하여 신호를 만드는 중복순열의 수는
➡ ${}_n\Pi_1 + {}_n\Pi_2 + {}_n\Pi_3 + \cdots + {}_n\Pi_r$

대표 문제
049

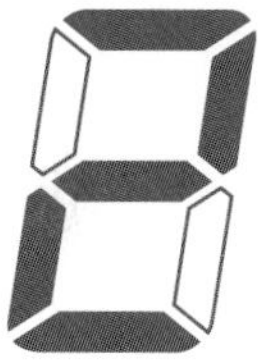

오른쪽 그림과 같은 전자 회로 기판에 설치된 7개의 램프는 각각 켜지거나 꺼질 수 있다. 7개의 램프 중에서 동시에 켜지거나 꺼져서 만들 수 있는 신호가 n가지일 때, n의 값은? (단, 모든 램프는 동시에 작동하고, 램프가 모두 꺼진 경우는 신호에서 제외한다.)

① 15 ② 31 ③ 63
④ 127 ⑤ 255

050

두 모스 부호 •, −를 일렬로 나열하여 신호를 만들려고 한다. 두 모스 부호를 합해서 1개 이상 n개 이하로 사용하여 26개의 신호를 나타내려고 할 때, 자연수 n의 최솟값을 구하시오.

유형 07 자연수의 개수 – 중복순열

1, 2, 3, ⋯, n의 n개의 숫자에서 중복을 허용하여 만들 수 있는 r자리 자연수의 개수는

➡ ${}_n\Pi_r = n^r$

주의 가장 큰 자리에는 숫자 0이 올 수 없음에 유의한다.

대표 문제

051

여섯 개의 숫자 0, 1, 2, 3, 4, 5에서 중복을 허용하여 만들 수 있는 네 자리 자연수 중에서 짝수의 개수는?

① 460 ② 480 ③ 500
④ 520 ⑤ 540

052

다섯 자리 자연수 중에서 25의 배수의 개수는?

① 3200 ② 3400 ③ 3600
④ 3800 ⑤ 4000

053

네 개의 숫자 0, 1, 2, 3에서 중복을 허용하여 만들 수 있는 네 자리 자연수 중 숫자 0 또는 3을 한 개 이상 포함하는 자연수의 개수는?

① 176 ② 178 ③ 180
④ 182 ⑤ 184

054

세 개의 숫자 1, 2, 3에서 중복을 허용하여 만들 수 있는 네 자리 자연수 중에서 2233보다 작은 자연수의 개수는?

① 11 ② 22 ③ 33
④ 44 ⑤ 55

유형 08 함수의 개수 – 중복순열

두 집합 X, Y의 원소의 개수가 각각 r, n일 때, X에서 Y로의 함수의 개수는

➡ ${}_n\Pi_r = n^r$

참고 X에서 Y로의 일대일함수의 개수는

➡ ${}_n\mathrm{P}_r$ (단, $n \ge r$)

대표 문제

055

두 집합 $X=\{a, b, c, d\}$, $Y=\{1, 2, 3\}$에 대하여 X에서 Y로의 함수 f 중에서 $f(b) \ne 2$를 만족시키는 함수의 개수는?

① 51 ② 54 ③ 57
④ 60 ⑤ 63

056

두 집합 $X=\{a, b, c, d, e, f, g\}$, $Y=\{1, 2\}$에 대하여 X에서 Y로의 함수 중에서 치역과 공역이 같은 함수의 개수를 구하시오.

→ 정답 및 풀이 4쪽

057

집합 $X=\{1, 2, 3, 4, 5\}$에 대하여 X에서 X로의 함수 f 중에서 다음 조건을 모두 만족시키는 함수의 개수는?

> (가) $f(2)$는 짝수이다.
> (나) $(x-2)\{f(x)-f(2)\}\leq 0$

① 120 ② 140 ③ 160
④ 180 ⑤ 200

유형 09 문자의 나열 – 같은 것이 있는 순열

> n개 중에서 서로 같은 것이 각각 p개, q개, …, r개씩 있을 때, n개를 일렬로 나열하는 경우의 수는
> ➡ $\dfrac{n!}{p!\times q!\times \cdots \times r!}$ (단, $p+q+\cdots+r=n$)

대표 문제
058

6개의 문자 a, a, a, b, b, c를 일렬로 나열할 때, 양 끝에 서로 다른 문자가 오는 경우의 수를 구하시오.

059

8개의 문자 a, a, a, b, b, b, c, c를 일렬로 나열할 때, 맨 앞에는 a가, 맨 뒤에는 c가 오도록 나열하는 경우의 수는?

① 60 ② 70 ③ 80
④ 90 ⑤ 100

양 끝에 문자를
고정하고 순열의 수를
구해.

060

blossom에 있는 7개의 문자를 일렬로 나열할 때, s끼리는 이웃하지 않도록 나열하는 경우의 수를 구하시오.

유형 10 순서가 정해진 경우의 수

> 서로 다른 n개를 일렬로 나열할 때, 특정한 r $(0<r\leq n)$개 사이의 순서가 정해져 있는 경우 다음과 같은 순서로 구한다.
> ❶ 순서가 정해져 있는 r개를 같은 것으로 놓고 n개를 나열한다.
> ❷ 같은 것으로 놓았던 것들을 원래의 것으로 돌려놓는다.

대표 문제
061

할아버지, 할머니, 아버지, 어머니, 딸, 아들 6명의 가족이 차에 탑승하려고 한다. 아버지는 할아버지와 할머니가 모두 탑승한 뒤에 탑승하고, 어머니는 딸과 아들이 모두 탑승한 뒤에 탑승할 때, 6명이 모두 차에 탑승하는 순서의 수는?

① 80 ② 85 ③ 90
④ 95 ⑤ 100

062

일곱 개의 숫자 1, 2, 2, 3, 4, 5, 6을 일렬로 배열할 때, 홀수는 크기가 작은 것이 앞에 오도록 배열하는 경우의 수는?

① 300 ② 360 ③ 420
④ 480 ⑤ 540

063

happiness에 있는 9개의 문자를 일렬로 나열할 때, 모든 자음이 모든 모음보다 앞에 오도록 나열하는 경우의 수를 구하시오.

066

여섯 장의 카드 [1], [2], [2], [3], [4], [4]를 모두 사용하여 만들 수 있는 여섯 자리 자연수를 작은 수부터 차례로 나열할 때, 442213은 몇 번째 수인가?

① 171 ② 172 ③ 173
④ 174 ⑤ 175

유형 11 자연수의 개수 – 같은 것이 있는 순열

○△×

숫자 중 같은 것을 포함한 숫자들을 나열하여 자연수의 개수를 구할 때에는 다음과 같은 순서로 구한다.
❶ 주어진 조건에 따라 기준이 되는 자리부터 먼저 나열한다.
❷ 나머지 자리에 남은 숫자들을 나열한 후, 같은 것이 있는 순열의 수를 이용하여 자연수의 개수를 구한다.
주의 가장 큰 자리에는 숫자 0이 올 수 없음에 유의한다.

대표 문제
064

다섯 자리 자연수 중에서 각 자리의 수의 합이 3인 것의 개수는?

① 11 ② 13 ③ 15
④ 17 ⑤ 19

065

일곱 개의 숫자 0, 1, 2, 2, 3, 3, 3을 모두 사용하여 만들 수 있는 일곱 자리 자연수의 개수는?

① 340 ② 360 ③ 380
④ 400 ⑤ 420

유형 12 방정식과 부등식에의 활용 – 같은 것이 있는 순열

○△×

방정식의 정수인 해의 순서쌍은 다음과 같은 순서로 구한다.
❶ 방정식을 만족시키는 정수인 해의 조합을 먼저 구별한다.
❷ 같은 것이 있는 순열을 이용하여 각각의 순서쌍의 개수를 구한다.

대표 문제
067

다음 조건을 모두 만족시키는 네 자연수 a, b, c, d의 순서쌍 (a, b, c, d)의 개수는?

(가) $a+b+c+d=9$
(나) $abcd$는 6의 배수이다.

① 24 ② 28 ③ 32
④ 36 ⑤ 40

068

한 봉지에 7개가 들어 있는 비스킷을 한 번에 한 개씩 또는 두 개씩 꺼내어 먹으려고 한다. 7개의 비스킷을 모두 먹는 경우의 수를 구하시오.

정답 및 풀이 6쪽

069

다음 조건을 모두 만족시키는 네 자연수 a, b, c, d의 순서쌍 (a, b, c, d)의 개수를 구하시오.

> (가) $4c-a-b=d-4$
> (나) a, b, c, d는 모두 4 이하의 자연수이다.

낱선 유형 13 최단 거리로 가는 경우의 수

오른쪽 그림과 같은 도로망에서 A 지점에서 출발하여 B 지점까지 최단 거리로 가는 경우의 수는

➡ $\dfrac{(p+q)!}{p!\times q!}$

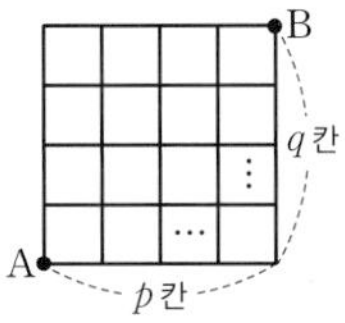

대표 문제

070 #반드시_거쳐야_하는_지점_잡아 #겹치지_않도록

다음 그림과 같은 도로망이 있다. A 지점에서 출발하여 B 지점까지 최단 거리로 가는 경우의 수는?

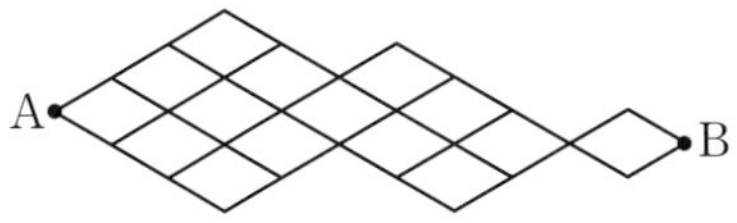

① 120 ② 140 ③ 160
④ 180 ⑤ 200

071

오른쪽 그림과 같은 도로망이 있다. A 지점에서 출발하여 선분 PQ를 거쳐 B 지점까지 최단 거리로 가는 경우의 수를 구하시오.

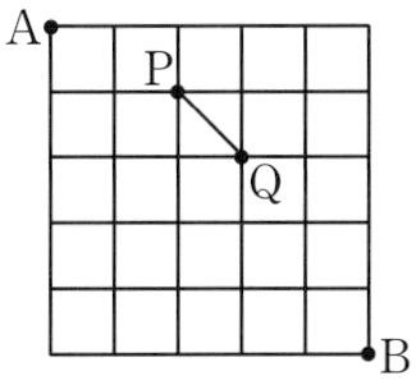

072

오른쪽 그림과 같은 도로망이 있다. A 지점에서 출발하여 B 지점까지 최단 거리로 갈 때, P 지점 또는 Q 지점을 거쳐서 가는 경우의 수는?

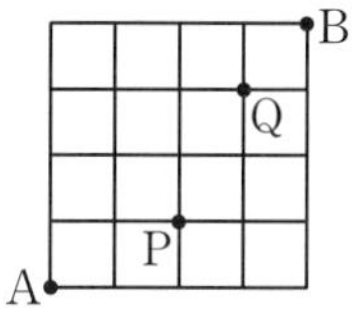

① 46 ② 52 ③ 58
④ 64 ⑤ 70

073

오른쪽 그림은 정육면체의 모든 모서리의 중점들을 겉면의 둘레를 잇는 선분들로 그은 것이다. A 지점에서 출발하여 정육면체의 모서리 또는 선분을 따라 B 지점까지 최단 거리로 가는 경우의 수를 구하시오. (단, 정육면체의 모든 면에는 선분들이 그어져 있고, 정육면체의 내부를 통과하는 선은 없다.)

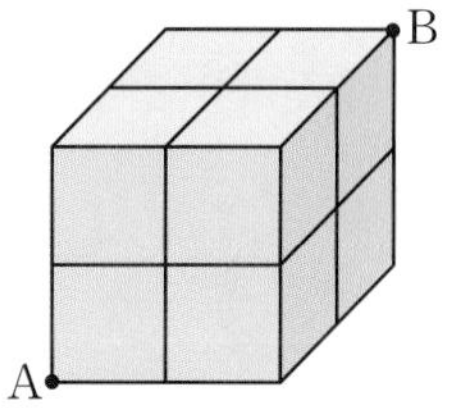

유형 14 최단 거리로 가는 경우의 수 – 합의 법칙의 활용

오른쪽 그림과 같이 도로망에서 오른쪽과 위쪽 방향만을 이용할 수 있을 때, 세 점 P, Q, R에 도달할 수 있는 경우의 수를 각각 p, q, r라 하면 합의 법칙에 의하여

$r=p+q$

가 성립한다. 도로망에 복잡한 제한 조건이 있는 경우 합의 법칙을 이용하면 편리하다.

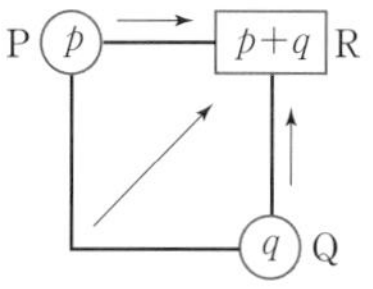

대표 문제

074

오른쪽 그림과 같은 도로망을 따라 A 지점에서 B 지점까지 최단 거리로 갈 때, ⊗표시된 지점을 거치지 않고 가는 경우의 수를 구하시오.

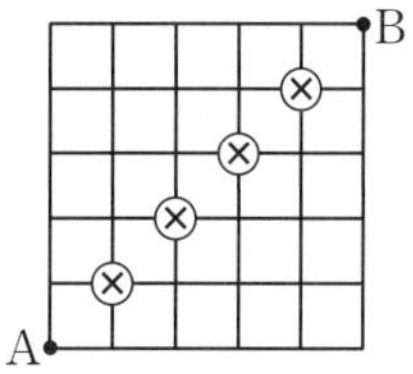

075

오른쪽 그림과 같은 도로망이 있다. A 지점에서 출발하여 B 지점까지 최단 거리로 가는 경우의 수를 구하시오.

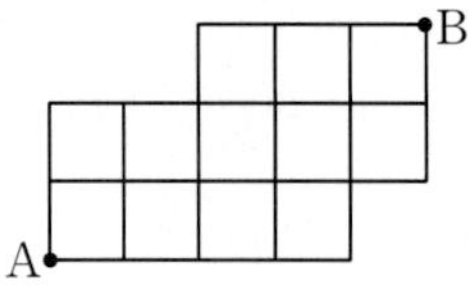

076

오른쪽 그림과 같은 도로망이 있다. A 지점에서 출발하여 B 지점까지 최단 거리로 가는 경우의 수는?

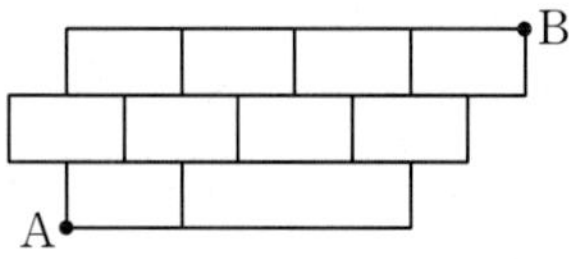

① 16　② 17　③ 18
④ 19　⑤ 20

077

오른쪽 그림과 같은 도로망이 있다. A 지점에서 출발하여 B 지점까지 최단 거리로 가는 경우의 수는?

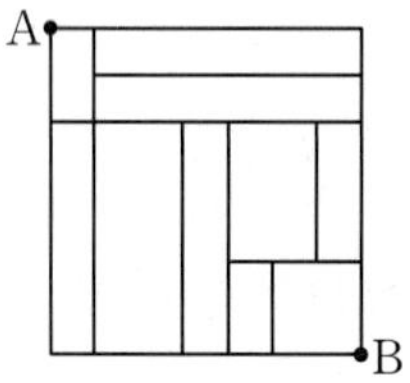

① 9　② 11
③ 13　④ 15
⑤ 17

078

오른쪽 그림과 같은 도로망이 있다. A 지점에서 출발하여 두 지점 P와 Q를 잇는 도로 위의 최소 한 지점을 거쳐 B 지점까지 최단 거리로 가는 경우의 수를 구하시오.

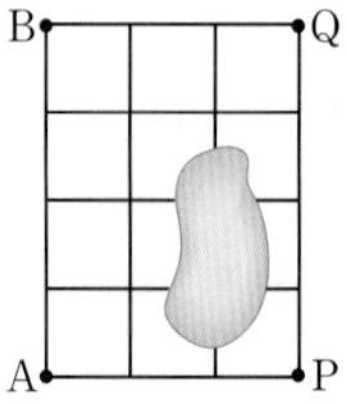

유형 15 중복조합의 수

서로 다른 n개에서 r개를 택하는 중복조합의 수는
➡ ${}_{n}\mathrm{H}_{r}={}_{n+r-1}\mathrm{C}_{r}$

대표 문제

079

5명의 사람에게 사과 1개, 오렌지 2개, 배 3개를 나누어 주는 경우의 수는? (단, 같은 종류의 과일은 서로 구별하지 않고, 과일을 받지 못하는 사람이 있을 수 있다.)

① 2625　② 2630　③ 2635
④ 2640　⑤ 2645

080

네 후보 A, B, C, D가 출마한 선거에서 5명의 유권자가 한 명의 후보에게 각각 무기명으로 투표할 때, 네 후보자가 득표하는 경우의 수는? (단, 기권이나 무효표는 없다.)

① 52　② 54　③ 56
④ 58　⑤ 60

081

빨간 장미, 노란 장미, 분홍 장미 중에서 20송이를 주문하려 할 때, 세 가지 색의 장미를 모두 4송이 이상씩 주문하는 경우의 수는?

(단, 같은 종류의 꽃은 서로 구별하지 않는다.)

① 27　② 36　③ 45
④ 54　⑤ 63

정답 및 풀이 8쪽

082

같은 종류의 샤프 5자루와 같은 종류의 연필 6자루를 3명의 학생에게 나누어 주려고 한다. 먼저 각 학생에게 샤프 5자루를 1자루 이상씩 나누어 주고, 이어서 연필 6자루를 나누어 줄 때에는 샤프를 1자루 받은 학생에게만 1자루 이상씩 나누어 준다. 샤프와 연필을 남김없이 나누어 주는 경우의 수를 구하시오.

유형 16 다항식의 전개식에서 서로 다른 항의 개수

다항식 $(a_1+a_2+\cdots+a_m)^n$ (m, n은 자연수)의 전개식에서 서로 다른 항의 개수는

➡ ${}_m\mathrm{H}_n$

대표 문제

083

다항식 $(x+y+z+w)^5$의 전개식에서 서로 다른 항의 개수는?

① 44　② 48　③ 52　④ 56　⑤ 60

084

다음 중 다항식 $(a+b+c+d)^{10}$의 전개식에서 나타나는 항의 동류항이 아닌 것은?

① $ab^2c^3d^4$　② $a^3c^5d^2$　③ $a^2b^4d^4$　④ $b^3c^6d^2$　⑤ b^{10}

085

다항식 $(a+b+c)^n$의 전개식에서 서로 다른 항의 개수가 120일 때, 자연수 n의 값은?

① 11　② 12　③ 13　④ 14　⑤ 15

086

다항식 $(a+b)^3(x+y+z)^3$의 전개식에서 서로 다른 항의 개수는?

① 24　② 28　③ 32　④ 36　⑤ 40

유형 17 방정식의 해의 개수 – 중복조합

방정식 $x_1+x_2+\cdots+x_m=n$ (m, n은 자연수)에서

(1) 음이 아닌 정수인 해의 순서쌍의 개수는

➡ ${}_m\mathrm{H}_n$

(2) $n\geq m$일 때, 자연수인 해의 순서쌍의 개수는

➡ ${}_m\mathrm{H}_{n-m}$

대표 문제

087

방정식 $(a+b+c)(d+e+f+g)=24$를 만족시키는 자연수 a, b, c, d, e, f, g의 순서쌍 (a, b, c, d, e, f, g)의 개수를 구하시오.

088

방정식 $a+b+c+d+e=3$을 만족시키는 음이 아닌 정수 a, b, c, d, e의 순서쌍 (a, b, c, d, e)의 개수는?

① 7   ② 14   ③ 21
④ 28   ⑤ 35

089

자연수 k에 대하여 방정식 $x+y+z=k$를 만족시키는 음이 아닌 정수 x, y, z의 순서쌍 (x, y, z)의 개수가 28이다. 방정식 $x+y+z=k$를 만족시키는 자연수 x, y, z의 순서쌍 (x, y, z)의 개수를 구하시오.

090

부등식 $x+y+z \leq 4$를 만족시키는 음이 아닌 정수 x, y, z의 순서쌍 (x, y, z)의 개수는?

① 7   ② 14   ③ 21
④ 28   ⑤ 35

091

다음 조건을 모두 만족시키는 자연수 a, b, c, d의 순서쌍 (a, b, c, d)의 개수를 구하시오.

> (가) $a+b+c+d=11$
> (나) $c<d$

유형 18 **함수의 개수 – 중복조합**

두 집합 X, Y의 원소의 개수가 각각 m, n일 때, 함수 $f : X \longrightarrow Y$ 중에서 $x_1<x_2$이면 $f(x_1) \leq f(x_2)$를 만족시키는 함수 f의 개수는 (단, $x_1 \in X$, $x_2 \in X$)

➡ $_n\mathrm{H}_m$

참고 $x_1<x_2$일 때, $f(x_1)<f(x_2)$를 만족시키는 함수 f의 개수는

➡ $_n\mathrm{C}_m$

대표 문제
092

집합 $X=\{1, 2, 3, 4, 5\}$에 대하여 X에서 X로의 함수 f 중에서 $f(1) \leq f(2) < f(3) \leq f(4) \leq f(5)$를 만족시키는 함수의 개수는?

① 52   ② 54   ③ 56
④ 58   ⑤ 60

093

두 집합 $X=\{1, 2, 3, 4\}$, $Y=\{2, 3, 5, 7, 11\}$에 대하여 X에서 Y로의 함수 f 중에서 다음 조건을 만족시키는 함수의 개수를 구하시오.

> 집합 X의 임의의 두 원소 x_1, x_2에 대하여
> $x_1<x_2$일 때, $f(x_1) \geq f(x_2)$이다.

094

두 집합 $X=\{1, 2, 3, 4\}$, $Y=\{1, 2, 3\}$에 대하여 X에서 Y로의 함수 f 중에서 다음 조건을 만족시키는 함수의 개수는?

> $a<b$이고 $f(a)>f(b)$인 a, b $(a \in X, b \in X)$가 존재한다.

① 54   ② 58   ③ 62
④ 66   ⑤ 70

실전! 기출 문제 정복하기

➔ 정답 및 풀이 12쪽

095 교육청 기출

여학생 3명과 남학생 6명이 원탁에 같은 간격으로 둘러앉으려고 한다. 각각의 여학생 사이에는 1명 이상의 남학생이 앉고 각각의 여학생 사이에 앉은 남학생의 수는 모두 다르다. 9명의 학생이 모두 앉는 경우의 수가 $n \times 6!$일 때, 자연수 n의 값은?

(단, 회전하여 일치하는 것은 같은 것으로 본다.)

① 10 ② 12 ③ 14 ④ 16 ⑤ 18

096

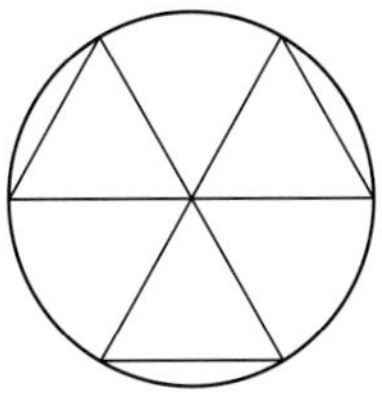

오른쪽 그림과 같이 원의 둘레를 6등분하는 점들을 이어서 9개의 영역으로 나눈 도형을 서로 다른 9가지 색을 모두 사용하여 칠하는 경우의 수는? (단, 각 영역에는 한 가지 색만 칠하고, 회전하여 일치하는 것은 같은 것으로 본다.)

① $8!$ ② $\frac{8!}{3}$ ③ $\frac{9!}{3}$ ④ $\frac{8!}{6}$ ⑤ $\frac{9!}{6}$

097

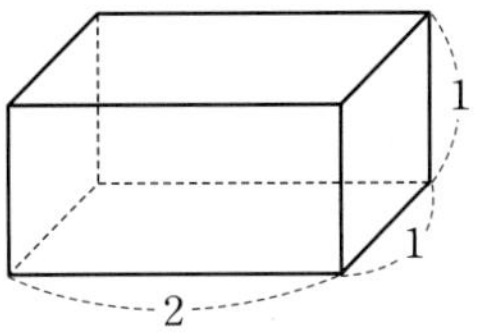

오른쪽 그림과 같이 가로의 길이, 세로의 길이, 높이가 각각 2, 1, 1인 직육면체의 각 면에 서로 다른 6가지 색을 모두 사용하여 칠하는 경우의 수를 구하시오. (단, 각 면에는 한 가지 색만 칠하고, 회전하여 일치하는 것은 같은 것으로 본다.)

098

1, 2, 3, 4, 5의 숫자가 각각 하나씩 적힌 5장의 카드를 세 사람에게 남김없이 나누어 주려고 한다. 세 사람 중에서 받은 카드에 적힌 숫자의 합이 13 이상인 사람이 없도록 나누어 주는 경우의 수를 구하시오.

(단, 카드를 한 장도 받지 못한 사람이 있을 수 있다.)

099 교육청 기출

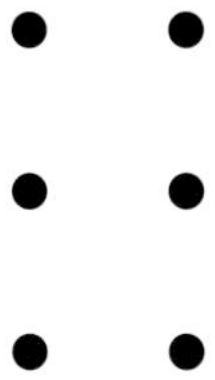

시각장애인을 위한 문자 체계의 하나인 브라유 점자는 그림과 같은 6개의 점으로 구성되어 있으며, 이 점들 중 볼록하게 튀어나온 점들의 개수와 위치로 한 문자를 결정한다. 이때 적어도 하나의 점은 튀어나와야 한다. 브라유 점자 체계에서 표현가능한 문자의 개수를 구하시오.

100

두 문자 a, b에서 중복을 허용하여 6자리 문자열을 만들 때, 문자열에 포함된 a와 b의 개수가 서로 다른 것의 개수는?

① 42 ② 44 ③ 46 ④ 48 ⑤ 50

101

7개의 문자 a, a, b, b, c, c, c를 일렬로 나열할 때, 문자 a끼리는 이웃하지 않도록 나열하는 경우의 수는?

① 130 ② 135 ③ 140 ④ 145 ⑤ 150

102

7개의 숫자 1, 2, 3, 4, 5, 6, 7을 한 번씩 사용하여 7자리의 비밀번호를 만들 때, 짝수 2, 4, 6이 큰 수부터 크기 순서로 나오는 비밀번호의 개수를 구하시오.

103 교과서 심화

오른쪽 그림과 같은 도로망이 있다. 주경이는 수행평가를 위해 학교에서 출발하여 강변길로 가서 사진 촬영을 하고 문구점에 들러 준비물을 구입한 후 집으로 가려고 한다. 주경이가 학교에서 집에 이르기까지 최단 거리로 가는 경우의 수는? (단, 강변길 어디서든지 사진 촬영이 가능하고, 공사 중인 교차로는 지날 수 없다.)

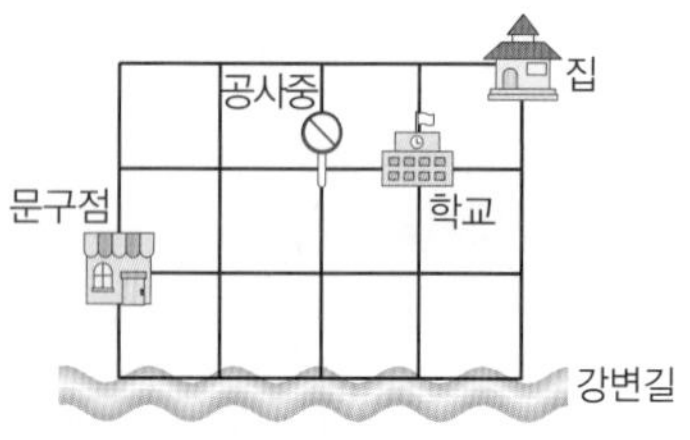

① 46 ② 53 ③ 60
④ 67 ⑤ 74

104 수능 기출

직사각형 모양의 잔디밭에 산책로가 만들어져 있다. 이 산책로는 그림과 같이 반지름의 길이가 같은 원 8개가 서로 외접하고 있는 형태이다.

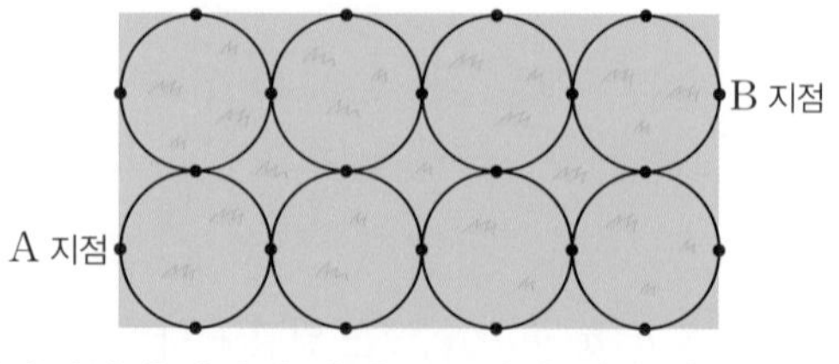

A 지점에서 출발하여 산책로를 따라 최단 거리로 B 지점에 도착하는 경우의 수를 구하시오. (단, 원 위에 표시된 점은 원과 직사각형 또는 원과 원의 접점을 나타낸다.)

105

부등식 $x+y+z+w\leq 2$를 만족시키는 음이 아닌 정수 x, y, z, w의 순서쌍 (x, y, z, w)의 개수는?

① 15 ② 17 ③ 19
④ 21 ⑤ 23

106 수능 기출

네 명의 학생 A, B, C, D에게 같은 종류의 초콜릿 8개를 다음 규칙에 따라 남김없이 나누어 주는 경우의 수는?

(가) 각 학생은 적어도 1개의 초콜릿을 받는다.
(나) 학생 A는 학생 B보다 더 많은 초콜릿을 받는다.

① 11 ② 13 ③ 15
④ 17 ⑤ 19

107

어느 대학교 면접 시험장에서 3명의 사람이 다음 그림과 같은 10개의 의자에 앉으려고 한다. 사람과 사람 사이에 2개 이상의 빈 의자가 있도록 앉는 경우의 수를 구하시오.

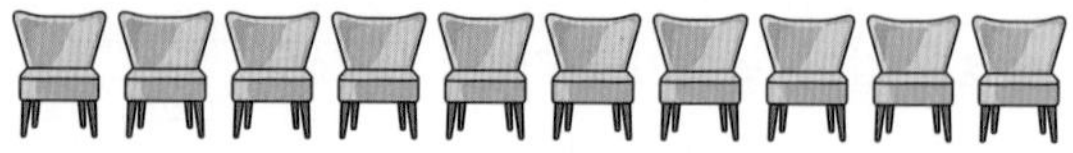

정답 및 풀이 12쪽

서술형 문제 따라하기 1

A, B, C, D 4가지 색의 일부 또는 전부를 사용하여 오른쪽 그림과 같은 프로펠러의 중앙 부분과 4개의 날개 부분을 모두 칠하려고 한다. 인접한 중앙 부분과 날개 부분은 서로 다른 색으로 칠할 때, 칠할 수 있는 경우의 수를 구하시오. (단, 4개의 날개는 모두 합동이고, 회전하여 일치하는 것은 같은 것으로 본다.)

풀이

단계 1 색의 일부 또는 전부를 사용하는 경우의 수 구하기

(i) 2가지 색이 사용된 경우

a, b에 사용될 색을 택하여 칠하는 경우의 수는 ${}_4P_2=12$

(ii) 3가지 색이 사용된 경우

a, b, c에 사용될 색을 택하여 칠하는 경우의 수는

$${}_4P_3+\frac{{}_4P_3}{2}+\frac{{}_4P_3}{2}=24+12+12=48$$

(iii) 4가지 색이 사용된 경우

a, b, c, d에 사용될 색을 택하여 칠하는 경우의 수는

$${}_4P_4+\frac{{}_4P_3}{2}=24+12=36$$

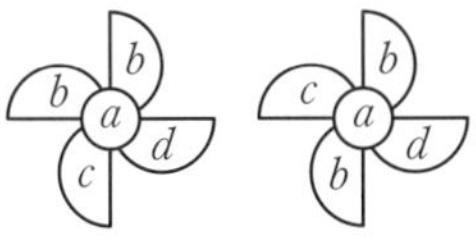

단계 2 전체의 경우의 수 구하기

(i)~(iii)에서 구하는 경우의 수는 $12+48+36=96$

답 96

108 따라하기

A, B, C, D, E 5가지 색의 일부 또는 전부를 사용하여 오른쪽 그림과 같은 꽃의 중앙 부분과 4개의 꽃잎 부분을 모두 칠하려고 한다. 서로 인접한 부분끼리는 서로 다른 색으로 칠할 때, 칠할 수 있는 경우의 수를 구하시오. (단, 4개의 꽃잎은 모두 합동이고, 회전하여 일치하는 것은 같은 것으로 본다.)

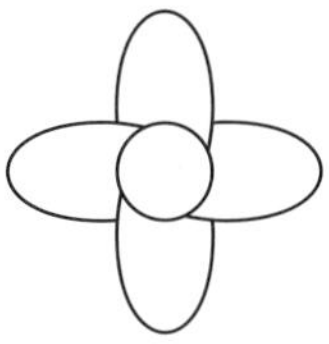

서술형 문제 따라하기 2

두 집합

$X=\{a, b, c, d, e\}$, $Y=\{k\,|\,k$는 21 이하의 자연수$\}$

에 대하여 X에서 Y로의 함수 f 중에서

$f(a)\geq f(b)+1$, $f(b)\geq f(c)+3$,

$f(c)\geq f(d)+5$, $f(d)\geq f(e)+7$

을 만족시키는 함수의 개수를 구하시오.

풀이

단계 1 조건을 단순화하여 나타내기

$f(a)\geq f(b)+1\geq f(c)+4\geq f(d)+9\geq f(e)+16$이므로

$f(a)=g(a)$, $f(b)+1=g(b)$, $f(c)+4=g(c)$,

$f(d)+9=g(d)$, $f(e)+16=g(e)$로 놓으면

$g(a)\geq g(b)\geq g(c)\geq g(d)\geq g(e)$ … ㉠

이때 $1\leq f(x)\leq 21$ $(x=a, b, c, d, e)$이므로

$1\leq f(a)\leq 21$에서 $1\leq g(a)\leq 21$

$1\leq f(e)\leq 21$에서 $17\leq f(e)+16\leq 37$ $\therefore 17\leq g(e)\leq 37$

$\therefore 17\leq g(x)\leq 21$ $(x=a, b, c, d, e)$ … ㉡

㉠, ㉡에서 $Z=\{k\,|\,k$는 $17\leq k\leq 21$인 자연수$\}$라 할 때, 구하는 함수 f의 개수는 X에서 Z로의 함수 g 중에서 ㉠을 만족시키는 것의 개수와 같다.

단계 2 중복조합의 수를 이용하여 함수의 개수 구하기

구하는 함수의 개수는

$${}_5H_5={}_9C_5={}_9C_4=\frac{9\times8\times7\times6}{4\times3\times2\times1}=126$$

답 126

109 따라하기

두 집합

$X=\{a, b, c, d, e\}$, $Y=\{2^k\,|\,k$는 16 이하의 자연수$\}$

에 대하여 X에서 Y로의 함수 f 중에서

$f(a)\geq 2f(b)$, $f(b)\geq 4f(c)$,

$f(c)\geq 8f(d)$, $f(d)\geq 16f(e)$

를 만족시키는 함수의 개수를 구하시오.

02 이항정리

개념 01 이항정리

유형 01~05

1 이항정리

자연수 n에 대하여 $(a+b)^n$의 전개식은 다음과 같고, 이것을 **이항정리**라 한다.

$$(a+b)^n={}_nC_0a^n+{}_nC_1a^{n-1}b+\cdots+{}_nC_ra^{n-r}b^r+\cdots+{}_nC_{n-1}ab^{n-1}+{}_nC_nb^n$$

이때 각 항의 계수 ${}_nC_0$, ${}_nC_1$, $\cdots$, ${}_nC_r$, $\cdots$, ${}_nC_{n-1}$, ${}_nC_n$을 **이항계수**라 하고, ${}_nC_ra^{n-r}b^r$을 $(a+b)^n$의 전개식의 일반항이라 한다.

2 이항계수의 성질

(1) ${}_nC_0+{}_nC_1+{}_nC_2+\cdots+{}_nC_n=2^n$

(2) ${}_nC_0-{}_nC_1+{}_nC_2-\cdots+(-1)^n{}_nC_n=0$

(3) ${}_nC_0+{}_nC_2+{}_nC_4+\cdots={}_nC_1+{}_nC_3+{}_nC_5+\cdots=2^{n-1}$

note

- ${}_nC_r={}_nC_{n-r}$이므로 $(a+b)^n$의 전개식에서 $a^{n-r}b^r$의 계수와 a^rb^{n-r}의 계수는 같다.
- $(1+x)^n$의 전개식의 양변에 $x=1$ 또는 $x=-1$을 대입하여 (1)~(3)의 식을 얻을 수 있다.

➔ 정답 및 풀이 14쪽

[110~111] 이항정리를 이용하여 다음 식을 전개하시오.

110 $(a+b)^3$

111 $(x-2)^5$

[112~113] 다음을 구하시오.

112 $(4-a)^5$의 전개식에서 a^3의 계수

113 $(x+2y)^4$의 전개식에서 x^2y^2의 계수

[114~117] 다음 값을 구하시오.

114 ${}_7C_0+{}_7C_1+{}_7C_2+{}_7C_3+{}_7C_4+{}_7C_5+{}_7C_6+{}_7C_7$

115 ${}_7C_0-{}_7C_1+{}_7C_2-{}_7C_3+{}_7C_4-{}_7C_5+{}_7C_6-{}_7C_7$

116 ${}_7C_1+{}_7C_3+{}_7C_5+{}_7C_7$

117 ${}_7C_0+{}_7C_1+{}_7C_2+{}_7C_3-{}_7C_4-{}_7C_5-{}_7C_6-{}_7C_7$

개념 02 파스칼의 삼각형

유형 03, 04

자연수 n에 대하여 $(a+b)^n$의 전개식에서 이항계수를 다음과 같이 배열한 것을 **파스칼의 삼각형**이라 한다.

```
                       1                                    1
(a+b)^1   →         1C0  1C1                              1   1
(a+b)^2   →      2C0  2C1  2C2          ➡              1   2   1
(a+b)^3   →    3C0  3C1  3C2  3C3                    1   3   3   1
(a+b)^4   →  4C0  4C1  4C2  4C3  4C4               1   4   6   4   1
   ⋮                    ⋮                                   ⋮
```

note

- 파스칼의 삼각형에서
  (1) 각 행의 양 끝에 있는 수는 모두 1이다.
  (2) 이항계수의 배열은 좌우 대칭이다. ➡ ${}_nC_r={}_nC_{n-r}$
  (3) 이항계수의 이웃한 두 수의 합은 다음 행의 두 수의 중앙의 수와 같다.
  ➡ ${}_{n-1}C_{r-1}+{}_{n-1}C_r={}_nC_r$

➔ 정답 및 풀이 14쪽

[118~119] 오른쪽 그림과 같은 파스칼의 삼각형을 이용하여 다음 식을 전개하시오.

```
            1
          1   1
        1   2   1
      1   3   3   1
    1   4   6   4   1
  1   5  10  10   5   1
1   6  15  20  15   6   1
```

118 $(a+b)^4$

119 $(x-y)^6$

[120~122] 다음을 ${}_nC_r$ 꼴로 나타내시오.

120 ${}_4C_2+{}_4C_3$

121 ${}_7C_2+{}_7C_3+{}_8C_2$

122 ${}_6C_0+{}_6C_1+{}_7C_2+{}_8C_3$

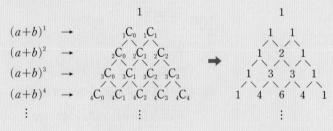

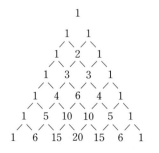

도전! 유형 연습하기

➔ 정답 및 풀이 15쪽

○△×

난선유형 01 $(a+b)^n$의 전개식

(1) $(a+b)^n$의 전개식의 일반항은 ${}_n\mathrm{C}_r a^{n-r} b^r$
(2) $(a+bx)^n$의 전개식에서 x^r의 계수는 ${}_n\mathrm{C}_r a^{n-r} b^r$

대표 문제

123 #전개식의_일반항을_구하여 #r의_값_찾기 #계수_비교

$(x+a)^6$의 전개식에서 x^4의 계수와 x^5의 계수가 같을 때, 상수 a의 값은? (단, $a\neq0$이다.)

① $\frac{1}{6}$　② $\frac{2}{5}$　③ $\frac{3}{4}$
④ $\frac{4}{3}$　⑤ $\frac{5}{2}$

124

$(1+x)^2+(1+x)^4+(1+x)^6$의 전개식에서 x^3의 계수는?

① 4　② 8　③ 16
④ 24　⑤ 32

125

$\left(x^2+\frac{k}{x}\right)^5$의 전개식에서 x^4의 계수가 160일 때, 양수 k의 값은?

① 2　② 4　③ 18
④ 16　⑤ 32

126

$(\sqrt{2}x+\sqrt[3]{2})^{15}$의 전개식에서 계수가 유리수인 항은 모두 n개일 때, n의 값을 구하시오.

(단, n개의 항은 각각 서로 동류항이 아니다.)

○△×

유형 02 $(a+b)^p(c+d)^q$의 전개식

(1) $(a+b)^p(c+d)^q$의 전개식의 일반항은 $(a+b)^p$과 $(c+d)^q$의 전개식의 일반항을 각각 구하여 곱한다.
➡ ${}_p\mathrm{C}_r\,{}_q\mathrm{C}_s a^{p-r} b^r c^{q-s} d^s$
(2) $(a+bx)^p(c+dx)^q$의 전개식에서 특정 차수의 항의 계수를 구할 때에는 동류항을 모두 더한다.

대표 문제

127

$(x-1)^3(x+2)^4$의 전개식에서 x^5의 계수는?

① -3　② -1　③ 0
④ 1　⑤ 3

$(x-1)^3(x+2)^4$의 전개식의 일반항은 $(x-1)^3$과 $(x+2)^4$의 전개식의 일반항의 곱이야!

128

$(x-a)^3(x+2)^4$의 전개식에서 x의 계수가 -64일 때, 실수 a의 값을 구하시오.

유형 03 이항계수의 합

이항계수의 규칙적인 합을 구할 때에는 다음 등식을 이용한다.

(1) ${}_1C_0={}_2C_0={}_3C_0=\cdots={}_nC_0=1$

${}_1C_1={}_2C_2={}_3C_3=\cdots={}_nC_n=1$

(2) ${}_nC_r={}_nC_{n-r}$

(3) ${}_{n-1}C_{r-1}+{}_{n-1}C_r={}_nC_r$

대표 문제

129

그림의 색칠한 부분에 있는 수의 합은?

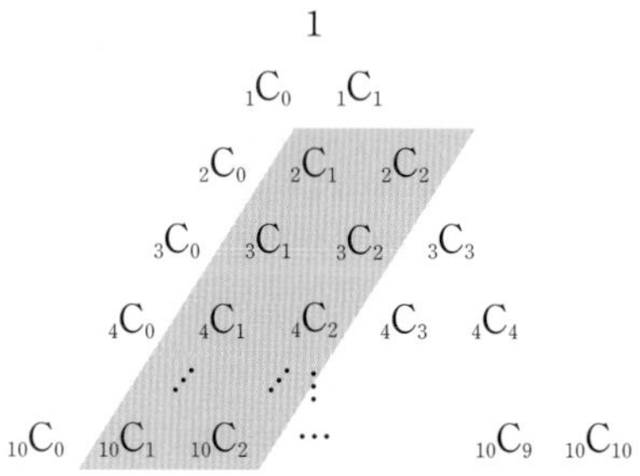

① 207 ② 210 ③ 213
④ 216 ⑤ 219

130

${}_{10}C_1+{}_{11}C_2+{}_{12}C_3+{}_{13}C_4+\cdots+{}_{99}C_{90}$의 값과 같은 것은?

① ${}_{99}C_{90}-1$ ② ${}_{99}C_{90}$ ③ ${}_{100}C_{90}-1$
④ ${}_{100}C_{90}$ ⑤ ${}_{101}C_{90}$

131

$(1+x)+(1+x)^2+\cdots+(1+x)^9$의 전개식에서 x^3의 계수를 구하시오.

유형 04 이항계수의 성질

(1) ${}_nC_0+{}_nC_1+{}_nC_2+\cdots+{}_nC_n=2^n$

(2) ${}_nC_0-{}_nC_1+{}_nC_2-\cdots+(-1)^n{}_nC_n=0$

(3) ${}_nC_0+{}_nC_2+{}_nC_4+\cdots={}_nC_1+{}_nC_3+{}_nC_5+\cdots=2^{n-1}$

대표 문제

132

부등식 $1024\le{}_nC_1+{}_nC_2+{}_nC_3+\cdots+{}_nC_n\le2048$을 만족시키는 자연수 n의 값은?

① 9 ② 10 ③ 11
④ 12 ⑤ 13

133

집합 $A=\{1, 2, 3, \cdots, 9, 10\}$의 부분집합 중에서 원소의 개수가 홀수인 것의 개수는?

① 510 ② 511 ③ 512
④ 513 ⑤ 514

134

그림에 나타나는 21개의 수의 합은?

$$1$$
$${}_1C_0\quad{}_1C_1$$
$${}_2C_0\quad{}_2C_1\quad{}_2C_2$$
$${}_3C_0\quad{}_3C_1\quad{}_3C_2\quad{}_3C_3$$
$${}_4C_0\quad{}_4C_1\quad{}_4C_2\quad{}_4C_3\quad{}_4C_4$$
$${}_5C_0\quad{}_5C_1\quad{}_5C_2\quad{}_5C_3\quad{}_5C_4\quad{}_5C_5$$

① 61 ② 62 ③ 63
④ 64 ⑤ 65

135

${}_{8}C_0+2\times{}_{8}C_1+3\times{}_{8}C_2+4\times{}_{8}C_3+\cdots+9\times{}_{8}C_8$의 값은?

① 1200 ② 1220 ③ 1240
④ 1260 ⑤ 1280

136

공원으로 소풍을 간 준영이가 자신을 포함한 8명의 조원들과 기념 사진을 찍으려고 한다. 자신을 제외한 7명의 조원들 중에서 적어도 1명 이상의 친구와 사진을 찍는 경우의 수는?

① 63 ② 64 ③ 127
④ 128 ⑤ 255

유형 05 이항정리의 활용

등식
$(1+x)^n={}_nC_0+{}_nC_1x+{}_nC_2x^2+{}_nC_3x^3+\cdots+{}_nC_nx^n$
의 x의 값에 적절한 수를 대입하면 좌변과 우변 사이의 관계식을 얻을 수 있다.

대표 문제

137

${}_{10}C_0+3^2\times{}_{10}C_1+3^4\times{}_{10}C_2+\cdots+3^{20}\times{}_{10}C_{10}$의 값은?

① 3×10^9 ② 9×10^9 ③ 10^{10}
④ 3×10^{10} ⑤ 9×10^{10}

138

$f(x)={}_{10}C_x\left(\frac{3}{4}\right)^x\left(\frac{5}{4}\right)^{10-x}$ $(x=0,\ 1,\ 2,\ \cdots,\ 10)$일 때, $f(0)-f(1)+f(2)-f(3)+\cdots+f(10)$의 값은?

① $\frac{1}{1024}$ ② $\frac{1}{32}$ ③ 1
④ 32 ⑤ 1024

139

11^{20}을 1000으로 나눈 나머지를 구하시오.

140

다음은 $({}_{10}C_0)^2+({}_{10}C_1)^2+({}_{10}C_2)^2+\cdots+({}_{10}C_{10})^2$을 간단히 나타내는 과정이다.

> $(1+x)^{10}(1+x)^{10}=(1+x)^{20}$의 전개식에서
> 좌변과 우변의 $x^{\boxed{(가)}}$의 계수를 비교해 보자.
> 좌변의 일반항은 ${}_{10}C_rx^r\times{}_{10}C_sx^s={}_{10}C_r\times{}_{10}C_sx^{r+s}$
> (단, $r=0,\ 1,\ 2,\ \cdots,\ 10,\ s=0,\ 1,\ 2,\ \cdots,\ 10$)
> $r+s=\boxed{(가)}$을 만족시키는 r, s의 값을 각각 대입하면
> $x^{\boxed{(가)}}$의 계수는
> ${}_{10}C_0\times{}_{10}C_{10}+{}_{10}C_1\times{}_{10}C_9+{}_{10}C_2\times{}_{10}C_8+\cdots+{}_{10}C_{10}\times{}_{10}C_0$
> $=({}_{10}C_0)^2+({}_{10}C_1)^2+({}_{10}C_2)^2+\cdots+({}_{10}C_{10})^2$
> 또한, 우변의 전개식에서 $x^{\boxed{(가)}}$의 계수는 $\boxed{(나)}$
> $\therefore\ ({}_{10}C_0)^2+({}_{10}C_1)^2+({}_{10}C_2)^2+\cdots+({}_{10}C_{10})^2=\boxed{(나)}$

위의 과정에서 (가), (나)에 알맞은 것을 차례로 적은 것은?

① 10, ${}_{10}C_5$ ② 10, ${}_{20}C_{10}$
③ 10, $({}_{20}C_{10})^2$ ④ 20, ${}_{20}C_{10}$
⑤ 20, $({}_{20}C_{10})^2$

실전! 기출 문제 정복하기

141 수능 기출

다항식 $(1+x)^7$의 전개식에서 x^4의 계수는?

① 42 ② 35 ③ 28
④ 21 ⑤ 14

142

$\left(4x+\frac{1}{2x^2}\right)^2+\left(4x+\frac{1}{2x^2}\right)^3+\left(4x+\frac{1}{2x^2}\right)^4+\left(4x+\frac{1}{2x^2}\right)^5$

의 전개식에서 x^3의 계수를 구하시오.

143

그림에서 색칠한 부분에 있는 수의 합과 같은 것은?

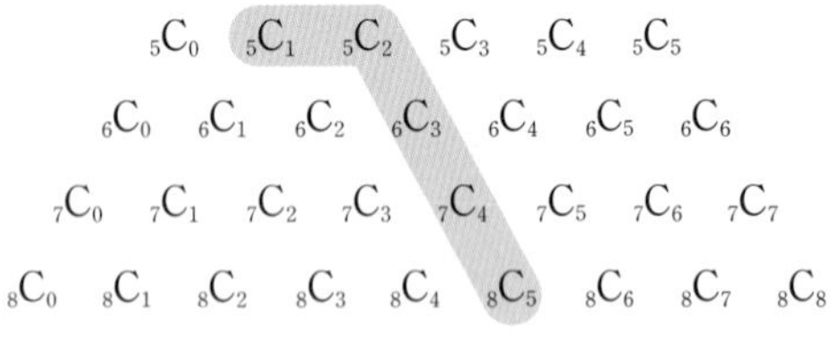

${}_5C_0$ ${}_5C_1$ ${}_5C_2$ ${}_5C_3$ ${}_5C_4$ ${}_5C_5$
${}_6C_0$ ${}_6C_1$ ${}_6C_2$ ${}_6C_3$ ${}_6C_4$ ${}_6C_5$ ${}_6C_6$
${}_7C_0$ ${}_7C_1$ ${}_7C_2$ ${}_7C_3$ ${}_7C_4$ ${}_7C_5$ ${}_7C_6$ ${}_7C_7$
${}_8C_0$ ${}_8C_1$ ${}_8C_2$ ${}_8C_3$ ${}_8C_4$ ${}_8C_5$ ${}_8C_6$ ${}_8C_7$ ${}_8C_8$

① ${}_8C_4$ ② ${}_9C_3$ ③ ${}_9C_4$
④ ${}_8C_5$ ⑤ ${}_9C_7$

144

32^8을 120으로 나눈 나머지는?

① 4 ② 8 ③ 16
④ 32 ⑤ 64

145

부등식 $a+b+c+d<13$을 만족시키는 자연수 a, b, c, d의 순서쌍 (a, b, c, d)의 개수는?

① 490 ② 495 ③ 500
④ 505 ⑤ 510

146

부등식 ${}_1H_n+{}_2H_{n-1}+{}_3H_{n-2}+\cdots+{}_{n+1}H_0>1024$를 만족시키는 자연수 n의 최솟값은?

① 8 ② 9 ③ 10
④ 11 ⑤ 12

147 교과서 심화

$N=111^5+4\times111^4+6\times111^3+4\times111^2+111$일 때, N의 약수의 개수는?

① 340 ② 345 ③ 350
④ 355 ⑤ 360

서술형 문제 따라하기 1

$\left(x^5+\frac{2}{x^3}\right)^n$의 전개식에서 $\frac{1}{x^5}$항이 존재하도록 하는 최소의 자연수 n에 대하여 $\frac{1}{x^5}$의 계수를 구하시오.

풀이

단계 1 주어진 다항식의 전개식에서 일반항 구하기

$\left(x^5+\frac{2}{x^3}\right)^n$의 전개식의 일반항은

$_nC_r(x^5)^{n-r}\left(\frac{2}{x^3}\right)^r={_nC_r}2^r x^{5n-8r}$

단계 2 조건을 만족시키는 자연수 n, r의 값 구하기

$\frac{1}{x^5}$항이 존재하므로 $x^{5n-8r}=x^{-5}$에서

$5n-8r=-5$　$\therefore 8r=5(n+1)$

즉, $8r$는 5의 배수이므로 조건을 만족시키는 자연수 n이 최소인 경우는 $r=5$

$8\times5=5(n+1)$에서 $n=7$

단계 3 $\frac{1}{x^5}$의 계수 구하기

구하는 $\frac{1}{x^5}$의 계수는

$_7C_5 2^5=672$

답 672

148 따라하기

$\left(3x^2+\frac{1}{x^7}\right)^n$의 전개식에서 $\frac{1}{x^{10}}$항이 존재하도록 하는 최소의 자연수 n에 대하여 $\frac{1}{x^{10}}$의 계수를 구하시오.

서술형 문제 따라하기 2

$1+(1+x)+(1+x)^2+\cdots+(1+x)^{10}$의 전개식에서 x^k의 계수를 a_k라 할 때,

$$a_1-a_2+a_3-a_4+\cdots+a_9-a_{10}$$

의 값을 구하시오.

풀이

단계 1 이항정리를 이용하여 각 항의 계수 구하기

$1+(1+x)+(1+x)^2+\cdots+(1+x)^{10}$에서

x의 계수는 $a_1={_1C_1}+{_2C_1}+{_3C_1}+\cdots+{_{10}C_1}={_{11}C_2}$

x^2의 계수는 $a_2={_2C_2}+{_3C_2}+\cdots+{_{10}C_2}={_{11}C_3}$

⋮

x^{10}의 계수는 $a_{10}={_{10}C_{10}}={_{11}C_{11}}$

단계 2 이항계수의 성질을 이용하여 식의 값 구하기

$a_1-a_2+a_3-a_4+\cdots+a_9-a_{10}$

$={_{11}C_2}-{_{11}C_3}+{_{11}C_4}-\cdots-{_{11}C_{11}}$

$=({_{11}C_0}-{_{11}C_1}+{_{11}C_2}-{_{11}C_3}+{_{11}C_4}-\cdots-{_{11}C_{11}})-{_{11}C_0}+{_{11}C_1}$

$=0-1+11$

$=10$

답 10

149 따라하기

x에 대한 항등식

$$1+x+x^2+\cdots+x^7$$
$$=a_0+a_1(x-1)+a_2(x-1)^2+\cdots+a_7(x-1)^7$$

에 대하여 $a_0-a_1+a_2-a_3+\cdots-a_7$의 값을 구하시오.

휴게소 최고의 간식
소떡소떡

준비물

식용유

떡 소시지 식용유 케첩 허니 머스터드

만드는 방법

1. 떡볶이 떡을 끓는 물에 살짝 데쳐서 말랑말랑하게 한 후 찬물에 헹궈 물기를 뺀다.

2. 소시지는 칼집을 내서 끓는 물에 데친 후 찬물에 헹궈 물기를 뺀다.

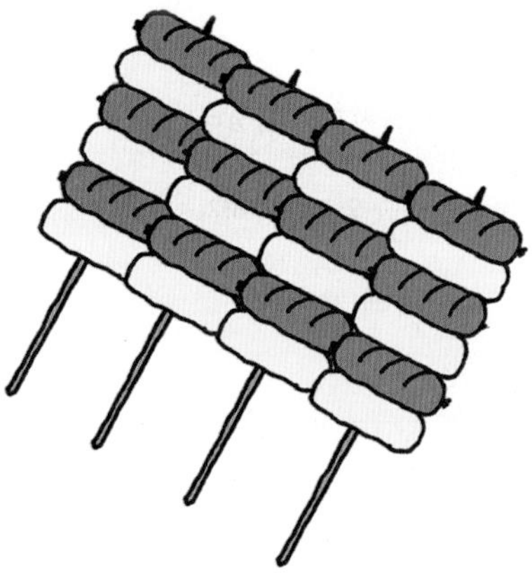

3. 꼬치에 떡 - 소시지 - 떡 - 소시지 - 떡 - 소시지 순서로 끼운다.

4. 프라이팬에 식용유를 두르고 노릇노릇하게 구워 준다.

5. 케첩과 허니 머스터드 소스를 뿌려주면 완성!

소시지와 떡을
동시에 갈비처럼
뜯어야 맛있어!

II

확률

1 확률의 뜻과 활용

2 조건부확률

선생님 Talk!

- 이 단원은 경우의 수를 바탕으로 하기 때문에 문제를 잘 해결하기 위해서는 반드시 앞서 배운 여러 가지 순열과 조합을 정확히 이해했는지 꼭 점검해 보세요.
- 확률의 덧셈정리를 이용하여 문제를 풀 때에는 각각의 경우에 중복이나 누락이 있는지 꼼꼼하게 체크해 보세요.
- 복잡해 보이는 확률의 계산도 여사건의 확률을 이용하면 쉽게 풀리는 경우가 많습니다. 문제를 풀 때 먼저 여사건의 확률을 이용할 수 있는지 확인해 보세요.

선배 Talk!

- 확률 단원에서는 표본공간, 사건 등을 집합 기호로 나타내면 이해하기 쉬워.
- 어떤 시행에서 표본공간을 설정할 때, 근원사건이 일어날 가능성은 항상 같아야 해. 근원사건이 일어날 가능성을 다르게 설정해서 틀리는 경우가 많으니 각별히 조심!
- 방정식의 해, 함수의 그래프를 이용하여 확률 구하기 등 복합적인 문제가 많이 등장하니까 앞에서 배운 내용을 기억해 둬!

꼭 외우자!

- 확률의 곱셈정리 $\mathrm{P}(A\cap B)=\mathrm{P}(A)\mathrm{P}(B|A)=\mathrm{P}(B)\mathrm{P}(A|B)$
- 독립시행의 확률
  어떤 시행에서 사건 A가 일어날 확률이 $p(0<p<1)$일 때, 이 시행을 n회 반복하는 독립시행에서 사건 A가 r회 일어날 확률은
  ${}_{n}\mathrm{C}_{r}p^{r}(1-p)^{n-r}$ (단, $r=0, 1, 2, \cdots, n$)
- 확률의 덧셈정리 $\mathrm{P}(A\cup B)=\mathrm{P}(A)+\mathrm{P}(B)-\mathrm{P}(A\cap B)$
- 여사건의 확률 $\mathrm{P}(A^{C})=1-\mathrm{P}(A)$
- 조건부확률 $\mathrm{P}(B|A)=\dfrac{\mathrm{P}(A\cap B)}{\mathrm{P}(A)}$ (단, $\mathrm{P}(A)\neq 0$)

11

Ⅱ. 확률

확률의 뜻과 활용

개념 01 시행과 사건

유형 01, 02

1 시행 : 같은 조건에서 반복할 수 있고 그 결과가 우연에 의하여 결정되는 실험이나 관찰을 **시행**이라 한다.

2 표본공간 : 어떤 시행에서 일어날 수 있는 모든 결과의 집합을 표본공간이라 한다.

3 사건 : 표본공간의 부분집합을 사건이라 한다.

4 근원사건 : 표본공간의 부분집합 중에서 한 개의 원소로 이루어진 집합을 근원사건이라 한다.

5 표본공간 S의 두 사건 A, B에 대하여

(1) **합사건 :** A 또는 B가 일어나는 사건을 A와 B의 합사건이라 하고, $A\cup B$로 나타낸다.

(2) **곱사건 :** A와 B가 동시에 일어나는 사건을 A와 B의 곱사건이라 하고, $A\cap B$로 나타낸다.

(3) **배반사건 :** A와 B가 동시에 일어나지 않을 때, 즉 $A\cap B=\varnothing$일 때, A와 B는 서로 **배반사건**이라 한다.

(4) **여사건 :** A가 일어나지 않는 사건을 A의 **여사건**이라 하고, A^C로 나타낸다.

참고 (1) $A\cup B$ (2) $A\cap B$ (3) **배반사건** (4) **여사건**

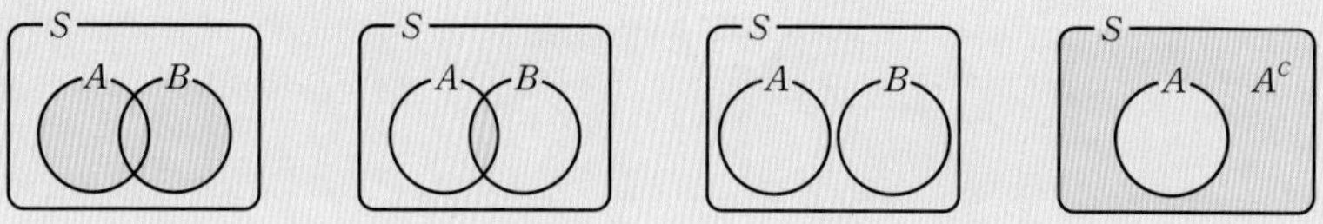

note

- 표본공간 (sample space)은 일반적으로 S로 나타낸다. 이때 표본공간은 공집합이 아닌 경우만 생각한다. 즉, $S\neq\varnothing$

- 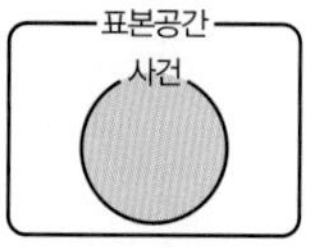

- 전사건 : 반드시 일어나는 사건
공사건 : 결코 일어나지 않는 사건

- $A\cap A^C=\varnothing$이므로 사건 A와 여사건 A^C는 서로 배반사건이다.

정답 및 풀이 19쪽

[150~155] 각 면에 1, 2, 3, 4의 숫자가 각각 하나씩 적힌 정사면체 주사위를 한 번 던지는 시행에서 다음을 구하시오.

150 표본공간

151 근원사건

152 3의 약수의 눈이 나오는 사건

153 두 사건 $\{1, 2, 3\}$과 $\{2, 3, 4\}$의 합사건

154 두 사건 $\{1, 2, 3\}$과 $\{2, 3, 4\}$의 곱사건

155 사건 $\{1, 2, 3\}$의 여사건

[156~161] 다음 중 표본공간이 S인 시행에서 두 사건 A, B에 대한 설명으로 옳은 것에는 ○표, 옳지 않은 것에는 ×표를 하시오.

156 공사건($\varnothing$)의 여사건은 전사건(S)이다. ( )

157 두 사건 A와 A^C는 서로 배반사건이다. ( )

158 두 사건 A와 A^C의 합사건은 전사건(S)이다. ( )

159 두 사건 A, B가 서로 배반사건이면 두 사건 A^C, B^C도 서로 배반사건이다. ( )

160 두 사건 $A\cap B$와 $A\cap B^C$는 서로 배반사건이다. ( )

161 두 사건 $A\cup B$와 $A^C\cap B^C$는 서로 배반사건이다. ( )

개념 02 확률의 뜻

유형 03~10

1 어떤 시행에서 사건 A가 일어날 가능성을 수로 나타낸 것을 사건 A의 확률이라 하고, $\mathrm{P}(A)$로 나타낸다.

2 **수학적 확률** : 표본공간이 S인 어떤 시행에서 각 근원사건이 일어날 가능성이 같다고 할 때, 사건 A가 일어날 확률 $\mathrm{P}(A)$를

$$\mathrm{P}(A)=\frac{n(A)}{n(S)} \leftarrow \frac{(\text{사건 } A\text{가 일어나는 경우의 수})}{(\text{일어날 수 있는 모든 경우의 수})}$$

로 정의하고, 이것을 표본공간 S에서 사건 A가 일어날 **수학적 확률**이라 한다.

3 **통계적 확률** : 같은 시행을 n번 반복할 때 사건 A가 일어난 횟수를 r_n이라 하면 n이 충분히 커짐에 따라 상대도수 $\frac{r_n}{n}$은 일정한 값 p에 가까워지며, 이 값 p를 사건 A의 **통계적 확률**이라 한다.

note

- $\mathrm{P}(A)$의 P는 확률을 뜻하는 영어 단어 Probability의 첫 문자이다.
- 수학적 확률을 다룰 때, 각 근원사건이 일어날 가능성이 같다는 것을 가정한다.
- 시행 횟수 n을 충분히 크게 하면 사건 A가 일어나는 상대도수 $\frac{r_n}{n}$은 사건 A가 일어날 수학적 확률에 가까워진다.

→ 정답 및 풀이 19쪽

[162~164] 한 개의 주사위를 한 번 던지는 시행에서 짝수의 눈이 나오는 사건을 A, 6의 약수의 눈이 나오는 사건을 B, 소수의 눈이 나오는 사건을 C라 할 때, 다음을 구하시오.

162 $\mathrm{P}(A)$

163 $\mathrm{P}(B)$

164 $\mathrm{P}(C)$

[165~167] 서로 다른 두 개의 주사위를 동시에 던질 때, 다음을 구하시오.

165 나오는 두 눈의 수가 같을 확률

166 나오는 두 눈의 수의 합이 8일 확률

167 나오는 두 눈의 수의 차가 5일 확률

168 10 이하의 자연수가 각각 하나씩 적힌 10장의 카드 중에서 임의로 2장의 카드를 동시에 뽑을 때, 뽑힌 카드에 적힌 수의 곱이 소수일 확률을 구하시오.

[169~170] 오른쪽 그림과 같은 두 윷가락을 각각 1000번씩 던졌을 때, 윷가락 A는 등이 600번, 윷가락 B는 등이 900번 나왔다고 한다. 다음을 구하시오.

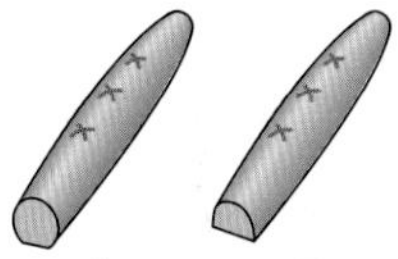

윷가락 A   윷가락 B

169 윷가락 A를 한 번 던졌을 때, 등이 나올 확률

170 윷가락 B를 한 번 던졌을 때, 등이 나올 확률

[171~173] 다음 표는 어느 야구 선수가 타자로서 1년 동안 치른 400타석의 기록을 나타낸 것이다. 이 선수가 임의로 치른 한 타석에 대하여 다음을 구하시오.

타석	홈런	안타	볼넷	아웃
400	30	120	50	200

171 볼넷일 확률

172 홈런 또는 안타일 확률

173 아웃이 아닐 확률

개념 03 확률의 기본 성질 유형 12

표본공간이 S인 어떤 시행에서

(1) 임의의 사건 A에 대하여 $0 \le \mathrm{P}(A) \le 1$

(2) 반드시 일어나는 사건 S에 대하여 $\mathrm{P}(S)=1$

(3) 절대로 일어나지 않는 사건 $\varnothing$에 대하여 $\mathrm{P}(\varnothing)=0$

note

- 표본공간 S는 반드시 일어나는 사건이다.

정답 및 풀이 20쪽

174 다음 보기에서 확률이 될 수 있는 것을 있는 대로 고르시오.

보기

ㄱ. 0　ㄴ. 0.25　ㄷ. $\frac{6}{7}$　ㄹ. $\frac{5}{4}$

ㅁ. 1　ㅂ. $\frac{\sqrt{3}}{2}$　ㅅ. 110 %　ㅇ. -0.1

[175~176] 서로 다른 두 개의 주사위를 동시에 던질 때, 다음을 구하시오.

175 나오는 두 눈의 수의 합이 16일 확률

176 나오는 두 눈의 수의 곱이 40 이하일 확률

개념 04 확률의 덧셈정리와 여사건의 확률 유형 11~15

1 확률의 덧셈정리

표본공간 S의 두 사건 A, B에 대하여 사건 A 또는 사건 B가 일어날 확률은

$$\mathrm{P}(A\cup B)=\mathrm{P}(A)+\mathrm{P}(B)-\mathrm{P}(A\cap B)$$

이때 두 사건 A, B가 서로 배반사건이면

$$\mathrm{P}(A\cup B)=\mathrm{P}(A)+\mathrm{P}(B)$$

2 여사건의 확률

표본공간 S의 사건 A에 대하여 여사건 A^C의 확률은

$$\mathrm{P}(A^C)=1-\mathrm{P}(A)$$

note

- 두 사건 A, B가 서로 배반사건이면 $A\cap B=\varnothing$, 즉 $\mathrm{P}(A\cap B)=\mathrm{P}(\varnothing)=0$
- (적어도 하나가 ~일 확률) $=1-$(모두 ~가 아닐 확률)
  (~가 아닐 확률) $=1-$(~일 확률)
  (~ 이상일 확률) $=1-$(~ 미만일 확률)
  (~ 이하일 확률) $=1-$(~ 초과일 확률)

정답 및 풀이 20쪽

[177~179] 두 사건 A, B에 대하여 다음을 구하시오.

177 $\mathrm{P}(A)=\mathrm{P}(B)=2\mathrm{P}(A\cap B)=\frac{1}{2}$일 때, $\mathrm{P}(A\cup B)$

178 $\mathrm{P}(A)=\mathrm{P}(B)=\frac{1}{3}$, $\mathrm{P}(A\cup B)=\frac{1}{2}$일 때, $\mathrm{P}(A\cap B)$

179 두 사건 A, B가 서로 배반사건이고 $\mathrm{P}(A)=0.12$, $\mathrm{P}(A\cup B)=0.89$일 때, $\mathrm{P}(B)$

[180~185] 1부터 20까지의 자연수가 각각 하나씩 적힌 20장의 카드 중에서 임의로 한 장을 뽑을 때, 카드에 적힌 수가 짝수인 사건을 A, 카드에 적힌 수가 소수인 사건을 B라 하자. 다음을 구하시오.

180 $\mathrm{P}(A)$　**181** $\mathrm{P}(B)$

182 $\mathrm{P}(A\cap B)$　**183** $\mathrm{P}(A\cup B)$

184 $\mathrm{P}(A^C)$　**185** $\mathrm{P}(B^C)$

186 서로 다른 동전 3개를 던질 때, 적어도 한 개는 뒷면이 나올 확률을 구하시오.

도전! 유형 연습하기

→ 정답 및 풀이 20쪽

유형 01 시행과 사건

표본공간 S의 두 사건 A, B에 대하여 다음 사건은 집합 기호를 이용하여 나타낸다.

사건	표본공간 (=전사건)	공사건	합사건	곱사건	여사건
집합	전체집합	공집합	합집합	교집합	여집합
기호	S	$\varnothing$	$A\cup B$	$A\cap B$	A^C, B^C

대표 문제

187

오른쪽 그림은 표본공간이 $S=\{1, 2, 3, 4, 5, 6, 7, 8, 9, 10\}$인 세 사건 A, B, C를 벤다이어그램으로 나타낸 것이다. 다음 중 옳지 않은 것은?

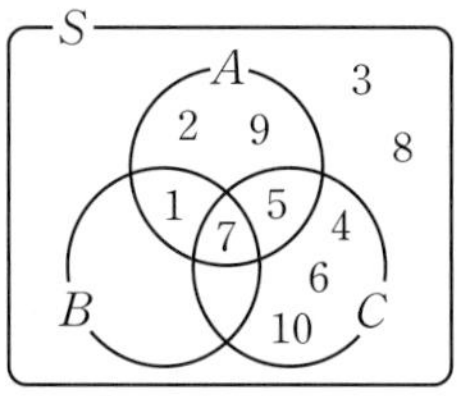

① $n(C)=5$ ② $B\cup C=\{1, 4, 5, 6, 7, 10\}$
③ $A^C\cap B=\varnothing$ ④ $A^C=\{3, 4, 6, 8, 10\}$
⑤ $A^C\cup B^C\cup C^C=S$

188

집합 $A=\{a, b, c\}$의 부분집합 중에서 임의로 한 개를 택하는 시행에서 표본공간을 S라 할 때, 다음 보기에서 옳은 것만을 있는 대로 고른 것은?

보기
ㄱ. $n(S)=8$ ㄴ. $\{a, c\}\subset S$ ㄷ. $\varnothing\in S$

① ㄱ ② ㄱ, ㄴ ③ ㄱ, ㄷ
④ ㄴ, ㄷ ⑤ ㄱ, ㄴ, ㄷ

189

10 이하의 자연수가 각각 하나씩 적힌 10장의 카드 중에서 임의로 한 장의 카드를 뽑을 때, 뽑은 카드에 적힌 수가 소수인 사건을 A, 3의 배수인 사건을 B라 하자. 이때 사건 $(A\cup B)^C$의 모든 원소의 합을 구하시오.

유형 02 배반사건

주어진 사건 중 사건 A와 배반인 사건은 다음과 같은 순서로 찾는다.
❶ 각각의 사건을 집합으로 나타낸다.
❷ 집합 A와의 교집합이 $\varnothing$인 집합을 찾는다.

대표 문제

190

81 미만의 자연수가 각각 하나씩 적힌 공이 들어 있는 주머니에서 임의로 한 개의 공을 꺼낼 때, 꺼낸 공에 적힌 수를 15로 나눈 나머지가 6인 사건을 A, 소수인 사건을 B, 81의 약수인 사건을 C라 하자. 다음 보기에서 서로 배반사건인 것만을 있는 대로 고른 것은?

보기
ㄱ. A와 B ㄴ. B와 C ㄷ. C와 A

① ㄱ ② ㄱ, ㄴ ③ ㄱ, ㄷ
④ ㄴ, ㄷ ⑤ ㄱ, ㄴ, ㄷ

191

표본공간 $S=\{1, 2, 3, 4, 5, 6\}$의 세 사건 A, B, C에 대하여 $A=\{a|a$는 짝수, $a\in S\}$, $B=\{b|b$는 12의 약수, $b\in S\}$일 때, 사건 $A\cup B$와 배반인 사건 C의 개수는?

① 1 ② 2 ③ 4
④ 8 ⑤ 16

192

한 개의 주사위를 두 번 던져서 나온 눈의 수를 차례로 a, b라 할 때, $ab=4$인 사건을 A, $\dfrac{b}{a}=n$인 사건을 B_n이라 하자. 두 사건 A, B_n이 서로 배반사건이 되도록 하는 모든 자연수 n의 값의 합을 구하시오.

유형 03 수학적 확률

표본공간 S의 각 근원사건이 일어날 가능성이 모두 같다고 할 때, 사건 A가 일어날 수학적 확률은

➡ $\mathrm{P}(A)=\dfrac{n(A)}{n(S)}=\dfrac{(\text{사건 } A\text{가 일어나는 경우의 수})}{(\text{일어날 수 있는 모든 경우의 수})}$

대표 문제

193

다섯 명의 학생이 가위바위보를 한 번 할 때, 비길 확률은 $\dfrac{n}{m}$이다. 이때 $m+n$의 값은?

(단, m, n은 서로소인 자연수이다.)

① 11 ② 22 ③ 33 ④ 44 ⑤ 55

194

한 개의 주사위를 두 번 던져서 나오는 눈의 수를 차례로 a, b라 할 때, x에 대한 이차방정식 $x^2+ax+b=0$이 서로 다른 두 실근을 가질 확률을 구하시오.

195

3명의 학생이 각자 쪽지에 덕담을 하나씩 적어 상자에 넣고 섞은 후 다시 하나씩 뽑아서 나누어 가질 때, 자신이 넣은 쪽지를 가진 학생이 한 명도 없을 확률은?

① $\dfrac{1}{6}$ ② $\dfrac{1}{3}$ ③ $\dfrac{1}{2}$ ④ $\dfrac{2}{3}$ ⑤ $\dfrac{5}{6}$

유형 04 순열을 이용하는 확률

일렬로 나열하는 시행에서 확률을 구할 때에는 순열의 수를 이용한다.

➡ 서로 다른 n개에서 r개를 택하는 순열의 수는

$${}_n\mathrm{P}_r=n(n-1)(n-2)\cdots(n-r+1)$$
$$=\frac{n!}{(n-r)!}\ (\text{단, } 0<r\le n)$$

대표 문제

196

어느 공연장에서는 추첨을 통해 다음 그림과 같은 1열 12개의 좌석 중에서 4개의 좌석을 당첨된 사람들에게 제공하는 행사를 한다. 당첨된 사람들에게 임의로 좌석을 배정할 때, 당첨된 4명의 좌석이 서로 이웃하지 않을 확률을 구하시오.

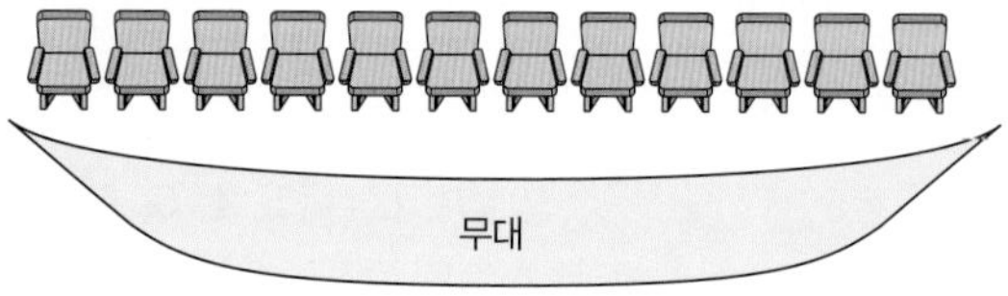

197

남학생 2명과 여학생 4명이 일렬로 설 때, 맨 앞과 맨 뒤에 선 두 학생의 성별이 같을 확률은?

① $\dfrac{7}{15}$ ② $\dfrac{1}{2}$ ③ $\dfrac{8}{15}$ ④ $\dfrac{17}{30}$ ⑤ $\dfrac{3}{5}$

198

다섯 개의 숫자 1, 2, 3, 4, 5가 각각 하나씩 적힌 5장의 카드가 있다. 이 중에서 임의로 4장의 카드를 나열하여 네 자리 자연수를 만들 때, 그 수가 3000 이하일 확률을 구하시오.

➔ 정답 및 풀이 21쪽

199

6개의 문자 f, r, i, e, n, d를 일렬로 나열할 때, 모음이 모두 홀수 번째에 올 확률은?

① $\frac{1}{5}$ ② $\frac{3}{10}$ ③ $\frac{2}{5}$
④ $\frac{1}{2}$ ⑤ $\frac{3}{5}$

유형 05 원순열을 이용하는 확률

원형으로 배열하는 시행에서 확률을 구할 때에는 원순열의 수를 이용한다.
➡ 서로 다른 n개를 원형으로 배열하는 원순열의 수는

$$\frac{n!}{n}=(n-1)!$$

대표 문제
200

6명의 학생이 한 조가 되어 진행되는 수업에 2명의 학생만 교재를 가지고 있다. 원탁에 임의로 둘러앉을 때, 교재를 가진 두 학생이 서로 마주 보고 앉을 확률은?

① $\frac{1}{10}$ ② $\frac{1}{5}$ ③ $\frac{3}{10}$
④ $\frac{2}{5}$ ⑤ $\frac{1}{2}$

201

A, B, C, D의 4명의 사람이 원탁에 둘러앉을 때, A와 B가 이웃하여 앉을 확률은?

① $\frac{1}{6}$ ② $\frac{1}{3}$ ③ $\frac{1}{2}$
④ $\frac{2}{3}$ ⑤ $\frac{5}{6}$

이웃하는 사람을
한 사람으로
생각해!

유형 06 중복순열을 이용하는 확률

중복을 허용하여 일렬로 나열하는 시행에서 확률을 구할 때에는 중복순열의 수를 이용한다.
➡ 서로 다른 n개에서 r개를 택하는 중복순열의 수는

$${}_n\Pi_r=n^r$$

대표 문제
202

오른쪽 그림과 같이 식당에 일렬로 앉은 4명의 학생 A, B, C, D가 떡볶이, 라면, 김밥 세 가지 메뉴 중에서 각각 한 가지씩을 주문하려고 한다. 옆에 앉은 학생과 다른 메뉴를 주문할 확률은?

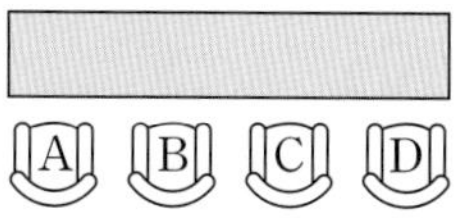
A
B
C
D

① $\frac{20}{81}$ ② $\frac{22}{81}$ ③ $\frac{8}{27}$
④ $\frac{26}{81}$ ⑤ $\frac{28}{81}$

203

세 개의 숫자 0, 1, 2에서 중복을 허용하여 네 자리 자연수를 만들 때, 만든 수가 홀수일 확률은?

① $\frac{1}{4}$ ② $\frac{1}{3}$ ③ $\frac{1}{2}$
④ $\frac{2}{3}$ ⑤ $\frac{3}{4}$

204

두 집합 $X=\{-2, -1, 0, 1, 2\}$, $Y=\{-3, 0, 3\}$에 대하여 X에서 Y로의 함수 f 중에서 임의로 하나를 택할 때, $f(-1)f(0)f(1)=0$일 확률은 $\frac{n}{m}$이다. 이때 $m+n$의 값을 구하시오. (단, m, n은 서로소인 자연수이다.)

유형 07 같은 것이 있는 순열을 이용하는 확률

같은 것을 포함하여 일렬로 나열하는 시행에서 확률을 구할 때에는 같은 것이 있는 순열의 수를 이용한다.

➡ n개 중에서 같은 것이 각각 p개, q개, $\cdots$, r개씩 있을 때, n개를 일렬로 나열하는 순열의 수는

$$\frac{n!}{p!\times q!\times \cdots \times r!} \text{ (단, } p+q+\cdots+r=n\text{)}$$

대표 문제
205

8개의 문자 a, a, a, a, b, b, c, c를 일렬로 나열할 때, b끼리 이웃할 확률은?

① $\frac{1}{16}$ ② $\frac{1}{8}$ ③ $\frac{3}{16}$
④ $\frac{1}{4}$ ⑤ $\frac{1}{2}$

206

네 명의 학생이 정육면체 주사위를 한 번씩 던져 나온 눈의 수를 조사할 때, 짝수의 눈 2, 4, 6은 모두 한 번 이상 나오고 홀수의 눈 1, 3, 5는 나오지 않을 확률을 구하시오.

207

8개의 문자 A, B, B, B, B, C, C, C가 각각 하나씩 적힌 8장의 카드를 일렬로 나열할 때, C가 적힌 카드는 서로 이웃하지 않을 확률은?

① $\frac{3}{14}$ ② $\frac{5}{14}$ ③ $\frac{1}{2}$
④ $\frac{9}{14}$ ⑤ $\frac{11}{14}$

유형 08 조합을 이용하는 확률

순서를 생각하지 않고 택하는 시행에서 확률을 구할 때에는 조합의 수를 이용한다.

➡ 서로 다른 n개에서 r개를 택하는 조합의 수는

$${}_nC_r=\frac{n!}{r!(n-r)!} \text{ (단, } 0\le r\le n\text{)}$$

대표 문제
208

주원이와 유찬이를 포함한 10명의 학생들이 농구 시합을 하려고 임의로 5명씩 두 팀으로 나눌 때, 주원이와 유찬이가 같은 팀이 될 확률을 구하시오.

209

오른쪽 그림과 같이 원 위에 8개의 점이 일정한 간격으로 놓여 있다. 이 8개의 점 중에서 임의로 3개의 점을 택하여 삼각형을 만들 때, 이 삼각형이 예각삼각형일 확률은?

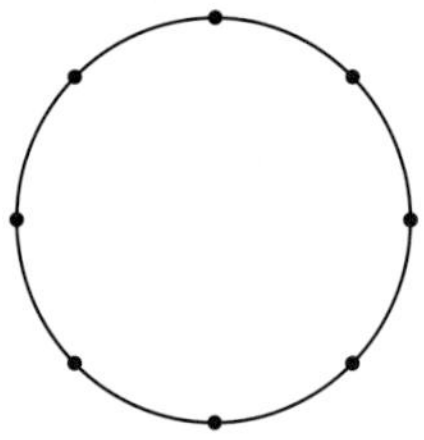

① $\frac{1}{3}$ ② $\frac{1}{5}$ ③ $\frac{1}{7}$
④ $\frac{1}{9}$ ⑤ $\frac{1}{11}$

210

12 이하의 자연수 중에서 택한 서로 다른 두 수의 합을 4로 나누었을 때, 나머지가 1일 확률은?

① $\frac{1}{11}$ ② $\frac{2}{11}$ ③ $\frac{3}{11}$
④ $\frac{4}{11}$ ⑤ $\frac{5}{11}$

유형 09 중복조합을 이용하는 확률

중복을 허용하여 순서를 생각하지 않고 택하는 시행에서 확률을 구할 때에는 중복조합의 수를 이용한다.

➡ 서로 다른 n개에서 r개를 택하는 중복조합의 수는

$${}_{n}\mathrm{H}_{r} = {}_{n+r-1}\mathrm{C}_{r}$$

대표 문제

211

1부터 800까지의 자연수가 각각 하나씩 적혀 있는 800장의 카드 중에서 임의로 한 장을 뽑을 때, 뽑힌 카드에 적혀 있는 수의 각 자리의 숫자들의 합이 8일 확률은?

① $\frac{13}{800}$ ② $\frac{3}{160}$ ③ $\frac{17}{800}$
④ $\frac{31}{800}$ ⑤ $\frac{9}{160}$

212

집합 $X=\{1, 2, 3, 4, 5\}$에 대하여 X에서 X로의 함수 f 중에서 임의로 하나를 택할 때, $f(2) \le f(3) \le f(4)$일 확률은?

① $\frac{6}{25}$ ② $\frac{7}{25}$ ③ $\frac{8}{25}$
④ $\frac{9}{25}$ ⑤ $\frac{2}{5}$

213

방정식 $x+y+z=10$을 만족시키는 음이 아닌 정수 x, y, z의 순서쌍 (x, y, z) 중에서 임의로 하나를 택할 때, $2x \le y$일 확률을 구하시오.

유형 10 통계적 확률

(1) 충분히 큰 n에 대하여 같은 시행을 n번 반복할 때 사건 A가 r_n번 일어나면 사건 A가 일어날 통계적 확률은

➡ $\frac{r_n}{n}$

(2) 시행 횟수 n을 충분히 크게 하면 사건 A가 일어나는 상대도수 $\frac{r_n}{n}$은 수학적 확률에 가까워진다.

대표 문제

214

10개의 제비가 들어 있는 상자에서 임의로 2개의 제비를 동시에 뽑고 당첨 제비인지 확인하고 다시 넣는 시행을 충분히 여러 번 반복했더니 9번 중에 2번 꼴로 2개가 모두 당첨 제비였다. 이때 상자 속에 들어 있는 당첨 제비의 개수를 구하시오.

215

오른쪽 표는 어느 놀이공원에 주말 하루 동안 입장한 120000명이 입장 후 처음으로 이용한 놀이 기구를 조사한 것이다. 이 놀이공원에 주말 하루 동안 입장한 사람 중에서 임의로 한 명을 택할 때, 이 사람이 처음으로 이용한 놀이 기구가 고속 열차 또는 관람차일 확률을 구하시오.

놀이 기구	입장객 (명)
고속 열차	46714
자유낙하 체험	33286
관람차	25286
그 외	14714
합계	120000

216

어느 공장에서 생산하는 USB 저장장치는 1000개를 생산할 때 2개 꼴로 불량품이 발생했고, SD카드 저장장치는 20000개를 생산할 때 1개 꼴로 불량품이 발생했다고 한다. USB 저장장치와 SD카드 저장장치를 임의로 각각 하나씩 뽑아 검사할 때, 불량품일 확률을 각각 p, q라 하자. 이때 pq의 값은?

① 10^{-6} ② 10^{-7} ③ 10^{-8}
④ 10^{-9} ⑤ 10^{-10}

○△×

날선 유형 11 확률의 덧셈정리와 여사건의 확률을 이용한 계산

표본공간 S의 두 사건 A, B에 대하여
(1) $\mathrm{P}(A\cup B)=\mathrm{P}(A)+\mathrm{P}(B)-\mathrm{P}(A\cap B)$
(2) 두 사건 A, B가 서로 배반사건이면
$\mathrm{P}(A\cup B)=\mathrm{P}(A)+\mathrm{P}(B)$
(3) $\mathrm{P}(A^C)=1-\mathrm{P}(A)$

대표 문제
217 #확률의_덧셈정리_이용 #배반사건인_경우 #$\mathrm{P}(A\cap B)=0$

표본공간이 S인 두 사건 A, B가 서로 배반사건이고 $\mathrm{P}(A)-\mathrm{P}(B)=\frac{5}{9}$, $\mathrm{P}(A)\mathrm{P}(B)=\frac{2}{27}$일 때, $\mathrm{P}(A\cup B)$를 구하시오.

확률의 덧셈정리를 이용한
식의 계산 문제는 중요한 시험마다
꼭 출제되는 유형이야.

218

표본공간이 S인 두 사건 A, B에 대하여 $\mathrm{P}(A)=0.6$, $\mathrm{P}(B)=0.3$, $\mathrm{P}(A\cup B)=0.8$일 때, $\mathrm{P}(A^C\cup B^C)$는?

① 0.1 ② 0.3 ③ 0.5
④ 0.7 ⑤ 0.9

219

두 사건 A, B에 대하여 $\mathrm{P}(A\cap B)=\frac{1}{2}\mathrm{P}(A)=\frac{1}{3}\mathrm{P}(B)$일 때, $\mathrm{P}(A)$의 최댓값은?

① $\frac{1}{6}$ ② $\frac{1}{3}$ ③ $\frac{1}{2}$
④ $\frac{2}{3}$ ⑤ $\frac{5}{6}$

220

두 사건 A, B가 서로 배반사건이고 다음 조건을 모두 만족시킬 때, $\mathrm{P}(B)$의 최댓값을 M, 최솟값을 m이라 하자. 이때 $\frac{10m}{M}$의 값은?

(가) $\mathrm{P}(A\cup B)=\frac{3}{4}$ (나) $\frac{1}{3}\le\mathrm{P}(A)\le\frac{1}{2}$

① 2 ② 4 ③ 6
④ 8 ⑤ 10

221

표본공간이 S인 세 사건 A, B, C에 대하여 $\mathrm{P}(A\cap B^C)=\frac{1}{2}$, $\mathrm{P}(B\cap C^C)=\frac{1}{4}$, $\mathrm{P}(C\cap A^C)=\frac{1}{8}$, $\mathrm{P}(A\cup B\cup C)=\frac{15}{16}$일 때, $\mathrm{P}(A\cap B\cap C)=\frac{n}{m}$이다. 이때 $m+n$의 값을 구하시오.
(단, m, n은 서로소인 자연수이다.)

○△×

유형 12 확률의 기본 성질

(1) 임의의 사건 A에 대하여 $0\le\mathrm{P}(A)\le1$
(2) 반드시 일어나는 사건 S에 대하여 $\mathrm{P}(S)=1$
(3) 절대로 일어나지 않는 사건 $\varnothing$에 대하여 $\mathrm{P}(\varnothing)=0$

대표 문제
222

표본공간 S의 두 사건 A, B에 대하여 다음 보기에서 옳은 것만을 있는 대로 고르시오.

보기
ㄱ. $\mathrm{P}(A)+\mathrm{P}(B)=\mathrm{P}(A\cup B)$이면 두 사건 A, B는 서로 배반사건이다.
ㄴ. $\mathrm{P}(A)-\mathrm{P}(B)=0$이면 $A\cap B^C=\varnothing$이다.
ㄷ. $\mathrm{P}(A)+\mathrm{P}(B)=1$이면 $A\cup B=S$이다.

223

표본공간 $S=\{a, b, c, d, e\}$의 두 사건 A, B에 대하여 다음 조건을 모두 만족시키는 두 사건 A, B의 순서쌍 (A, B)의 개수를 구하시오.

(가) A와 B는 서로 배반사건이다.
(나) $\mathrm{P}(B)<\mathrm{P}(A)<1$

낯선 유형 13 확률의 덧셈정리의 활용 – 배반사건이 아닌 경우

두 사건 A, B에 대하여 A, B가 동시에 일어날 확률은 $\mathrm{P}(A\cap B)$이므로 A 또는 B가 일어날 확률은

$\mathrm{P}(A\cup B)=\mathrm{P}(A)+\mathrm{P}(B)-\mathrm{P}(A\cap B)$

참고 '이거나', '또는' 등의 표현이 있는 경우의 확률은 확률의 덧셈정리를 이용한다.

대표 문제

224 #이거나_또는 #확률의_덧셈정리_이용

한 개의 주사위를 3번 던져서 나온 눈의 수를 차례로 a, b, c라 할 때, 등식 $ab+bc=b^2+ac$가 성립할 확률은?

① $\frac{11}{36}$ ② $\frac{1}{3}$ ③ $\frac{13}{36}$
④ $\frac{7}{18}$ ⑤ $\frac{5}{12}$

225

1부터 100까지의 자연수가 각각 하나씩 적혀 있는 100장의 카드 중에서 임의로 한 장을 택할 때, 카드에 적힌 수가 2의 배수이거나 3의 배수일 확률을 구하시오.

226

두 체험부스 A, B를 운영하는 어느 전자기기 홍보관을 찾은 100명의 사람들 중에서 A 체험부스에 참여한 사람은 60명, B 체험부스에 참여한 사람은 50명, 어느 체험부스도 참여하지 않은 사람이 5명이다. 이 홍보관을 찾은 사람들 중에서 임의로 1명을 택할 때, 두 체험부스를 모두 참여한 사람일 확률은?

① $\frac{3}{20}$ ② $\frac{1}{4}$ ③ $\frac{7}{20}$
④ $\frac{9}{20}$ ⑤ $\frac{11}{20}$

유형 14 확률의 덧셈정리의 활용 – 배반사건인 경우

두 사건 A, B에 대하여 A, B가 동시에 일어나지 않을 때, 즉 A, B가 서로 배반사건이면 A 또는 B가 일어날 확률은

$\mathrm{P}(A\cup B)=\mathrm{P}(A)+\mathrm{P}(B)$

대표 문제

227

선생님 1명과 학생 5명이 일렬로 설 때, 선생님이 맨 앞에 서거나 맨 뒤에 설 확률을 구하시오.

228

오른쪽 그림과 같이 주머니 A에는 숫자가 적힌 공이 6개, 주머니 B에는 숫자가 적힌 공이 7개 들어 있다. 두 주머니 A, B에서 각각 임의로 한 개의 공을 꺼낼 때, 공에 적힌 두 수의 곱이 6일 확률은?

A B

① $\frac{2}{7}$ ② $\frac{1}{3}$ ③ $\frac{8}{21}$
④ $\frac{3}{7}$ ⑤ $\frac{10}{21}$

정답 및 풀이 26쪽

229

오른쪽 그림과 같은 물품 보관함이 있는 어느 마트에서 경욱이와 민정이가 보관함을 임의로 각각 한 칸씩 택하였다. 두 사람이 택한 보관함이 상하 또는 좌우로 이웃할 확률은? (단, 보관함의 크기에 관계 없이 두 보관함의 모서리가 맞닿고 있는 경우 이웃한 것으로 간주한다.)

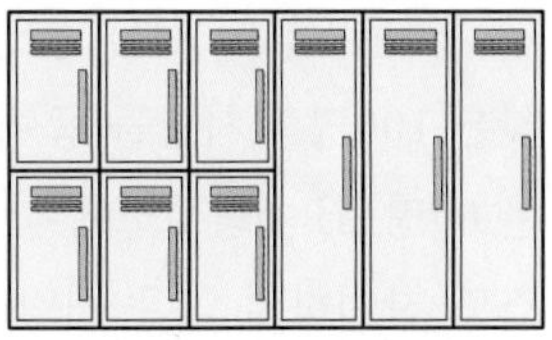

① $\frac{5}{36}$　② $\frac{7}{36}$　③ $\frac{1}{4}$
④ $\frac{11}{36}$　⑤ $\frac{13}{36}$

날선 유형 15 여사건의 확률

(1) 표본공간 S의 사건 A와 그 여사건 A^C에 대하여
$\mathrm{P}(A^C)=1-\mathrm{P}(A)$
(2) '적어도', '이상 (또는 이하)', '~가 아닌'과 같은 조건이 주어진 확률은 여사건의 확률을 이용하면 편리하다.

대표 문제
230 #적어도 #이상_또는_이하 #~가_아닌 #여사건의_확률_이용

4개의 당첨 제비를 포함하여 10개의 제비가 들어 있는 상자에서 임의로 3개의 제비를 동시에 꺼낼 때, 적어도 1개는 당첨 제비일 확률은?

① $\frac{1}{6}$　② $\frac{1}{3}$　③ $\frac{1}{2}$
④ $\frac{2}{3}$　⑤ $\frac{5}{6}$

묻는 사건과 그 여사건 중에서
어느 쪽의 경우의 수를 구하기
쉬울지 생각해 보자!

231

1부터 9까지의 자연수가 각각 하나씩 적힌 9장의 카드 중에서 임의로 3장을 동시에 뽑을 때, 카드에 적힌 수의 곱이 짝수일 확률은?

① $\frac{31}{42}$　② $\frac{11}{14}$　③ $\frac{5}{6}$
④ $\frac{37}{42}$　⑤ $\frac{13}{14}$

232

서로 다른 세 개의 주사위를 동시에 던져서 나온 눈의 수의 합이 6 이상일 확률을 구하시오.

233

9명의 학생들 중에서 임의로 2명을 택할 때, 택한 2명의 학생의 성별이 서로 같을 확률이 $\frac{4}{9}$라 한다. 이때 9명의 학생들 중에서 남학생의 수와 여학생의 수의 차는?
(단, 남학생 수가 여학생 수보다 많다.)

① 1　② 2　③ 3
④ 4　⑤ 5

234

50원, 100원, 500원짜리 동전이 각각 3개씩 들어 있는 주머니에서 임의로 6개의 동전을 꺼낼 때, 꺼낸 동전의 금액의 합이 1400원 미만일 확률은?

① $\frac{8}{21}$　② $\frac{10}{21}$　③ $\frac{4}{7}$
④ $\frac{2}{3}$　⑤ $\frac{16}{21}$

실전! 기출 문제 정복하기

정답 및 풀이 27쪽

235

한 개의 동전을 세 번 던지는 시행에서 표본공간을 S, 앞면이 나온 횟수가 홀수인 사건을 A, 뒷면이 적어도 한 번 나오는 사건을 B라 하자. 다음 중 옳지 않은 것은?

(단, 앞면은 H, 뒷면은 T로 나타낸다.)

① $A=\{\text{HHH, HTT, THT, TTH}\}$
② $n(B)=7$
③ $A\cup B=S$
④ $A\cap B=\varnothing$
⑤ $B^C=\{\text{HHH}\}$

236

한 개의 주사위를 두 번 던져서 나오는 눈의 수를 차례로 a, b라 할 때, 두 함수 $f(x)$, $g(x)$는

$$f(x)=ax^2+4bx+a,\ g(x)=bx^2+2ax-b$$

이다. 이때 모든 실수 x에 대하여 $f(x)>g(x)$일 확률을 구하시오.

237 수능 기출

주머니 속에 2부터 8까지의 자연수가 각각 하나씩 적힌 구슬 7개가 들어 있다. 이 주머니에서 임의로 2개의 구슬을 동시에 꺼낼 때, 꺼낸 구슬에 적힌 두 자연수가 서로소일 확률은?

① $\frac{8}{21}$ ② $\frac{10}{21}$ ③ $\frac{4}{7}$
④ $\frac{2}{3}$ ⑤ $\frac{16}{21}$

238

다음 그림과 같이 문자와 기호가 각각 적힌 7장의 카드가 있다. 이 카드를 임의로 일렬로 나열할 때, 자음은 홀수 번째에 모음은 짝수 번째에 놓일 확률은?

① $\frac{1}{35}$ ② $\frac{3}{35}$ ③ $\frac{1}{7}$
④ $\frac{1}{5}$ ⑤ $\frac{9}{35}$

239

크기가 서로 다른 두 주사위 A, B를 던져서 나온 눈의 수를 각각 a, b라 하자. 좌표평면 위의 점 $\text{P}(a,\ b)$를 y축에 대하여 대칭이동한 점을 Q라 할 때, 삼각형 OPQ가 예각삼각형일 확률은? (단, O는 원점이다.)

① $\frac{1}{3}$ ② $\frac{5}{12}$ ③ $\frac{1}{2}$
④ $\frac{7}{12}$ ⑤ $\frac{2}{3}$

240

밑면이 정육각형인 육각기둥 ABCDEF$-$GHIJKL의 12개의 꼭짓점 중에서 임의로 3개를 택하여 삼각형을 만들 때, 이 삼각형의 어떤 변도 육각기둥 ABCDEF$-$GHIJKL의 모서리가 아닐 확률을 구하시오.

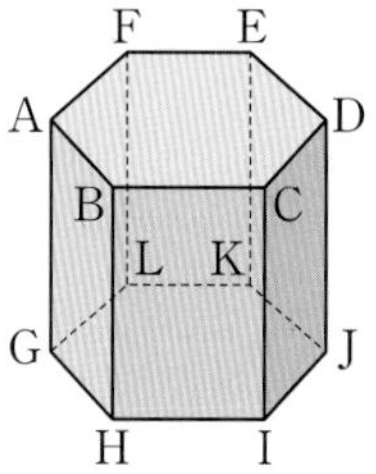

241

흰 공과 빨간 공을 합하여 10개의 공이 들어 있는 주머니에서 임의로 2개의 공을 꺼내어 색을 확인하고 다시 넣는 시행을 여러 번 반복하였더니 15번에 1번 꼴로 2개의 공이 모두 빨간 공이었다. 이때 주머니 속에 들어 있는 빨간 공의 개수를 구하시오.

242 수능 기출

두 사건 A, B에 대하여 A와 B^C는 서로 배반사건이고

$$\mathrm{P}(A)=\frac{1}{3},\ \mathrm{P}(A^C\cap B)=\frac{1}{6}$$

일 때, $\mathrm{P}(B)$의 값은? (단, A^C는 A의 여사건이다.)

① $\frac{5}{12}$ ② $\frac{1}{2}$ ③ $\frac{7}{12}$

④ $\frac{2}{3}$ ⑤ $\frac{3}{4}$

243

50 이하의 자연수가 각각 하나씩 적힌 50개의 공이 들어 있는 주머니에서 임의로 하나의 공을 꺼낼 때, 꺼낸 공에 적힌 수의 양의 약수가 6개일 확률은?

① $\frac{1}{25}$ ② $\frac{2}{25}$ ③ $\frac{3}{25}$

④ $\frac{4}{25}$ ⑤ $\frac{1}{5}$

244 교과서 심화

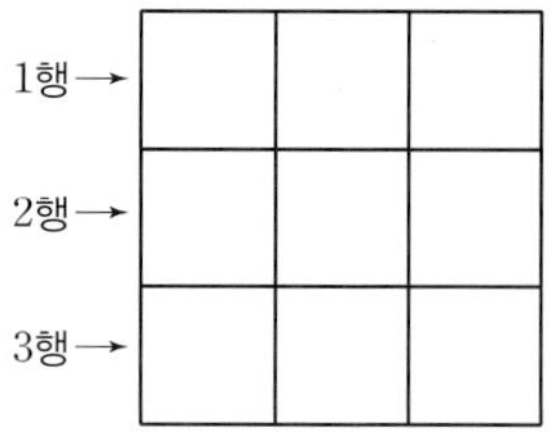

오른쪽 그림과 같은 9개의 칸에 9 이하의 자연수를 한 번씩만 각각 한 개씩 임의로 써넣을 때, 1행에 적힌 세 수의 곱을 $f(1)$, 2행에 적힌 세 수의 곱을 $f(2)$, 3행에 적힌 세 수의 곱을 $f(3)$이라 하자. $f(1)<f(2)<f(3)$일 확률이 $\frac{n}{m}$일 때, $m+n$의 값을 구하시오. (단, m, n은 서로소인 자연수이다.)

245

방정식 $x+y+z=10$을 만족시키는 자연수 x, y, z의 순서쌍 (x, y, z) 중에서 임의로 한 개를 택할 때, $(x-y)(y-z)(z-x)\neq 0$일 확률은?

① $\frac{2}{9}$ ② $\frac{1}{3}$ ③ $\frac{4}{9}$

④ $\frac{5}{9}$ ⑤ $\frac{2}{3}$

246 수능 기출

숫자 1, 2, 3, 4가 하나씩 적혀 있는 흰 공 4개와 숫자 4, 5, 6이 하나씩 적혀 있는 검은 공 3개가 있다. 이 7개의 공을 임의로 일렬로 나열할 때, 같은 숫자가 적혀 있는 공이 서로 이웃하지 않게 나열될 확률은 $\frac{q}{p}$이다. $p+q$의 값을 구하시오. (단, p, q는 서로소인 자연수이다.)

➔ 정답 및 풀이 28쪽

서술형 문제 따라하기 1

집합 $A=\{a, b, c, d\}$가 있다. A의 부분집합 중에서 임의로 서로 다른 두 집합을 택할 때, 두 집합이 서로소일 확률은 $\frac{n}{m}$이다. 이때 $m+n$의 값을 구하시오.

(단, m, n는 서로소인 자연수이다.)

풀이

단계 1 전체의 경우의 수 구하기

집합 A의 부분집합의 개수는 $2^4=16$이므로 A의 부분집합 중에서 임의로 서로 다른 두 집합을 택하는 경우의 수는

${}_{16}C_2=120$

단계 2 문제의 조건을 만족시키는 경우의 수 구하기

두 부분집합을 X, Y라 할 때, 네 원소 a, b, c, d를 각각 세 집합 $X\cap Y^C$, $X^C\cap Y$, $X^C\cap Y^C$ 중에서 하나에 포함시키면서 동시에 $X=Y=\varnothing$인 경우 1가지는 제외하면 되므로

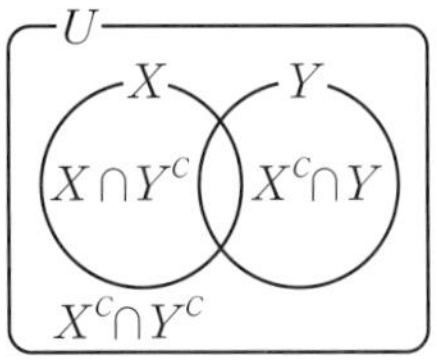

$3^4-1=80$

이 중에서 두 부분집합 X, Y는 서로 구별되지 않아 각각 2가지씩 중복되므로 주어진 조건을 만족시키는 서로 다른 두 부분집합의 쌍의 개수는 $\frac{1}{2}\times 80=40$

단계 3 확률 구하기

구하는 확률은 $\frac{40}{120}=\frac{1}{3}$

따라서 $m=3$, $n=1$이므로 $m+n=3+1=4$

답 4

247 따라하기

집합 $A=\{a, b, c, d, e\}$가 있다. A의 부분집합 중에서 임의로 서로 다른 두 집합을 택할 때, 한 집합이 다른 집합의 부분집합일 확률은 $\frac{n}{m}$이다. 이때 $m+n$의 값을 구하시오. (단, m, n는 서로소인 자연수이다.)

서술형 문제 따라하기 2

1부터 9까지의 자연수 중에서 임의로 서로 다른 4개의 수를 선택하여 네 자리의 자연수를 만들 때, 백의 자리의 수와 십의 자리의 수의 합이 짝수가 될 확률을 구하시오.

풀이

단계 1 백의 자리의 수와 십의 자리의 수가 모두 짝수이거나 모두 홀수일 때의 확률 구하기

1부터 9까지의 자연수 중에서 임의로 서로 다른 4개의 수를 선택하여 만들 수 있는 네 자리의 자연수의 개수는 ${}_9P_4$

백의 자리의 수와 십의 자리의 수의 합이 짝수이려면 두 수가 모두 짝수이거나 모두 홀수이어야 한다.

(i) 백의 자리, 십의 자리의 수가 모두 짝수인 경우

2, 4, 6, 8의 4개의 짝수 중에서 2개를 선택하여 백의 자리, 십의 자리에 배열하는 경우의 수는 ${}_4P_2$

나머지 7개의 수 중에서 2개를 선택하여 나머지 두 자리에 배열하는 경우의 수는 ${}_7P_2$

따라서 조건을 만족시키는 자연수의 개수는 ${}_4P_2\times{}_7P_2$이므로 그 확률은

$\frac{{}_4P_2\times{}_7P_2}{{}_9P_4}=\frac{4\times3\times7\times6}{9\times8\times7\times6}=\frac{1}{6}$

(ii) 백의 자리, 십의 자리의 수가 모두 홀수인 경우

1, 3, 5, 7, 9의 5개의 홀수 중에서 2개를 선택하여 백의 자리, 십의 자리에 배열하는 경우의 수는 ${}_5P_2$

나머지 7개의 수 중에서 2개를 선택하여 나머지 두 자리에 배열하는 경우의 수는 ${}_7P_2$

따라서 조건을 만족시키는 자연수의 개수는 ${}_5P_2\times{}_7P_2$이므로 그 확률은

$\frac{{}_5P_2\times{}_7P_2}{{}_9P_4}=\frac{5\times4\times7\times6}{9\times8\times7\times6}=\frac{5}{18}$

단계 2 확률의 덧셈정리를 이용하여 확률 구하기

(i), (ii)는 서로 배반사건이므로 구하는 확률은

$\frac{1}{6}+\frac{5}{18}=\frac{4}{9}$

답 $\frac{4}{9}$

248 따라하기

1부터 9까지의 자연수가 하나씩 적혀 있는 9개의 공이 들어 있는 주머니가 있다. 이 주머니에서 임의로 3개의 공을 동시에 꺼낼 때, 꺼낸 공에 적혀 있는 세 수의 합이 짝수일 확률을 구하시오.

조건부확률

개념 01 조건부확률 유형 01, 04, 06

(1) 두 사건 A, B에 대하여 확률이 0이 아닌 사건 A가 일어났다는 조건 아래에서 사건 B가 일어날 확률을 사건 A가 일어났을 때의 사건 B의 **조건부확률**이라 하고, $\mathbf{P(B|A)}$와 같이 나타낸다.

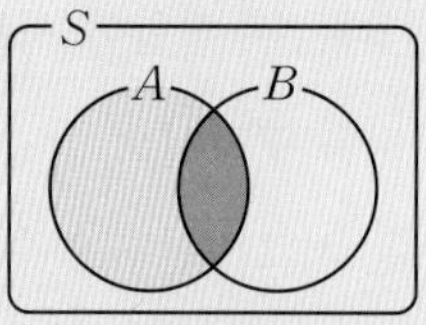

(2) 사건 A가 일어났을 때의 사건 B의 조건부확률은

$$P(B|A)=\frac{P(A\cap B)}{P(A)} \text{ (단, } P(A)>0)$$

예 표본공간 $S=\{1, 2, 3, 4, 5, 6, 7\}$의 두 사건 $A=\{1, 2, 3\}$, $B=\{2, 3, 4, 5, 6\}$에 대하여 $P(B)$, $P(A\cap B)$, $P(B|A)$ 사이의 차이를 표로 나타내면 다음과 같다.

	$P(B)$	$P(A\cap B)$	$P(B\|A)$
(조건에 의한) 표본공간	S	S	A
확률을 구하려는 사건	B	$A\cap B$	$A\cap B$
확률	$\frac{n(B)}{n(S)}=\frac{5}{7}$	$\frac{n(A\cap B)}{n(S)}=\frac{2}{7}$	$\frac{n(A\cap B)}{n(A)}=\frac{2}{3}$

note

- $P(B|A)$는 사건 A를 새로운 표본공간으로 생각하고 A에서 사건 $A\cap B$가 일어날 확률이다. 즉, $P(B|A)=\frac{n(A\cap B)}{n(A)}$
- $P(B|A)=\frac{n(A\cap B)}{n(A)}=\frac{\frac{n(A\cap B)}{n(S)}}{\frac{n(A)}{n(S)}}=\frac{P(A\cap B)}{P(A)}$
- 일반적으로 $P(B|A)\neq P(A|B)$

정답 및 풀이 30쪽

[249~250] 두 사건 A, B에 대하여 $P(A)=0.6$, $P(B)=0.4$, $P(A\cap B)=0.2$일 때, 다음을 구하시오.

249 $P(B|A)$

250 $P(A|B)$

[251~253] 한 개의 주사위를 던지는 시행에서 5 이하의 눈이 나오는 사건을 A, 3의 배수의 눈이 나오는 사건을 B라 할 때, 다음을 구하시오.

251 $P(A)$

252 $P(A\cap B)$

253 $P(B|A)$

[254~255] 오른쪽 그림은 표본공간 S와 두 사건 A, B를 벤다이어그램으로 나타낸 것이다. 다음을 구하시오.

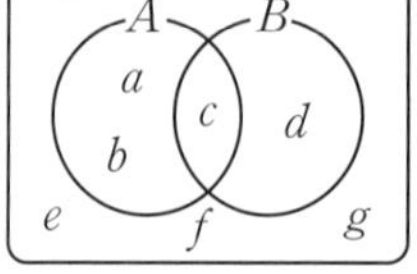

254 $P(B|A)$

255 $P(A|B)$

[256~261] 다음 표는 어느 반의 학생 30명을 대상으로 독감 예방 접종 여부를 조사한 것이다. 이 반에서 임의로 한 학생을 택할 때, 남학생인 사건을 A, 독감 예방 접종을 한 학생인 사건을 B라 할 때, 다음을 구하시오.

	남학생	여학생	합계
독감 예방 접종을 함	8	10	18
독감 예방 접종을 하지 않음	6	6	12
합계	14	16	30

256 $P(A|B)$

257 $P(B|A)$

258 $P(A^C|B)$

259 $P(B^C|A)$

260 $P(A|B)+P(A^C|B)$

261 $P(B|A)+P(B^C|A)$

개념 02 확률의 곱셈정리

유형 02~06

두 사건 A, B에 대하여 $\mathrm{P}(A)>0$, $\mathrm{P}(B)>0$일 때

(1) $\mathrm{P}(A\cap B)=\mathrm{P}(A)\mathrm{P}(B|A)$

(2) $\mathrm{P}(A\cap B)=\mathrm{P}(B)\mathrm{P}(A|B)$

예 표본공간 $S=\{1, 2, 3, 4, 5, 6, 7\}$의 두 사건 $A=\{1, 2, 3\}$, $B=\{2, 3, 4, 5, 6\}$에 대하여

$\mathrm{P}(A\cap B)=\mathrm{P}(A)\mathrm{P}(B|A)=\frac{3}{7}\times\frac{2}{3}=\frac{2}{7}$

$\mathrm{P}(A\cap B)=\mathrm{P}(B)\mathrm{P}(A|B)=\frac{5}{7}\times\frac{2}{5}=\frac{2}{7}$

참고 오른쪽 그림과 같이 표본공간 S의 두 사건 A, B에 대하여 사건 A는 서로 배반사건인 두 사건 $A\cap B$와 $A\cap B^C$의 합사건이므로 확률의 덧셈정리에 의하여 다음이 성립한다.

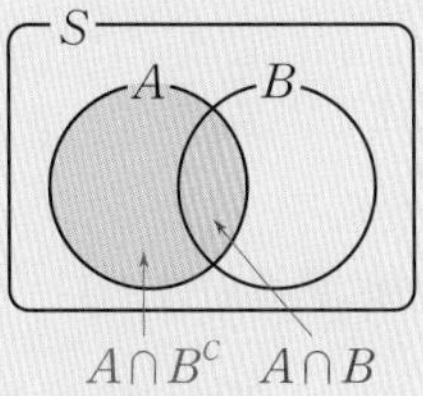

$\mathrm{P}(A)=\mathrm{P}(A\cap B)+\mathrm{P}(A\cap B^C)$

$\therefore \mathrm{P}(B|A)=\frac{\mathrm{P}(A\cap B)}{\mathrm{P}(A)}=\frac{\mathrm{P}(A\cap B)}{\mathrm{P}(A\cap B)+\mathrm{P}(A\cap B^C)}$

note

- 사건 A가 일어났을 때의 사건 B의 조건부확률 $\mathrm{P}(B|A)=\frac{\mathrm{P}(A\cap B)}{\mathrm{P}(A)}$의 양변에 $\mathrm{P}(A)$를 곱하면 $\mathrm{P}(A\cap B)=\mathrm{P}(A)\mathrm{P}(B|A)$ 마찬가지로 $\mathrm{P}(A\cap B)=\mathrm{P}(B)\mathrm{P}(A|B)$를 유도할 수 있다.

정답 및 풀이 31쪽

[262~263] 두 사건 A, B에 대하여 $\mathrm{P}(A)=0.8$, $\mathrm{P}(B)=0.5$, $\mathrm{P}(A|B)=0.4$일 때, 다음을 구하시오.

262 $\mathrm{P}(A\cap B)$

263 $\mathrm{P}(B|A)$

[264~266] 오른쪽 그림과 같이 흰 공 2개와 검은 공 4개가 들어 있는 주머니에서 임의로 공을 한 개씩 두 번 꺼낼 때, 첫 번째 꺼낸 공이 검은 공인 사건을 A, 두 번째 꺼낸 공이 검은 공인 사건을 B라 하자. 다음을 구하시오.

(단, 꺼낸 공은 다시 넣지 않는다.)

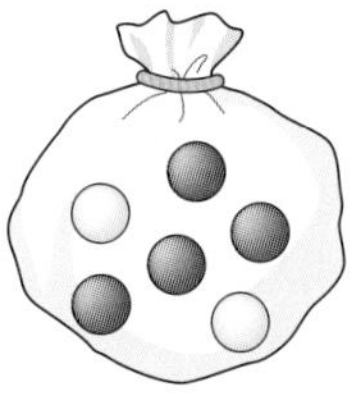

264 $\mathrm{P}(A)$

265 $\mathrm{P}(B|A)$

266 $\mathrm{P}(A\cap B)$

[267~268] 은애가 2번의 자유투를 던질 때, 첫 번째 자유투를 성공할 확률은 $\frac{2}{3}$이다. 또, 첫 번째 자유투를 성공했을 때, 두 번째 자유투를 성공할 확률은 $\frac{3}{4}$이고, 첫 번째 자유투를 실패했을 때, 두 번째 자유투를 성공할 확률은 $\frac{1}{4}$이다. 다음을 구하시오.

267 2번의 자유투 중에서 첫 번째 자유투만 성공할 확률

268 2번의 자유투 중에서 두 번째 자유투만 성공할 확률

[269~271] 오른쪽 그림과 같은 두 상자 X, Y에 대하여 주사위를 던져 5 이하의 눈이 나오면 상자 X에서, 6의 눈이 나오면 상자 Y에서 1개의 제비를 꺼내는 시행을 할 때, 주사위의 눈이 5 이하인 사건을 A, 상자에서 꺼낸 제비가 당첨 제비인 사건을 B라 하자. 다음을 구하시오.

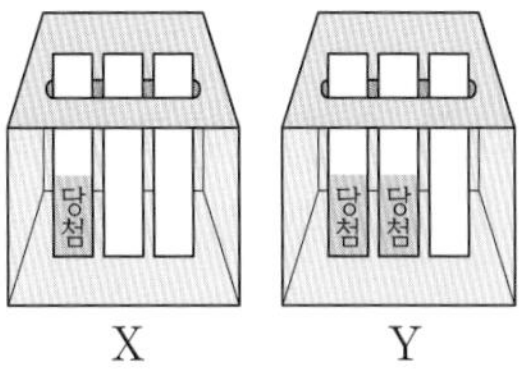

269 $\mathrm{P}(A\cap B)$

270 $\mathrm{P}(A^C\cap B)$

271 $\mathrm{P}(B)$

개념 03 사건의 독립과 종속 (유형 07~09)

1 사건의 독립

두 사건 A, B에서 한 사건이 일어나는 것이 다른 사건이 일어날 확률에 아무런 영향을 주지 않을 때, 즉

$\mathrm{P}(A|B)=\mathrm{P}(A)$

일 때, 두 사건 A, B는 서로 **독립**이라 한다.

참고 두 사건 A, B가 서로 독립이면 A와 B^C, A^C와 B, A^C와 B^C도 각각 서로 독립이다.

2 사건의 종속

두 사건 A, B가 서로 독립이 아닐 때, 즉

$\mathrm{P}(A|B)\neq\mathrm{P}(A)$

일 때, 두 사건 A, B는 서로 **종속**이라 한다.

3 두 사건 A, B가 서로 독립이기 위한 필요충분조건은

$\mathrm{P}(A\cap B)=\mathrm{P}(A)\mathrm{P}(B)$ (단, $\mathrm{P}(A)>0$, $\mathrm{P}(B)>0$)

note

- 두 사건 A, B가 서로 독립이면 $\mathrm{P}(A)=\mathrm{P}(A|B)$ $=\mathrm{P}(A|B^C)$
- 두 사건 A, B가 서로 독립이면 $\mathrm{P}(A\cap B^C)=\mathrm{P}(A)\mathrm{P}(B^C)$ $\mathrm{P}(A^C\cap B)=\mathrm{P}(A^C)\mathrm{P}(B)$ $\mathrm{P}(A^C\cap B^C)=\mathrm{P}(A^C)\mathrm{P}(B^C)$
- 두 사건 A, B가 서로 종속이기 위한 필요충분조건은 $\mathrm{P}(A\cap B)\neq\mathrm{P}(A)\mathrm{P}(B)$ (단, $\mathrm{P}(A)>0$, $\mathrm{P}(B)>0$)

→ 정답 및 풀이 31쪽

272 다음은 $\mathrm{P}(A|B)=\mathrm{P}(A)$이면 $\mathrm{P}(B|A)=\mathrm{P}(B)$가 성립함을 증명하는 과정이다. □ 안에 공통으로 들어갈 것을 써넣으시오.

$\mathrm{P}(A)=\mathrm{P}(A|B)=\dfrac{\mathrm{P}(\square)}{\mathrm{P}(B)}$에서

$\mathrm{P}(\square)=\mathrm{P}(A)\mathrm{P}(B)$이므로

$\mathrm{P}(B|A)=\dfrac{\mathrm{P}(\square)}{\mathrm{P}(A)}$

$=\dfrac{\mathrm{P}(A)\mathrm{P}(B)}{\mathrm{P}(A)}=\mathrm{P}(B)$

[273~275] 오른쪽 그림과 같은 벤 다이어그램에서 다음을 구하시오.

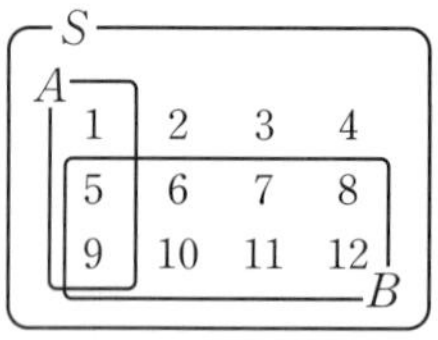

273 $\mathrm{P}(B)$

274 $\mathrm{P}(B|A)$

275 두 사건 A, B가 서로 독립인지 종속인지 말하시오.

[276~277] 다음을 만족시키는 두 사건 A, B가 서로 독립인지 종속인지 말하시오.

276 $\mathrm{P}(A)=\dfrac{2}{7}$, $\mathrm{P}(B)=\dfrac{3}{4}$, $\mathrm{P}(A\cap B)=\dfrac{3}{14}$

277 $\mathrm{P}(A)=0.4$, $\mathrm{P}(B)=0.5$, $\mathrm{P}(A\cap B)=0.02$

[278~281] 두 사건 A, B가 서로 독립이고 $\mathrm{P}(A)=0.4$, $\mathrm{P}(B)=0.5$일 때, 다음을 구하시오.

278 $\mathrm{P}(A|B)$

279 $\mathrm{P}(B^C|A^C)$

280 $\mathrm{P}(A\cap B)$

281 $\mathrm{P}(A\cup B)$

[282~283] 한 개의 주사위를 던지는 시행에서 2의 약수의 눈이 나오는 사건을 A, 4의 약수의 눈이 나오는 사건을 B, 6의 약수의 눈이 나오는 사건을 C라 할 때, 다음 물음에 답하시오.

282 두 사건 A, B가 서로 독립인지 종속인지 말하시오.

283 두 사건 B, C가 서로 독립인지 종속인지 말하시오.

284 주머니 A에는 흰 공과 검은 공이 각각 5개, 3개 들어 있고, 주머니 B에는 흰 공과 검은 공이 각각 2개, 4개 들어 있다. 두 주머니 A, B에서 임의로 공을 하나씩 꺼낼 때, 모두 흰 공을 꺼낼 확률을 구하시오.

개념 04 독립시행의 확률

C 유형 10, 11

note

1 독립시행

동일한 시행을 반복할 때, 각 시행의 결과가 그 다음 시행의 결과에 아무런 영향을 주지 않을 경우, 즉 각 시행에서 일어나는 사건이 모두 서로 독립인 경우의 시행을 **독립시행**이라 한다.

예 동전을 여러 번 던지는 시행, 주사위를 여러 번 던지는 시행, 확률이 일정한 제비 뽑기를 여러 번 반복하는 시행 등

2 독립시행의 확률

어떤 시행에서 사건 A가 일어날 확률이 $p\,(0<p<1)$일 때, 이 시행을 n회 반복하는 독립시행에서 사건 A가 r회 일어날 확률은

$${}_{n}\mathrm{C}_{r}p^{r}(1-p)^{n-r}\ (\text{단, } r=0,\ 1,\ 2,\ \cdots,\ n)$$

예 주사위를 7번 던질 때, 1의 눈이 2번 나올 확률은 ${}_{7}\mathrm{C}_{2}\left(\frac{1}{6}\right)^{2}\left(\frac{5}{6}\right)^{5}$

- n회의 시행에서 사건 A가 r번 일어나는 경우의 수는 ${}_{n}\mathrm{C}_{r}$
- 독립시행의 확률은 각 시행에서 일어나는 사건의 확률을 곱하여 계산한다.

정답 및 풀이 32쪽

[285~287] 다음 표는 당첨 확률이 $\frac{1}{3}$로 일정한 제비 뽑기를 5번 반복하여 시행할 때, 2번 당첨되는 경우와 그 확률을 나타낸 것이다. 다음 물음에 답하시오.

(단, 당첨은 ○, 꽝은 ×로 표시한다.)

경우	확률
○○×××	$p_1=\frac{1}{3}\times\frac{1}{3}\times\frac{2}{3}\times\frac{2}{3}\times\frac{2}{3}$
○×○××	$p_2=\frac{1}{3}\times\frac{2}{3}\times\frac{1}{3}\times\frac{2}{3}\times\frac{2}{3}$
○××○×	$p_3=\frac{1}{3}\times\frac{2}{3}\times\frac{2}{3}\times\frac{1}{3}\times\frac{2}{3}$
⋮	⋮
×××○○	$p_n=\frac{2}{3}\times\frac{2}{3}\times\frac{2}{3}\times\frac{1}{3}\times\frac{1}{3}$

285 2번 당첨되는 모든 경우의 수가 n일 때, n의 값을 구하시오.

286 $p_1=p_2=p_3=\cdots=p_n=p$일 때, 상수 p의 값을 구하시오.

287 5번의 시행에서 2번 당첨될 확률을 구하시오.

[288~289] 흰 공과 검은 공이 2개씩 들어 있는 주머니에서 임의로 2개의 공을 꺼낼 때, 꺼낸 공의 색이 서로 다른 사건을 A라 하자. 다음을 구하시오.

(단, 꺼낸 공은 다시 넣는다.)

288 $\mathrm{P}(A)$

289 이 시행을 5번 반복할 때, 사건 A가 2번 일어날 확률

290 한 개의 주사위를 8번 던질 때, 4의 약수의 눈이 3번 나올 확률을 구하시오.

291 어느 양궁 선수가 한 발의 화살을 쏘았을 때, 과녁의 10점 영역을 맞힐 확률이 40 %라 한다. 이 선수가 4번의 화살을 쏘았을 때, 10점 영역을 2번 맞힐 확률을 구하시오.

292 던져서 등이 나올 확률이 $\frac{1}{3}$인 윷가락 4개를 동시에 던졌을 때, 등이 나온 윷가락이 1개일 확률을 구하시오.

도전! 유형 연습하기

유형 01 조건부확률

두 사건 A, B에 대하여 사건 A가 일어났을 때의 사건 B의 조건부확률은

➡ $\mathrm{P}(B|A)=\dfrac{\mathrm{P}(A\cap B)}{\mathrm{P}(A)}=\dfrac{n(A\cap B)}{n(A)}$

(단, $\mathrm{P}(A)>0$)

대표 문제

293

200 이하의 자연수가 각각 하나씩 적힌 200장의 카드가 들어 있는 상자에서 임의로 꺼낸 1장의 카드에 적힌 수가 3의 배수일 때, 그 카드에 적힌 수가 7의 배수일 확률은?

① $\dfrac{3}{22}$ ② $\dfrac{2}{11}$ ③ $\dfrac{5}{22}$
④ $\dfrac{3}{11}$ ⑤ $\dfrac{7}{22}$

294

다음 표는 어느 학교 학생들을 대상으로 두 교복 A, B의 선호도를 조사한 것이다. 이 학교 학생 중에서 임의로 택한 학생이 A 교복을 선호할 때, 그 학생이 3학년 학생일 확률은?

	A 교복	B 교복	합계
1학년	28	57	85
2학년	53	41	94
3학년	36	49	85
합계	117	147	264

① $\dfrac{2}{13}$ ② $\dfrac{4}{13}$ ③ $\dfrac{6}{13}$
④ $\dfrac{8}{13}$ ⑤ $\dfrac{10}{13}$

295

한 개의 주사위를 3번 던져서 나온 눈의 수를 차례로 a, b, c라 하자. abc가 짝수일 때, $a+b+c$가 홀수일 확률은 $\dfrac{n}{m}$이다. 이때 $m+n$의 값은?

(단, m, n은 서로소인 자연수이다.)

① 6 ② 8 ③ 10
④ 12 ⑤ 14

296

어느 고등학교 학생의 등교 방법을 조사한 결과 버스로 등교하는 학생이 전체의 40 %이었고, 버스로 등교하는 남학생이 전체의 25 %이었다. 이 학교 학생 중에서 임의로 택한 한 명이 버스로 등교하는 학생일 때, 그 학생이 남학생일 확률을 구하시오.

297

크기와 모양이 같은 어떤 과일이 n개 담겨 있는 상자가 있다. 이 상자에서 임의로 한 개의 과일을 꺼냈을 때, 꺼낸 과일이 잘 익은 과일이었을 확률은 $\dfrac{5}{7}$이고, 꺼낸 그 과일을 넣지 않고 한 개의 과일을 더 꺼냈을 때, 두 번째로 꺼낸 과일이 덜 익은 과일이었을 확률은 $\dfrac{3}{10}$이다. 이 상자에 처음에 들어 있던 과일 중에서 잘 익은 과일의 개수는?

(단, 과일은 잘 익은 것과 덜 익은 것의 두 가지만 있다.)

① 12 ② 13 ③ 14
④ 15 ⑤ 16

➔ 정답 및 풀이 33쪽

○△×

난선 유형 02 확률의 곱셈정리

두 사건 A, B에 대하여
(두 사건 A, B가 잇달아 일어날 확률)
=(두 사건 A, B가 동시에 일어날 확률)
=(A가 일어날 확률)
×(A가 일어났을 때, B가 일어날 확률)
즉, $\mathrm{P}(A\cap B)=\mathrm{P}(A)\mathrm{P}(B|A)$

대표 문제

298 #동시에_잇달아_일어나는_사건은 #확률의_곱셈정리_이용

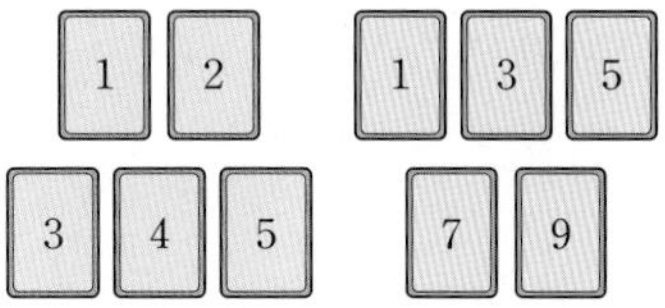

1 2 3 4 5
1 3 5 7 9

오른쪽 그림과 같이 1, 2, 3, 4, 5가 각각 하나씩 적힌 파란색 카드와 1, 3, 5, 7, 9가 각각 하나씩 적힌 빨간색 카드가 있다. 파란색 카드 중에서 임의로 3장을 뽑아 빨간색 카드에 합친 후 섞은 8장의 카드 중에서 3장을 뽑을 때, 마지막에 뽑힌 3장의 카드에 적힌 수 중에서 짝수가 2개 포함될 확률은?

① $\frac{9}{280}$ ② $\frac{3}{70}$ ③ $\frac{3}{56}$
④ $\frac{9}{140}$ ⑤ $\frac{3}{40}$

확률의 곱셈정리는 여러 사건이 동시에 일어나거나 단계적으로 일어나는 시행에서 확률을 구할 때 꼭 필요해!

299

3개의 당첨 제비를 포함하여 10개의 제비가 들어 있는 주머니에서 갑, 을이 차례로 제비를 1개씩 뽑을 때, 을만 당첨될 확률을 구하시오.
(단, 꺼낸 제비는 다시 넣지 않는다.)

300

4명의 학생이 동시에 앉거나 일어서는 2가지의 자세 중에서 하나를 택하여 취할 때, 더 많은 인원이 취한 자세의 학생이 탈락하는 게임을 한다. 만약 앉은 자세의 학생과 일어선 자세의 학생의 수가 같거나 모두 같은 자세를 취하면 이기거나 탈락하는 학생 없이 다음 회차의 시행을 진행한다. 이 게임에서 3회차의 시행에 처음으로 탈락하는 학생이 나올 확률은?

① $\frac{1}{2}$ ② $\frac{1}{4}$ ③ $\frac{1}{8}$
④ $\frac{1}{16}$ ⑤ $\frac{1}{32}$

○△×

유형 03 서로 종속인 사건의 확률

주어진 문제에서 두 사건 A, B를 각각 정하였을 때, 두 사건 A, B가 서로 종속이면
$\mathrm{P}(A\cap B)=\mathrm{P}(A)\mathrm{P}(B|A)$
임을 이용하여 확률을 구한다.

대표 문제

301

다음 표는 어느 도시 어떤 날의 미세먼지 수준이 '좋음'이거나 '나쁨'일 때, 각각 그 다음 날 미세먼지 수준이 '좋음'이거나 '나쁨'일 확률을 나타낸 것이다. 이 도시의 5월 1일의 미세먼지 수준이 '나쁨'이었을 때, 5월 2일부터 4일까지 미세먼지 수준이 '좋음'인 날이 2일 이상일 확률은?

어떤 날 \ 다음 날	좋음	나쁨
좋음	0.4	0.6
나쁨	0.3	0.7

① 0.25 ② 0.254 ③ 0.258
④ 0.262 ⑤ 0.266

302

어느 지역에서 비가 오는 날을 조사해 보니 비가 온 다음 날에 비가 올 확률은 $\frac{1}{4}$, 비가 오지 않은 다음 날에 비가 올 확률은 $\frac{1}{6}$이었다고 한다. 이 지역에서 수요일에 비가 왔을 때, 같은 주 토요일에는 비가 오지 않을 확률은?

① $\frac{13}{16}$ ② $\frac{157}{192}$ ③ $\frac{79}{96}$
④ $\frac{53}{64}$ ⑤ $\frac{5}{6}$

유형 04 확률의 곱셈정리와 조건부확률의 계산

확률의 계산 문제는 다음을 이용한다.
(1) $\mathrm{P}(B|A)=\frac{\mathrm{P}(A\cap B)}{\mathrm{P}(A)}$
(2) $\mathrm{P}(A\cap B)=\mathrm{P}(A)\mathrm{P}(B|A)$
(3) $\mathrm{P}(A\cup B)=\mathrm{P}(A)+\mathrm{P}(B)-\mathrm{P}(A\cap B)$

대표 문제
303

두 사건 A, B에 대하여

$$\mathrm{P}(A)=\frac{2}{5},\ \mathrm{P}(B)=\frac{1}{3},\ \mathrm{P}(B|A)=\frac{1}{4}$$

일 때, $\mathrm{P}(A^C\cap B^C)$는?

① $\frac{1}{6}$ ② $\frac{4}{15}$ ③ $\frac{11}{30}$
④ $\frac{7}{15}$ ⑤ $\frac{17}{30}$

304

두 사건 A, B에 대하여

$$\mathrm{P}(A)=0.4,\ \mathrm{P}(B)=0.5,\ \mathrm{P}(A|B)=0.6$$

일 때, $100\mathrm{P}(B|A)$의 값을 구하시오.

305

두 사건 A, B에 대하여

$$\mathrm{P}(A)=\frac{1}{3},\ \mathrm{P}(B^C)=\frac{3}{4},\ \mathrm{P}(B|A)=\frac{1}{6}$$

일 때, $\mathrm{P}(A^C|B)$는?

① $\frac{1}{9}$ ② $\frac{1}{3}$ ③ $\frac{5}{9}$
④ $\frac{7}{9}$ ⑤ 1

306

두 사건 A, B에 대하여

$$\mathrm{P}(A|B)=0.4,\ \mathrm{P}(B|A)=0.6,\ \mathrm{P}(A)=0.2$$

일 때, $\mathrm{P}(A\cup B)$는?

① 0.3 ② 0.34 ③ 0.38
④ 0.42 ⑤ 0.46

307

두 사건 A, B에 대하여

$$\mathrm{P}(A|B)=\frac{1}{2},\ \frac{2}{\mathrm{P}(B)}-\frac{3}{\mathrm{P}(A)}=5$$

이다. 사건 A가 일어날 확률이 사건 B가 일어날 확률의 3배일 때, $\mathrm{P}(A\cap B)$는?

① $\frac{1}{12}$ ② $\frac{1}{10}$ ③ $\frac{1}{8}$
④ $\frac{1}{6}$ ⑤ $\frac{1}{4}$

유형 05 확률의 곱셈정리의 활용

두 사건 A, E에 대하여 시행의 과정에서 $A \to E$의 순서로 사건이 일어나는 경우, 사건 E의 확률은

➡ $P(E)=P(A\cap E)+P(A^C\cap E)$
$=P(A)P(E|A)+P(A^C)P(E|A^C)$

대표 문제

308

오른쪽 그림과 같이 A 주머니에는 노란 공 3개, 파란 공 3개가 들어 있고, B 주머니에는 노란 공 2개, 파란 공 4개가 들어 있다. 주사위를 한 번 던져서 나온 눈의 수가 6의 약수이면 A 주머니에서, 6의 약수가 아니면 B 주머니에서 3개의 공을 동시에 꺼낼 때, 꺼낸 3개의 공에 노란 공이 적어도 1개 포함될 확률을 구하시오.

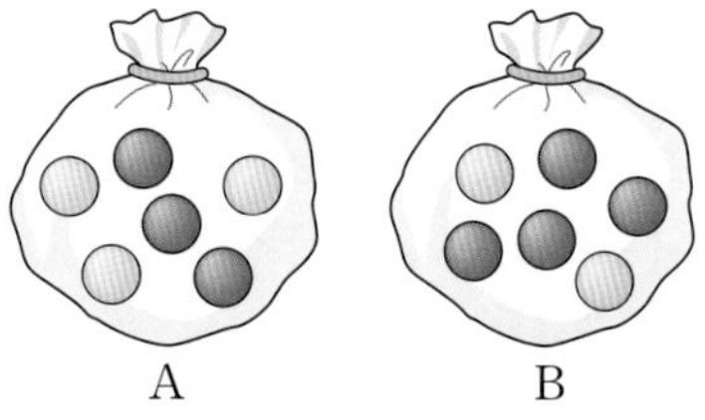

A
B

309

어느 커피 감별사가 후각 검사를 통해 C 국가에서 생산된 커피 원두를 C 국가의 것으로 판정할 확률은 90 %, C 국가가 아닌 곳에서 생산된 커피 원두를 C 국가의 것으로 판정할 확률은 20 %로 각각 일정하다고 한다. 다음 표와 같이 12개의 커피 원두 샘플 중에서 임의로 1개의 커피 원두 샘플을 택해 후각 검사를 실시했을 때, C 국가의 것으로 판정할 확률은?

커피 원두 생산 국가	C 국가	E 국가	K 국가	합계
커피 원두 샘플의 개수	4	3	5	12

① $\frac{2}{15}$ ② $\frac{7}{30}$ ③ $\frac{1}{3}$
④ $\frac{13}{30}$ ⑤ $\frac{8}{15}$

310

파란 공 3개, 노란 공 2개가 들어 있는 주머니에서 임의로 2개의 공을 동시에 꺼낼 때, 꺼낸 공의 색이 서로 같으면 동전을 3개 던지고, 꺼낸 공의 색이 서로 다르면 동전을 2개 던진다. 이 시행에서 앞면이 나온 동전의 개수가 2일 확률은?

① $\frac{1}{10}$ ② $\frac{3}{10}$ ③ $\frac{1}{2}$
④ $\frac{7}{10}$ ⑤ $\frac{9}{10}$

날선 유형 06 확률의 곱셈정리와 조건부확률의 활용

두 사건 A, E에 대하여 시행의 과정에서 $A \to E$의 순서로 사건이 일어나는 경우, 조건부확률 $P(A|E)$는

➡ $P(A|E)=\frac{P(A\cap E)}{P(E)}=\frac{P(A\cap E)}{P(A\cap E)+P(A^C\cap E)}$

대표 문제

311 #시행의_과정에서_순서 #확률의_곱셈정리 #조건부확률_활용

어느 지역에 거주하는 고등학생의 수는 대학생의 수의 1.5배이다. 이 지역에 거주하는 고등학생과 대학생 중에서 각각 20 %, 60 %가 헌혈 경험이 있다고 한다. 이 지역에 거주하는 고등학생과 대학생 중에서 임의로 택한 한 명이 헌혈 경험이 있을 때, 이 학생이 고등학생일 확률은?

① $\frac{1}{2}$ ② $\frac{1}{3}$ ③ $\frac{1}{4}$
④ $\frac{1}{5}$ ⑤ $\frac{1}{6}$

조건부확률에서 사건의 순서 따져보기!

2 조건부확률

312

5장의 카드 중에서 2장의 카드에는 뒷면에 '당첨'이라 적혀 있다. 갑, 을 두 사람 중에서 갑이 먼저 카드를 1장 뒤집고, 뒤집힌 카드는 그대로 둔 채 을이 남은 4장의 카드 중에서 1장을 뒤집는 시행을 한다. 을이 '당첨'이라 적힌 카드를 뒤집었을 때, 갑도 '당첨'이라 적힌 카드를 뒤집었을 확률을 구하시오.

313

철수가 받은 전자우편의 10 %는 제목이 '여행'이라는 단어를 포함한다. 제목이 '여행'을 포함한 전자우편의 50 %가 광고이고, '여행'을 포함하지 않은 전자우편의 20 %가 광고이다. 철수가 받은 한 전자우편이 광고일 때, 이 전자우편의 제목이 '여행'을 포함할 확률은?

① $\frac{5}{23}$ ② $\frac{6}{23}$ ③ $\frac{7}{23}$
④ $\frac{8}{23}$ ⑤ $\frac{9}{23}$

314

다음 표는 핸드폰을 생산하는 A, B, C 회사의 국내 핸드폰 시장 점유율과 각 회사에서 생산된 핸드폰 중에서 폴더폰이 차지하는 비율을 조사한 것이다. 어떤 사람이 국내에서 폴더폰을 한 대 구입하였을 때, 이 폴더폰이 C 회사에서 생산한 것일 확률을 구하시오.

	A	B	C
핸드폰 시장 점유율	20 %	50 %	30 %
폴더폰이 차지하는 비율	10 %	10 %	20 %

○△×

유형 07 사건의 독립과 종속

두 사건 A, B에 대하여

A와 B가 서로 독립	$P(A\|B)=P(A)$	$P(A\cap B)=P(A)P(B)$
A와 B가 서로 종속	$P(A\|B)\neq P(A)$	$P(A\cap B)\neq P(A)P(B)$

대표 문제
315

표본공간 $S=\{1, 2, 3, \cdots, 8\}$의 두 사건 A, B에 대하여 $A=\{x \mid x\text{는 8의 약수}\}$일 때, 다음 조건을 모두 만족시키는 사건 B의 개수는?

(가) 두 사건 A, B는 서로 독립이다.
(나) $n(A\cap B)=2$

① 9 ② 18 ③ 27
④ 36 ⑤ 45

316

어느 고등학교의 전체 학생 720명 중에서 남학생은 300명이고, 안경을 착용하는 학생은 480명이다. 이 학교에서 임의로 택한 한 명의 학생이 남학생인 사건과 안경을 착용하는 사건이 서로 독립일 때, 안경을 착용하지 않는 여학생은 모두 k명이다. 이때 자연수 k의 값은?

① 60 ② 80 ③ 100
④ 120 ⑤ 140

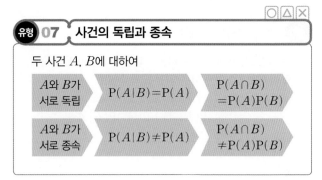

317

표본공간 S의 두 사건 A, B에 대하여 $\mathrm{P}(A)>0$, $\mathrm{P}(B)>0$일 때, 보기에서 옳은 것만을 있는 대로 고른 것은?

보기
ㄱ. A, B가 서로 배반사건이면 $\mathrm{P}(A|B)=0$
ㄴ. A, B가 서로 독립이면 A, B는 서로 배반사건이 아니다.
ㄷ. A, B가 서로 배반사건이면 A, B는 서로 독립이 아니다.

① ㄱ ② ㄱ, ㄴ ③ ㄱ, ㄷ
④ ㄴ, ㄷ ⑤ ㄱ, ㄴ, ㄷ

318

다음은 $0<\mathrm{P}(A)<1$, $0<\mathrm{P}(B)<1$인 두 사건 A, B가 서로 독립일 때, 두 사건 A^C, B^C도 서로 독립임을 증명한 것이다.

> 두 사건 A, B가 서로 독립이므로
> $\mathrm{P}(A\cap B)=$ (가)
> $A^C\cap B^C=($ (나) $)^C$에서
> $\mathrm{P}(A^C\cap B^C)=1-\mathrm{P}($ (나) $)$
> $=1-\{\mathrm{P}(A)+\mathrm{P}(B)-\mathrm{P}($ (다) $)\}$
> $=\{1-\mathrm{P}(A)\}\{1-\mathrm{P}(B)\}$
> $=\mathrm{P}(A^C)\mathrm{P}(B^C)$
> 따라서 두 사건 A^C, B^C도 서로 독립이다.

위의 과정에서 (가)~(다)에 알맞은 것을 차례로 적은 것은?

① $\mathrm{P}(A|B)$, $A\cup B$, $A\cap B$
② $\mathrm{P}(A|B)$, $A\cap B$, $A\cup B$
③ $\mathrm{P}(A)\mathrm{P}(B)$, $A\cup B$, $A\cap B$
④ $\mathrm{P}(A)\mathrm{P}(B)$, $A\cup B$, B
⑤ $\mathrm{P}(A)\mathrm{P}(B)$, $A\cap B$, $A\cup B$

319

20 이하의 자연수가 각각 하나씩 적힌 20장의 카드 중에서 임의로 한 장의 카드를 뽑을 때, k의 배수가 적힌 카드를 뽑는 사건을 A_k라 하자. 두 사건 A_2, A_k가 서로 독립이 되도록 하는 모든 자연수 k의 값의 합을 구하시오.
(단, $k\geq 2$이다.)

○△✕

유형 08 독립인 사건의 확률의 계산

두 사건 A, B가 서로 독립일 때, 확률의 계산 문제는 다음을 이용한다.
(1) $\mathrm{P}(B|A)=\mathrm{P}(B|A^C)=\mathrm{P}(B)$
(2) $\mathrm{P}(A\cap B)=\mathrm{P}(A)\mathrm{P}(B)$
(3) $\mathrm{P}(A\cup B)=\mathrm{P}(A)+\mathrm{P}(B)-\mathrm{P}(A)\mathrm{P}(B)$

대표 문제
320

두 사건 A, B가 서로 독립이고

$$\mathrm{P}(B^C)=\frac{3}{5},\ \mathrm{P}(A|B^C)=\frac{2}{3}$$

일 때, $\mathrm{P}(A\cup B)$는?

① $\frac{1}{5}$ ② $\frac{2}{5}$ ③ $\frac{3}{5}$
④ $\frac{4}{5}$ ⑤ 1

321

두 사건 A, B가 서로 독립이고

$$\mathrm{P}(A)=\frac{3}{4},\ \mathrm{P}(A\cap B)=\mathrm{P}(A)-\mathrm{P}(B)$$

일 때, $\mathrm{P}(B)$를 구하시오.

322

두 사건 A, B가 서로 독립이고

$$\mathrm{P}(A)=\frac{1}{3},\ \mathrm{P}(A\cup B)=\frac{4}{5}$$

일 때, $\mathrm{P}(B)$는?

① $\frac{7}{10}$　② $\frac{3}{5}$　③ $\frac{1}{2}$

④ $\frac{2}{5}$　⑤ $\frac{3}{10}$

323

두 사건 A, B가 서로 독립이고

$$\mathrm{P}(A)=\frac{1}{3},\ \mathrm{P}(B^C|A^C)=\frac{2}{5}$$

일 때, $\mathrm{P}(A\cap B^C)+\mathrm{P}(A^C\cap B)=\frac{n}{m}$이다. 이때 $m+n$의 값은? (단, m, n은 서로소인 자연수이다.)

① 17　② 19　③ 21

④ 23　⑤ 25

A, B가 서로 독립이면
A^C와 B, A와 B^C, A^C와
B^C도 각각 서로 독립

324

두 사건 A, B가 서로 독립이고

$$\mathrm{P}(A\cap B)=\frac{1}{3},\ \mathrm{P}(A\cup B)=k-\frac{1}{3}$$

일 때, 실수 k의 최솟값은?

① $\frac{2}{3}$　② $\frac{\sqrt{6}}{3}$　③ $\frac{2\sqrt{2}}{3}$

④ $\frac{\sqrt{10}}{3}$　⑤ $\frac{2\sqrt{3}}{3}$

유형 09 독립인 사건의 확률

주어진 문제에서 두 사건 A, B를 각각 정하였을 때, 두 사건 A, B가 서로 독립이면

$$\mathrm{P}(A\cap B)=\mathrm{P}(A)\mathrm{P}(B)$$

임을 이용하여 확률을 구한다.

대표 문제

325

두 학생 A, B가 2개의 동전을 각각 던져서 먼저 2개의 동전이 모두 앞면이 나오면 이기는 시합을 했다. 학생 A부터 시작하여 차례로 번갈아 던질 때, 6회 이내에 학생 B가 이길 확률을 구하시오.

326

한 개의 주사위를 던져서 5 이상의 눈이 나오면 한 번 더 던질 기회를 가지고, 그렇지 않으면 던지는 시행을 마친다고 할 때, 이 시행을 마칠 때까지 나온 주사위의 눈의 수의 합이 10일 확률을 구하시오.

327

세 학생 A, B, C가 자유투를 성공시킬 확률이 각각 $\frac{1}{2}$, $\frac{2}{3}$, $\frac{3}{4}$이다. 세 학생 A, B, C가 각각 한 번씩 자유투를 시도할 때, 한 명만 성공할 확률은?

① $\frac{1}{4}$　② $\frac{1}{3}$　③ $\frac{1}{2}$

④ $\frac{2}{3}$　⑤ $\frac{3}{4}$

➜ 정답 및 풀이 37쪽

유형 10 독립시행의 확률

어떤 시행에서 사건 A가 일어날 확률이 p $(0<p<1)$일 때, 이 시행을 n회 반복하는 독립시행에서 사건 A가 r회 일어날 확률은

➡ ${}_{n}\mathrm{C}_{r}p^{r}(1-p)^{n-r}$ (단, $r=0, 1, 2, \cdots, n$)

대표 문제

328

어느 수업에 참여하는 10명의 학생들이 숙제를 미리 해 오는 확률은 50 %로 동일하다고 한다. 이 수업에서 숙제를 미리 해 온 학생의 수가 8명 이하일 확률은?

① $\frac{251}{256}$ ② $\frac{1007}{1024}$ ③ $\frac{505}{512}$ ④ $\frac{1013}{1024}$ ⑤ $\frac{127}{128}$

329

윷가락 한 개를 던질 때 등이 나올 확률이 $\frac{1}{3}$인 윷가락이 있다. 네 명의 학생이 윷가락을 한 개씩 동시에 던져서 다음과 같은 방법으로 두 명씩 두 팀으로 나누려고 한다.

> (가) 윷가락의 등과 배가 두 개씩 나오면 같은 면이 나온 사람끼리 같은 팀이 된다.
> (나) 윷가락의 등과 배가 나온 개수가 서로 다르면 등과 배가 나온 개수가 같아질 때까지 네 명의 학생 모두 윷가락을 다시 던진다.

이와 같은 시행에서 모든 학생들이 두 번째로 던졌을 때, 팀이 결정될 확률은?

① $\frac{151}{729}$ ② $\frac{152}{729}$ ③ $\frac{17}{81}$ ④ $\frac{154}{729}$ ⑤ $\frac{155}{729}$

330

어떤 축구 선수는 패스 성공률이 25 %라 한다. 이 선수가 4번의 패스를 하였을 때, 1번만 성공할 확률을 구하시오.

331

어느 대회에서는 결승에 진출한 두 사람이 5번의 경기를 하여 먼저 3번을 이긴 사람이 우승하게 된다. 이 대회의 결승에 진출한 두 사람 A, B의 경기에서 A가 이길 확률이 $\frac{2}{3}$일 때, 5번째 경기에서 A가 우승할 확률은? (단, 비기는 경우는 없다.)

① $\frac{8}{81}$ ② $\frac{11}{81}$ ③ $\frac{13}{81}$ ④ $\frac{16}{81}$ ⑤ $\frac{19}{81}$

332

5명의 학생이 2단계에 걸쳐서 제비 뽑기를 한다. 1단계 제비 뽑기는 10개의 제비 중에서 5개가 당첨 제비이고, 2단계 제비 뽑기는 10개의 제비 중에서 2개가 당첨 제비이다. 1단계 제비 뽑기에서 당첨 제비를 뽑은 학생만 2단계 제비 뽑기의 기회를 가지고, 2단계의 제비 뽑기에서 당첨 제비를 뽑으면 최종 당첨자가 된다. 5명의 학생 중에서 최종 당첨자가 3명일 확률을 p라 할 때, 10^5p의 값을 구하시오.

정답 및 풀이 38쪽

날선 유형 11 독립시행의 확률의 활용 – 횟수 찾기

복잡한 조건이 주어진 독립시행의 확률은 다음과 같은 순서로 구한다.

❶ 조건을 만족시키는 사건 A가 일어날 횟수를 구한다.
❷ 독립시행의 확률을 이용하여 값을 구한다.

대표 문제

333 #방정식을_이용하여 #시행_횟수_구하기 #독립시행의_확률_이용

좌표평면 위의 점 P가 다음 규칙에 따라 이동한다.

> (가) 원점에서 출발한다.
> (나) 동전을 1개 던져서 앞면이 나오면 x축의 양의 방향으로 1만큼 평행이동한다.
> (다) 동전을 1개 던져서 뒷면이 나오면 x축의 양의 방향으로 1만큼, y축의 양의 방향으로 1만큼 평행이동한다.

1개의 동전을 6번 던져서 점 P가 (a, b)로 이동하였다. $a+b$가 3의 배수가 될 확률이 $\frac{q}{p}$일 때, $p+q$의 값을 구하시오. (단, p, q는 서로소인 자연수이다.)

334

주사위를 8번 던질 때, 3 이하의 눈이 4 이상의 눈보다 4번 더 많이 나올 확률은?

① $\frac{3}{32}$ ② $\frac{7}{64}$ ③ $\frac{1}{8}$ ④ $\frac{9}{64}$ ⑤ $\frac{5}{32}$

335

10개의 동전을 동시에 던져서 앞면이 나온 동전의 개수를 a, 뒷면이 나온 동전의 개수를 b라 할 때, $\frac{|a-b|}{2}$의 값이 홀수일 확률을 구하시오.

336

한 개의 주사위를 10번 던질 때, $n(n=1, 2, \cdots, 10)$번째 나오는 눈의 수가 짝수이면 $a_n=2$, 홀수이면 $a_n=-1$이라 하자. 이때 $a_1+a_2+\cdots+a_{10}=8$일 확률은?

① $\frac{97}{512}$ ② $\frac{99}{512}$ ③ $\frac{101}{512}$ ④ $\frac{103}{512}$ ⑤ $\frac{105}{512}$

337

오른쪽 그림과 같은 정육각형 ABCDEF에서 꼭짓점 A의 위치에 있는 점 P가 1개의 주사위를 던질 때마다 다음 규칙에 따라 정육각형의 꼭짓점 위를 움직인다.

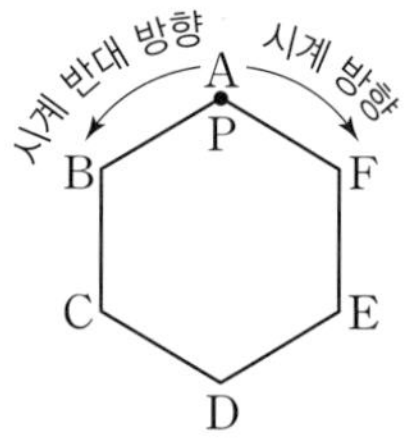

> (가) 주사위의 눈의 수가 5의 약수이면 시계 방향으로 3칸 움직인다.
> (나) 주사위의 눈의 수가 5의 약수가 아니면 시계 반대 방향으로 1칸 움직인다.

주사위를 6번 던질 때, 꼭짓점 A를 출발한 점 P가 꼭짓점 C의 위치에 있을 확률은?

① $\frac{22}{81}$ ② $\frac{8}{27}$ ③ $\frac{26}{81}$ ④ $\frac{28}{81}$ ⑤ $\frac{10}{27}$

실전! 기출 문제 정복하기

→ 정답 및 풀이 39쪽

338

어떤 카페에서는 고객이 음료를 1잔 살 때마다 주사위를 한 번 던지는 기회를 주고, 주사위의 눈의 수만큼 고객 점수를 올려주는 행사를 한다고 한다. 이 카페에서 2잔의 음료를 산 어떤 고객이 주사위를 2번 던져 고객 점수를 8점 얻었을 때, 6의 눈이 한 번도 나온 적이 없을 확률은?

① $\frac{1}{5}$　② $\frac{2}{5}$　③ $\frac{3}{5}$

④ $\frac{4}{5}$　⑤ 1

339

다음 그림과 같이 1, 1, 2, 3, 4, 5의 숫자가 각각 하나씩 적힌 6장의 카드가 있다. 이 카드에서 3장을 임의로 뽑아 일렬로 나열할 때, 나열된 순서대로 카드에 적힌 수를 a, b, c라 하자. 이때 $a<b<4\le c$일 확률은?

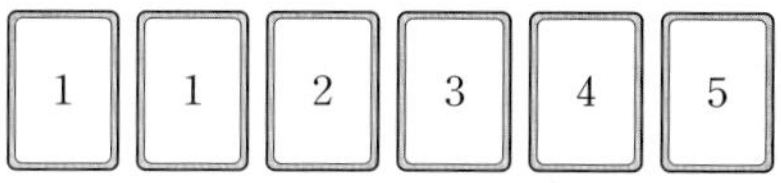

① $\frac{1}{12}$　② $\frac{1}{4}$　③ $\frac{5}{12}$

④ $\frac{7}{12}$　⑤ $\frac{3}{4}$

340

두 사건 A, B에 대하여

$$\mathrm{P}(A|B)=\frac{1}{3},\ \mathrm{P}(B|A)=\frac{1}{2},\ \mathrm{P}(A\cup B)=\frac{2}{3}$$

일 때, $\mathrm{P}(A\cap B)$는?

① $\frac{1}{3}$　② $\frac{1}{4}$　③ $\frac{1}{5}$

④ $\frac{1}{6}$　⑤ $\frac{1}{7}$

341

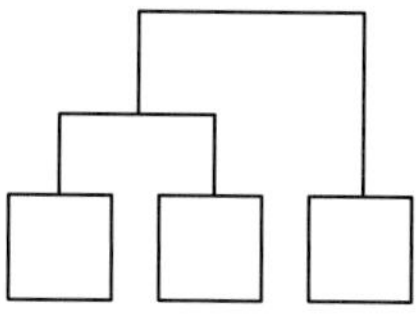

A, B, C 세 사람이 오른쪽 그림과 같은 대진표에 따라 경기를 한다. 임의로 대진이 배정되며 한 번의 경기에서 A가 B와 C를 이길 확률이 각각 $\frac{4}{5}$, $\frac{3}{10}$이고, B가 C를 이길 확률이 $\frac{1}{2}$일 때, A가 우승할 확률을 구하시오. (단, 비기는 경우는 없다.)

342

현송이가 도서관에서 편의점과 서점을 차례로 들러 집으로 돌아오는데 도서관, 편의점, 서점에 우산을 놓고 올 확률은 각각 $\frac{1}{4}$로 동일하다고 하자. 집에 도착한 현송이가 우산을 세 곳 중에서 어딘가에 놓고 온 것을 알았을 때, 서점에서 놓고 왔을 확률은 $\frac{n}{m}$이다. 이때 $m+n$의 값을 구하시오. (단, m, n은 서로소인 자연수이다.)

343

다음 중 $0<\mathrm{P}(A)<1$, $0<\mathrm{P}(B)<1$인 두 사건 A, B에 대하여 옳지 않은 것은?

① 두 사건 A, B가 서로 배반사건이면 $\mathrm{P}(B|A)=0$

② $\mathrm{P}(A^C|B)=1-\mathrm{P}(A|B)$

③ 두 사건 A, B가 서로 독립이면 $\mathrm{P}(A\cup B)=\mathrm{P}(A)+\mathrm{P}(B)-\mathrm{P}(A)\mathrm{P}(B)$

④ 두 사건 A, B가 서로 독립이면 $\mathrm{P}(A|B)=\mathrm{P}(A|B^C)$

⑤ 두 사건 A, B가 서로 독립이면 $\mathrm{P}(A|B)=\mathrm{P}(B|A)$

344 수능 기출

한 개의 주사위를 한 번 던진다. 홀수의 눈이 나오는 사건을 A, 6 이하의 자연수 m에 대하여 m의 약수의 눈이 나오는 사건을 B라 하자. 두 사건 A와 B가 서로 독립이 되도록 하는 모든 m의 값의 합을 구하시오.

345

두 사건 A, B가 서로 독립이고

$$\mathrm{P}(A)=\frac{1}{3},\ \mathrm{P}(A\cup B)=\frac{1}{2}$$

일 때, $\mathrm{P}(A\cap B^C)$는?

① $\frac{1}{12}$ ② $\frac{1}{10}$ ③ $\frac{1}{8}$
④ $\frac{1}{6}$ ⑤ $\frac{1}{4}$

346 교육청 기출

크기와 모양이 같은 공이 상자 A에는 검은 공 2개와 흰 공 2개, 상자 B에는 검은 공 1개와 흰 공 2개가 들어 있다. 두 상자 A, B 중 임의로 선택한 하나의 상자에서 공을 1개 꺼냈더니 검은 공이 나왔을 때, 그 상자에 남은 공이 모두 흰 공일 확률은?

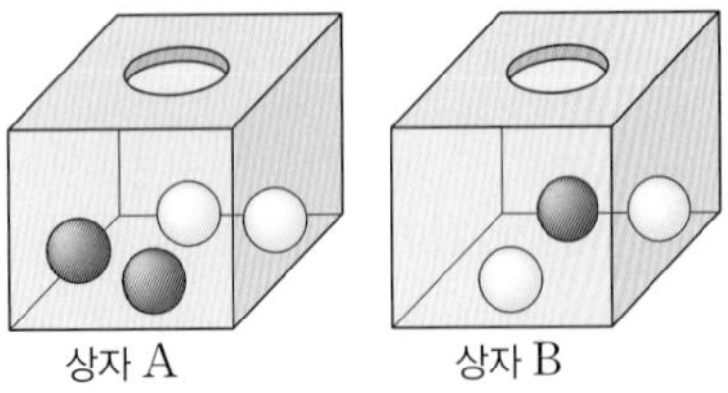

① $\frac{3}{10}$ ② $\frac{2}{5}$ ③ $\frac{1}{2}$
④ $\frac{3}{5}$ ⑤ $\frac{7}{10}$

347

다음 조건을 만족시키는 상자가 n $(n\geq 2)$개 있다.

> [상자 1] 흰 구슬 1개, 검은 구슬 $n-1$개
> [상자 2] 흰 구슬 2개, 검은 구슬 $n-2$개
> [상자 3] 흰 구슬 3개, 검은 구슬 $n-3$개
> ⋮
> [상자 n] 흰 구슬 n개, 검은 구슬 0개

n개의 상자에서 임의로 한 개의 상자를 택하여 2개의 구슬을 동시에 꺼낼 때, 모두 흰 구슬이 나올 확률을 P_n이라 하자. $\mathrm{P}_{11}=\frac{q}{p}$일 때, $p+q$의 값을 구하시오.
(단, p, q는 서로소인 자연수이다.)

348 수능 기출

좌표평면의 원점에 점 A가 있다. 한 개의 동전을 사용하여 다음 시행을 한다.

> 동전을 한 번 던져
> 앞면이 나오면 점 A를 x축의 양의 방향으로 1만큼,
> 뒷면이 나오면 점 A를 y축의 양의 방향으로 1만큼
> 이동시킨다.

위의 시행을 반복하여 점 A의 x좌표 또는 y좌표가 처음으로 3이 되면 이 시행을 멈춘다. 점 A의 y좌표가 처음으로 3이 되었을 때, 점 A의 x좌표가 1일 확률은?

① $\frac{1}{4}$ ② $\frac{5}{16}$ ③ $\frac{3}{8}$
④ $\frac{7}{16}$ ⑤ $\frac{1}{2}$

349 교과서 심화

8 이하의 자연수가 각각 하나씩 적힌 8장의 카드 중에서 임의로 1장을 뽑은 후 동전 8개를 던질 때, 뽑힌 카드에 적힌 수보다 앞면이 나온 동전의 개수가 클 확률을 p라 하자. 이때 $2^{11}p$의 값을 구하시오.

서술형 문제 따라하기 1

주머니 A에는 1, 2, 3, 4, 5의 숫자가 하나씩 적혀 있는 5장의 카드가 들어 있고, 주머니 B에는 1, 2, 3, 4, 5, 6의 숫자가 하나씩 적혀 있는 6장의 카드가 들어 있다. 한 개의 주사위를 한 번 던져서 나온 눈의 수가 3의 배수이면 주머니 A에서 임의로 카드를 한 장 꺼내고, 3의 배수가 아니면 주머니 B에서 임의로 카드를 한 장 꺼낸다. 주머니에서 꺼낸 카드에 적힌 수가 짝수일 때, 그 카드가 주머니 A에서 꺼낸 카드일 확률을 구하시오.

풀이

단계 1 확률의 곱셈정리를 이용하여 $P(A\cap E)$와 $P(A^C\cap E)$ 구하기

주머니 A에서 카드를 꺼내는 사건을 A, 주머니에서 꺼낸 카드에 적힌 수가 짝수인 사건을 E라 하면

$$P(A\cap E)=\frac{2}{6}\times\frac{2}{5}=\frac{2}{15}$$

$$P(A^C\cap E)=\frac{4}{6}\times\frac{3}{6}=\frac{1}{3}$$

단계 2 조건부확률을 이용하여 확률 구하기

구하는 확률은

$$P(A|E)=\frac{P(A\cap E)}{P(E)}=\frac{P(A\cap E)}{P(A\cap E)+P(A^C\cap E)}$$

$$=\frac{\frac{2}{15}}{\frac{2}{15}+\frac{1}{3}}=\frac{2}{7}$$

답 $\frac{2}{7}$

350 따라하기

주머니 A에는 1, 2, 3, 4, 5의 숫자가 하나씩 적혀 있는 5장의 카드가 들어 있고, 주머니 B에는 6, 7, 8, 9, 10의 숫자가 하나씩 적혀 있는 5장의 카드가 들어 있다. 두 주머니 A, B에서 각각 임의로 한 장씩 꺼낸 카드에 적힌 두 수의 합이 홀수일 때, 주머니 A에서 꺼낸 카드에 적힌 수가 짝수일 확률을 구하시오.

서술형 문제 따라하기 2

갑, 을 두 사람이 가위바위보를 할 때, 갑은 가위, 바위, 보의 세 가지 중에서 임의로 낼 것을 택하고, 을은 가위, 바위의 두 가지 중에서 임의로 낼 것을 택한다. 두 사람 중에서 승자가 정해질 때까지 계속하여 가위바위보를 반복하고, 만약 5번째의 가위바위보에서도 승자가 정해지지 않는 경우 을이 승자가 되는 것으로 약속한다고 하자. 이때 갑이 승자가 될 확률을 구하시오.

풀이

단계 1 한 번의 시행에서 확률 구하기

한 번의 가위바위보에서 갑이 이길 확률은

$$\frac{2}{3\times2}=\frac{1}{3}$$

한 번의 가위바위보에서 갑과 을이 비길 확률은

$$\frac{2}{3\times2}=\frac{1}{3}$$

단계 2 각각의 독립시행의 확률 구하기

갑이 첫 번째 가위바위보에서 승자가 될 확률은 $\frac{1}{3}$

갑이 두 번째 가위바위보에서 승자가 될 확률은

$$\frac{1}{3}\times\frac{1}{3}=\left(\frac{1}{3}\right)^2$$

⋮

갑이 다섯 번째 가위바위보에서 승자가 될 확률은

$$\left(\frac{1}{3}\right)^4\times\frac{1}{3}=\left(\frac{1}{3}\right)^5$$

단계 3 갑이 승자가 될 확률 구하기

갑이 승자가 될 확률은

$$\frac{1}{3}+\left(\frac{1}{3}\right)^2+\left(\frac{1}{3}\right)^3+\left(\frac{1}{3}\right)^4+\left(\frac{1}{3}\right)^5=\frac{121}{243}$$

답 $\frac{121}{243}$

351 따라하기

갑, 을 두 사람이 가위바위보를 할 때, 갑은 가위, 바위의 두 가지 중에서 임의로 낼 것을 택하고, 을은 바위, 보의 두 가지 중에서 임의로 낼 것을 택한다. 두 사람 중에서 승자가 정해질 때까지 계속하여 가위바위보를 반복하고, 만약 5번째의 가위바위보에서도 승자가 정해지지 않는 경우 갑이 승자가 되는 것으로 약속한다고 하자. 이때 갑이 승자가 될 확률을 구하시오.

김부각

준비물

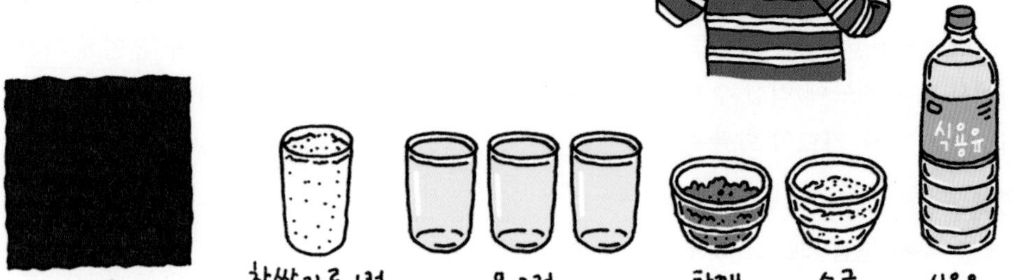

김밥용 김 / 찹쌀가루 1컵 / 물 3컵 / 참깨 / 소금 / 식용유

만드는 방법

1. 찹쌀가루와 물을 1:3의 비율로 섞어주고 전자레인지에 1분간 돌려 찹쌀 풀을 만든다.
만들어진 찹쌀 풀에 소금을 조금 넣는다.

2. 김의 반쪽에 1에서 만든 찹쌀 풀을 바른다.

3. 김을 반으로 접고 그 위에 찹쌀 풀을 또 바른다.

4. 깨를 뿌린다.

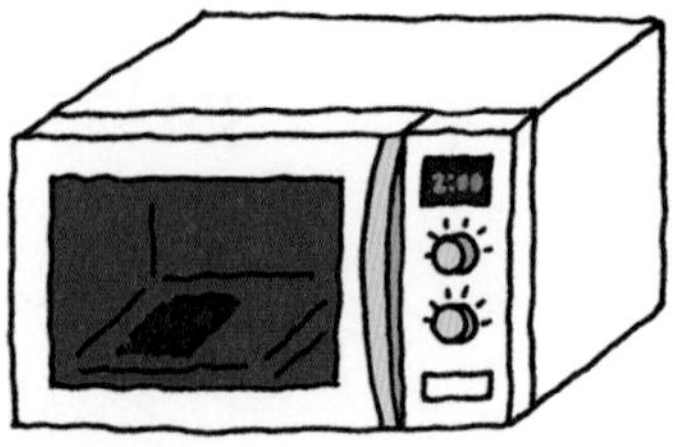

5. 전자레인지에 2분 정도 돌린 후 식힌다.

6. 프라이팬에 식용유를 넣고 1~2분 정도만 튀기면 완성!

III 통계

1 확률변수와 확률분포
2 이항분포와 정규분포
3 통계적 추정

선생님 Talk!

- 확률 단원에서는 어떤 시행에 대한 각 사건의 확률을 구했어요. 이 단원에서는 이들 확률을 모아서 분포 상태를 살펴보게 됩니다.
- 이항분포가 이산확률변수의 대표적인 확률분포라면 정규분포는 연속확률변수의 대표적인 확률분포입니다.
- 통계조사를 할 때 모집단을 전부 조사하는 것이 가장 정확하지만 현실적으로 불가능한 경우가 많습니다. 모집단을 대표하는 표본을 추출하고, 모집단의 특성을 추정하는 방법을 살펴보세요.

선배 Talk!

- 앞면이 나온 동전의 개수, 불량품의 개수와 같이 셀 수 있는 값을 갖는 확률변수를 이산확률변수라 하고, 시간, 길이와 같이 어떤 범위에 속하는 모든 실수의 값을 갖는 확률변수를 연속확률변수라고 해.
- 중학교 때 배운 평균, 분산, 표준편차를 떠올려 보고, 확률을 이용해 평균, 분산, 표준편차를 구하는 방법과 비교해 보면 재미있어.
- 뉴스에서 여론조사 결과를 발표할 때 '이 조사의 신뢰도는 95 %입니다.'라는 말을 들은 적 있지? 모평균을 추정하는 방법을 알면 이 말의 의미를 이해할 수 있어.

꼭 외우자!

이산확률변수

- $\mathrm{E}(X)=x_1p_1+x_2p_2+\cdots+x_np_n=m$
- $\mathrm{V}(X)=\mathrm{E}((X-m)^2)=\mathrm{E}(X^2)-\{\mathrm{E}(X)\}^2$
- $\sigma(X)=\sqrt{\mathrm{V}(X)}$

이항분포

확률분포 X가 이항분포 $\mathrm{B}(n, p)$를 따를 때 (단, $q=1-p$)

- $\mathrm{E}(X)=np$
- $\mathrm{V}(X)=npq$
- $\sigma(X)=\sqrt{npq}$

확률변수와 확률분포

개념 01 이산확률변수 유형 01~04

1 확률변수와 확률분포

어떤 시행에서 표본공간의 각 원소에 하나의 실수가 대응되는 함수를 **확률변수**라 하고, 확률변수가 가질 수 있는 값과 그 값을 가질 확률 사이의 대응 관계를 **확률분포**라 한다.

2 이산확률변수와 확률질량함수

확률변수 X가 가질 수 있는 값이 유한개이거나 자연수처럼 셀 수 있을 때, 확률변수 X를 **이산확률변수**라 한다. 또, 이산확률변수 X가 가질 수 있는 모든 값 x_1, x_2, x_3, $\cdots$, x_n에 이 값을 가질 확률 p_1, p_2, p_3, $\cdots$, p_n이 대응되는 함수

$$\mathrm{P}(X=x_i)=p_i \ (i=1,\ 2,\ \cdots,\ n)$$

를 이산확률변수 X의 **확률질량함수**라 한다.

3 확률질량함수의 성질

이산확률변수 X의 확률질량함수 $\mathrm{P}(X=x_i)=p_i \ (i=1,\ 2,\ \cdots,\ n)$에 대하여

(1) $0\le p_i\le 1$ → 확률은 0에서 1까지의 값을 갖는다.

(2) $p_1+p_2+p_3+\cdots+p_n=1$ → 확률의 총합은 1이다.

(3) $\mathrm{P}(x_i\le X\le x_j)=p_i+p_{i+1}+p_{i+2}+\cdots+p_j$ (단, $j=1,\ 2,\ \cdots,\ n,\ i\le j$)

note

- 확률변수 X가 어떤 값 x를 가질 확률을 $\mathrm{P}(X=x)$로 나타낸다.
- 확률변수는 보통 X, Y, Z, $\cdots$로 나타내고, 확률변수가 가질 수 있는 값은 x, y, z, $\cdots$ 또는 x_1, x_2, x_3, $\cdots$으로 나타낸다.
- 확률변수 X가 a 이상 b 이하의 값을 가질 확률은 $\mathrm{P}(a\le X\le b)$로 나타낸다.

→ 정답 및 풀이 43쪽

[352~353] 한 개의 주사위를 두 번 던질 때, 짝수가 나오는 횟수를 확률변수 X라 하자. 다음에 답하시오.

352 X가 가질 수 있는 값을 모두 구하시오.

353 $\mathrm{P}(X=2)$를 구하시오.

[354~355] 빨간 공 3개와 파란 공 3개가 들어 있는 주머니에서 임의로 3개의 공을 동시에 꺼낼 때, 나오는 파란 공의 개수를 확률변수 X라 하자. 다음에 답하시오.

354 X의 확률질량함수가 다음과 같을 때, □ 안에 알맞은 것을 써넣으시오.

$$\mathrm{P}(X=x)=\frac{{}_3\mathrm{C}_{\square}\times{}_3\mathrm{C}_{\square}}{{}_6\mathrm{C}_3}\ (x=0,\ 1,\ 2,\ 3)$$

355 다음 표를 완성하시오.

X	0	1	2	3	합계
$\mathrm{P}(X=x)$					

[356~357] 수지가 활을 한 번 쏘아 과녁의 중앙에 맞힐 확률은 $\frac{1}{5}$이다. 활을 4번 쏘아 과녁의 중앙에 맞힌 횟수를 확률변수 X라 할 때, 다음에 답하시오.

356 X의 확률질량함수를 구하시오.

357 다음 표를 완성하시오.

X	0	1	2	3	4	합계
$\mathrm{P}(X=x)$						

[358~359] 이산확률변수 X의 확률질량함수가

$$\mathrm{P}(X=x)=\frac{x}{a}\ (x=1,\ 2,\ 3,\ 4,\ 5)$$

일 때, 다음을 구하시오.

358 상수 a의 값

359 $\mathrm{P}(2\le X\le 4)$

1 연속확률변수

확률변수 X가 어떤 범위에 속하는 모든 실수의 값을 가질 때, 확률변수 X를 **연속확률변수**라 한다.

2 확률밀도함수

$a \le X \le \beta$에서 모든 실수의 값을 가질 수 있는 연속확률변수 X에 대하여 $a \le x \le \beta$에서 정의된 함수 $f(x)$가 다음 세 가지 성질을 만족시킬 때, 함수 $f(x)$를 확률변수 X의 **확률밀도함수**라 한다.

(1) $f(x) \ge 0$ → $0 \le (확률) \le 1$이 되기 위한 조건

(2) $y = f(x)$의 그래프와 x축 및 두 직선 $x = a$, $x = \beta$로 둘러싸인 도형의 넓이는 1이다. → $(확률의 총합) = 1$

(3) $\mathrm{P}(a \le X \le b)$는 $y = f(x)$의 그래프와 x축 및 두 직선 $x = a$, $x = b$로 둘러싸인 도형의 넓이와 같다.

(단, $a \le a \le b \le \beta$)

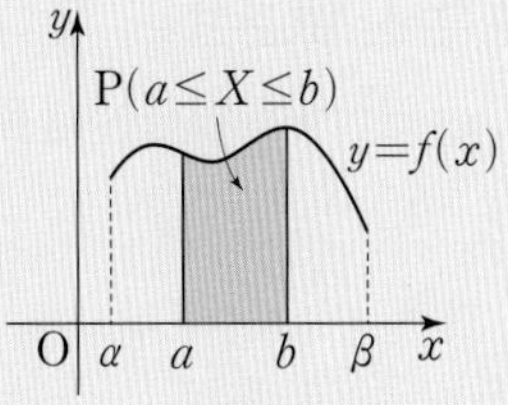

참고 연속확률변수 X가 특정한 값 a를 가질 확률은 0이므로

(1) $\mathrm{P}(X = a) = 0$

(2) $\mathrm{P}(a \le X \le b) = \mathrm{P}(a \le X < b) = \mathrm{P}(a < X \le b) = \mathrm{P}(a < X < b)$

● 연속확률변수는 길이, 시간, 무게, 온도 등과 같이 어떤 범위에 속하는 모든 실수의 값을 연속적으로 갖는 확률변수이다.

● 연속확률변수 X의 확률분포와 정적분
$\mathrm{P}(a \le X \le \beta)$
$= \int_a^\beta f(x)dx = 1$
$\mathrm{P}(a \le X \le b)$
$= \int_a^b f(x)dx$

➔ 정답 및 풀이 **43**쪽

360 다음 보기에서 연속확률변수인 것만을 있는 대로 고르시오.

┌ 보기 ├
ㄱ. 소미네 반 학생들의 하루 수면 시간
ㄴ. A 회사에서 한 달 동안 판매된 휴대폰의 수
ㄷ. 장훈이네 학교 학생들 중 결석한 학생 수
ㄹ. B 과수원에서 재배한 사과의 무게

361 $0 \le x \le 3$에서 정의된 연속확률변수 X의 확률밀도함수 $f(x)$의 그래프가 오른쪽 그림과 같을 때, $\mathrm{P}(2 \le X \le 3)$을 구하시오.

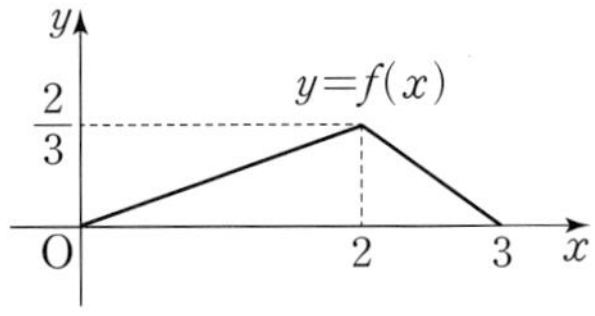

362 $-1 \le x \le 1$에서 정의된 연속확률변수 X의 확률밀도함수 $f(x)$의 그래프가 오른쪽 그림과 같을 때, 상수 k의 값을 구하시오.

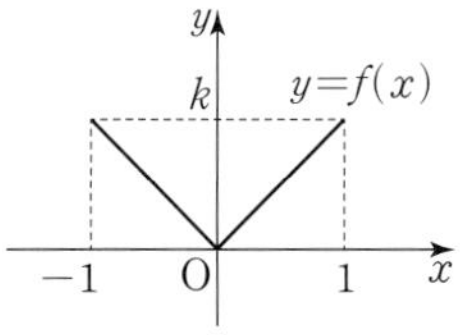

[363~364] 연속확률변수 X의 확률밀도함수가
$$f(x) = kx \ (0 \le x \le 4)$$
일 때, 다음을 구하시오.

363 상수 k의 값

364 $\mathrm{P}(0 \le X \le 2)$

개념 03 이산확률변수의 기댓값(평균), 분산, 표준편차

유형 07~12

1 이산확률변수의 기댓값(평균), 분산, 표준편차

이산확률변수 X의 확률질량함수가 $P(X=x_i)=p_i\ (i=1,\ 2,\ \cdots,\ n)$일 때

(1) **기댓값(평균)** : $E(X)=x_1p_1+x_2p_2+x_3p_3+\cdots+x_np_n$

(2) **분산** : $V(X)=E((X-m)^2)$

$=(x_1-m)^2p_1+(x_2-m)^2p_2+(x_3-m)^2p_3+\cdots+(x_n-m)^2p_n$

$=E(X^2)-\{E(X)\}^2$ (단, $m=E(X)$)

(3) **표준편차** : $\sigma(X)=\sqrt{V(X)}$

2 확률변수 $aX+b$의 평균, 분산, 표준편차

확률변수 X와 두 상수 $a,\ b(a\neq0)$에 대하여 다음이 성립한다.

(1) $E(aX+b)=aE(X)+b$

(2) $V(aX+b)=a^2V(X)$

(3) $\sigma(aX+b)=|a|\sigma(X)$

note

- $E(X)$의 E는 기대를 뜻하는 영어 단어 expectation의 첫 문자이고, m은 평균을 뜻하는 영어 단어 mean의 첫 문자이다.
- $V(X)$는 편차 $X-m$의 제곱의 평균이다.
- $\sigma(X)$는 $V(X)$의 양의 제곱근이다.
- 확률변수 $aX+b$의 평균, 분산, 표준편차의 성질은 이산확률변수 뿐만 아니라 연속확률변수에 대해서도 성립한다.

➔ 정답 및 풀이 44쪽

[365~367] 확률변수 X의 확률분포를 표로 나타내면 다음과 같을 때, □ 안에 알맞은 것을 써넣으시오.

X	0	1	2	3	합계
$P(X=x)$	$\frac{3}{8}$	$\frac{3}{8}$	$\frac{1}{8}$	$\frac{1}{8}$	1

365

$E(X)=0\times\frac{3}{8}+1\times\square+\square\times\frac{1}{8}+3\times\square$

$=\square$

366

$V(X)=E(\square)-\{E(X)\}^2$

$=0^2\times\frac{3}{8}+1^2\times\square+2^2\times\frac{1}{8}$

$+3^2\times\square-\square^2$

$=\square$

367

$\sigma(X)=\sqrt{V(X)}=\square$

[368~370] 확률변수 X의 확률분포를 표로 나타내면 아래와 같을 때, 다음을 구하시오.

X	1	2	3	4	합계
$P(X=x)$	$\frac{3}{10}$	$\frac{1}{5}$	$\frac{1}{5}$	$\frac{3}{10}$	1

368 $E(X)$

369 $V(X)$

370 $\sigma(X)$

[371~372] 확률변수 X의 평균이 3, 분산이 4일 때, 다음 확률변수의 평균, 분산, 표준편차를 구하시오.

371 $-2X$

372 $3X+1$

도전! 유형 연습하기

정답 및 풀이 44쪽

유형 01 확률변수와 확률분포

확률변수 X의 확률분포는 다음과 같은 순서로 파악한다.
❶ 확률변수 X가 가질 수 있는 값을 모두 구한다.
❷ 확률변수 X가 ❶의 각 값을 가질 확률을 구한다.
❸ 확률분포를 표로 나타낸다.

대표 문제
373
2, 3, 4, 5의 숫자가 각각 하나씩 적힌 4장의 카드 중에서 임의로 카드 2장을 동시에 뽑을 때, 두 카드에 적힌 수의 차를 확률변수 X라 하자. X의 확률분포를 표로 나타내시오.

374
두 개의 주사위를 동시에 던지는 시행에서 두 눈의 수의 합을 확률변수 X라 할 때, X가 가질 수 있는 값들의 합을 구하시오.

유형 02 이산확률변수의 확률 구하기 – 표가 주어진 경우

이산확률변수 X가 가질 수 있는 모든 값 $x_1, x_2, x_3, \cdots, x_n$에 이 값을 가질 확률 $p_1, p_2, p_3, \cdots, p_n$이 대응될 때

X	x_1	x_2	x_3	$\cdots$	x_n	합계
$\mathrm{P}(X=x_i)$	p_1	p_2	p_3	$\cdots$	p_n	1

확률의 총합은 1이다.

대표 문제
375
확률변수 X의 확률분포를 표로 나타내면 다음과 같을 때, $\mathrm{P}(2\le X\le 4)$를 구하시오. (단, a는 상수이다.)

X	0	1	2	3	4	합계
$\mathrm{P}(X=x)$	$\frac{1}{10}$	a	$\frac{1}{5}$	$2a$	$\frac{1}{10}$	1

376
확률변수 X의 확률분포를 표로 나타내면 다음과 같을 때, $\mathrm{P}(X<1)=\frac{5}{8}$이다. 상수 a, b에 대하여 $a-b$의 값을 구하시오.

X	-2	-1	1	3	합계
$\mathrm{P}(X=x)$	$\frac{1}{4}$	a	$\frac{1}{8}$	b	1

유형 03 이산확률변수의 확률 구하기 – 확률질량함수가 주어진 경우

이산확률변수 X가 가질 수 있는 모든 값이 $x_1, x_2, x_3, \cdots, x_n$이고 확률질량함수가 $\mathrm{P}(X=x_i)=p_i$ $(i=1, 2, \cdots, n)$일 때, 확률의 기본 성질에 의해 다음이 성립한다.
(1) $0\le p_i\le 1$
(2) $p_1+p_2+p_3+\cdots+p_n=1$
(3) $\mathrm{P}(x_i\le X\le x_j)=p_i+p_{i+1}+p_{i+2}+\cdots+p_j$
(단, $j=1, 2, \cdots, n$, $i\le j$)

참고 $\mathrm{P}(X=x_i$ 또는 $X=x_j)$
$=\mathrm{P}(X=x_i)+\mathrm{P}(X=x_j)=p_i+p_j$ (단, $i\ne j$)

대표 문제
377
확률변수 X의 확률질량함수가

$$\mathrm{P}(X=x)=\begin{cases} k-\dfrac{x}{10} & (x=-2, -1, 0) \\ k+\dfrac{x}{10} & (x=1, 2) \end{cases}$$

일 때, $\mathrm{P}(|X|=1)$을 구하시오. (단, k는 상수이다.)

378
확률변수 X의 확률질량함수가

$$\mathrm{P}(X=x)=\begin{cases} \dfrac{x}{12} & (x=1, 2) \\ \dfrac{3}{4}-\dfrac{x}{12} & (x=3, 6) \end{cases}$$

일 때, $\mathrm{P}(X^2-5X+6=0)$을 구하시오.

379

확률변수 X의 확률질량함수가

$$P(X=x)=\frac{x+1}{k}\ (x=1,\ 2,\ 3,\ 4,\ 5,\ k\neq 0)$$

일 때, $P(X\geq 3)$은? (단, k는 상수이다.)

① $\frac{1}{20}$ ② $\frac{1}{5}$ ③ $\frac{1}{4}$
④ $\frac{1}{2}$ ⑤ $\frac{3}{4}$

380

확률변수 X의 확률질량함수가

$$P(X=x)=\begin{cases} c & (x=0,\ 1,\ 2) \\ 2c & (x=3,\ 4,\ 5) \\ 5c^2 & (x=6,\ 7) \end{cases}\ (\text{단, } c\text{는 상수})$$

이다. 확률변수 X가 소수일 사건을 A, 4 이상일 사건을 B라 할 때, $P(B|A)$를 구하시오.

○△×

날선 유형 04 이산확률변수의 확률 구하기 – 확률질량함수가 주어지지 않은 경우

확률변수 X가 가질 수 있는 모든 값에 대하여 그 값을 가질 확률을 각각 구한 후 확률질량함수의 성질을 이용한다.

대표 문제

381 #확률변수_X가_가질_수_있는_값_먼저_찾기

남학생 4명과 여학생 3명 중에서 임의로 3명의 대표를 뽑을 때, 선출된 여학생의 수를 확률변수 X라 하자. 이때 선출된 여학생이 2명 이상일 확률을 구하시오.

(X가 가질 수 있는 값은 0, 1, 2, 3) ($\to P(X\geq 2)$)

382

당첨 확률이 20 %인 어느 이벤트에 50명이 응모하였을 때, 당첨되는 사람의 수를 확률변수 X라 하자. 이때 $P(X\geq 1)$은?

① $\left(\frac{1}{5}\right)^{50}$ ② $1-\left(\frac{4}{5}\right)^{50}$ ③ $1-\left(\frac{1}{5}\right)^{50}$
④ $1-\left(\frac{1}{5}\right)^{49}$ ⑤ $\left(\frac{4}{5}\right)^{50}$

383

크기와 모양이 같은 10개의 붕어빵 중에서 4개는 슈크림 붕어빵, 6개는 단팥 붕어빵이라 한다. 3개의 붕어빵을 동시에 꺼낼 때, 꺼낸 단팥 붕어빵의 개수를 확률변수 X라 하자. 이때 $P(X^2-2X\leq 0)$을 구하시오.

384

서로 다른 2개의 주사위를 동시에 던질 때, 두 눈의 수 중에서 작지 않은 수를 확률변수 X라 하자. 이때 $P(X\geq 5)$는?

① $\frac{1}{18}$ ② $\frac{5}{9}$ ③ $\frac{2}{3}$
④ $\frac{5}{6}$ ⑤ $\frac{35}{36}$

385

우유 7개, 주스 3개가 들어 있는 냉장고에서 임의로 5개를 동시에 꺼낼 때, 꺼낸 우유의 개수를 확률변수 X라 하자. $P(X\geq k)=\frac{1}{2}$일 때, 자연수 k의 값을 구하시오.

유형 05 확률밀도함수의 성질

확률변수 X의 확률밀도함수 $f(x)(\alpha \le x \le \beta)$에 대하여

(1) $f(x) \ge 0$

(2) $y=f(x)$의 그래프와 x축 및 두 직선 $x=\alpha$, $x=\beta$로 둘러싸인 도형의 넓이는 1이다.

대표 문제

386

$0 \le x \le 5$에서 정의된 연속확률변수 X의 확률밀도함수 $f(x)$의 그래프가 다음 그림과 같을 때, 상수 k의 값을 구하시오.

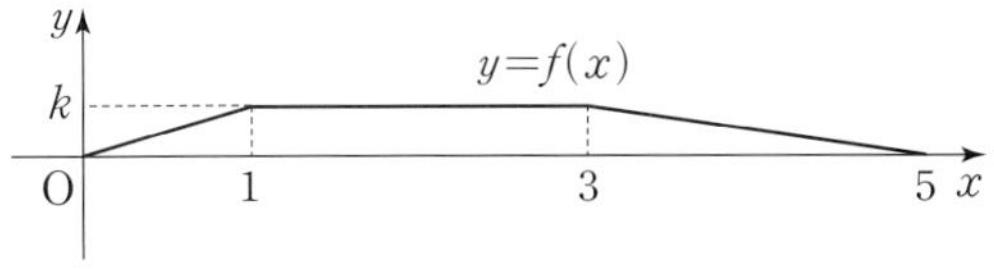

387

$2 \le x \le 6$에서 정의된 연속확률변수 X의 확률밀도함수가 $f(x)=m(x-6)$일 때, 상수 m의 값은?

① $-\frac{1}{8}$ ② $-\frac{1}{12}$ ③ $\frac{1}{10}$

④ $\frac{1}{6}$ ⑤ $\frac{1}{2}$

388

다음 중 $-1 \le x \le 1$에서 정의된 연속확률변수 X의 확률밀도함수 $f(x)$가 될 수 있는 것은?

①
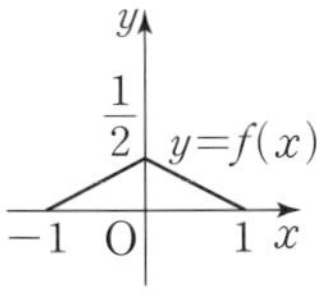

②
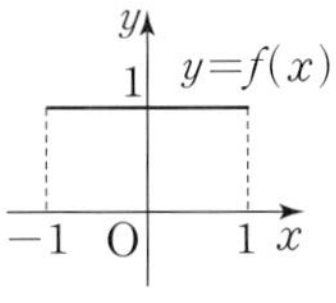

③
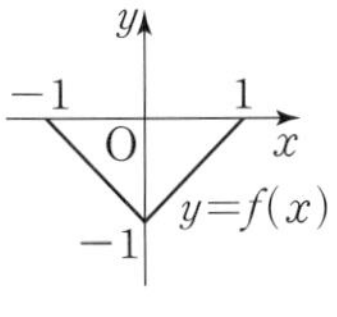

④
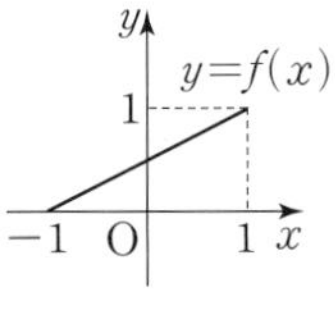

⑤
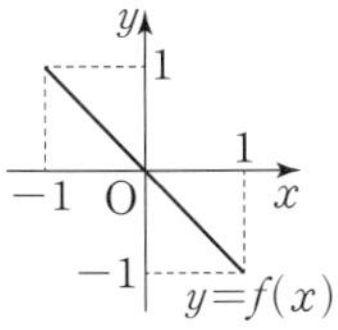

389

$-a \le x \le a$에서 정의된 연속확률변수 X의 확률밀도함수 $f(x)$의 그래프가 오른쪽 그림과 같을 때, 상수 a의 값은?

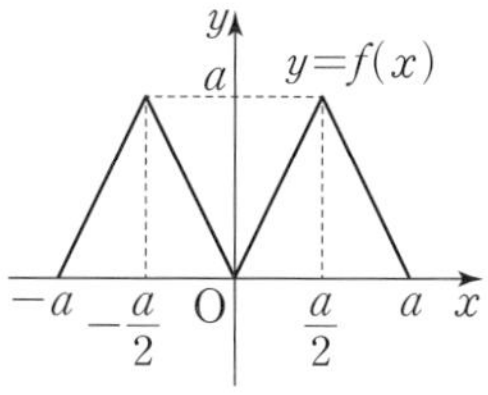

① $\frac{1}{2}$ ② 1

③ $\frac{4}{3}$ ④ $\frac{7}{4}$

⑤ 2

날선 유형 06 연속확률변수의 확률 구하기

확률변수 X의 확률밀도함수 $f(x)(\alpha \le x \le \beta)$에 대하여 $\mathrm{P}(a \le X \le b)$는 $y=f(x)$의 그래프와 x축 및 두 직선 $x=a$, $x=b$로 둘러싸인 도형의 넓이와 같음을 이용하여 확률을 구할 수 있다. (단, $\alpha \le a \le b \le \beta$)

대표 문제

390 #함수_$y=f(x)$의_그래프에서 #둘러싸인_도형의_넓이와_같다.

연속확률변수 X의 확률밀도함수가

$$f(x)=\begin{cases} |x-1| & (0 \le x \le 2) \\ 0 & (x<0,\ x>2) \end{cases}$$

일 때, $\mathrm{P}\left(\frac{1}{2} \le X \le 2\right)$를 구하시오.

391

$0 \le x \le a$에서 정의된 연속확률변수 X의 확률밀도함수 $f(x)$의 그래프가 오른쪽 그림과 같을 때, $\mathrm{P}(b \le X \le a)=\frac{1}{7}$이다. 이때 $a+b$의 값을 구하시오.

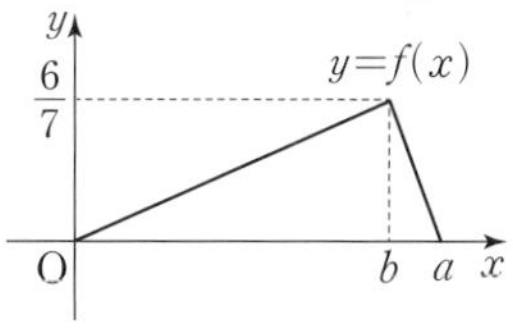

392

$-2\le x\le 2$에서 정의된 연속확률변수 X의 확률밀도함수가

$$f(x)=\begin{cases} k(2+x) & (-2\le x\le 0) \\ k(2-x) & (0\le x\le 2) \end{cases}$$

일 때, $P\left(-\frac{1}{2}\le X\le 1\right)=\frac{q}{p}$이다. 이때 $p+q$의 값은?

(단, k는 상수이고, p, q는 서로소인 자연수이다.)

① 10 ② 21 ③ 37
④ 51 ⑤ 60

393

$0\le x\le 6$에서 정의된 연속확률변수 X의 확률밀도함수 $f(x)$가 $0\le x\le 3$인 모든 x에 대하여 $f(3-x)=f(3+x)$를 만족시킨다. $P(2\le X\le 3)=\frac{1}{6}$일 때, $P(4\le X\le 6)$을 구하시오.

○△×

유형 07 이산확률변수의 평균, 분산, 표준편차

이산확률변수 X의 확률질량함수가 $P(X=x_i)=p_i$ $(i=1, 2, \cdots, n)$일 때

(1) 평균 : $E(X)=x_1p_1+x_2p_2+x_3p_3+\cdots+x_np_n$
(2) 분산 : $V(X)=E((X-m)^2)$
$=E(X^2)-\{E(X)\}^2$ (단, $m=E(X)$)
(3) 표준편차 : $\sigma(X)=\sqrt{V(X)}$

대표 문제

394

확률변수 X의 확률분포를 표로 나타내면 다음과 같을 때, $E(X)$, $V(X)$, $\sigma(X)$를 구하시오.

(단, a는 상수이다.)

X	1	2	3	4	합계
$P(X=x)$	$\frac{1}{6}$	a	$\frac{1}{3}$	$\frac{1}{6}$	1

395

확률변수 X의 확률질량함수가

$$P(X=x)=\frac{|4-x|}{7}\ (x=1, 2, 3, 4, 5)$$

일 때, $7E(X)$의 값을 구하시오.

396

확률변수 X의 확률분포를 표로 나타내면 다음과 같다. $E(X)=4$일 때, b의 값은? (단, a, b는 상수이다.)

X	1	3	5	합계
$P(X=x)$	a	$\frac{1}{4}$	b	1

① $\frac{1}{8}$ ② $\frac{5}{16}$ ③ $\frac{11}{36}$
④ $\frac{5}{8}$ ⑤ $\frac{13}{24}$

397

확률변수 X의 확률분포를 표로 나타내면 다음과 같다.

$P(0\le X\le 2)=\frac{7}{8}$일 때, $E(X)$는?

X	-1	0	1	2	합계
$P(X=x)$	$\frac{3-a}{8}$	$\frac{1}{8}$	$\frac{3+a}{8}$	$\frac{1}{8}$	1

① $\frac{1}{4}$ ② $\frac{3}{8}$ ③ $\frac{1}{2}$
④ $\frac{5}{8}$ ⑤ $\frac{3}{4}$

398

확률변수 X의 확률질량함수가

$$P(X=x)=\begin{cases} a & (x=1, 4) \\ \frac{1}{x} & (x=2, 3) \end{cases}$$

일 때, $E(X)=\frac{q}{p}$이다. 이때 $p+q$의 값을 구하시오.

(단, p, q는 서로소인 자연수이다.)

➔ 정답 및 풀이 47쪽

399

확률변수 X가 가질 수 있는 값이 -3, -2, 2, 3이고 $\mathrm{P}(X=-x)=\mathrm{P}(X=x)$가 성립한다. $\mathrm{V}(X)=\frac{22}{3}$일 때, $\mathrm{P}(X^2=4)$는?

① $\frac{1}{3}$ ② $\frac{4}{9}$ ③ $\frac{5}{9}$
④ $\frac{2}{3}$ ⑤ $\frac{7}{9}$

유형 08 이산확률변수의 평균, 분산, 표준편차 – 확률분포가 조건으로 주어진 경우

○△×

이산확률변수 X의 확률분포가 주어지지 않은 경우, 확률변수 X의 평균, 분산, 표준편차는 다음과 같은 순서로 구한다.

❶ 확률변수 X가 가질 수 있는 모든 값에 대하여 그 값을 가질 확률을 각각 구한다.
❷ 확률변수 X의 확률분포를 표로 나타낸다.
❸ $\mathrm{E}(X)$, $\mathrm{V}(X)$, $\sigma(X)$를 각각 구한다.

대표 문제

400

우영이와 희정 두 사람이 화살을 한 개씩 쏘아서 과녁에 맞힐 확률은 각각 $\frac{1}{2}$, $\frac{3}{4}$이다. 이 두 사람이 각각 화살을 한 개씩 쏠 때, 화살을 과녁에 맞히는 사람의 수를 확률변수 X라 하자. 이때 $\mathrm{E}(X)$는?

① $\frac{1}{2}$ ② $\frac{3}{4}$ ③ 1
④ $\frac{5}{4}$ ⑤ $\frac{3}{2}$

401

서로 다른 두 개의 주사위를 동시에 던질 때, 나오는 두 눈의 수의 차를 확률변수 X라 하자. 이때 $\mathrm{E}(X)$는?

① $\frac{1}{4}$ ② $\frac{5}{18}$ ③ $\frac{11}{36}$
④ $\frac{2}{3}$ ⑤ $\frac{35}{18}$

402

어느 미술관에서는 관람객들을 위해 오디오 가이드 기기를 대여해 준다고 한다. 총 10개의 기기를 보유하고 있으며 이 중에서 3개는 고장이라 한다. 10개의 기기 중에서 임의로 2개를 동시에 택할 때, 택한 기기 중 고장인 것의 개수를 확률변수 X라 하자. 이때 $\mathrm{V}(X)$는?

① $\frac{1}{3}$ ② $\frac{2}{5}$ ③ $\frac{28}{75}$
④ $\frac{41}{75}$ ⑤ $\frac{6}{5}$

유형 09 기댓값

○△×

확률변수 X의 확률질량함수가 $\mathrm{P}(X=x_i)=p_i$ $(i=1, 2, 3, \cdots, n)$일 때, X의 기댓값은
➡ $\mathrm{E}(X)=x_1p_1+x_2p_2+x_3p_3+\cdots+x_np_n$

대표 문제

403

어느 지역의 마을 축제에서 행운권 500장을 준비했는데 각 상금에 대한 행운권의 장수는 오른쪽 표와 같았다. 이 행운권 1장으로 받을 수 있는 상금의 기댓값을 구하시오.

상금(원)	장수
100000	1
50000	5
10000	15
5000	30
0	449
합계	500

404

500원짜리 동전 1개, 100원짜리 동전 3개를 동시에 던져서 앞면이 나온 동전만을 모두 받는 게임이 있다. 이 게임을 한 번 해서 받을 수 있는 금액의 기댓값을 구하시오.

405

검은 공 5개와 흰 공 a개가 들어 있는 주머니에서 임의로 한 개의 공을 꺼낼 때, 검은 공이 나오면 4000원을 받고, 흰 공이 나오면 2400원을 내는 게임이 있다. 이 게임을 한 번 해서 받을 수 있는 금액의 기댓값이 1600원일 때, a의 값은?

① 1 ② 2 ③ 3
④ 4 ⑤ 5

유형 10 확률변수 $aX+b$의 평균, 분산, 표준편차 – 평균, 분산이 주어진 경우

확률변수 X와 두 상수 a, b $(a\neq 0)$에 대하여
(1) $\mathrm{E}(aX+b)=a\mathrm{E}(X)+b$
(2) $\mathrm{V}(aX+b)=a^2\mathrm{V}(X)$
(3) $\sigma(aX+b)=|a|\sigma(X)$

대표 문제

406

확률변수 X에 대하여 $\mathrm{E}(X)=5$, $\sigma(X)=\sqrt{2}$이다. 확률변수 $Y=-2X+3$에 대하여 $\mathrm{E}(Y)$, $\mathrm{V}(Y)$, $\sigma(Y)$를 구하시오.

407

확률변수 X에 대하여 $\mathrm{E}(X)=6$, $\mathrm{E}(X^2)=45$일 때, $\sigma(2X+3)$은?

① 2 ② 4 ③ 6
④ 9 ⑤ 18

408

확률변수 X의 평균이 -3, 분산이 5이다. 확률변수 $Y=aX+b$의 평균이 7, 분산이 45일 때, 두 상수 a, b에 대하여 $a+b$의 값은? (단, $a<0$이다.)

① -5 ② -3 ③ -1
④ 1 ⑤ 3

409

확률변수 X에 대하여

$$\mathrm{E}(2X+2)=14,\ \sigma(-4X+1)=20$$

일 때, $\mathrm{E}(X^2)$은?

① 57 ② 59 ③ 61
④ 63 ⑤ 65

410

확률변수 X에 대하여 $\mathrm{E}(X)=a$, $\mathrm{E}(X^2)=4a+5$일 때, 확률변수 $Y=\frac{1}{3}X+3$에 대하여 $\sigma(Y)$의 최댓값은?

① 1 ② $\sqrt{3}$ ③ 3
④ $2\sqrt{3}$ ⑤ 6

정답 및 풀이 49쪽

유형 11 확률변수 $aX+b$의 평균, 분산, 표준편차

확률변수 X의 확률분포가 주어진 경우 다음과 같은 순서로 구한다.

❶ 확률변수 X의 확률분포를 이용하여 X의 평균, 분산, 표준편차를 각각 구한다.

❷ ❶을 이용하여 확률변수 $aX+b$의 평균, 분산, 표준편차를 각각 구한다.

대표 문제

411

확률변수 X의 확률분포를 표로 나타내면 다음과 같을 때, $\mathrm{E}(6X+4)$는? (단, a는 상수이다.)

X	0	1	2	합계
$\mathrm{P}(X=x)$	$\frac{1}{6}$	$3a$	$2a$	1

① 11 ② 12 ③ 13
④ 14 ⑤ 15

412

확률변수 X의 확률분포를 표로 나타내면 다음과 같다. $\mathrm{E}(X)=2$일 때, $\sigma(5X+3)$은?

X	0	2	4	합계
$\mathrm{P}(X=x)$	$\frac{2}{5}$	a	b	1

① $2\sqrt{5}$ ② 5 ③ $4\sqrt{5}$
④ 20 ⑤ $10\sqrt{5}$

413

확률변수 X의 확률질량함수가

$$\mathrm{P}(X=x)=\frac{ax+2}{10}\ (x=-1,\ 0,\ 1,\ 2)$$

일 때, $\mathrm{V}\left(-\frac{1}{2}X+1\right)$을 구하시오. (단, a는 상수이다.)

날선 유형 12 확률변수 $aX+b$의 평균, 분산, 표준편차 – 확률분포가 조건으로 주어진 경우

확률변수 X의 확률분포가 주어지지 않은 경우 다음과 같은 순서로 구한다.

❶ 확률변수 X의 확률분포를 표로 나타낸다.

❷ 확률변수 X의 평균, 분산, 표준편차를 각각 구한다.

❸ ❷를 이용하여 확률변수 $aX+b$의 평균, 분산, 표준편차를 각각 구한다.

대표 문제

414 #X의_확률분포부터_파악하기 #확률분포를_표로_나타내기

각 면에 1, 1, 3, 3, 3, 5의 숫자가 하나씩 적힌 정육면체 모양의 주사위를 던졌을 때, 윗면에 적힌 수를 확률변수 X라 하자. 이때 $\mathrm{E}(3X-1)$을 구하시오.

X의 확률분포부터
구해 봐!

415

세 명의 학생이 두 선택 과목 A, B 중에서 임의로 한 과목을 선택할 때, A 과목을 선택하는 학생의 수를 확률변수 X라 하자. 이때 확률변수 $Y=2X+3$의 분산은?

① 2 ② 3 ③ 4
④ 5 ⑤ 6

416

한 개의 주사위를 두 번 던질 때, 첫 번째 나온 눈의 수를 a, 두 번째 나온 눈의 수를 b라 하자. 이차방정식 $x^2+2ax+b=0$의 서로 다른 실근의 개수를 확률변수 X라 할 때, $\mathrm{E}(9X+4)$는?

① 13 ② 18 ③ 23
④ 28 ⑤ 33

→ 정답 및 풀이 51쪽

수학Ⅰ를 학습한 경우

유형 13 연속확률변수의 확률 구하기

연속확률변수 X의 확률밀도함수 $f(x)$ $(\alpha \le x \le \beta)$에 대하여

(1) $\mathrm{P}(\alpha \le X \le \beta) = \int_{\alpha}^{\beta} f(x)\,dx = 1$

(2) $\mathrm{P}(a \le X \le b) = \int_{a}^{b} f(x)\,dx$ (단, $\alpha \le a \le b \le \beta$)

대표 문제

417

연속확률변수 X의 확률밀도함수가

$$f(x) = kx^2 \ (0 \le x \le 1)$$

일 때, $\mathrm{P}\left(0 \le X \le \frac{1}{2}\right)$을 구하시오. (단, k는 상수이다.)

418

연속확률변수 X의 확률밀도함수가 $f(x) = ax^3$ $(0 \le x \le 2)$일 때, $\mathrm{P}(b \le X \le 1) = \frac{15}{256}$이다. 이때 상수 a, b에 대하여 ab의 값은?

① $\frac{1}{16}$ ② $\frac{1}{8}$ ③ $\frac{1}{6}$
④ $\frac{1}{4}$ ⑤ $\frac{1}{2}$

419

$-3 \le x \le 3$에서 정의된 연속확률변수 X의 확률밀도함수 $f(x)$가 $-3 \le x \le 3$의 모든 실수 x에 대하여 $f(-x) = f(x)$를 만족시킬 때,

$$\int_0^2 f(x)dx = \frac{1}{4},\ \int_{-2}^{1} f(x)dx = \frac{1}{3}$$

이다. 이때 $\mathrm{P}(-3 \le X \le -1)$을 구하시오.

수학Ⅰ를 학습한 경우

유형 14 연속확률변수의 평균, 분산, 표준편차

연속확률변수 X의 확률밀도함수 $f(x)$ $(\alpha \le x \le \beta)$에 대하여

(1) $\mathrm{E}(X) = \int_{\alpha}^{\beta} xf(x)\,dx$

(2) $\mathrm{V}(X) = \int_{\alpha}^{\beta} (x-m)^2 f(x)\,dx$

$= \int_{\alpha}^{\beta} x^2 f(x)\,dx - m^2$ (단, $m = \mathrm{E}(X)$)

(3) $\sigma(X) = \sqrt{\mathrm{V}(X)}$

대표 문제

420

연속확률변수 X의 확률밀도함수가

$$f(x) = \frac{1}{9}x^2 \ (0 \le x \le 3)$$

일 때, X의 평균과 표준편차를 구하시오.

421

연속확률변수 X의 확률밀도함수가

$$f(x) = 3x^2 \ (0 \le x \le 1)$$

일 때, $\mathrm{V}(4X+1)$은?

① $\frac{1}{5}$ ② $\frac{3}{5}$ ③ 1
④ $\frac{7}{5}$ ⑤ $\frac{9}{5}$

422

$0 \le x \le 1$에서 정의된 연속확률변수 X의 확률밀도함수를 $f(x)$라 할 때, X의 평균은 $\frac{1}{5}$, $\int_0^1 (ax+5)f(x)dx = 10$이다. 이때 상수 a의 값을 구하시오.

실전! 기출 문제 정복하기

→ 정답 및 풀이 **53**쪽

423

확률변수 X의 확률분포를 표로 나타내면 다음과 같을 때, $P(1 < X < 5)$를 구하시오.

X	0	2	4	6	합계
$P(X=x)$	$4p$	p	$2p$	p	1

424

주사위를 한 번 던져서 나오는 눈의 수를 3으로 나눈 나머지를 확률변수 X라 할 때, $E(3X+1)$은?

① 1   ② 2   ③ 3

④ 4   ⑤ 5

425

확률변수 X의 확률분포를 표로 나타내면 다음과 같을 때, 확률변수 $Y=-10X+1$의 분산을 구하시오.

X	0	1	2	3	합계
$P(X=x)$	$\dfrac{2}{10}$	$\dfrac{3}{10}$	$\dfrac{3}{10}$	$\dfrac{2}{10}$	1

426 📖교과서 심화

확률변수 X의 확률분포를 표로 나타내면 다음과 같다. 확률변수 X의 분산이 최대가 되도록 실수 a의 값을 정할 때, $E(X)$는?

X	0	2	3	합계
$P(X=x)$	$\dfrac{1}{2}-a$	$\dfrac{1}{2}$	a	1

① $\dfrac{1}{6}$ ② $\dfrac{1}{4}$ ③ $\dfrac{1}{3}$

④ $\dfrac{2}{3}$ ⑤ $\dfrac{3}{2}$

427 수능 기출

확률변수 X의 확률분포를 표로 나타내면 다음과 같다.

X	0.121	0.221	0.321	합계
$P(X=x)$	a	b	$\dfrac{2}{3}$	1

다음은 $E(X)=0.271$일 때, $V(X)$를 구하는 과정이다.

$Y=10X-2.21$이라 하자. 확률변수 Y의 확률분포를 표로 나타내면 다음과 같다.

Y	-1	0	1	합계
$P(Y=y)$	a	b	$\dfrac{2}{3}$	1

$E(Y)=10E(X)-2.21=0.5$이므로

$a=\boxed{(가)}$, $b=\boxed{(나)}$이고 $V(Y)=\dfrac{7}{12}$이다.

한편, $Y=10X-2.21$이므로

$V(Y)=\boxed{(다)}\times V(X)$이다.

따라서 $V(X)=\dfrac{1}{\boxed{(다)}}\times\dfrac{7}{12}$이다.

위의 (가), (나), (다)에 알맞은 수를 각각 p, q, r라 할 때, pqr의 값은? (단, a, b는 상수이다.)

① $\dfrac{13}{9}$ ② $\dfrac{16}{9}$ ③ $\dfrac{19}{9}$

④ $\dfrac{22}{9}$ ⑤ $\dfrac{25}{9}$

428

$0 \leq x \leq 4$에서 정의된 연속확률변수 X의 확률밀도함수 $f(x)$의 그래프가 다음 그림과 같을 때, 상수 a의 값을 구하시오.

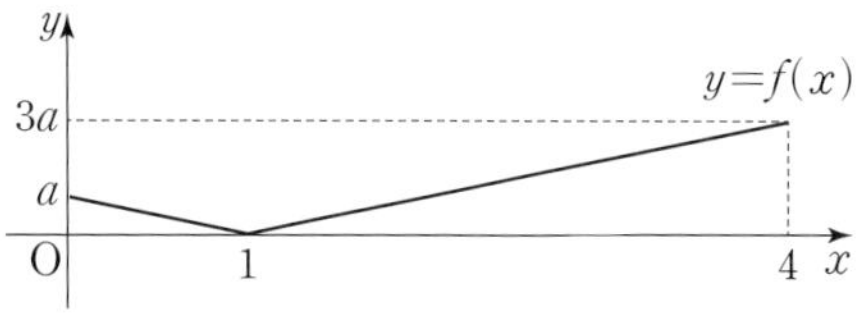

429 수능 기출

$0 \le x \le 3$에서 모든 실수 값을 가지는 연속확률변수 X에 대하여 X의 확률밀도함수의 그래프는 다음 그림과 같다.

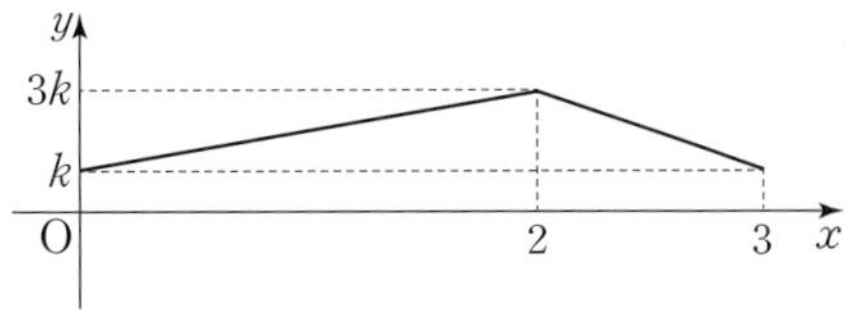

$\mathrm{P}(0 \le X \le 2)=\frac{q}{p}$라 할 때, $p+q$의 값을 구하시오.

(단, k는 상수이고, p, q는 서로소인 자연수이다.)

430 평가원 기출

$0 \le x \le 3$에서 모든 실수 값을 가지는 연속확률변수 X에 대하여

$$\mathrm{P}(x \le X \le 3)=a(3-x)\ (0 \le x \le 3)$$

이 성립할 때, $\mathrm{P}(0 \le X < a)=\frac{q}{p}$이다. $p+q$의 값을 구하시오. (단, a는 상수이고, p, q는 서로소인 자연수이다.)

431 평가원 기출

두 이산확률변수 X와 Y가 가지는 값이 각각 1부터 5까지의 자연수이고

$$\mathrm{P}(Y=k)=\frac{1}{2}\mathrm{P}(X=k)+\frac{1}{10}\ (k=1,\ 2,\ 3,\ 4,\ 5)$$

이다. $\mathrm{E}(X)=4$일 때, $\mathrm{E}(Y)=a$이다. $8a$의 값을 구하시오.

432

주사위를 한 번 던져서 나온 눈의 수에 3을 곱한 후 다시 10으로 나눈 나머지를 확률변수 X라 할 때, $\sigma(X)$를 구하시오.

433 수능 기출

1부터 5까지의 자연수가 각각 하나씩 적혀 있는 5개의 서랍이 있다. 5개의 서랍 중 영희에게 임의로 2개를 배정해 주려고 한다. 영희에게 배정되는 서랍에 적혀 있는 자연수 중 작은 수를 확률변수 X라 할 때, $\mathrm{E}(10X)$의 값을 구하시오.

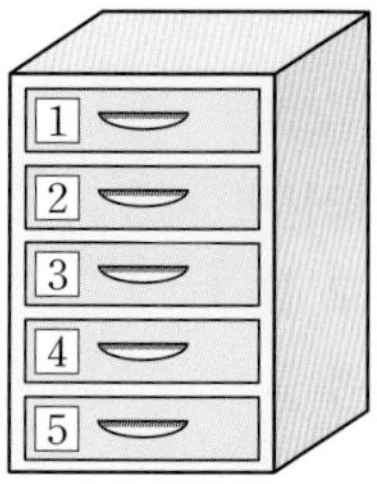

434

확률변수 X의 평균과 분산은 각각 10, 16이다. 두 실수 a, b에 대하여 확률변수 $Y=aX+b$의 평균과 표준편차가 각각 9, 2일 때, ab의 값을 구하시오. (단, $a>0$이다.)

435

유통 기한이 지난 제품 4개를 포함한 10개의 음료수 중에서 임의로 2개를 동시에 꺼낼 때, 꺼낸 음료수 중에서 유통 기한이 지난 제품의 개수를 확률변수 X라 하자. 이때 X의 분산을 구하시오.

436 교과서 심화

어느 전자 제품 회사에서 생산하는 청소기 한 대의 생산 비용을 X(만 원)이라 할 때, 확률변수 X의 평균은 40, 표준편차는 10이라 한다. 이 회사에서 생산한 청소기의 판매 가격을 Y(만 원)이라 할 때, $Y=\frac{11}{10}X+5$가 성립한다. 이때 $\mathrm{E}(Y)+\sigma(Y)$의 값은?

(단, 단위는 만 원이다.)

① 50 ② 60 ③ 70 ④ 80 ⑤ 90

서술형 문제 따라하기 1

1부터 6까지의 자연수가 각각 하나씩 적혀 있는 6장의 카드가 들어 있는 주머니에서 임의로 한 장의 카드를 꺼내어 숫자를 확인하는 시행을 반복할 때, 처음으로 소수가 적혀 있는 카드를 꺼낼 때까지의 시행 횟수를 확률변수 X라 하자. $P(X\le 2)$를 구하시오.

(단, 꺼낸 카드는 다시 넣지 않는다.)

풀이

단계 1 확률변수 X가 가질 수 있는 값 구하기

1부터 6까지의 자연수 중에서 소수는 2, 3, 5이므로 X가 가질 수 있는 값은 1, 2, 3, 4이다.

단계 2 각각의 확률 구하기

(i) $X=1$인 경우는 첫 번째 꺼낸 카드에 적혀 있는 수가 소수이어야 하므로

$P(X=1)=\frac{3}{6}=\frac{1}{2}$

(ii) $X=2$인 경우는 두 번째 꺼낸 카드에 적혀 있는 수가 소수이어야 하므로

$P(X=2)=\frac{3}{6}\times\frac{3}{5}=\frac{3}{10}$

단계 3 $P(X\le 2)$ 구하기

$P(X\le 2)=P(X=1)+P(X=2)$

$=\frac{1}{2}+\frac{3}{10}=\frac{4}{5}$

답 $\frac{4}{5}$

437 따라하기

검은 공 4개, 흰 공 1개가 들어 있는 주머니에서 한 개의 공을 꺼내어 색을 확인하는 시행을 반복할 때, 흰 공이 나올 때까지의 시행 횟수를 확률변수 X라 하자. $P(X>3)$을 구하시오. (단, 꺼낸 공은 다시 넣지 않는다.)

서술형 문제 따라하기 2

한 변의 길이가 1인 정육각형에서 임의로 서로 다른 두 꼭짓점을 택할 때, 두 꼭짓점 사이의 거리를 확률변수 X라 하자. 이때 $E(X^2)$을 구하시오.

풀이

단계 1 확률변수 X가 가질 수 있는 값 구하기

X가 가질 수 있는 값은 1, $\sqrt{3}$, 2이다.

단계 2 X의 확률분포 구하기

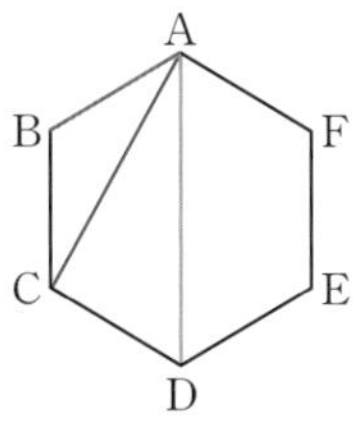

(i) $X=1$인 경우

$\overline{AB}$, $\overline{BC}$, $\overline{CD}$, $\overline{DE}$, $\overline{EF}$, $\overline{FA}$의 6개

$\therefore P(X=1)=\frac{6}{{}_6C_2}=\frac{2}{5}$

(ii) $X=\sqrt{3}$인 경우

$\overline{AC}$, $\overline{BD}$, $\overline{CE}$, $\overline{DF}$, $\overline{EA}$, $\overline{FB}$의 6개

$\therefore P(X=\sqrt{3})=\frac{6}{{}_6C_2}=\frac{2}{5}$

(iii) $X=2$인 경우

$\overline{AD}$, $\overline{BE}$, $\overline{CF}$의 3개

$\therefore P(X=2)=\frac{3}{{}_6C_2}=\frac{1}{5}$

따라서 X의 확률분포를 표로 나타내면 다음과 같다.

X	1	$\sqrt{3}$	2	합계
$P(X=x)$	$\frac{2}{5}$	$\frac{2}{5}$	$\frac{1}{5}$	1

단계 3 $E(X^2)$ 구하기

$E(X^2)=1^2\times\frac{2}{5}+(\sqrt{3})^2\times\frac{2}{5}+2^2\times\frac{1}{5}=\frac{12}{5}$

답 $\frac{12}{5}$

438 따라하기

한 모서리의 길이가 1인 정육면체에서 임의로 서로 다른 두 꼭짓점을 택할 때, 두 꼭짓점 사이의 거리를 확률변수 X라 하자. 이때 $E(X^2)$을 구하시오.

2 이항분포와 정규분포

개념 01 이항분포 C 유형 01~04

1 이항분포

한 번의 시행에서 사건 A가 일어날 확률이 p로 일정할 때, n번의 독립시행에서 사건 A가 일어나는 횟수를 확률변수 X라 하면 X의 확률질량함수는 다음과 같다.

$$P(X=x)={}_n C_x p^x q^{n-x}$$

(단, $x=0, 1, 2, \cdots, n$, $q=1-p$)

이와 같은 확률분포를 **이항분포**라 하고, 기호로 $\mathbf{B}(n, p)$와 같이 나타낸다.

$$B(\underset{\text{시행 횟수}}{n}, \underset{\text{확률}}{p})$$

2 이항분포에서의 평균, 분산, 표준편차

확률변수 X가 이항분포 $B(n, p)$를 따를 때,

$$E(X)=np, \quad V(X)=npq, \quad \sigma(X)=\sqrt{npq} \quad (단, q=1-p)$$

3 큰수의 법칙

어떤 시행에서 사건 A가 일어날 수학적 확률이 p이고, n번의 독립시행에서 사건 A가 일어나는 횟수를 X라 하면 아무리 작은 임의의 양수 h를 택하여도 n이 커짐에 따라 확률 $P\left(\left|\dfrac{X}{n}-p\right|<h\right)$는 1에 가까워진다. 이것을 **큰수의 법칙**이라 한다.

📕 note

- $_n C_x$는 n번의 시행에서 사건 A가 x번 일어나는 경우의 수이며 $p^x q^{n-x}$은 각 경우의 확률이다.

- $B(n, p)$의 B는 이항분포를 뜻하는 영어 단어 binomial distribution의 첫 문자이다.

- 시행 횟수 n이 충분히 클 때, 상대도수, 즉 통계적 확률 $\dfrac{X}{n}$는 수학적 확률 p에 기끼워짐을 알 수 있다.

→ 정답 및 풀이 **56**쪽

[439~440] 다음 확률변수 X가 이항분포를 따르는지 확인하고, 이항분포를 따르면 $B(n, p)$ 꼴로 나타내시오.

439 자유투 성공률이 60 %인 어느 농구 선수가 자유투를 5회 던져서 성공하는 횟수 X

440 파란 공 6개와 빨간 공 4개가 들어 있는 주머니에서 임의로 4개의 공을 차례로 꺼낼 때, 꺼낸 공 중 빨간 공의 개수 X

(단, 꺼낸 공은 다시 넣지 않는다.)

[441~442] 확률변수 X가 이항분포 $B\left(4, \dfrac{1}{4}\right)$을 따를 때, 다음에 답하시오.

441 X의 확률질량함수를 구하시오.

442 X의 확률분포를 나타낸 표를 완성하시오.

X	0	1	2	3	4	합계
$P(X=x)$						1

[443~444] 확률변수 X가 이항분포 $B\left(10, \dfrac{1}{2}\right)$을 따를 때, 다음을 구하시오.

443 X의 확률질량함수

444 $P(X=2)$

[445~446] 확률변수 X가 다음과 같은 이항분포를 따를 때, X의 평균, 분산, 표준편차를 구하시오.

445 $B\left(900, \dfrac{2}{3}\right)$

446 $B\left(360, \dfrac{5}{6}\right)$

447 확률변수 X가 이항분포 $B\left(160, \dfrac{1}{4}\right)$을 따를 때, 확률변수 $2X-10$의 평균, 분산, 표준편차를 구하시오.

1 정규분포

(1) 실수 전체의 집합에서 정의된 연속확률변수 X의 확률밀도함수 $f(x)$가 두 상수 m, $\sigma\,(\sigma>0)$에 대하여

$$f(x)=\frac{1}{\sqrt{2\pi}\sigma}e^{-\frac{(x-m)^2}{2\sigma^2}}$$

일 때, X의 확률분포를 **정규분포**라 한다.

이때 확률밀도함수 $f(x)$의 그래프는 오른쪽 그림과 같고, 이 곡선을 정규분포 곡선이라 한다.

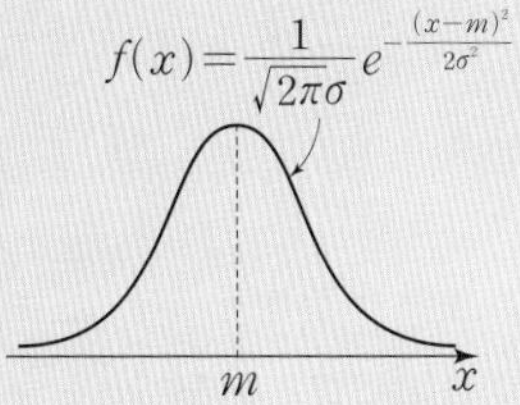

(2) 평균과 분산이 각각 m, σ^2인 정규분포를 기호로 $\mathrm{N}(m,\,\sigma^2)$과 같이 나타내고, 확률변수 X는 정규분포 $\mathrm{N}(m,\,\sigma^2)$을 따른다고 한다.

2 정규분포 곡선의 성질

정규분포 $\mathrm{N}(m,\,\sigma^2)$을 따르는 확률변수 X의 정규분포 곡선은 다음과 같은 성질을 갖는다.

(1) 직선 $x=m$에 대하여 대칭이고, x축이 점근선인 종 모양의 곡선이다.

(2) 곡선과 x축 사이의 넓이는 1이다.

(3) σ의 값이 일정할 때, m의 값이 달라지면 대칭축의 위치는 바뀌지만 곡선의 모양은 변하지 않는다.

(4) m의 값이 일정할 때, σ의 값이 클수록 가운데 부분의 높이는 낮아지고 옆으로 퍼진 모양이 된다.

참고   정규분포를 따르는 확률변수 X에 대하여 확률 $\mathrm{P}(a\le X\le b)$는 오른쪽 그림과 같이 정규분포 곡선과 x축 및 두 직선 $x=a$, $x=b$로 둘러싸인 도형의 넓이와 같다.

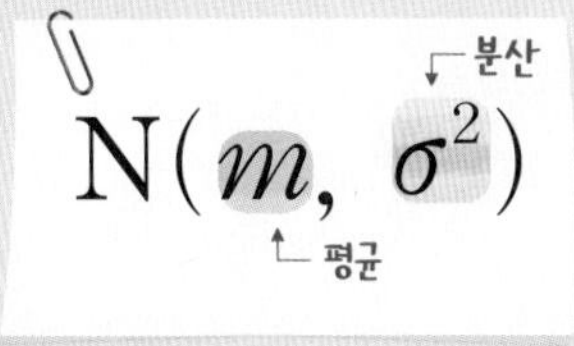

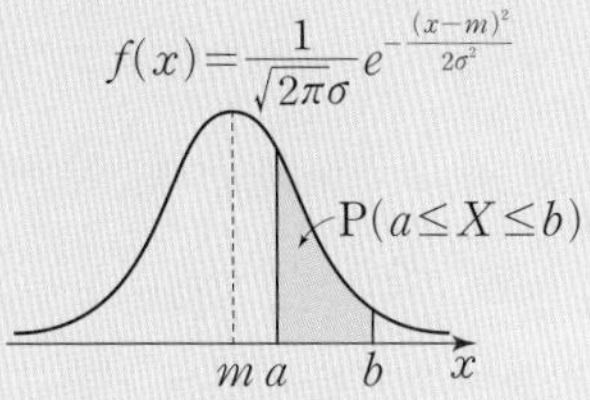

● e는 무리수 2.71828…을 나타내는 상수이다.

● $\mathrm{N}(m,\,\sigma^2)$의 N은 정규분포를 뜻하는 영어 단어 normal distribution의 첫 문자이다.

●

●

●

$\mathrm{P}(X\le m)=\mathrm{P}(X\ge m)=0.5$
$\mathrm{P}(m\le X\le m+a)$
$\quad=\mathrm{P}(m-a\le X\le m)$
$\qquad\qquad$ (단, $a>0$)

→ 정답 및 풀이 **56**쪽

[448~451] 확률변수 X의 평균, 분산, 표준편차가 다음과 같을 때, X가 따르는 정규분포를 $\mathrm{N}(m,\,\sigma^2)$ 꼴로 나타내시오.

448 $\mathrm{E}(X)=5$, $\mathrm{V}(X)=4$

449 $\mathrm{E}(X)=-10$, $\mathrm{V}(X)=16$

450 $\mathrm{E}(X)=7$, $\mathrm{V}(X)=\dfrac{1}{9}$

451 $\mathrm{E}(X)=-\dfrac{15}{2}$, $\sigma(X)=3$

[452~453] 두 학교 A, B의 학생들의 영어 성적은 각각 정규분포를 따르고 그 정규분포 곡선이 오른쪽 그림과 같을 때, 다음 중 옳은 것은 ○표, 옳지 <u>않은</u> 것은 ×표를 하시오.

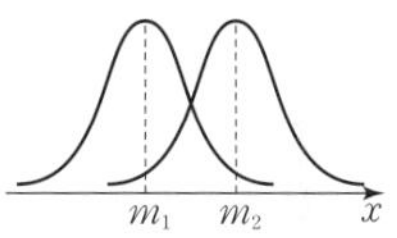

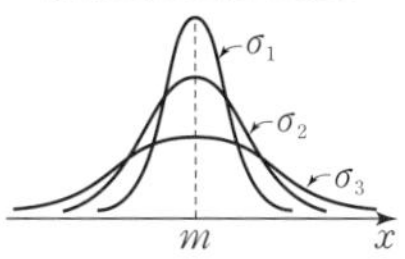

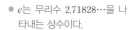

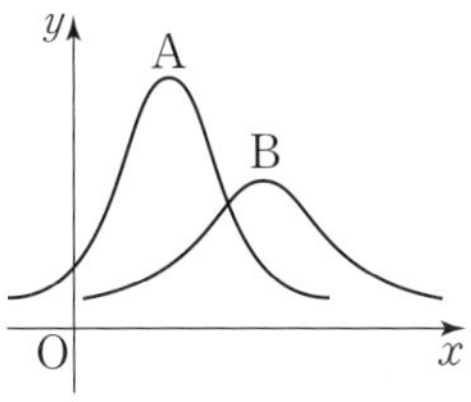

452 평균적으로 A 학교의 학생들보다 B 학교의 학생들의 성적이 더 좋다.   (   )

453 A 학교의 학생들보다 B 학교의 학생들의 영어 성적이 더 고르다.   (   )

개념 03 표준정규분포 (유형 07~13, 15, 16)

note

1 표준정규분포

평균이 0이고 분산이 1인 정규분포 **N(0, 1)**을 **표준정규분포**라 한다. 확률변수 Z가 표준정규분포 N(0, 1)을 따를 때, Z의 확률밀도함수는

$$f(z)=\frac{1}{\sqrt{2\pi}}e^{-\frac{z^2}{2}}$$

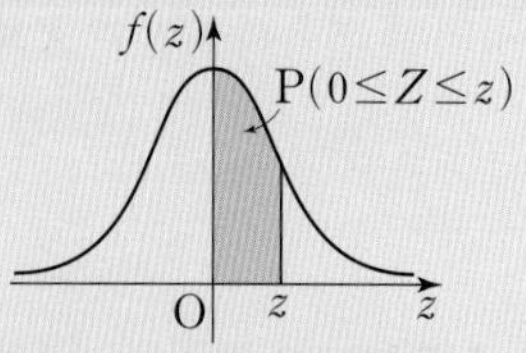

이고, 그 그래프는 오른쪽 그림과 같다.

이때 양수 z에 대하여 확률 $P(0\le Z\le z)$는 위의 그림에서 색칠한 도형의 넓이와 같다.

- 표준정규분포표
$P(0\le Z\le z)$는 표준정규분포표에서 찾을 수 있다. 예를 들어 다음 표준정규분포표에서 $P(0\le Z\le 1.62)=0.4474$임을 알 수 있다.

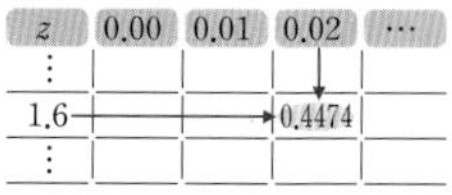

2 표준정규분포에서의 확률

확률변수 Z가 표준정규분포를 따르고, $P(0\le Z\le a)=\alpha$, $P(0\le Z\le b)=\beta$일 때

(단, $0<a<b$)

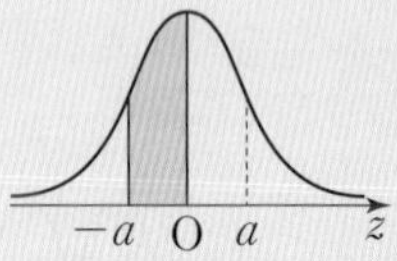

$P(-a\le Z\le 0)=\alpha$

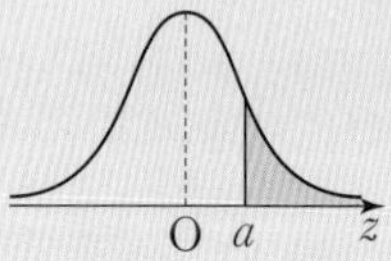

$P(Z\ge a)=0.5-\alpha$

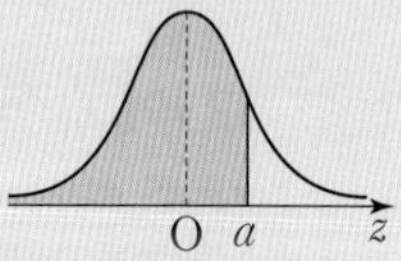

$P(Z<a)=0.5+\alpha$

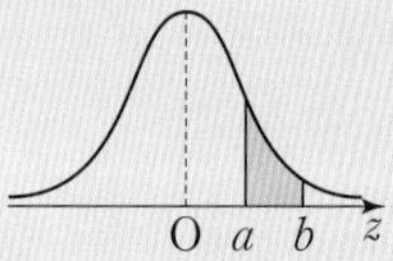

$P(a\le Z\le b)=\beta-\alpha$

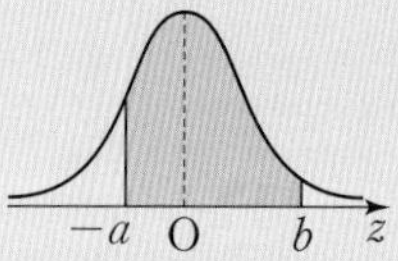

$P(-a\le Z\le b)=\alpha+\beta$

3 정규분포의 표준화

확률변수 X가 정규분포 $N(m, \sigma^2)$을 따를 때, 확률변수 $Z=\frac{X-m}{\sigma}$은 표준정규분포 N(0, 1)을 따른다. 이와 같이 정규분포 $N(m, \sigma^2)$을 따르는 확률변수 X를 표준정규분포 N(0, 1)을 따르는 확률변수 Z로 바꾸는 것을 **표준화**라 한다.

- 확률변수 X가 정규분포 $N(m, \sigma^2)$을 따를 때, $P(a\le X\le b)=P\left(\frac{a-m}{\sigma}\le Z\le \frac{b-m}{\sigma}\right)$과 같이 확률변수 X를 Z로 표준화한 후, 표준정규분포표를 이용하여 구한다.

➔ 정답 및 풀이 56쪽

[454~457] 확률변수 Z가 표준정규분포 N(0, 1)을 따를 때, 오른쪽 표준정규분포표를 이용하여 다음을 구하시오.

z	$P(0\le Z\le z)$
1.0	0.3413
1.25	0.3944
1.5	0.4332
1.75	0.4599
2.0	0.4772
2.5	0.4938

454 $P(Z\le 2)$

455 $P(1\le Z\le 2.5)$

456 $P(Z\le -1.5)$

457 $P(-1.25\le Z\le 1.75)$

[458~459] 확률변수 X가 다음과 같은 정규분포를 따를 때, X를 표준정규분포를 따르는 확률변수 Z로 표준화하시오.

458 $N(25, 3^2)$ **459** $N\left(13, \frac{1}{3^2}\right)$

[460~461] 확률변수 X가 정규분포 $N(250, 5^2)$을 따를 때, 오른쪽 표준정규분포표를 이용하여 다음을 구하시오.

z	$P(0\le Z\le z)$
0.8	0.2881
1.0	0.3413
1.2	0.3849
1.4	0.4192
1.6	0.4452

460 $P(X\le 244)$

461 $P(254\le X\le 258)$

개념 04 이항분포와 정규분포의 관계 　C 유형 14~16

확률변수 X가 이항분포 $B(n, p)$를 따를 때, n이 충분히 크면 X는 근사적으로 정규분포 $N(np, npq)$를 따른다. (단, $q=1-p$)

참고 확률변수 X가 이항분포 $B(n, p)$를 따를 때, n이 충분히 크면 확률변수 $Z=\frac{X-np}{\sqrt{npq}}$는 근사적으로 표준정규분포 $N(0, 1)$을 따른다.

예 확률변수 X가 이항분포 $B\left(100, \frac{1}{5}\right)$을 따를 때,

$E(X)=100\times\frac{1}{5}=20$, $V(X)=100\times\frac{1}{5}\times\frac{4}{5}=16=4^2$

이때 $n=100$은 충분히 크므로 X는 근사적으로 정규분포 $N(20, 4^2)$을 따른다.

note

- n이 충분히 크다는 것은 일반적으로 $np\ge5$, $nq\ge5$일 때를 뜻한다.
- 확률변수 X가 이항분포 $B(n, p)$를 따를 때
  (1) $E(X)=np$
  (2) $V(X)=npq$
  (3) $\sigma(X)=\sqrt{npq}$

→ 정답 및 풀이 57쪽

[462~466] 확률변수 X가 다음과 같은 이항분포를 따를 때, X는 근사적으로 정규분포를 따른다. X가 따르는 정규분포를 $N(m, \sigma^2)$ 꼴로 나타내시오.

462 $B\left(80, \frac{1}{2}\right)$

463 $B\left(360, \frac{1}{6}\right)$

464 $B\left(240, \frac{3}{4}\right)$

465 $B\left(720, \frac{1}{3}\right)$

466 $B\left(640, \frac{5}{8}\right)$

467 확률변수 X가 이항분포 $B\left(450, \frac{1}{3}\right)$을 따를 때, $P(150\le X\le170)$을 구하는 과정이다. 다음 빈칸에 알맞은 수를 써넣으시오. (단, Z가 표준정규분포를 따르는 확률변수일 때, $P(0\le Z\le2)=0.4772$이다.)

> 확률변수 X가 이항분포 $B\left(450, \frac{1}{3}\right)$을 따르므로
>
> $E(X)=450\times\square=\square$,
>
> $\sigma(X)=\sqrt{450\times\square\times\square}=\square$
>
> 이때 450은 충분히 크므로 확률변수 X는 근사적으로 정규분포 $N(\square, \square^2)$을 따른다.
>
> 따라서 확률변수 $Z=\frac{X-\square}{\square}$은 표준정규분포 $N(0, 1)$을 따른다.
>
> $\therefore P(150\le X\le170)=P(\square\le Z\le\square)$
> $=\square$

[468~469] 확률변수 X가 이항분포 $B\left(150, \frac{2}{5}\right)$를 따를 때, 오른쪽 표준정규분포표를 이용하여 다음을 구하시오.

z	$P(0\le Z\le z)$
1.0	0.3413
1.5	0.4332
2.0	0.4772

468 $P(X\le69)$

469 $P(54\le X\le72)$

2 이항분포와 정규분포

도전! 유형 연습하기

유형 01 이항분포에서의 확률 구하기

확률변수 X가 이항분포 $\mathrm{B}(n, p)$를 따를 때, X의 확률질량함수는

➡ $\mathrm{P}(X=x)={}_n\mathrm{C}_x p^x q^{n-x}$

(단, $x=0, 1, 2, \cdots, n$, $q=1-p$)

대표 문제

470

이항분포 $\mathrm{B}\left(8, \frac{1}{2}\right)$을 따르는 확률변수 X에 대하여 $\mathrm{P}(X=3)$은?

① $\frac{7}{64}$ ② $\frac{7}{32}$ ③ $\frac{35}{128}$
④ $\frac{5}{16}$ ⑤ $\frac{45}{128}$

471

10점 과녁 명중률이 $\frac{3}{5}$인 양궁 선수가 화살을 5발 쏠 때, 10점 과녁에 명중시키는 화살의 개수를 확률변수 X라 하자. 이때 $\mathrm{P}(X=2)$는?

① $\frac{108}{625}$ ② $\frac{144}{625}$ ③ $\frac{216}{625}$
④ $\frac{288}{625}$ ⑤ $\frac{486}{625}$

472

타율이 $\frac{1}{4}$인 야구 선수가 타석에 4번 들어설 때 안타를 한 번 이하로 칠 확률은?

① $\frac{11}{256}$ ② $\frac{25}{128}$ ③ $\frac{57}{128}$
④ $\frac{51}{256}$ ⑤ $\frac{189}{256}$

473

도영이와 지연이가 가위바위보를 5번 할 때, 도영이가 두 번 이상 이길 확률은?

① $\frac{16}{81}$ ② $\frac{17}{81}$ ③ $\frac{112}{243}$
④ $\frac{131}{243}$ ⑤ $\frac{64}{81}$

474

이항분포 $\mathrm{B}\left(n, \frac{1}{2}\right)$을 따르는 확률변수 X가 $\mathrm{P}(X=2)=10\mathrm{P}(X=1)$을 만족시킬 때, n의 값은?

① 19 ② 20 ③ 21
④ 22 ⑤ 23

유형 02 이항분포에서의 평균, 분산, 표준편차

확률변수 X가 이항분포 $\mathrm{B}(n, p)$를 따를 때

➡ $\mathrm{E}(X)=np$, $\mathrm{V}(X)=npq$, $\sigma(X)=\sqrt{npq}$

(단, $q=1-p$)

대표 문제

475

이항분포 $\mathrm{B}(20, p)$를 따르는 확률변수 X에 대하여 $\mathrm{E}(X)=5$일 때, $\mathrm{V}(X)$를 구하시오.

정답 및 풀이 58쪽

476

이항분포 $B(10, p)$를 따르는 확률변수 X에 대하여 $E(X)=6$일 때, $E(X^2)$은?

① $\frac{63}{10}$ ② $\frac{82}{5}$ ③ $\frac{192}{5}$

④ $\frac{717}{10}$ ⑤ $\frac{897}{10}$

477

이항분포 $B(11, p)$를 따르는 확률변수 X에 대하여 $\{E(X)\}^2=V(X)$일 때, p의 값은? (단, $0<p<1$이다.)

① $\frac{1}{13}$ ② $\frac{1}{12}$ ③ $\frac{1}{11}$

④ $\frac{1}{10}$ ⑤ $\frac{1}{9}$

유형 03 이항분포에서의 평균, 분산, 표준편차 – 이항분포가 조건으로 주어진 경우

확률변수 X의 확률이 독립시행의 확률로 나타나면 X는 이항분포를 따른다. 이때 시행 횟수 n과 한 번의 시행에서 어떤 사건이 일어날 확률 p를 구하여 $B(n, p)$로 나타낸 후 X의 평균, 분산, 표준편차를 구한다.

대표 문제

478

한 개의 주사위를 90번 던져 3의 배수의 눈이 나오는 횟수를 확률변수 X라 할 때, $E(X^2)$을 구하시오.

479

완치율이 80 %인 어떤 약을 200명의 환자에게 투약하였을 때, 완치된 환자의 수를 확률변수 X라 하자. 이때 $E(X)+V(X)$의 값은?

① 168 ② 192 ③ 200

④ 221 ⑤ 320

480

흰 공 5개, 검은 공 k개가 들어 있는 주머니에서 임의로 한 개의 공을 꺼내어 색깔을 확인하고 다시 넣는 시행을 100회 반복할 때, 흰 공이 나오는 횟수를 확률변수 X라 하자. $E(X)=25$일 때, $V(X)$는?

① $\frac{45}{4}$ ② $\frac{55}{4}$ ③ $\frac{65}{4}$

④ $\frac{75}{4}$ ⑤ $\frac{85}{4}$

481

어느 반에 남학생 4명, 여학생 2명으로 구성된 모둠이 10모둠 있다. 각 모둠에서 임의로 2명씩 선택할 때, 남학생들만 선택된 모둠의 수를 확률변수 X라 하자. 이때 $E(X)$는? (단, 두 모둠 이상에 속한 학생은 없다.)

① 6 ② 5 ③ 4

④ 3 ⑤ 2

유형 04 이항분포에서의 평균, 분산, 표준편차 – 확률변수가 $aX+b$인 경우

이항분포를 따르는 확률변수 X에 대하여 확률변수 $aX+b$의 평균, 분산, 표준편차는 다음과 같은 순서로 구한다.

❶ X가 따르는 이항분포 $\mathrm{B}(n, p)$를 구한다.

❷ X의 평균, 분산, 표준편차를 구한다.

❸ $\mathrm{E}(aX+b)=a\mathrm{E}(X)+b$, $\mathrm{V}(aX+b)=a^2\mathrm{V}(X)$, $\sigma(aX+b)=|a|\sigma(X)$임을 이용하여 $aX+b$의 평균, 분산, 표준편차를 구한다.

대표 문제

482

이항분포 $\mathrm{B}\left(n, \frac{2}{5}\right)$를 따르는 확률변수 X에 대하여 $\mathrm{E}(X)=20$일 때, $\mathrm{V}(-2X+3)$을 구하시오.

483

이항분포 $\mathrm{B}(n, p)$를 따르는 확률변수 X에 대하여 $\mathrm{E}(5X+1)=11$, $\mathrm{V}(5X+1)=40$일 때, $n+p$의 값은?

① $\frac{41}{5}$　② $\frac{43}{5}$　③ $\frac{47}{5}$　④ $\frac{49}{5}$　⑤ $\frac{51}{5}$

484

확률변수 X의 확률질량함수가

$$\mathrm{P}(X=x)={}_{64}\mathrm{C}_x\left(\frac{5}{8}\right)^x\left(\frac{3}{8}\right)^{64-x}\ (x=0, 1, 2, \cdots, 64)$$

일 때, $\sigma\left(\frac{X}{\sqrt{5}}-7\right)$은?

① 1　② $\sqrt{3}$　③ $\sqrt{5}$　④ $\sqrt{7}$　⑤ $\sqrt{10}$

유형 05 정규분포 곡선의 성질

정규분포 $\mathrm{N}(m, \sigma^2)$을 따르는 확률변수 X의 정규분포 곡선은 다음과 같은 성질을 갖는다.

(1) 직선 $x=m$에 대하여 대칭이고 x축이 점근선인 종 모양의 곡선이다.

(2) 곡선과 x축 사이의 넓이는 1이다.

(3) σ의 값이 일정할 때, m의 값이 달라지면 대칭축의 위치는 바뀌지만 곡선의 모양은 변하지 않는다.

(4) m의 값이 일정할 때, σ의 값이 클수록 가운데 부분의 높이는 낮아지고 옆으로 퍼진 모양이 된다.

대표 문제

485

다음 중 정규분포 $\mathrm{N}(m, \sigma^2)$을 따르는 확률변수 X의 확률밀도함수 $f(x)$에 대한 설명으로 옳지 않은 것은?

① $\mathrm{P}(X\le m)=\mathrm{P}(X>m)$

② $f(x)$는 $x=m$일 때 최댓값을 갖는다.

③ σ의 값이 일정할 때, m의 값이 클수록 그래프의 대칭축이 오른쪽에 있다.

④ σ의 값이 클수록 그래프는 옆으로 좁아진다.

⑤ 정규분포 $\mathrm{N}(n, \sigma^2)$을 따르는 확률변수 Y의 확률밀도함수를 $g(x)$라 할 때, $f(x)$, $g(x)$의 그래프의 모양은 서로 같다.

486

오른쪽 그림의 두 곡선 $y=f(x)$, $y=g(x)$는 각각 정규분포를 따르는 두 확률변수 X_1, X_2의 정규분포 곡선이다. 보기에서 옳은 것만을 있는 대로 고르시오.

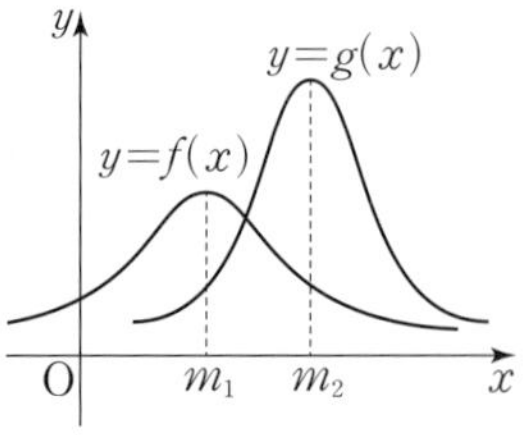

보기
ㄱ. $\mathrm{E}(X_1)<\mathrm{E}(X_2)$
ㄴ. $\mathrm{V}(X_1)>\mathrm{V}(X_2)$
ㄷ. $\mathrm{P}(X_1\le m_2)<\mathrm{P}(X_2\le m_2)$
ㄹ. $0\le\mathrm{P}(X_2\le m_1)<0.5$

487

정규분포 $N(20,\ 5^2)$을 따르는 확률변수 X에 대하여 $P(k-1\le X\le k+5)$가 최대가 되도록 하는 실수 k의 값은?

① 12　② 14　③ 16　④ 18　⑤ 20

낱선 유형 06 정규분포 곡선을 이용하여 확률 구하기

확률변수 X가 정규분포 $N(m,\ \sigma^2)$을 따를 때, 정규분포 곡선은 직선 $x=m$에 대하여 대칭이므로

(1) $P(X\le m)=P(X\ge m)=0.5$

(2) $P(m-a\le X\le m)=P(m\le X\le m+a)$

대표 문제

488 #정규분포_곡선의_성질을_이용하기 #$x=m$에_대하여_대칭

정규분포 $N(m,\ \sigma^2)$을 따르는 확률변수 X에 대하여

$P(m-\sigma\le X\le m+\sigma)=2a$, → $P(m\le X\le m+\sigma)=a$

$P(m-3\sigma\le X\le m+3\sigma)=2b$ → $P(m\le X\le m+3\sigma)=b$

일 때, $P(m-\sigma\le X\le m+3\sigma)$를 a, b를 사용하여 나타내시오.

정규분포 곡선의 대칭성을 이용하는 문제는 그림을 그려보면 쉬워~

489

정규분포 $N(m,\ \sigma^2)$을 따르는 확률변수 X에 대하여 $P(m\le X\le x)$는 오른쪽 표와 같다. 확률변수 X가 정규분포 $N(50,\ 5^2)$을 따를 때, 오른쪽 표를 이용하여 $P(45\le X\le 60)$을 구하시오.

x	$P(m\le X\le x)$
$m+0.5\sigma$	0.1915
$m+\sigma$	0.3413
$m+1.5\sigma$	0.4332
$m+2\sigma$	0.4772

490

정규분포 $N(m,\ \sigma^2)$을 따르는 확률변수 X에 대하여 $P(m\le X\le x)$는 오른쪽 표와 같다. 확률변수 X가 정규분포 $N(15,\ 3^2)$을 따를 때, 오른쪽 표를 이용하여 $P(X\le a)=0.1587$을 만족시키는 상수 a의 값을 구하시오.

x	$P(m\le X\le x)$
$m+0.5\sigma$	0.1915
$m+\sigma$	0.3413
$m+1.5\sigma$	0.4332
$m+2\sigma$	0.4772

유형 07 표준정규분포에서의 확률 구하기

확률변수 Z가 표준정규분포 $N(0,\ 1)$을 따를 때, 양수 z에 대하여 $P(0\le Z\le z)$는 오른쪽 그림에서 색칠한 도형의 넓이와 같고, 그 값은 표준정규분포표를 이용하여 구할 수 있다.

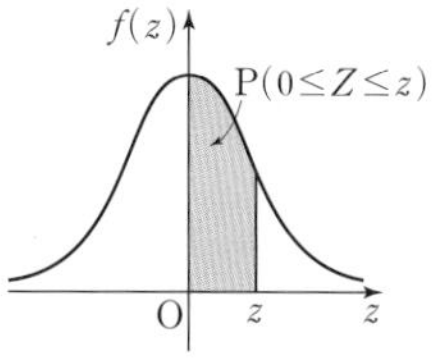
f(z)
P(0≤Z≤z)
O
z
z

대표 문제

491

확률변수 Z가 표준정규분포 $N(0,\ 1)$을 따르고 $P(|Z|\le 1.73)=0.9164$일 때, $P(Z\le 1.73)$은?

① 0.0836　② 0.1587　③ 0.4582　④ 0.5836　⑤ 0.9582

492

확률변수 Z가 표준정규분포 $N(0,\ 1)$을 따르고

$P(Z\le a)=0.8413$,

$P(Z\ge b)=0.0062$

를 만족시킬 때, 오른쪽 표준정규분포표를 이용하여 $a+b$의 값을 구하시오.

z	$P(0\le Z\le z)$
1.0	0.3413
1.5	0.4332
2.0	0.4772
2.5	0.4938

○△×

유형 08 정규분포의 표준화

확률변수 X가 정규분포 $\mathrm{N}(m, \sigma^2)$을 따를 때

(1) 확률변수 $Z=\frac{X-m}{\sigma}$은 표준정규분포 $\mathrm{N}(0, 1)$을 따른다.

(2) $\mathrm{P}(a \le X \le b)=\mathrm{P}\left(\frac{a-m}{\sigma} \le Z \le \frac{b-m}{\sigma}\right)$

대표 문제

493

두 확률변수 X, Y가 각각 정규분포 $\mathrm{N}(50, 10^2)$, $\mathrm{N}(40, 8^2)$을 따르고 $\mathrm{P}(50 \le X \le k)=\mathrm{P}(24 \le Y \le 40)$일 때, 상수 k의 값을 구하시오.

494

확률변수 X가 정규분포 $\mathrm{N}(55, 5^2)$을 따르고, 확률변수 Y가 표준정규분포 $\mathrm{N}(0, 1)$을 따른다.
$\mathrm{P}(55 \le X \le k)=\mathrm{P}(-2 \le Y \le 0)$일 때, 상수 k의 값은?

① 45 ② 50 ③ 55
④ 60 ⑤ 65

495

확률변수 X가 정규분포 $\mathrm{N}(m, \sigma^2)$을 따를 때, 오른쪽 표준정규분포표를 이용하여 $\mathrm{P}(|X-m| \le k\sigma)=0.7498$을 만족시키는 상수 k의 값을 구한 것은?

z	$\mathrm{P}(0 \le Z \le z)$
1.05	0.3531
1.15	0.3749
1.25	0.3944
1.35	0.4115
1.45	0.4265

① 1.05 ② 1.15 ③ 1.25
④ 1.35 ⑤ 1.45

○△×

유형 09 정규분포에서의 확률 구하기

정규분포 $\mathrm{N}(m, \sigma^2)$을 따르는 확률변수 X의 확률은 다음과 같은 순서로 구한다.

❶ X를 $Z=\frac{X-m}{\sigma}$으로 표준화한다.

❷ 구하는 확률을 Z에 대한 확률로 나타낸다.

❸ 표준정규분포표를 이용하여 확률을 구한다.

대표 문제

496

확률변수 X가 정규분포 $\mathrm{N}(32, 4^2)$을 따를 때, 오른쪽 표준정규분포표를 이용하여 $\mathrm{P}(28 \le X \le 38)$을 구한 것은?

z	$\mathrm{P}(0 \le Z \le z)$
1.0	0.3413
1.5	0.4332
2.0	0.4772
2.5	0.4938

① 0.3413 ② 0.4772 ③ 0.5984
④ 0.7745 ⑤ 0.9104

497

확률변수 X가 정규분포 $\mathrm{N}(270, 5^2)$을 따를 때, 오른쪽 표준정규분포표를 이용하여 $\mathrm{P}(X \ge 261)$을 구하시오.

z	$\mathrm{P}(0 \le Z \le z)$
1.2	0.3849
1.4	0.4192
1.6	0.4452
1.8	0.4641

498

어느 제과점에서 판매하는 케이크 한 조각의 열량은 평균이 350 kcal, 표준편차가 8 kcal인 정규분포를 따른다고 한다. 이 제과점에서 구매한 케이크 한 조각의 열량이 340 kcal 이상 356 kcal 이하일 확률을 위의 표준정규분포표를 이용하여 구한 것은?

z	$\mathrm{P}(0 \le Z \le z)$
0.75	0.2734
1	0.3413
1.25	0.3944
1.5	0.4332

① 0.5468 ② 0.6147 ③ 0.6678
④ 0.8276 ⑤ 0.8664

499

어느 마라톤 대회에서 완주한 참가자들의 완주 시간은 평균이 300분, 표준편차가 50분인 정규분포를 따른다고 한다. 이 대회에서 완주한 참가자 중에서 임의로 한 명을 뽑을 때, 이 참가자의 완주 시간이 4시간 이하일 확률을 위의 표준정규분포표를 이용하여 구하시오.

z	$P(0\le Z\le z)$
1.2	0.3849
1.3	0.4032
1.4	0.4192
1.5	0.4332

500

어느 지역에 거주하는 사람들이 지난 일주일 동안 휴대폰을 사용한 시간은 평균이 520분, 표준편차가 30분인 정규분포를 따른다고 한다. 이 지역에 거주하는 사람들 중에서 임의로 한 명을 선택했을 때, 이 사람이 지난 일주일 동안 휴대폰을 사용한 시간이 490분 이상 565분 이하일 확률을 위의 표준정규분포표를 이용하여 구하시오.

z	$P(0\le Z\le z)$
0.5	0.1915
1.0	0.3413
1.5	0.4332
2.0	0.4772

유형 10 정규분포에서의 미지수의 값 구하기

정규분포 $N(m, \sigma^2)$을 따르는 확률변수 X에 대한 확률이 주어질 때, 미지수의 값은 다음과 같은 순서로 구한다.

❶ X를 $Z=\frac{X-m}{\sigma}$으로 표준화한다.

❷ 주어진 확률을 Z에 대한 확률로 나타낸다.

❸ 표준정규분포표를 이용할 수 있도록 주어진 확률을 변형하여 미지수의 값을 구한다.

대표 문제

501

확률변수 X가 정규분포 $N(15, 3^2)$을 따를 때, 오른쪽 표준정규분포표를 이용하여 $P(a\le X\le 21)=0.9104$를 만족시키는 실수 a의 값을 구하시오.

z	$P(0\le Z\le z)$
1.0	0.3413
1.5	0.4332
2.0	0.4772
2.5	0.4938

502

어느 회사에서 생산되는 로봇 청소기가 한 번의 충전으로 청소할 수 있는 시간은 평균이 40분, 표준편차가 2분인 정규분포를 따른다고 한다. 이 회사에서 생산된 로봇 청소기 중에서 한 대를 임의로 선택했을 때, 이 로봇 청소기가 한 번의 충전으로 청소할 수 있는 시간이 t분 이상일 확률은 0.9332이었다. 이때 t의 값을 위의 표준정규분포표를 이용하여 구하시오.

z	$P(0\le Z\le z)$
1.0	0.3413
1.5	0.4332
2.0	0.4772
2.5	0.4938

503

확률변수 X는 평균이 m, 표준편차가 σ인 정규분포를 따른다고 한다.

$$P(m\le X\le m+10)-P(X\le m-10)=0.1826$$

일 때, σ의 값은?

(단, $P(0\le Z\le 1)=0.3413$으로 계산한다.)

① 4 ② 6 ③ 8
④ 10 ⑤ 12

유형 11 정규분포의 활용 – 확률 비교하기

정규분포에 대한 실생활 문제에서 확률은 다음과 같은 순서로 비교한다.

❶ 확률변수 X가 따르는 정규분포 $N(m, \sigma^2)$을 구한다.

❷ X를 $Z=\frac{X-m}{\sigma}$으로 표준화한다.

❸ 표준정규분포표를 이용하여 확률을 구한 후 비교한다.

대표 문제

504

두 확률변수 X, Y가 각각 정규분포 $N(65, 5^2)$, $N(70, 6^2)$을 따르고 $a=P(X\ge 60)$, $b=P(Y\ge 61)$일 때, 오른쪽 표준정규분포표를 이용하여 a, b의 대소를 비교하시오.

z	$P(0\le Z\le z)$
0.5	0.1915
1.0	0.3413
1.5	0.4332
2.0	0.4772

505

준기네 반 전체 학생의 국어, 수학, 영어 성적은 각각 정규분포를 따르고, 각 과목의 평균, 표준편차와 준기의 성적은 다음 표와 같다. 준기의 성적을 반 전체의 성적과 비교할 때, 세 과목 중 상대적으로 가장 성적이 좋은 과목을 구하시오.

(단위 : 점)

	국어	수학	영어
평균	54	60	72
표준편차	6	10	8
준기의 성적	66	70	68

506

어느 해 한국, 미국, 일본의 대졸 신입 사원의 월급은 평균이 각각 210만 원, 2500달러, 23만 엔이고, 표준편차가 각각 10만 원, 300달러, 2만 5천 엔인 정규분포를 따른다고 한다. 이 세 나라에서 임의로 한 명씩 뽑아 월급을 조사하였더니 한국의 A는 224만 원, 미국의 B는 2740달러, 일본의 C는 24만 엔이었다. A, B, C를 각각 자국 내에서 상대적으로 월급을 많이 받는 사람부터 순서대로 나열하시오.

507

태환이의 반 전체 학생의 분기별 윗몸일으키기 실시 결과는 각각 정규분포를 따르고, 각 분기별 평균, 표준편차와 태환이의 기록은 다음 표와 같다. 태환이가 반 학생들과 비교하여 상대적으로 기록이 가장 낮았던 분기를 구하시오.

(단위 : 회)

	1분기	2분기	3분기	4분기
평균	70	60	62	66
표준편차	10	8	4	12
태환이의 횟수	80	72	70	75

유형 12 정규분포의 확률의 활용 – 도수 구하기

정규분포에 대한 실생활 문제에서 n개의 자료 중 특정 범위에 속하는 자료의 개수는 다음과 같은 순서로 구한다.

❶ 확률변수 X가 따르는 정규분포 $\mathrm{N}(m, \sigma^2)$을 구한다.

❷ X를 $Z=\dfrac{X-m}{\sigma}$으로 표준화한다.

❸ 표준정규분포표를 이용하여 확률변수 X가 특정 범위에 속할 확률 p를 구한다.

❹ $n\times p$의 값을 구한다.

대표 문제

508

어느 농장에서 수확한 2000개의 복숭아의 무게는 평균이 180 g, 표준편차가 25 g인 정규분포를 따른다고 한다. 이 중에서 무게가 230 g 이상인 복숭아의 개수는?

(단, $\mathrm{P}(0\le Z\le 2)=0.48$로 계산한다.)

① 40 ② 50 ③ 60 ④ 70 ⑤ 80

509

어느 고등학교 학생 1000명의 키는 평균이 164 cm, 표준편차가 6 cm인 정규분포를 따른다고 한다. 이 중에서 키가 155 cm 이상 176 cm 이하인 학생의 수를 구하시오.
(단, $\mathrm{P}(0\le Z\le 1.5)=0.43$, $\mathrm{P}(0\le Z\le 2)=0.48$로 계산한다.)

510

어느 고등학교 학생 900명의 시력을 측정하였더니 평균이 0.8, 표준편차가 0.3인 정규분포를 따른다고 한다. 시력이 0.5 이하인 학생들에게 시력 교정을 권고하고자 할 때, 그 대상인 학생의 수는?

(단, $\mathrm{P}(0\le Z\le 1)=0.34$로 계산한다.)

① 63 ② 100 ③ 144 ④ 150 ⑤ 235

➔ 정답 및 풀이 63쪽

511

어느 가구 공장에서 생산되는 책장의 무게는 평균이 60 kg, 표준편차가 3 kg인 정규분포를 따른다고 한다. 생산된 책장 중에서 무게가 55.5 kg 이하이거나 66 kg 이상이면 불량품으로 분류될 때, 이 공장에서 생산된 300개의 책장 중에서 불량품으로 분류되는 것의 개수를 위의 표준정규분포표를 이용하여 구한 것은?

z	$\mathrm{P}(0\le Z\le z)$
1.0	0.34
1.5	0.43
2.0	0.48
2.5	0.49

① 25 ② 27 ③ 29
④ 31 ⑤ 33

유형 13 정규분포의 확률의 활용 – 최대 · 최소를 만족시키는 값 구하기

정규분포 $\mathrm{N}(m,\ \sigma^2)$을 따르는 확률변수 X에 대하여 상위 k % 안에 드는 X의 최솟값을 구할 때에는
➡ 최솟값을 a로 놓고

$$\mathrm{P}(X\ge a)=\mathrm{P}\left(Z\ge\frac{a-m}{\sigma}\right)=\frac{k}{100}$$

를 만족시키는 a의 값을 표준정규분포표를 이용하여 구한다.

대표 문제
512

어느 고등학교 2학년 학생의 멀리뛰기 기록은 평균이 144 cm, 표준편차가 25 cm인 정규분포를 따른다고 한다. 멀리뛰기 기록이 상위 7 %에 속하는 학생에게 메달을 수여한다고 할 때, 메달을 받은 학생의 최저 기록을 구하시오. (단, $\mathrm{P}(0\le Z\le 1.5)=0.43$으로 계산한다.)

상위 7% 이내에 드는 기록의 최솟값 a는 $\mathrm{P}(X\ge a)=\frac{7}{100}$

513

모집 정원이 334명인 어느 회사의 입사 시험에 5000명이 응시하였다. 응시자의 시험 점수는 평균이 65점, 표준편차가 4점인 정규분포를 따른다고 할 때, 합격자의 최저 점수를 위의 표준정규분포표를 이용하여 구하시오.

z	$\mathrm{P}(0\le Z\le z)$
1.0	0.3413
1.5	0.4332
2.0	0.4772
2.5	0.4938

514

5명을 선발하는 오디션 프로그램에 1000명이 참가하였다. 참가자들의 점수는 평균이 71점, 표준편차가 10점인 정규분포를 따른다고 한다. 1차 합격자로 4배수를 선발한다고 할 때, 1차 합격자의 최저 점수를 위의 표준정규분포표를 이용하여 구한 것은?

z	$\mathrm{P}(0\le Z\le z)$
1.5	0.43
1.9	0.47
2.0	0.48
2.3	0.49

① 79점 ② 82점 ③ 85점
④ 89점 ⑤ 91점

515

어느 고등학교 남학생 400명의 키는 평균이 170 cm, 표준편차가 9 cm인 정규분포를 따른다고 한다. 이 중에서 키가 큰 쪽에서 30번째인 학생의 키를 위의 표준정규분포표를 이용하여 구하시오.

z	$\mathrm{P}(0\le Z\le z)$
1.21	0.387
1.44	0.425
1.69	0.455
1.96	0.475

유형 14 이항분포와 정규분포의 관계

확률변수 X가 이항분포 $\mathrm{B}(n,\ p)$를 따를 때, n이 충분히 크면 X는 근사적으로 정규분포 $\mathrm{N}(np,\ npq)$를 따른다.

(단, $q=1-p$)

대표 문제

516

확률변수 X가 이항분포 $\mathrm{B}\left(400,\ \frac{1}{5}\right)$을 따를 때, 오른쪽 표준정규분포표를 이용하여 $\mathrm{P}(X \le 84)$를 구한 것은?

z	$\mathrm{P}(0 \le Z \le z)$
0.5	0.1915
1.0	0.3413
1.5	0.4332
2.0	0.4772

① 0.5328　② 0.6915　③ 0.8413
④ 0.9332　⑤ 0.9772

517

이항분포 $\mathrm{B}(450,\ p)$를 따르는 확률변수 X의 평균이 300일 때, X가 근사적으로 따르는 정규분포를 기호로 나타내면?

① $\mathrm{N}(0,\ 1)$　② $\mathrm{N}\left(0,\ \frac{1}{3}\right)$　③ $\mathrm{N}\left(300,\ \frac{2}{3}\right)$
④ $\mathrm{N}(300,\ 10^2)$　⑤ $\mathrm{N}(300,\ 15^2)$

518

이항분포 $\mathrm{B}\left(n,\ \frac{2}{5}\right)$를 따르는 확률변수 X에 대하여 X의 평균이 240일 때, 오른쪽 표준정규분포표를 이용하여 $\mathrm{P}\left(X \le \frac{9}{20}n\right)$을 구하시오.

z	$\mathrm{P}(0 \le Z \le z)$
1.5	0.4332
2.0	0.4772
2.5	0.4938
3.0	0.4987

낯선 유형 15 이항분포와 정규분포의 관계의 활용 – 실생활에서의 확률 구하기

이항분포에 대한 실생활 문제에서 확률은 다음과 같은 순서로 구한다.

❶ n번의 독립시행에서 사건 A가 일어나는 횟수를 확률변수 X라 하고, X가 따르는 이항분포 $\mathrm{B}(n,\ p)$를 구한다.
❷ 확률변수 X의 평균과 분산을 구한다.
❸ 확률변수 X가 근사적으로 따르는 정규분포를 구하여 X를 표준화한다.
❹ 표준정규분포표를 이용하여 확률을 구한다.

대표 문제

519 #이항분포_B(n, p)를_구하여 #근사적으로_따르는 #정규분포를_표준화하기

서로 다른 동전 2개를 동시에 192번 던질 때, 2개 모두 뒷면이 나오는 횟수가 60 이하일 확률을 오른쪽 표준정규분포표를 이용하여 구하시오.

z	$\mathrm{P}(0 \le Z \le z)$
0.5	0.1915
1.0	0.3413
1.5	0.4332
2.0	0.4772

$\mathrm{B}\left(192,\ \frac{1}{4}\right) \xrightarrow{\text{근사}} \mathrm{N}(48,\ 6^2) \xrightarrow{\text{표준화}} \mathrm{N}(0,\ 1)$

이항분포　정규분포　표준정규분포

꼭 알아두자!

520

치료율이 90 %인 어떤 치료제를 900명의 환자에게 투약하였다. 이때 치료되는 환자의 수가 819명 이상일 확률을 오른쪽 표준정규분포표를 이용하여 구한 것은?

z	$\mathrm{P}(0 \le Z \le z)$
0.5	0.1915
1.0	0.3413
1.5	0.4332
2.0	0.4772

① 0.0228　② 0.0668　③ 0.1023
④ 0.1587　⑤ 0.1915

521

여섯 번 중 한 번의 비율로 10점 과녁에 명중시키는 어떤 양궁 선수가 180번 활을 쏘았을 때, 24번 이상 10점 과녁에 명중시킬 확률을 오른쪽 표준정규분포표를 이용하여 구하시오.

z	$\mathrm{P}(0\le Z\le z)$
1.2	0.3849
1.4	0.4192
1.6	0.4452
1.8	0.4641

522

다음은 어느 백화점에서 판매하고 있는 운동화에 대한 제조 회사별 고객의 선호도를 조사한 표이다.

제조 회사	A	B	C	D	합계
선호도(%)	20	27	22	31	100

225명의 고객이 각각 선호하는 제조 회사의 운동화를 택한다고 할 때, A 회사 제품을 택하는 고객이 48명 이상일 확률을 오른쪽 표준정규분포표를 이용하여 구한 것은?

z	$\mathrm{P}(0\le Z\le z)$
0.5	0.1915
1.0	0.3413
1.5	0.4332
2.0	0.4772

① 0.3413 ② 0.3085 ③ 0.1587
④ 0.0668 ⑤ 0.0228

523

어느 항공사에서는 예약 고객 중 예약 당일 실제로 탑승하러 오는 고객은 예약 고객의 80 %라 한다. 정원이 340명인 항공기의 예약 고객이 400명일 때, 실제 탑승하러 온 고객이 정원을 초과하지 않을 확률을 위의 표준정규분포표를 이용하여 구하시오.

z	$\mathrm{P}(0\le Z\le z)$
1.0	0.3413
1.5	0.4332
2.0	0.4772
2.5	0.4938

○△×

유형 16 이항분포와 정규분포의 관계의 활용 – 미지수의 값 구하기

확률변수 X가 이항분포 $\mathrm{B}(n, p)$를 따를 때, $\mathrm{P}(a\le X\le b)=\alpha$($\alpha$는 상수)를 만족시키는 a, b의 값은 다음과 같은 순서로 구한다.

❶ 확률변수 X가 근사적으로 따르는 정규분포를 구한다.

❷ 확률변수 X를 $Z=\frac{X-m}{\sigma}$으로 표준화하면 $\mathrm{P}(a\le X\le b)=\mathrm{P}\left(\frac{a-m}{\sigma}\le Z\le \frac{b-m}{\sigma}\right)$임을 이용하여 미지수에 대한 관계식을 세운다.

❸ 표준정규분포표를 이용하여 미지수의 값을 구한다.

대표 문제

524

이항분포 $\mathrm{B}\left(1200, \frac{1}{4}\right)$을 따르는 확률변수 X에 대하여 $\mathrm{P}(X\le a)=0.15$를 만족시키는 실수 a의 값을 오른쪽 표준정규분포표를 이용하여 구하시오.

z	$\mathrm{P}(0\le Z\le z)$
0.38	0.15
0.68	0.25
1.04	0.35
1.65	0.45

525

한 개의 동전을 256번 던질 때, 앞면이 나온 횟수를 확률변수 X라 하자. $\mathrm{P}(120\le X\le a)=0.8185$를 만족시키는 실수 a의 값을 오른쪽 표준정규분포표를 이용하여 구한 것은?

z	$\mathrm{P}(0\le Z\le z)$
0.5	0.1915
1.0	0.3413
1.5	0.4332
2.0	0.4772

① 132 ② 134 ③ 136
④ 138 ⑤ 144

실전! 기출 문제 정복하기

526

한 개의 주사위를 100번 던져서 짝수의 눈이 나오는 횟수를 확률변수 X라 할 때, X가 따르는 분포는?

① $\mathrm{B}\left(100, \frac{1}{3}\right)$ ② $\mathrm{B}\left(100, \frac{1}{2}\right)$ ③ $\mathrm{B}\left(100, \frac{2}{3}\right)$
④ $\mathrm{N}\left(100, \frac{1}{3}\right)$ ⑤ $\mathrm{N}(100, 3^2)$

527 수능 기출

확률변수 X가 이항분포 $\mathrm{B}\left(n, \frac{1}{3}\right)$을 따르고 $\mathrm{V}(3X)=40$일 때, n의 값을 구하시오.

528

이항분포 $\mathrm{B}(n, p)$를 따르는 확률변수 X에 대하여 확률변수 $2X+5$의 평균과 표준편차가 각각 185, 12일 때, $\frac{n}{p}$의 값을 구하시오.

529

확률변수 X의 확률질량함수가

$$\mathrm{P}(X=x)={}_{10}\mathrm{C}_x p^x(1-p)^{10-x}\ (x=0, 1, 2, \cdots, 10)$$

이다. $\mathrm{E}(X)=\mathrm{V}(\sqrt{3}X)$일 때, $\mathrm{P}(X\le 1)$은?

(단, $0<p<1$이다.)

① $\frac{7}{3^9}$ ② $\frac{11}{3^{10}}$ ③ $\frac{13}{3^{10}}$
④ $\frac{9}{2^{10}}$ ⑤ $\frac{11}{2^{10}}$

530 교과서 심화

어느 도시에서 스마트폰을 사용하는 사람 중 A 회사의 스마트폰을 사용하는 사람의 비율은 0.45이었다. 이 도시에서 스마트폰을 사용하는 사람 중 임의로 100명을 뽑아 사용하는 스마트폰을 조사하였을 때, A 회사의 스마트폰을 사용하는 사람의 수를 확률변수 X라 하자. 이때 $\mathrm{V}(-2X+5)$는? (단, 스마트폰을 사용하는 사람은 한 대의 스마트폰을 사용한다.)

① 93 ② 96 ③ 99
④ 102 ⑤ 105

531 평가원 기출

이차함수 $y=f(x)$의 그래프는 그림과 같고, $f(0)=f(3)=0$이다. 다음 물음에 답하시오.

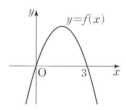

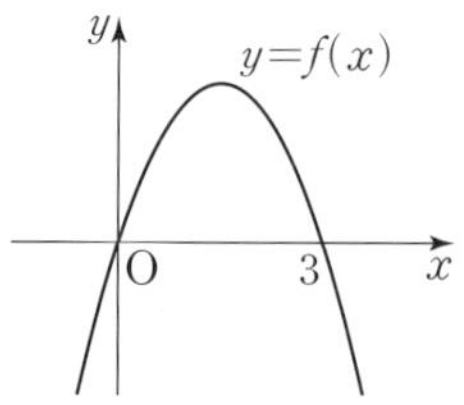

한 개의 주사위를 던져 나온 눈의 수 m에 대하여 $f(m)$이 0보다 큰 사건을 A라 하자. 한 개의 주사위를 15회 던지는 독립시행에서 사건 A가 일어나는 횟수를 확률변수 X라 할 때, $\mathrm{E}(X)$의 값은?

① 3 ② $\frac{7}{2}$ ③ 4
④ $\frac{9}{2}$ ⑤ 5

532

이항분포 $\mathrm{B}(64,\ p)$를 따르는 확률변수 X에 대하여 X의 평균이 8일 때, X^2의 평균을 구하시오.

533

확률변수 X가 정규분포 $\mathrm{N}(12,\ 3^2)$을 따를 때, $\mathrm{P}(X\le 6)=\mathrm{P}\left(X\ge \frac{a}{2}\right)$를 만족시키는 상수 a의 값은?

① 32　② 34　③ 36
④ 38　⑤ 40

534

확률변수 X가 정규분포 $\mathrm{N}(50,\ 5^2)$을 따를 때, 오른쪽 표준정규분포표를 이용하여 $\mathrm{P}(43.9\le X\le 56.3)$을 구하시오.

z	$\mathrm{P}(0\le Z\le z)$
1.22	0.3888
1.24	0.3925
1.26	0.3962
1.28	0.3997

535 교과서 심화

정규분포 $\mathrm{N}(20,\ \sigma^2)$을 따르는 확률변수 X에 대하여

$\mathrm{P}(20+2\sigma\le X\le 20+3\sigma)=a$,

$\mathrm{P}(20-3\sigma\le X\le 20+3\sigma)=b$

라 할 때, $\mathrm{P}(20-2\sigma\le X\le 20+2\sigma)$를 a, b를 사용하여 나타낸 것은?

① $b-2a$　② $b-a$　③ $b+2a$
④ $2b-a$　⑤ $2b+a$

536

두 확률변수 X, Y가 각각 정규분포 $\mathrm{N}(10,\ 2^2)$, $\mathrm{N}(m,\ 4^2)$을 따르고 $\mathrm{P}(m-8\le X\le 10)=\mathrm{P}(m\le Y\le 24)$일 때, m의 값은? (단, $m\le 18$이다.)

① 10　② 11　③ 12
④ 13　⑤ 14

537 수능 기출

확률변수 X가 정규분포 $\mathrm{N}(m,\ \sigma^2)$을 따르고 다음 조건을 만족시킨다.

> (가) $\mathrm{P}(X\ge 64)=\mathrm{P}(X\le 56)$
> (나) $\mathrm{E}(X^2)=3616$

$\mathrm{P}(X\le 68)$의 값을 오른쪽 표를 이용하여 구한 것은?

x	$\mathrm{P}(m\le X\le x)$
$m+1.5\sigma$	0.4332
$m+2\sigma$	0.4772
$m+2.5\sigma$	0.4938

① 0.9104　② 0.9332
③ 0.9544　④ 0.9772
⑤ 0.9938

538

정규분포 $\mathrm{N}(100,\ \sigma^2)$을 따르는 확률변수 X에 대하여 $\mathrm{P}(100\le X\le 106)=0.4332$일 때, $\mathrm{P}(X\le 108)$을 오른쪽 표준정규분포표를 이용하여 구하시오.

z	$\mathrm{P}(0\le Z\le z)$
0.5	0.1915
1.0	0.3413
1.5	0.4332
2.0	0.4772

539

어느 회사에서 생산되는 전구의 수명은 평균이 500시간, 표준편차가 40시간인 정규분포를 따른다고 한다. 이 회사에서 생산된 전구 중 임의로 한 개를 선택할 때, 이 전구의 수명이 480시간 이상 560시간 이하일 확률을 위의 표준정규분포표를 이용하여 구하시오.

z	$P(0\le Z\le z)$
0.5	0.1915
1.0	0.3413
1.5	0.4332
2.0	0.4772

540 수능 기출

어느 쌀 모으기 행사에 참여한 각 학생이 기부한 쌀의 무게는 평균이 1.5 kg, 표준편차가 0.2 kg인 정규분포를 따른다고 한다. 이 행사에 참여한 학생 중 임의로 1명을 선택할 때, 이 학생이 기부한 쌀의 무게가 1.3 kg 이상이고 1.8 kg 이하일 확률을 위의 표준정규분포표를 이용하여 구한 것은?

z	$P(0\le Z\le z)$
1.00	0.3413
1.25	0.3944
1.50	0.4332
1.75	0.4599

① 0.8543 ② 0.8012 ③ 0.7745
④ 0.7357 ⑤ 0.6826

541

어느 대학교 입학 시험에서 수험생들의 점수는 평균이 60점, 표준편차가 5인 정규분포를 따른다고 한다. 이 대학교 입학 시험의 경쟁률이 50 : 1이라 할 때, 합격자의 최저 점수를 위의 표준정규분포표를 이용하여 구하시오.

z	$P(0\le Z\le z)$
1.08	0.36
1.28	0.40
1.75	0.46
2.06	0.48

542

한 개의 동전을 400번 던질 때, 앞면이 나온 횟수를 확률변수 X라 하자. $P(X\le k)=0.8413$을 만족시키는 상수 k의 값을 위의 표준정규분포표를 이용하여 구한 것은?

z	$P(0\le Z\le z)$
1.0	0.3413
2.0	0.4772
3.0	0.4987

① 200 ② 210 ③ 220
④ 230 ⑤ 240

543 교과서 심화

어느 대학교 학생을 대상으로 등하교 시 이용하는 교통수단에 대하여 조사했더니 전체의 80 %가 대중교통을 이용하고, 대중교통을 이용한 학생 중에서 지하철을 이용하는 학생은 75 %이었다. 전체 대학교 학생 중에서 임의로 600명을 뽑아 등하교 시 이용하는 교통수단을 조사했을 때, 지하철을 이용하는 학생이 384명 이상일 확률을 위의 표준정규분포표를 이용하여 구한 것은?

z	$P(0\le Z\le z)$
0.5	0.1915
1.0	0.3413
1.5	0.4332
2.0	0.4772

① 0.0228 ② 0.0107 ③ 0.0082
④ 0.0062 ⑤ 0.0038

서술형 문제 따라하기 1

어느 농장에서 수확한 1000개의 배의 무게는 평균이 320 g, 표준편차가 20 g인 정규분포를 따른다고 한다. 이 중에서 무게가 290 g 이상 360 g 이하인 배의 개수를 구하시오. (단, $\mathrm{P}(0\le Z\le 1.5)=0.43$, $\mathrm{P}(0\le Z\le 2)=0.48$로 계산한다.)

풀이

단계 1 확률변수 X를 정하고 표준화하기

배의 무게를 확률변수 X라 하면 X는 정규분포 $\mathrm{N}(320,\ 20^2)$을 따르므로 $Z=\dfrac{X-320}{20}$으로 놓으면 Z는 표준정규분포 $\mathrm{N}(0,\ 1)$을 따른다.

단계 2 X가 주어진 범위에 속할 확률 구하기

$$\begin{aligned}\mathrm{P}(290\le X\le 360)&=\mathrm{P}\left(\frac{290-320}{20}\le Z\le\frac{360-320}{20}\right)\\&=\mathrm{P}(-1.5\le Z\le 2)\\&=\mathrm{P}(-1.5\le Z\le 0)+\mathrm{P}(0\le Z\le 2)\\&=\mathrm{P}(0\le Z\le 1.5)+\mathrm{P}(0\le Z\le 2)\\&=0.43+0.48=0.91\end{aligned}$$

단계 3 조건을 만족시키는 배의 개수 구하기

무게가 290 g 이상 360 g 이하인 배의 개수는

$1000\times 0.91=910$

답 910

544 따라하기

어느 아파트 주민 500명을 대상으로 일주일 동안 운동하는 시간을 조사했더니 평균이 102분, 표준편차가 4분인 정규분포를 따른다고 한다. 이 아파트의 주민 중 일주일 동안 운동하는 시간이 110분 이상인 주민의 수를 구하시오. (단, $\mathrm{P}(0\le Z\le 2)=0.48$로 계산한다.)

서술형 문제 따라하기 2

어느 설문조사에서 전체 주민의 80 %가 도서관 건립을 지지하였다고 한다. 이 설문조사에 응한 주민 225명 중에서 도서관 건립을 지지한 주민이 192명 이하일 확률을 구하시오. (단, $\mathrm{P}(0\le Z\le 2)=0.4772$로 계산한다.)

풀이

단계 1 확률변수 X를 정하고 X의 분포 구하기

설문에 응한 주민 225명 중에서 도서관 건립을 지지한 주민의 수를 확률변수 X라 하면 X는 이항분포 $\mathrm{B}\left(225,\ \dfrac{4}{5}\right)$를 따른다.

단계 2 X가 근사적으로 따르는 정규분포 구하기

$\mathrm{E}(X)=225\times\dfrac{4}{5}=180$

$\mathrm{V}(X)=225\times\dfrac{4}{5}\times\dfrac{1}{5}=36$

이때 $n=225$는 충분히 큰 수이므로 X는 근사적으로 정규분포 $\mathrm{N}(180,\ 6^2)$을 따른다.

단계 3 확률 구하기

$Z=\dfrac{X-180}{6}$으로 놓으면 Z는 표준정규분포 $\mathrm{N}(0,\ 1)$을 따르므로

$$\begin{aligned}\mathrm{P}(X\le 192)&=\mathrm{P}\left(Z\le\frac{192-180}{6}\right)=\mathrm{P}(Z\le 2)\\&=\mathrm{P}(Z\le 0)+\mathrm{P}(0\le Z\le 2)\\&=0.5+0.4772=0.9772\end{aligned}$$

답 0.9772

545 따라하기

다음은 어느 혈액형 조사에서 전체 인구의 혈액형 비율을 나타낸 표이다.

혈액형	A	B	AB	O	합계
비율 (%)	31	26	25	18	100

이 조사에 응한 사람 1200명 중에서 혈액형이 AB형인 사람이 315명 이상일 확률을 구하시오.

(단, $\mathrm{P}(0\le Z\le 1)=0.3413$으로 계산한다.)

Ⅲ. 통계

3 통계적 추정

개념 01 모집단과 표본

(1) **모집단** : 통계 조사에서 조사의 대상이 되는 집단 전체를 **모집단**이라 한다.
(2) **표본** : 조사하기 위하여 모집단에서 뽑은 일부분을 **표본**이라 한다.
(3) **전수조사** : 조사 대상이 되는 집단 전체를 조사하는 것을 **전수조사**라 한다.
(4) **표본조사** : 조사 대상이 되는 집단 전체에서 일부분을 뽑아서 조사하는 것을 **표본조사**라 한다.
(5) **임의추출** : 모집단에 속하는 각 대상이 같은 확률로 추출되도록 표본을 추출하는 방법을 **임의추출**이라 한다. 이때 한 번 추출된 대상을 되돌려 놓은 후 다시 추출하는 것을 복원추출, 되돌려 놓지 않고 다시 추출하는 것을 비복원추출이라 한다.

note

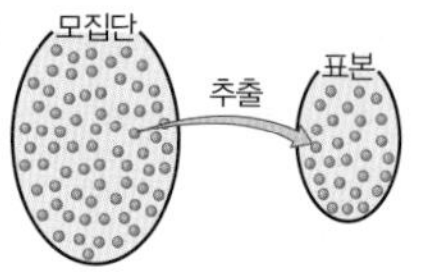

- 특별한 언급이 없으면 임의추출은 복원추출로 생각한다.

➔ 정답 및 풀이 70쪽

[546~548] 다음은 전수조사와 표본조사 중에서 어느 것이 더 적합한지 말하시오.

546 어느 회사에서 생산한 타이어의 평균 수명 조사

547 가스 사용료 청구를 위한 아파트 단지 각 가구의 가스 사용량 조사

548 선거 결과 예측을 위한 투표 후 출구 조사

[549~550] A, B, C, D, E, F가 각각 하나씩 적힌 6장의 카드가 들어 있는 상자에서 크기가 2인 표본을 다음과 같이 추출하는 경우의 수를 구하시오.

549 복원추출

550 비복원추출

개념 02 모평균과 표본평균

1 모평균, 모분산, 모표준편차

모집단의 확률변수 X의 평균, 분산, 표준편차를 각각 **모평균**, **모분산**, **모표준편차**라 하고, 기호로 각각 m, σ^2, σ와 같이 나타낸다.

2 표본평균, 표본분산, 표본표준편차

모집단에서 임의추출한 크기가 n인 표본을 X_1, X_2, $\cdots$, X_n이라 할 때, 이들의 평균, 분산, 표준편차를 각각 **표본평균**, **표본분산**, **표본표준편차**라 하고, 기호로 각각 $\overline{X}$, S^2, S와 같이 나타낸다. 이때 $\overline{X}$, S^2, S를 다음과 같이 정의한다.

$$\overline{X}=\frac{1}{n}(X_1+X_2+\cdots+X_n)$$

$$S^2=\frac{1}{n-1}\{(X_1-\overline{X})^2+(X_2-\overline{X})^2+\cdots+(X_n-\overline{X})^2\},\ S=\sqrt{S^2}$$

note

- 모평균 m은 고정된 상수이지만 표본평균 $\overline{X}$는 추출된 표본에 따라 여러 가지 값을 가질 수 있는 확률변수이다.
- 표본분산을 정의할 때는 모분산과의 차이를 줄이기 위해 n이 아닌 $n-1$로 나눈다.

➔ 정답 및 풀이 70쪽

[551~552] 1부터 5까지의 자연수가 각각 하나씩 적힌 5개의 공에 대하여 공에 적힌 수를 확률변수 X라 하자. 5개의 공 중에서 크기가 3인 표본을 임의추출한 결과가 다음과 같을 때, 표본평균 $\overline{X}$, 표본분산 S^2, 표본표준편차 S를 구하시오.

551 표본이 1, 3, 5인 경우

552 표본이 2, 2, 5인 경우

개념 03 표본평균의 분포

유형 01 ~ 05

note

1 표본평균의 평균, 분산, 표준편차

모평균이 m이고 모표준편차가 σ인 모집단에서 크기가 n인 표본 X_1, X_2, $\cdots$, X_n을 임의추출할 때, 표본평균 $\overline{X}$의 평균, 분산, 표준편차는 다음과 같다.

$$E(\overline{X})=m,\ V(\overline{X})=\frac{\sigma^2}{n},\ \sigma(\overline{X})=\frac{\sigma}{\sqrt{n}}$$

● 표본평균 $\overline{X}$는 추출한 표본에 따라 값이 달라지므로 확률변수이다.

2 표본평균의 분포

모평균이 m이고 모표준편차가 σ인 모집단에서 크기가 n인 표본을 임의추출할 때, 표본평균 $\overline{X}$에 대하여

(1) 모집단이 정규분포 $N(m,\ \sigma^2)$을 따르면 표본평균 $\overline{X}$는 정규분포 $N\left(m,\ \frac{\sigma^2}{n}\right)$을 따른다.

(2) 모집단의 분포가 정규분포가 아니더라도 n이 충분히 크면 표본평균 $\overline{X}$는 근사적으로 정규분포 $N\left(m,\ \frac{\sigma^2}{n}\right)$을 따른다.

● 일반적으로 표본의 크기 n이 30 이상이면 충분히 큰 것으로 본다.

➜ 정답 및 풀이 70쪽

553 모평균이 20, 모분산이 9인 모집단에서 크기가 36인 표본을 임의추출할 때, 표본평균 $\overline{X}$에 대하여 $E(\overline{X})$, $V(\overline{X})$, $\sigma(\overline{X})$를 구하시오.

554 모평균이 -5, 모분산이 $\frac{1}{4}$인 모집단에서 크기가 100인 표본을 임의추출할 때, 표본평균 $\overline{X}$에 대하여 $E(\overline{X})$, $V(\overline{X})$, $\sigma(\overline{X})$를 구하시오.

555 모집단의 확률변수 X의 확률분포를 표로 나타내면 다음과 같다.

X	0	1	2	3	합계
$P(X=x)$	$\frac{3}{8}$	$\frac{3}{8}$	$\frac{1}{8}$	$\frac{1}{8}$	1

이 모집단에서 크기가 3인 표본을 임의추출할 때, 표본평균 $\overline{X}$의 평균, 분산, 표준편차를 구하시오.

556 0, 0, 1, 1, 1, 1, 2, 2의 숫자가 각각 하나씩 적힌 8장의 카드가 들어 있는 주머니에서 4장의 카드를 임의추출할 때, 카드에 적힌 숫자의 평균을 $\overline{X}$라 하자. 이때 $E(\overline{X})$, $V(\overline{X})$, $\sigma(\overline{X})$를 구하시오.

557 정규분포 $N(10,\ 4^2)$을 따르는 모집단에서 크기가 36인 표본을 임의추출할 때, 표본평균 $\overline{X}$의 분포를 구하시오.

558 정규분포 $N(-50,\ 6^2)$을 따르는 모집단에서 크기가 144인 표본을 임의추출할 때, 표본평균 $\overline{X}$의 분포를 구하시오.

개념 04 모평균의 추정

유형 06~13

note

1 추정

표본에서 얻은 정보를 이용하여 모평균, 모표준편차와 같은 모집단의 특성을 확률적으로 추측하는 것을 **추정**이라 한다.

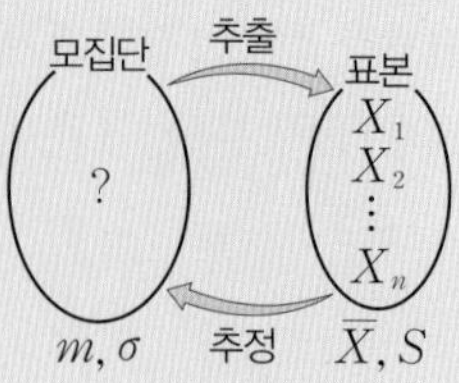

2 모평균의 신뢰구간

모집단의 확률분포가 정규분포 $N(m, \sigma^2)$을 따를 때, 크기가 n인 표본을 임의추출하여 구한 표본평균을 $\overline{x}$라 하면 모평균 m에 대한 신뢰구간은 다음과 같다.

(1) **신뢰도 95 %의 신뢰구간** : $\overline{x}-1.96\frac{\sigma}{\sqrt{n}} \le m \le \overline{x}+1.96\frac{\sigma}{\sqrt{n}}$

(2) **신뢰도 99 %의 신뢰구간** : $\overline{x}-2.58\frac{\sigma}{\sqrt{n}} \le m \le \overline{x}+2.58\frac{\sigma}{\sqrt{n}}$

참고 신뢰도 95 %의 신뢰구간은 크기가 n인 표본을 여러 번 추출하여 신뢰구간을 만들 때 이 중 95 % 정도는 모평균 m을 포함할 것으로 기대된다는 뜻이다.

참고 **모평균의 신뢰구간의 길이**

신뢰구간이 $a \le m \le b$일 때, $b-a$를 신뢰구간의 길이라 한다.

(1) 신뢰도 95 %의 신뢰구간의 길이 : $2 \times 1.96\frac{\sigma}{\sqrt{n}}$

(2) 신뢰도 99 %의 신뢰구간의 길이 : $2 \times 2.58\frac{\sigma}{\sqrt{n}}$

● 모평균의 신뢰구간을 구할 때 실제로는 모표준편차 σ를 모르는 경우가 대부분이다. 이러한 경우 표본의 크기 n이 충분히 클 때($n \ge 30$), 모표준편차 σ 대신 표본표준편차 s를 사용하여 근사적으로 모평균의 신뢰구간을 구할 수 있다.

● 표본의 크기 n이 일정할 때 신뢰도가 높을수록 신뢰구간의 길이가 길어지고, 신뢰도가 일정할 때 표본의 크기 n이 커질수록 신뢰구간의 길이는 짧아진다.

→ 정답 및 풀이 70쪽

[559~560] 정규분포를 따르는 모집단에서 크기가 64인 표본을 임의추출하였더니 표본평균이 60, 표본표준편차가 8이었다. 신뢰도가 다음과 같을 때, 모평균 m에 대한 신뢰구간을 구하시오. (단, $P(|Z| \le 1.96)=0.95$, $P(|Z| \le 2.58)=0.99$로 계산한다.)

559 신뢰도 95 %

560 신뢰도 99 %

[561~562] 정규분포 $N(m, 5^2)$을 따르는 모집단에서 크기가 100인 표본을 임의추출할 때, 다음과 같은 신뢰도로 추정한 모평균에 대한 신뢰구간의 길이를 구하시오.
(단, $P(|Z| \le 1.96)=0.95$, $P(|Z| \le 2.58)=0.99$로 계산한다.)

561 신뢰도 95 %

562 신뢰도 99 %

563 어느 영화 제작사에서 시사회를 열어 영화 상영 후 평점을 매기게 하였더니 영화의 평점은 정규분포를 따른다고 한다. 이 중 64개의 평점을 임의추출하여 조사하였더니 평균이 8.4점, 표준편차가 2.4점이었다. 이 시사회에 참석한 사람들의 평점의 모평균 m에 대한 신뢰도 99%의 신뢰구간을 구하시오.
(단, $P(|Z| \le 2.58)=0.99$로 계산한다.)

564 어느 음식점에서 치킨을 배달하는 데 걸리는 시간은 표준편차가 6분인 정규분포를 따른다고 한다. 치킨을 배달하는 데 걸리는 시간을 임의로 16번 측정하여 이 음식점의 전체 치킨 배달 시간의 평균을 신뢰도 95 %로 추정할 때, 신뢰구간의 길이를 구하시오.
(단, $P(|Z| \le 1.96)=0.95$로 계산한다.)

도전! 유형 연습하기

정답 및 풀이 71쪽

유형 01 표본평균의 평균, 분산, 표준편차 – 모평균, 모표준편차가 주어진 경우

모평균이 m, 모표준편차가 σ인 모집단에서 크기가 n인 표본을 임의추출할 때, 표본평균 $\overline{X}$에 대하여

➡ $E(\overline{X})=m$, $V(\overline{X})=\dfrac{\sigma^2}{n}$, $\sigma(\overline{X})=\dfrac{\sigma}{\sqrt{n}}$

참고 정규분포 $N(m, \sigma^2)$을 따르는 모집단에서 크기가 n인 표본을 임의추출할 때, 표본평균 $\overline{X}$는 정규분포 $N\left(m, \dfrac{\sigma^2}{n}\right)$을 따른다.

대표 문제

565

모평균이 42, 모표준편차가 12인 모집단에서 크기가 6인 표본을 임의추출할 때, 표본평균 $\overline{X}$에 대하여 $E(\overline{X})+V(\overline{X})$의 값을 구하시오.

566

정규분포 $N(20, 8^2)$을 따르는 모집단에서 크기가 16인 표본을 임의추출할 때, 표본평균 $\overline{X}$에 대하여 $E(\overline{X}^2)$은?

① 28 ② 246 ③ 404 ④ 464 ⑤ 804

567

모표준편차가 26인 모집단에서 크기가 n인 표본을 임의추출할 때, 표본평균 $\overline{X}$의 표준편차가 5 이하가 되도록 하는 자연수 n의 최솟값은?

① 27 ② 28 ③ 29 ④ 30 ⑤ 31

568

모평균이 48, 모분산이 σ^2인 모집단에서 크기가 9인 표본을 임의추출할 때, 표본평균 $\overline{X}$에 대하여 $E(\overline{X})=m$, $\sigma(\overline{X})=2$이다. 이때 $m+\sigma$의 값을 구하시오.

유형 02 표본평균의 평균, 분산, 표준편차 – 모집단이 주어진 경우

모집단이 주어진 경우 표본평균 $\overline{X}$의 평균, 분산, 표준편차는 다음과 같은 순서로 구한다.

❶ 확률변수 X의 확률분포를 확인한다.

❷ 모평균 m, 모분산 σ^2을 구한다.

❸ $E(\overline{X})=m$, $V(\overline{X})=\dfrac{\sigma^2}{n}$, $\sigma(\overline{X})=\dfrac{\sigma}{\sqrt{n}}$임을 이용하여 표본평균 $\overline{X}$의 평균, 분산, 표준편차를 구한다.

대표 문제

569

모집단의 확률변수 X의 확률분포를 표로 나타내면 다음과 같다. 이 모집단에서 크기가 25인 표본을 임의추출할 때, 표본평균 $\overline{X}$의 평균, 분산, 표준편차를 구하시오.

X	-2	0	1	합계
$P(X=x)$	$\frac{1}{4}$	a	$\frac{1}{2}$	1

570

모집단의 확률변수 X의 확률분포를 표로 나타내면 다음과 같다. 이 모집단에서 크기가 4인 표본을 임의추출할 때, 표본평균 $\overline{X}$에 대하여 $E(\overline{X})=\dfrac{7}{8}$이다. 이때 $a+2b$의 값을 구하시오.

X	0	1	2	합계
$P(X=x)$	$\frac{1}{4}$	a	b	1

571

모집단의 확률변수 X의 확률분포를 표로 나타내면 다음과 같다. 이 모집단에서 크기가 2인 표본을 복원추출할 때, 표본평균 $\overline{X}$의 평균이 23이다. $\mathrm{P}(\overline{X}=25)=\frac{q}{p}$일 때, $p+q$의 값은? (단, p, q는 서로소인 자연수이다.)

X	15	25	35	합계
$\mathrm{P}(X=x)$	$\frac{4}{5}-a$	$\frac{1}{5}$	a	1

① 7　② 32　③ 45　④ 67　⑤ 82

572

다음과 같이 주어진 5개의 자료에서 크기가 4인 표본을 복원추출할 때, 표본평균 $\overline{X}$의 평균과 분산의 합은?

1, 3, 5, 7, 9

① 1　② 3　③ 7　④ 9　⑤ 13

573

숫자 1이 적혀 있는 공 1개, 숫자 2가 적혀 있는 공 2개, 숫자 3이 적혀 있는 공 3개가 들어 있는 주머니에서 임의로 한 개의 공을 꺼내어 공에 적혀 있는 수를 확인한 후 다시 넣는다. 이와 같은 시행을 5번 반복할 때, 꺼낸 공에 적혀 있는 수의 평균을 $\overline{X}$라 하자. $\mathrm{E}(\overline{X}^2)$은?

① $\frac{17}{6}$　② $\frac{32}{9}$　③ $\frac{11}{3}$　④ $\frac{25}{6}$　⑤ $\frac{50}{9}$

574

모집단의 확률변수 X의 확률질량함수가

$$\mathrm{P}(X=x)={}_{64}\mathrm{C}_x\left(\frac{1}{4}\right)^x\left(\frac{3}{4}\right)^{64-x}\ (x=0,\ 1,\ 2,\ \cdots,\ 64)$$

이다. 이 모집단에서 크기가 n인 표본을 임의추출할 때, 표본평균 $\overline{X}$의 분산이 3이다. 이때 n의 값은?

① 2　② 4　③ 6　④ 8　⑤ 10

유형 03 표본평균의 분포

모집단이 정규분포 $\mathrm{N}(m,\ \sigma^2)$을 따를 때, 크기가 n인 표본을 임의추출하여 구한 표본평균 $\overline{X}$는 정규분포 $\mathrm{N}\left(m,\ \frac{\sigma^2}{n}\right)$을 따른다.

대표 문제

575

어느 회사 직원들이 출근하는 데 걸리는 시간은 평균이 54분, 표준편차가 28분인 정규분포를 따른다고 한다. 이 회사 직원들 중에서 16명을 임의추출할 때, 표본평균 $\overline{X}$의 분포를 구하시오.

576

정규분포 $\mathrm{N}(15,\ \sigma^2)$을 따르는 모집단에서 크기가 144인 표본을 임의추출할 때, 표본평균 $\overline{X}$는 정규분포 $\mathrm{N}\left(m,\ \left(\frac{1}{4}\right)^2\right)$을 따른다. 이때 $m+\sigma$의 값은?

① 18　② 21　③ 24　④ 27　⑤ 30

○△✕

날선 유형 04 표본평균의 확률 구하기

X의 분포 $\mathrm{N}(m, \sigma^2)$ —크기가 n인 표본을 임의추출→ $\overline{X}$의 분포 $\mathrm{N}\left(m, \dfrac{\sigma^2}{n}\right)$ —표준화→ Z의 분포 $Z=\dfrac{\overline{X}-m}{\frac{\sigma}{\sqrt{n}}}$ $\mathrm{N}(0, 1)$

대표 문제

577 #표본평균_$\overline{X}$의_분포_구하기 #표준화하여_표준정규분포를_따르도록

z	$\mathrm{P}(0 \le Z \le z)$
1.0	0.3413
1.5	0.4332
2.0	0.4772
2.5	0.4938

어느 공장에서 생산되는 제품의 무게는 평균이 240 g, 표준편차가 18 g인 정규분포를 따른다고 한다. 이 공장에서 생산된 제품 중에서 임의추출한 한 개의 무게가 204 g 이상일 확률을 p_1, 임의추출한 9개의 무게의 평균이 249 g 이하일 확률을 p_2라 할 때, p_1-p_2의 값을 위의 표준정규분포표를 이용하여 구하시오.

X가 $\mathrm{N}(240, 18^2)$을 따른다. $\overline{X}$가 $\mathrm{N}\left(240, \dfrac{18^2}{9}\right)$을 따른다.

578

z	$\mathrm{P}(0 \le Z \le z)$
1.0	0.3413
1.5	0.4332
2.0	0.4772
2.5	0.4938

어느 회사 직원들의 일주일 동안 운동 시간은 평균이 86분, 표준편차가 12분인 정규분포를 따른다고 한다. 이 회사 직원 중 임의추출한 16명의 일주일 동안 운동 시간의 평균이 80분 이하일 확률을 위의 표준정규분포표를 이용하여 구한 것은?

① 0.0228 ② 0.0668 ③ 0.1587
④ 0.3085 ⑤ 0.4332

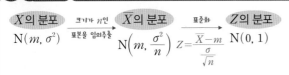

문제에서 구하는
확률이 확률변수 X, X̄ 중
어느 것의 확률인지 구분하는
연습이 중요해!

579

z	$\mathrm{P}(0 \le Z \le z)$
1.2	0.3849
1.4	0.4192
1.6	0.4452
1.8	0.4641

어느 포도 농장에서 수확한 포도 한 송이의 무게는 평균이 320 g, 표준편차가 20 g인 정규분포를 따른다고 한다. 이 농장에서 수확한 포도 중에서 임의추출한 16송이의 무게의 평균이 314 g 이상 327 g 이하일 확률을 위의 표준정규분포표를 이용하여 구하시오.

580

z	$\mathrm{P}(0 \le Z \le z)$
1.0	0.3413
1.5	0.4332
2.0	0.4772
2.5	0.4938

정규분포 $\mathrm{N}(320, 28^2)$을 따르는 모집단에서 크기가 49인 표본을 임의추출할 때, 표본평균 $\overline{X}$에 대하여 $\mathrm{P}(\overline{X} \ge k)=0.1587$을 만족시키는 상수 k의 값을 위의 표준정규분포표를 이용하여 구하시오.

581

정규분포 $\mathrm{N}(32, 4^2)$을 따르는 모집단에서 임의로 추출한 크기가 n인 표본의 평균을 $\overline{X}$, 표준정규분포를 따르는 확률변수를 Z라 하자. 보기에서 옳은 것만을 있는 대로 고른 것은? (단, a, b는 상수이다.)

보기

ㄱ. $\mathrm{V}(\overline{X})=\dfrac{16}{n}$

ㄴ. $\mathrm{P}(\overline{X} \le 32-a)=\mathrm{P}(\overline{X} \ge 32+a)$

ㄷ. $\mathrm{P}(\overline{X} \ge a)=\mathrm{P}(Z \le b)$이면 $a+\dfrac{4}{\sqrt{n}}b=32$이다.

① ㄱ ② ㄴ ③ ㄱ, ㄷ
④ ㄴ, ㄷ ⑤ ㄱ, ㄴ, ㄷ

3 통계적 추정

582

어느 도시에서 공용 자전거의 1회 이용 시간은 평균이 70분, 표준편차가 15분인 정규분포를 따른다고 한다. 공용 자전거의 이용 시간 중에서 임의추출한 25회 이용 시간의 총합이 1675분 이상일 확률을 위의 표준정규분포표를 이용하여 구하시오.

z	$\mathrm{P}(0\le Z\le z)$
1.0	0.3413
1.5	0.4332
2.0	0.4772
2.5	0.4938

유형 05 표본평균의 확률 – 표본의 크기 구하기

표본평균 $\overline{X}$가 정규분포 $\mathrm{N}\left(m, \frac{\sigma^2}{n}\right)$을 따르면 $\overline{X}$를 $Z=\frac{\overline{X}-m}{\frac{\sigma}{\sqrt{n}}}$으로 표준화한 후 주어진 조건과 표준정규분포표를 이용하여 표본의 크기 n의 값을 구한다.

대표 문제

583

어느 병원에서 출생한 신생아의 체중은 평균이 3.2 kg, 표준편차가 0.6 kg인 정규분포를 따른다고 한다. 이 병원에서 출생한 신생아 중에서 임의추출한 n명의 체중의 평균을 $\overline{X}$ kg이라 할 때, $\mathrm{P}(\overline{X}\ge 2.8)=0.9772$를 만족시키는 n의 값을 위의 표준정규분포표를 이용하여 구하시오.

z	$\mathrm{P}(0\le Z\le z)$
1.0	0.3413
1.5	0.4332
2.0	0.4772
2.5	0.4938

584

어느 양계장에서 생산한 달걀 한 개의 무게는 평균이 60 g, 표준편차가 6 g인 정규분포를 따른다고 한다. 이 양계장에서 생산한 달걀 중에서 임의추출한 n개의 무게의 평균을 $\overline{X}$ g이라 할 때, $\mathrm{P}(\overline{X}\ge 62.25)=0.0668$을 만족시키는 n의 값을 위의 표준정규분포표를 이용하여 구하시오.

z	$\mathrm{P}(0\le Z\le z)$
1.0	0.3413
1.5	0.4332
2.0	0.4772
2.5	0.4938

585

정규분포 $\mathrm{N}(130, 14^2)$을 따르는 모집단에서 크기가 n인 표본을 임의추출할 때, 표본평균 $\overline{X}$에 대하여 $\mathrm{P}(|\overline{X}-130|\le 2.6)=0.8$을 만족시키는 n의 값을 위의 표준정규분포표를 이용하여 구하시오.

z	$\mathrm{P}(0\le Z\le z)$
1.3	0.40
1.5	0.43
1.7	0.46

586

정규분포 $\mathrm{N}(5, 5^2)$을 따르는 모집단에서 크기가 n인 표본을 임의추출할 때, 표본평균 $\overline{X}$에 대하여

$\mathrm{P}\left(\overline{X}\le 2.58\times\frac{5}{\sqrt{n}}\right)\le 0.05$

를 만족시키는 n의 최솟값을 위의 표준정규분포표를 이용하여 구한 것은?

z	$\mathrm{P}(0\le Z\le z)$
1.55	0.44
1.65	0.45
1.95	0.47
2.58	0.50

① 8 ② 12 ③ 18
④ 24 ⑤ 32

유형 06 모평균의 추정 – 모표준편차가 주어진 경우

정규분포 $\mathrm{N}(m, \sigma^2)$을 따르는 모집단에서 크기가 n인 표본을 임의추출하여 구한 표본평균 $\overline{X}$의 값을 $\overline{x}$라 하면 모평균 m에 대한 신뢰도 α %의 신뢰구간은

➡ $\overline{x}-k\times\frac{\sigma}{\sqrt{n}}\le m\le\overline{x}+k\times\frac{\sigma}{\sqrt{n}}$

$\left(\text{단, } \mathrm{P}(|Z|\le k)=\frac{\alpha}{100}\right)$

대표 문제

587

정규분포 $\mathrm{N}(m, 16^2)$을 따르는 모집단에서 크기가 64인 표본을 임의추출하여 구한 표본평균이 400일 때, 모평균 m에 대한 신뢰도 95 %의 신뢰구간을 구하시오.

(단, $\mathrm{P}(|Z|\le 1.96)=0.95$로 계산한다.)

588

어느 과수원에서 재배하는 귤 한 개의 당도는 평균이 m 브릭스, 표준편차가 2.5브릭스인 정규분포를 따른다고 한다. 이 과수원에서 재배한 귤 중에서 25개를 임의추출하여 당도를 측정하였더니 평균이 11브릭스이었을 때, 이 과수원에서 재배한 귤의 당도의 모평균 m에 대한 신뢰도 99 %의 신뢰구간을 구하시오.

(단, $\mathrm{P}(|Z|\le 2.58)=0.99$로 계산한다.)

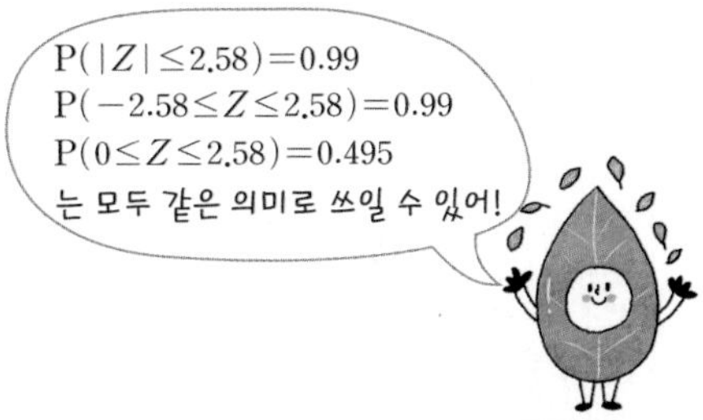

589

어느 지역에서 재배하는 인삼 한 뿌리의 무게는 표준편차가 8 g인 정규분포를 따른다고 한다. 이 지역에서 재배하는 인삼 중에서 16개를 임의추출하여 무게를 측정하였더니 평균이 62 g이었을 때, 이 지역에서 재배한 인삼의 무게의 모평균 m에 대한 신뢰도 90 %의 신뢰구간을 위의 표준정규분포표를 이용하여 구하시오.

z	$\mathrm{P}(0\le Z\le z)$
0.90	0.32
1.65	0.45
1.90	0.47

유형 07 모평균의 추정 – 모표준편차 대신 표본표준편차가 주어진 경우

모평균을 추정할 때 모표준편차 σ의 값을 모르는 경우에는 표본의 크기 n이 충분히 크면$(n\ge 30)$ 표본표준편차 S를 σ 대신 이용하여 근사적으로 모평균의 신뢰구간을 구할 수 있다.

대표 문제

590

정규분포를 따르는 모집단에서 크기가 64인 표본을 임의추출하였더니 평균이 85, 표준편차가 16이었다. 모평균 m에 대한 신뢰도 95 %의 신뢰구간을 구하시오.

(단, $\mathrm{P}(|Z|\le 1.96)=0.95$로 계산한다.)

591

어느 공장에서 생산되는 건전지의 수명은 정규분포를 따른다고 한다. 이 공장에서 생산된 건전지 중에서 400개를 임의추출하여 수명을 조사하였더니 평균이 1200시간, 표준편차가 60시간이었다. 이 공장에서 생산된 건전지의 수명의 모평균 m에 대한 신뢰도 95 %의 신뢰구간을 구하시오. (단, $\mathrm{P}(|Z|\le 1.96)=0.95$로 계산한다.)

유형 08 모평균의 추정 – 표본의 크기 구하기

신뢰구간이 주어질 때, 표본의 크기는 다음과 같은 순서로 구한다.

❶ 신뢰구간을 표본의 크기 n을 이용하여 나타낸다.

❷ 주어진 신뢰구간과 비교하여 n의 값을 구한다.

대표 문제

592

어느 가게에서 판매하는 핫도그 한 개의 열량은 평균이 m kcal, 표준편차가 20 kcal인 정규분포를 따른다고 한다. 이 가게에서 판매하는 핫도그 중에서 n개를 임의추출하여 조사하였더니 열량의 평균이 350 kcal이었다. 이 가게에서 판매하는 핫도그 한 개의 열량의 모평균 m에 대한 신뢰도 95 %의 신뢰구간이 $342.16\le m\le 357.84$일 때, n의 값은? (단, $\mathrm{P}(|Z|\le 1.96)=0.95$로 계산한다.)

① 9　② 16　③ 25　④ 36　⑤ 49

593

어느 양식장의 물고기 한 마리 무게는 평균이 m g, 표준편차가 90 g인 정규분포를 따른다고 한다. 이 양식장의 물고기 중에서 n마리를 임의추출하여 조사하였더니 무게의 평균이 1800 g이었다. 이 양식장의 물고기 한 마리 무게의 모평균 m에 대한 신뢰도 99 %의 신뢰구간이 $1774.2\le m\le 1825.8$일 때, n의 값을 구하시오.

(단, $\mathrm{P}(|Z|\le 2.58)=0.99$로 계산한다.)

594

어느 밭에서 수확한 방울토마토 한 개의 무게는 정규분포를 따른다고 한다. 이 밭에서 수확한 방울토마토 중에서 n개를 임의추출하여 무게를 조사하였더니 평균이 25 g, 표준편차가 5 g이었다. 이 결과를 이용하여 이 밭에서 수확한 방울토마토의 무게의 모평균 m에 대한 신뢰도 95 %의 신뢰구간이 $24.02 \le m \le a$일 때, $n+a$의 값은?

(단, $\mathrm{P}(0 \le Z \le 1.96)=0.475$로 계산한다.)

① 91.24 ② 98.48 ③ 110.12
④ 125.98 ⑤ 132.21

유형 09 신뢰구간의 길이

정규분포 $\mathrm{N}(m, \sigma^2)$을 따르는 모집단에서 크기가 n인 표본을 임의추출할 때, 신뢰도 α %로 추정한 모평균에 대한 신뢰구간의 길이는

➡ $2k \times \dfrac{\sigma}{\sqrt{n}}$ $\left(\text{단, } \mathrm{P}(|Z| \le k)=\dfrac{\alpha}{100}\right)$

대표 문제
595

어느 회사에서 생산되는 음료수 한 병의 칼슘 함유량은 표준편차가 16인 정규분포를 따른다고 한다. 이 회사에서 생산된 음료수 중에서 64병을 임의추출하여 전체 음료수의 칼슘 함유량의 평균을 신뢰도 99 %로 추정할 때, 신뢰구간의 길이는?

(단, $\mathrm{P}(|Z| \le 2.58)=0.99$로 계산한다.)

① 7.82 ② 8.12 ③ 9.16
④ 10.32 ⑤ 12.24

596

어느 공항을 이용하는 여행객들의 여행용 가방의 무게는 표준편차가 15 kg인 정규분포를 따른다고 한다. 이 공항을 이용하는 여행객들 중에서 36명을 임의추출하여 전체 여행객들의 여행용 가방의 무게의 평균을 신뢰도 85 %로 추정할 때, 신뢰구간의 길이를 위의 표준정규분포표를 이용하여 구하시오.

z	$\mathrm{P}(0 \le Z \le z)$
0.85	0.302
1.04	0.351
1.44	0.425
1.85	0.468

597

정규분포를 따르는 모집단에서 크기가 n인 표본을 임의추출하여 모평균을 신뢰도 95 %로 추정한 신뢰구간의 길이를 l_1, 표본의 크기가 $9n$인 표본을 임의추출하여 모평균을 신뢰도 99 %로 추정한 신뢰구간의 길이를 l_2라 할 때, l_1과 l_2 사이의 관계를 옳게 나타낸 것은?

(단, $\mathrm{P}(|Z| \le 2)=0.95$, $\mathrm{P}(|Z| \le 2.6)=0.99$로 계산한다.)

① $7l_1=9l_2$ ② $13l_1=6l_2$ ③ $13l_1=30l_2$
④ $11l_1=17l_2$ ⑤ $25l_1=51l_2$

유형 10 신뢰구간의 길이 – 표본의 크기 구하기

신뢰구간의 길이가 주어질 때, 표본의 크기는 다음과 같은 순서로 구한다.

❶ 신뢰구간의 길이를 표본의 크기 n으로 나타낸다.
❷ 주어진 신뢰구간의 길이와 비교하여 n의 값을 구한다.

대표 문제
598

어느 병원에서 진료를 받기 위해 대기한 환자들의 진료 대기 시간은 표준편차가 20분인 정규분포를 따른다고 한다. 이 병원에서 진료를 받기 위해 대기한 환자들 중에서 n명을 임의추출하여 전체 대기 시간의 평균을 신뢰도 95 %로 추정한 신뢰구간의 길이가 3.92일 때, n의 값을 구하시오. (단, $\mathrm{P}(0 \le Z \le 1.96)=0.475$로 계산한다.)

599

어느 회사 직원들의 하루 스마트폰 사용 시간은 모표준편차가 26분인 정규분포를 따른다고 한다. 이 회사 직원들 중에서 n명을 임의추출하여 모평균을 신뢰도 95 %로 추정한 신뢰구간의 길이가 7.84일 때, n의 값은?

(단, $\mathrm{P}(0 \le Z \le 1.96) = 0.475$로 계산한다.)

① 100　② 121　③ 169　④ 225　⑤ 250

600

표준편차가 20인 정규분포를 따르는 모집단에서 표본을 임의추출하여 모평균을 추정하려고 한다. 크기가 16인 표본을 임의추출하여 모평균을 신뢰도 95 %로 추정한 신뢰구간의 길이를 l_1, 크기가 n인 표본을 임의추출하여 모평균을 신뢰도 99 %로 추정한 신뢰구간의 길이가 l_2일 때, $l_1 > l_2$가 되도록 하는 n의 값의 최솟값은?

(단, $\mathrm{P}(|Z| \le 2) = 0.95$, $\mathrm{P}(|Z| \le 2.6) = 0.99$로 계산한다.)

① 24　② 26　③ 28　④ 30　⑤ 32

601

표준편차가 6인 정규분포를 따르는 모집단에서 크기가 n인 표본을 임의추출하여 모평균을 신뢰도 99 %로 추정한 신뢰구간의 길이가 3 이하가 되도록 하는 n의 값의 최솟값은? (단, $\mathrm{P}(|Z| \le 2.6) = 0.99$로 계산한다.)

① 101　② 103　③ 105　④ 107　⑤ 109

날선 유형 11 신뢰구간의 길이 – 신뢰도 구하기

신뢰구간의 길이가 주어지고 신뢰도 α %를 구할 때에는 다음과 같은 순서로 구한다.

❶ 신뢰구간의 길이를 신뢰도 α로 나타낸다.

❷ 주어진 신뢰구간의 길이와 비교하여 α의 값을 구한다.

대표 문제

602 #신뢰구간의_길이_이용하여 #신뢰도_α%_구하기

표준편차가 21인 정규분포를 따르는 모집단에서 크기가 49인 표본을 임의추출하여 모평균을 신뢰도 α %로 추정한 신뢰구간의 길이가 15.48일 때, α의 값을 구하시오.

(단, $\mathrm{P}(|Z| \le 1.96) = 0.95$, $\mathrm{P}(|Z| \le 2.58) = 0.99$로 계산한다.)

P(|Z|≤k)=α/100로
놓는게 핵심이야!

603

어느 버스를 이용하는 손님들의 하루 버스 이용 시간은 표준편차가 15분인 정규분포를 따른다고 한다. 이 버스를 이용하는 손님 중에서 100명을 임의추출하여 전체 버스 이용 시간의 평균을 신뢰도 α %로 추정한 신뢰구간의 길이가 4.65일 때, α의 값을 위의 표준정규분포표를 이용하여 구하시오.

z	$\mathrm{P}(0 \le Z \le z)$
1.35	0.41
1.45	0.43
1.55	0.44
1.65	0.45

604

표준편차가 24인 정규분포를 따르는 모집단에서 크기가 144인 표본을 임의추출하여 모평균을 신뢰도 α %로 추정한 신뢰구간의 길이가 4.16이다. 이때 모평균을 신뢰도 $(0.5\alpha + 55)$ %로 추정한 신뢰구간의 길이를 위의 표준정규분포표를 이용하여 구하시오.

z	$\mathrm{P}(0 \le Z \le z)$
0.84	0.30
1.04	0.35
1.28	0.40
1.65	0.45

➜ 정답 및 풀이 77쪽

유형 12 신뢰구간의 성질

(1) 표본의 크기 n이 일정할 때, 신뢰도가 높을수록 신뢰구간의 길이가 길어진다.
(2) 신뢰도가 일정할 때, 표본의 크기 n이 커질수록 신뢰구간의 길이는 짧아진다.

대표 문제

605

정규분포 $N(m, \sigma^2)$을 따르는 모집단에서 표본을 임의추출하여 모평균을 추정하려고 한다. 신뢰도가 일정할 때, 신뢰구간의 길이가 $\frac{1}{3}$배가 되려면 표본의 크기는 a배가 되어야 한다. 이때 a의 값은?

① $\frac{1}{9}$ ② $\frac{1}{3}$ ③ 3
④ 9 ⑤ 12

606

정규분포를 따르는 모집단에서 표본을 임의추출하여 모평균을 추정할 때, 보기에서 옳은 것만을 있는 대로 고른 것은?

보기
ㄱ. 표본의 크기가 일정할 때, 신뢰도를 높일수록 신뢰구간의 길이는 길어진다.
ㄴ. 신뢰도가 일정할 때, 표본의 크기가 작아질수록 신뢰구간의 길이는 짧아진다.
ㄷ. 신뢰도를 낮추면서 표본의 크기를 작게 하면 신뢰구간의 길이는 길어진다.
ㄹ. 표본의 크기가 커지고 신뢰도를 낮추면 신뢰구간의 길이는 짧아진다.

① ㄱ, ㄴ ② ㄱ, ㄹ ③ ㄴ, ㄹ
④ ㄱ, ㄷ, ㄹ ⑤ ㄴ, ㄷ, ㄹ

유형 13 모평균과 표본평균의 차

정규분포 $N(m, \sigma^2)$을 따르는 모집단에서 크기가 n인 표본을 임의추출하여 모평균을 신뢰도 α %로 추정할 때, 모평균 m과 표본평균 $\bar{x}$의 차는

➡ $|m-\bar{x}| \le k \times \frac{\sigma}{\sqrt{n}}$ $\left(단, P(|Z| \le k)=\frac{\alpha}{100}\right)$

대표 문제

607

정규분포 $N(m, 15^2)$을 따르는 모집단에서 크기가 n인 표본을 임의추출하여 모평균을 신뢰도 95 %로 추정할 때, 표본평균 $\bar{x}$에 대하여 $|m-\bar{x}| \le 4$가 되도록 하는 n의 값의 최솟값을 구하시오.

(단, $P(0 \le Z \le 2)=0.475$로 계산한다.)

608

어느 농가에서 수확한 무화과 한 개의 무게는 평균이 m, 표준편차가 40인 정규분포를 따른다고 한다. 이 농가에서 수확한 무화과 중에서 n개를 임의추출하여 모평균을 신뢰도 99 %로 추정할 때, 모평균과 표본평균의 차가 13 이하가 되도록 하는 n의 값의 최솟값은?

(단, $P(0 \le Z \le 2.6)=0.495$로 계산한다.)

① 58 ② 60 ③ 62
④ 64 ⑤ 66

609

정규분포를 따르는 모집단에서 크기가 n인 표본을 임의추출하여 모평균을 신뢰도 95 %로 추정할 때, 모평균과 표본평균의 차가 모표준편차의 $\frac{1}{3}$ 이하가 되게 하려고 한다. 이때 n의 값의 최솟값을 구하시오.

(단, $P(0 \le Z \le 2)=0.475$로 계산한다.)

실전! 기출 문제 정복하기

➔ 정답 및 풀이 78쪽

610

모표준편차가 15인 모집단에서 크기가 n인 표본을 임의추출할 때, 표본평균 $\overline{X}$에 대하여 $\sigma(\overline{X})=3$이다. 이때 n의 값은?

① 9 ② 16 ③ 25
④ 36 ⑤ 49

611

모집단의 확률변수 X의 확률분포를 표로 나타내면 다음과 같고, $\mathrm{E}(X)=\frac{1}{3}$이다. 이 모집단에서 크기가 4인 표본을 임의추출할 때, 표본평균 $\overline{X}$에 대하여 $\mathrm{E}(\overline{X}^2)$을 구하시오.

X	-1	0	1	합계
$\mathrm{P}(X=x)$	$\frac{1}{6}$	a	b	1

612 수능 기출

주머니 속에 1의 숫자가 적혀 있는 공 1개, 2의 숫자가 적혀 있는 공 2개, 3의 숫자가 적혀 있는 공 5개가 들어 있다. 이 주머니에서 임의로 1개의 공을 꺼내어 공에 적혀 있는 수를 확인한 후 다시 넣는다. 이와 같은 시행을 2번 반복할 때, 꺼낸 공에 적혀 있는 수의 평균을 $\overline{X}$라 하자. $\mathrm{P}(\overline{X}=2)$의 값은?

① $\frac{5}{32}$ ② $\frac{11}{64}$ ③ $\frac{3}{16}$
④ $\frac{13}{64}$ ⑤ $\frac{7}{32}$

613

어느 회사에서 생산되는 음료수 한 병의 용량은 평균이 m mL, 표준편차가 10 mL인 정규분포를 따른다고 한다. 이 회사에서 생산된 음료수 중에서 임의추출한 25병의 용량의 표본평균이 500 mL 이상일 확률이 0.9987일 때, m의 값을 위의 표준정규분포표를 이용하여 구하시오.

z	$\mathrm{P}(0\le Z\le z)$
1.5	0.4332
2.0	0.4772
2.5	0.4938
3.0	0.4987

614 수능 기출

어느 방송사의 '○○ 뉴스'의 방송 시간은 평균이 50분, 표준편차가 2분인 정규분포를 따른다. 이 방송사에서 방송된 '○○ 뉴스'를 대상으로 크기가 9인 표본을 임의추출하여 조사한 방송 시간의 표본평균을 $\overline{X}$라 할 때, $\mathrm{P}(49\le\overline{X}\le51)$의 값을 위의 표준정규분포표를 이용하여 구한 것은?

z	$\mathrm{P}(0\le Z\le z)$
1.5	0.4332
1.6	0.4452
1.7	0.4554
1.8	0.4641

① 0.8664 ② 0.8904 ③ 0.9108
④ 0.9282 ⑤ 0.9452

615 평가원 기출

어느 지역에서 대중교통을 이용하여 출근하는 직장인의 월 교통비는 평균이 8만 원, 표준편차가 1.2만 원인 정규분포를 따른다고 한다. 이 지역에서 대중교통을 이용하여 출근하는 직장인 중 임의추출한 n명의 월 교통비의 표본평균을 $\overline{X}$라 할 때, $\mathrm{P}(7.76\le\overline{X}\le8.24)\ge0.6826$이 되기 위한 n의 값의 최솟값을 위의 표준정규분포표를 이용하여 구하시오.

z	$\mathrm{P}(0\le Z\le z)$
1.0	0.3413
1.5	0.4332
2.0	0.4772
2.5	0.4938

616 수능 기출

정규분포 $N(50, 8^2)$을 따르는 모집단에서 크기가 16인 표본을 임의추출하여 구한 표본평균을 $\overline{X}$, 정규분포 $N(75, \sigma^2)$을 따르는 모집단에서 크기가 25인 표본을 임의추출하여 구한 표본평균을 $\overline{Y}$라 하자. $P(\overline{X} \le 53) + P(\overline{Y} \le 69) = 1$일 때, $P(\overline{Y} \ge 71)$의 값을 위의 표준정규분포표를 이용하여 구한 것은?

z	$P(0 \le Z \le z)$
1.0	0.3413
1.2	0.3849
1.4	0.4192
1.6	0.4452

① 0.8413 ② 0.8644 ③ 0.8849
④ 0.9192 ⑤ 0.9452

617

어느 도시의 고등학교 야구 선수 중에서 투수들의 투구 속도는 평균이 m km/h, 표준편차가 15 km/h인 정규분포를 따른다고 한다. 이 도시의 고등학교 야구 선수 중에서 투수 81명을 임의추출하여 투구 속도를 조사하였더니 평균이 140 km/h이었다. 이 도시의 고등학교 야구 선수 중에서 투수들의 투구 속도의 모평균 m에 대한 신뢰도 99 %의 신뢰구간을 구하시오.

(단, $P(|Z| \le 2.58) = 0.99$로 계산한다.)

618

정규분포 $N(m, 20^2)$을 따르는 모집단에서 크기가 100인 표본을 임의추출하여 모평균을 신뢰도 95 %로 추정한 신뢰구간의 길이를 구하시오.

(단, $P(0 \le Z \le 2) = 0.475$로 계산한다.)

619 교과서 심화

어느 회사에서 생산되는 과자 한 봉지에 들어 있는 나트륨 함유량은 모평균이 m, 모표준편차가 σ인 정규분포를 따른다고 한다. 이 회사에서 생산된 과자 16봉지를 임의추출하여 나트륨 함유량을 측정한 결과 표본평균이 24.34이었을 때, 모평균 m에 대한 신뢰도 95 %의 신뢰구간이 $23.36 \le m \le a$이었다. 이때 $a + \sigma$의 값은?

(단, $P(0 \le Z \le 1.96) = 0.475$로 계산한다.)

① 19.21 ② 20.45 ③ 27.32
④ 36.12 ⑤ 41.46

620

정규분포 $N(m, \sigma^2)$을 따르는 모집단에서 크기가 n_1인 표본을 임의추출하여 모평균을 신뢰도 α %로 추정한 신뢰구간이 $a \le m \le b$이고, 크기가 n_2인 표본을 임의추출하여 모평균을 신뢰도 β %로 추정한 신뢰구간이 $c \le m \le d$일 때, 보기에서 옳은 것만을 있는 대로 고르시오.

보기

ㄱ. $\alpha = \beta$, $n_1 < n_2$이면 $b - a < d - c$이다.
ㄴ. $n_1 = n_2$, $\alpha < \beta$이면 $b - a < d - c$이다.
ㄷ. $n_1 = n_2$, $\alpha = \beta$이면 $a = c$, $b = d$이다.
ㄹ. $\alpha = \beta$, $n_1 = 9n_2$이면 $3(b - a) = d - c$

621

정규분포 $N(m, 10^2)$을 따르는 모집단에서 크기가 n인 표본을 임의추출하여 모평균을 신뢰도 95 %로 추정할 때, 표본평균 $\overline{x}$에 대하여 $|m - \overline{x}| \le 2$가 되도록 하는 n의 값의 최솟값을 구하시오.

(단, $P(|Z| \le 1.96) = 0.95$로 계산한다.)

→ 정답 및 풀이 79쪽

서술형 문제 따라하기 1

어느 고등학교 학생들의 몸무게는 평균이 65 kg, 표준편차가 9 kg인 정규분포를 따른다고 한다. 적재 중량이 612 kg 이상이 되면 경고음을 내도록 설계되어 있는 엘리베이터에 이 고등학교 학생들 중에서 임의추출한 9명이 탑승하였을 때, 경고음이 울릴 확률을 구하시오.

(단, 학생들의 몸무게 이외의 무게는 무시한다.)

z	$\mathrm{P}(0\le Z\le z)$
1.0	0.3413
1.5	0.4332
2.0	0.4772
2.5	0.4938

풀이

단계 1 표본평균 $\overline{X}$의 분포 구하기

학생들의 몸무게를 확률변수 X라 하면 X는 정규분포 $\mathrm{N}(65,\ 9^2)$을 따르고, 표본의 크기가 9이므로 표본평균 $\overline{X}$는 정규분포 $\mathrm{N}\left(65,\ \frac{9^2}{9}\right)$, 즉 $\mathrm{N}(65,\ 3^2)$을 따른다.

$Z=\frac{\overline{X}-65}{3}$로 놓으면 Z는 표준정규분포 $\mathrm{N}(0,\ 1)$을 따른다.

단계 2 경고음이 울리는 경우를 식으로 나타내기

경고음이 울리려면 $9\overline{X}\ge612$에서 $\overline{X}\ge68$

단계 3 경고음이 울릴 확률 구하기

$$\mathrm{P}(\overline{X}\ge68)=\mathrm{P}\left(Z\ge\frac{68-65}{3}\right)=\mathrm{P}(Z\ge1)$$
$$=\mathrm{P}(Z\ge0)-\mathrm{P}(0\le Z\le1)$$
$$=0.5-0.3413=0.1587$$

답 0.1587

622 따라하기

어느 제과점의 초콜릿바 한 개의 무게는 평균이 150 g, 표준편차가 20 g인 정규분포를 따른다고 한다. 이 초콜릿바를 4개씩 포장하여 한 묶음으로 만들 때, 한 묶음의 무게가 580 g 이하이면 그 묶음을 불량품으로 판정한다. 이 제과점에서 만든 초콜릿바 한 묶음이 불량품일 확률을 구하시오.

z	$\mathrm{P}(0\le Z\le z)$
0.5	0.1915
1.0	0.3413
1.5	0.4332
2.0	0.4772

서술형 문제 따라하기 2

정규분포 $(m,\ \sigma^2)$을 따르는 모집단에서 크기가 n인 표본을 임의추출하여 모평균 m을 신뢰도 95 %로 추정한 신뢰구간이 $100.4\le m\le139.6$이었다. 같은 표본을 이용하여 모평균 m을 신뢰도 99 %로 추정한 신뢰구간에 속하는 자연수의 개수를 구하시오.

(단, $\mathrm{P}(0\le Z\le1.96)=0.475$, $\mathrm{P}(0\le Z\le2.58)=0.495$로 계산한다.)

풀이

단계 1 신뢰도 95 %의 신뢰구간을 이용하여 $\bar{x}$, $\frac{\sigma}{\sqrt{n}}$의 값 구하기

표본평균이 $\bar{x}$일 때

모평균 m을 신뢰도 95 %로 추정한 신뢰구간은

$$\bar{x}-1.96\times\frac{\sigma}{\sqrt{n}}\le m\le\bar{x}+1.96\times\frac{\sigma}{\sqrt{n}}$$

이때 $100.4\le m\le139.6$이므로

$$\bar{x}-1.96\times\frac{\sigma}{\sqrt{n}}=100.4 \quad \cdots ㉠$$

$$\bar{x}+1.96\times\frac{\sigma}{\sqrt{n}}=139.6 \quad \cdots ㉡$$

㉠, ㉡을 연립하여 풀면 $\bar{x}=120$, $\frac{\sigma}{\sqrt{n}}=10$

단계 2 신뢰도 99 %의 신뢰구간 구하기

모평균 m을 신뢰도 99 %로 추정한 신뢰구간은

$\bar{x}-2.58\times\frac{\sigma}{\sqrt{n}}\le m\le\bar{x}+2.58\times\frac{\sigma}{\sqrt{n}}$이므로

$120-2.58\times10\le m\le120+2.58\times10$

$\therefore\ 94.2\le m\le145.8$

단계 3 자연수의 개수 구하기

신뢰도 99 %로 추정한 신뢰구간에 속하는 자연수는

95, 96, ⋯, 145이므로 51개이다.

답 51

623 따라하기

정규분포를 따르는 어느 모집단에서 크기가 16인 표본을 임의추출하여 모평균 m을 신뢰도 99 %로 추정한 신뢰구간이 $150.42\le m\le155.58$이었다. 같은 모집단에서 크기가 n인 표본을 임의추출하여 모평균 m을 신뢰도 95 %로 추정한 신뢰구간이 $152.76\le m\le153.74$이었을 때, n의 값을 구하시오. (단, $\mathrm{P}(0\le Z\le1.96)=0.475$, $\mathrm{P}(0\le Z\le2.58)=0.495$로 계산한다.)

표준정규분포표

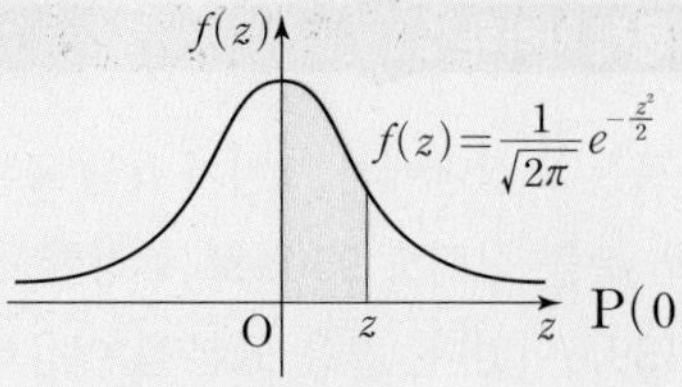

$P(0 \le Z \le z)$는 왼쪽 그림에서 색칠한 부분의 넓이이다.

z	0.00	0.01	0.02	0.03	0.04	0.05	0.06	0.07	0.08	0.09
0.0	.0000	.0040	.0080	.0120	.0160	.0199	.0239	.0279	.0319	.0359
0.1	.0398	.0438	.0478	.0517	.0557	.0596	.0636	.0675	.0714	.0753
0.2	.0793	.0832	.0871	.0910	.0948	.0987	.1026	.1064	.1103	.1141
0.3	.1179	.1217	.1255	.1293	.1331	.1368	.1406	.1443	.1480	.1517
0.4	.1554	.1591	.1628	.1664	.1700	.1736	.1772	.1808	.1844	.1879
0.5	.1915	.1950	.1985	.2019	.2054	.2088	.2123	.2157	.2190	.2224
0.6	.2257	.2291	.2324	.2357	.2389	.2422	.2454	.2486	.2517	.2549
0.7	.2580	.2611	.2642	.2673	.2704	.2734	.2764	.2794	.2823	.2852
0.8	.2881	.2910	.2939	.2967	.2995	.3023	.3051	.3078	.3106	.3133
0.9	.3159	.3186	.3212	.3238	.3264	.3289	.3315	.3340	.3365	.3389
1.0	.3413	.3438	.3461	.3485	.3508	.3531	.3554	.3577	.3599	.3621
1.1	.3643	.3665	.3686	.3708	.3729	.3749	.3770	.3790	.3810	.3830
1.2	.3849	.3869	.3888	.3907	.3925	.3944	.3962	.3980	.3997	.4015
1.3	.4032	.4049	.4066	.4082	.4099	.4115	.4131	.4147	.4162	.4177
1.4	.4192	.4207	.4222	.4236	.4251	.4265	.4279	.4292	.4306	.4319
1.5	.4332	.4345	.4357	.4370	.4382	.4394	.4406	.4418	.4429	.4441
1.6	.4452	.4463	.4474	.4484	.4495	.4505	.4515	.4525	.4535	.4545
1.7	.4554	.4564	.4573	.4582	.4591	.4599	.4608	.4616	.4625	.4633
1.8	.4641	.4649	.4656	.4664	.4671	.4678	.4686	.4693	.4699	.4706
1.9	.4713	.4719	.4726	.4732	.4738	.4744	.4750	.4756	.4761	.4767
2.0	.4772	.4778	.4783	.4788	.4793	.4798	.4803	.4808	.4812	.4817
2.1	.4821	.4826	.4830	.4834	.4838	.4842	.4846	.4850	.4854	.4857
2.2	.4861	.4864	.4868	.4871	.4875	.4878	.4881	.4884	.4887	.4890
2.3	.4893	.4896	.4898	.4901	.4904	.4906	.4909	.4911	.4913	.4916
2.4	.4918	.4920	.4922	.4925	.4927	.4929	.4931	.4932	.4934	.4936
2.5	.4938	.4940	.4941	.4943	.4945	.4946	.4948	.4949	.4951	.4952
2.6	.4953	.4955	.4956	.4957	.4959	.4960	.4961	.4962	.4963	.4964
2.7	.4965	.4966	.4967	.4968	.4969	.4970	.4971	.4972	.4973	.4974
2.8	.4974	.4975	.4976	.4977	.4977	.4978	.4979	.4979	.4980	.4981
2.9	.4981	.4982	.4982	.4983	.4984	.4984	.4985	.4985	.4986	.4986
3.0	.4987	.4987	.4987	.4988	.4988	.4989	.4989	.4989	.4990	.4990
3.1	.4990	.4991	.4991	.4991	.4992	.4992	.4992	.4992	.4993	.4993
3.2	.4993	.4993	.4994	.4994	.4994	.4994	.4994	.4995	.4995	.4995
3.3	.4995	.4995	.4995	.4996	.4996	.4996	.4996	.4996	.4996	.4997

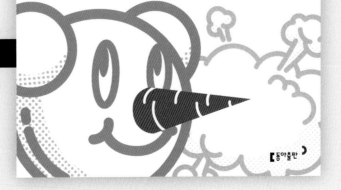

It is only with one's heart that one can see clearly. what is essential is invisible to the eye. *Saint-Exupéry*

마음으로 보아야만 분명하게 볼 수 있어. 정말 중요한 것은 눈에 보이지 않는 법이거든. 생텍쥐페리

필요한 유형으로 꽉 채운 핵심유형서

날선 유형

확률과 통계

정답 및 풀이

동아출판

날선유형

확률과 통계

빠른 정답 안내

모바일 빠른 정답
QR 코드를 찍으면 정답 및 풀이를
쉽고 빠르게 확인할 수 있습니다.

확인!! 정답 및 풀이

I. 경우의 수

1 순열과 조합

본책 6쪽~8쪽

001 답 (가) : 3, (나) : 3, (다) : 1

002 답 6

$(4-1)!=3!=6$

003 답 120

$(6-1)!=5!=120$

004 답 24

$(5-1)!=4!=24$

005 답 48

$(5-1)!\times 2!=24\times 2=48$

006 답 36

$(4-1)!\times 3!=6\times 6=36$

007 답 240

6명이 원탁에 둘러앉는 경우의 수는

$(6-1)!=5!=120$

이때 원탁에 둘러앉는 한 가지 방법에 대하여 정삼각형 모양의 탁자에서는 서로 다른 경우가 다음 그림과 같이 2가지씩 존재한다.

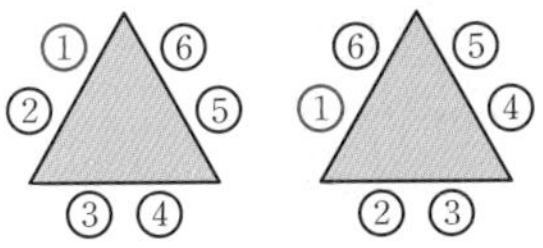

따라서 구하는 경우의 수는 $120\times 2=240$

008 답 25

${}_5\Pi_2=5^2=25$

009 답 81

${}_3\Pi_4=3^4=81$

010 답 6

${}_n\Pi_3=216$이므로 $n^3=216=6^3$

$\therefore n=6$

011 답 9

${}_2\Pi_r=512$이므로 $2^r=512=2^9$

$\therefore r=9$

012 답 243

구하는 경우의 수는 3명의 학생에서 중복을 허용하여 5명을 택하는 중복순열의 수와 같으므로

${}_3\Pi_5=3^5=243$

013 답 125

구하는 세 자리 자연수의 개수는 1, 2, 3, 4, 5의 5개에서 중복을 허용하여 3개를 택하는 중복순열의 수와 같으므로

${}_5\Pi_3=5^3=125$

014 답 360

6개의 문자 중 N이 2개 있으므로 구하는 경우의 수는

$\frac{6!}{2!}=360$

015 답 420

7개의 숫자 중 3이 3개, 4가 2개 있으므로 구하는 경우의 수는

$\frac{7!}{3!\times 2!}=420$

016 답 (가) : 3, (나) : 5, (다) : 10

017 답 6

${}_5\mathrm{H}_2={}_6\mathrm{C}_2$이므로

$n=6$

018 답 3

${}_6\mathrm{H}_3={}_8\mathrm{C}_3$이므로

$r=3$ ($\because r<5$)

019 답 9

${}_3\mathrm{H}_7={}_9\mathrm{C}_7={}_9\mathrm{C}_2$이므로

$n=9$

020 답 9

${}_{10}\mathrm{H}_4={}_{13}\mathrm{C}_4={}_{13}\mathrm{C}_9$이므로

$r=9$ ($\because r>5$)

021 답 6

$_3H_2={}_4C_2=\frac{4\times3}{2\times1}=6$

022 답 4

$_2H_3={}_4C_3={}_4C_1=4$

023 답 35

$_4H_4={}_7C_4={}_7C_3=\frac{7\times6\times5}{3\times2\times1}=35$

024 답 45

$_3H_8={}_{10}C_8={}_{10}C_2=\frac{10\times9}{2\times1}=45$

025 답 4

구하는 경우의 수는 서로 다른 2개에서 중복을 허용하여 3개를 택하는 중복조합의 수와 같으므로

$_2H_3={}_4C_3={}_4C_1=4$

026 답 70

구하는 경우의 수는 서로 다른 5개에서 중복을 허용하여 4개를 택하는 중복조합의 수와 같으므로

$_5H_4={}_8C_4=\frac{8\times7\times6\times5}{4\times3\times2\times1}=70$

027 답 21

구하는 경우의 수는 서로 다른 3개에서 중복을 허용하여 5개를 택하는 중복조합의 수와 같으므로

$_3H_5={}_7C_5={}_7C_2=\frac{7\times6}{2\times1}=21$

028 답 28

구하는 해는 x, y, z 중에서 중복을 허용하여 6개를 택하는 중복조합의 수와 같으므로

$_3H_6={}_8C_6={}_8C_2=\frac{8\times7}{2\times1}=28$

029 답 ㄷ

030 답 ㄹ

031 답 ㄱ

032 답 ㄴ

도전! 유형 연습하기

본책 9쪽~18쪽

033 답 ④

단계 1 부부끼리 이웃하므로 묶어서 원순열의 수 구하기

부부인 2명을 한 사람으로 생각하여 4명이 원탁에 둘러앉는 경우의 수는

$(4-1)!=6$

단계 2 부부끼리 자리를 바꾸는 경우의 수 구하기

부부끼리 자리를 바꾸는 경우의 수는 각각 $2!=2$

따라서 구하는 경우의 수는

$6\times2\times2\times2\times2=96$

034 답 1440

A, B, C를 제외한 나머지 5명이 원형으로 둘러서는 경우의 수는

$(5-1)!=24$

5명의 여학생 사이사이의 5개의 자리에 A, B, C의 3명의 자리를 정하는 경우의 수는

$_5P_3=5\times4\times3=60$

따라서 구하는 경우의 수는

$24\times60=1440$

035 답 ⑤

조건 (가)에서 A, B, C끼리, D, E, F끼리, G, H, I끼리는 각각 서로 이웃하므로 경우의 수는

$(3-1)!\times3!\times3!\times3!=432$

조건 (나)에서 A와 I가 서로 이웃하는 경우는

(i) AI의 순서로 앉을 때,

A의 왼쪽으로 B, C가 앉는 경우의 수는 $2!=2$

I의 오른쪽으로 G, H가 앉는 경우의 수는 $2!=2$

나머지 세 명 D, E, F가 앉는 경우의 수는 $3!=6$

따라서 구하는 경우의 수는 $2\times2\times6=24$

(ii) IA의 순서로 앉을 때,

(i)과 마찬가지로 경우의 수는 24

(i), (ii)에서 구하는 모든 경우의 수는

$432-(24+24)=384$

036 답 240

단계 1 기준이 되는 영역을 칠하는 경우의 수 구하기

서로 다른 6가지의 색 중에서 작은 원의 내부의 세 영역을 칠할 3가지의 색을 택하는 경우의 수는 $_6C_3=20$

택한 3가지 색으로 작은 원의 내부의 영역을 칠하는 경우의 수는 $(3-1)!=2$ ⟶ 원순열의 수이므로 $(3-1)!$

단계 2 바깥쪽의 영역을 칠하는 경우의 수 구하기

나머지 3가지 색으로 작은 원의 바깥쪽의 세 영역을 칠하는 경우의 수는 $3!=6$ → 작은 원의 색이 정해지면 바깥쪽은 원순열의 수가 아니다.

따라서 구하는 경우의 수는

$20\times2\times6=240$

037 답 8

가운데 삼각형을 칠하는 경우의 수는 4

나머지 3개의 삼각형을 칠하는 경우의 수는 $(3-1)!=2$

따라서 구하는 경우의 수는

$4\times2=8$

038 답 180

서로 다른 6가지 색 중에서 5가지의 색을 택하는 경우의 수는

${}_6C_5=6$

택한 5가지 색 중에서 가운데 영역을 칠하는 경우의 수는 5

나머지 영역을 칠하는 경우의 수는 $(4-1)!=6$

따라서 구하는 경우의 수는

$6\times5\times6=180$

039 답 ④

단계 1 삼각뿔대의 밑면을 칠하는 경우의 수 구하기

삼각뿔대의 두 밑면을 칠하는 경우의 수는

${}_5P_2=5\times4=20$ → 밑면 두 개는 서로 다르다.

단계 2 원순열의 수를 이용하여 옆면을 칠하는 경우의 수 구하기

두 밑면을 제외한 3개의 옆면을 칠하는 경우의 수는

$(3-1)!=2$

따라서 구하는 경우의 수는

$20\times2=40$

040 답 840

정육각뿔의 밑면을 칠하는 경우의 수는 7

밑면을 제외한 6개의 옆면을 칠하는 경우의 수는

$(6-1)!=120$

따라서 구하는 경우의 수는

$7\times120=840$

041 답 ①

정육면체의 한 면에 하나의 숫자를 새겨 넣고 마주보는 면에 숫자를 새겨 넣는 경우의 수는 5

남은 4개의 옆면에 나머지 숫자를 새겨 넣는 경우의 수는

$(4-1)!=6$

따라서 구하는 경우의 수는

$5\times6=30$

042 답 ④

단계 1 원순열의 수 구하기

8명이 원탁에 둘러앉는 경우의 수는

$(8-1)!=7!$

단계 2 순서는 같지만 회전시켰을 때 일치하지 않는 경우의 수 구하기

원탁에 앉는 한 가지 방법에 대하여 정사각형 모양의 탁자에서 회전했을 때 일치하지 않는 경우가 다음 그림과 같이 2가지씩 존재한다. → 다각형 모양의 탁자는 원순열과 다르니까 조심!

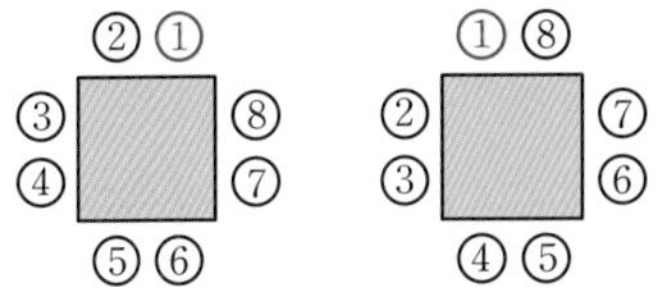

따라서 구하는 경우의 수는 $7!\times2$

날선특강 정다각형 모양의 탁자에 둘러앉는 경우의 수

정다각형 모양의 탁자에 둘러앉는 경우, 회전시켰을 때 일치하지 않는 자리의 수는 정다각형의 한 변에 앉는 사람의 수와 같다.

043 답 ②

8명이 원탁에 둘러앉는 경우의 수는

$(8-1)!=7!$

원탁에 앉는 한 가지 방법에 대하여 육각형 모양의 탁자에서 회전했을 때 일치하지 않는 경우가 다음 그림과 같이 4가지씩 존재한다.

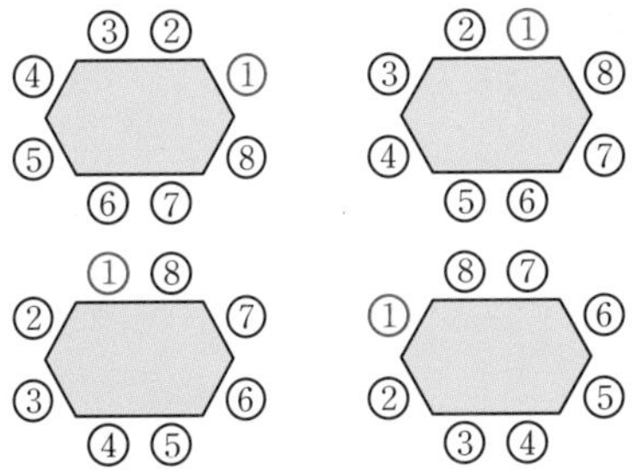

따라서 경우의 수 $n=7!\times4$이므로

$\frac{n}{6!}=\frac{7!\times4}{6!}=7\times4=28$

044 답 240

5명의 사람을 각각 A, B, C, D, E라 하고, 빈 자리를 X라 하면 구하는 경우의 수는 A, B, C, D, E, X를 정삼각형 모양의 탁자의 자리에 배치하는 경우의 수와 같다.

6명이 원탁에 둘러앉는 경우의 수는

$(6-1)!=120$

원탁에 앉는 한 가지 방법에 대하여 정삼각형 모양의 탁자에서

회전했을 때 일치하지 않는 경우가 다음 그림과 같이 2가지씩 존재한다.

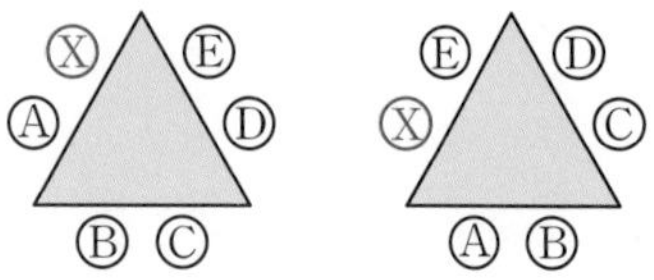

따라서 구하는 경우의 수는

$120\times2=240$

045 답 ④

단계 1 중복순열의 수를 이용하여 전체 경우의 수 구하기

회전목마, 고속열차, 관람차 중에서 중복을 허용하여 세 번을 택하는 중복순열의 수는

${}_3\Pi_3=3^3=27$

단계 2 고속열차를 연달아 탑승하는 경우의 수 구하기

고속열차를 연달아 2번만 탑승하는 경우의 수는

${}_2C_1\times2!=4$

고속열차를 연달아 3번 탑승하는 경우의 수는 1

따라서 구하는 경우의 수는

$27-(4+1)=22$ → (전체 경우의 수) − (고속열차를 연달아 타는 경우의 수)

046 답 ④

6명의 학생이 4종류의 햄버거 중에서 각각 하나씩 선택하는 경우의 수는

${}_4\Pi_6=4^6$

6명의 학생이 2종류의 음료수 중에서 각각 하나씩 선택하는 경우의 수는

${}_2\Pi_6=2^6$

따라서 구하는 경우의 수는

$4^6\times2^6=2^{12}\times2^6=2^{18}$

047 답 112

7명의 학생이 줄넘기와 배드민턴 중에서 한 종목씩 신청하는 경우의 수는

${}_2\Pi_7=2^7=128$

줄넘기와 배드민턴을 신청한 인원이 각각 6명, 1명 또는 1명, 6명인 경우의 수는

$2!\times{}_7C_6\times{}_1C_1=2\times7\times1=14$

줄넘기와 배드민턴을 신청한 인원이 각각 7명, 0명 또는 0명, 7명인 경우의 수는

$2!\times{}_7C_7=2\times1=2$

따라서 구하는 경우의 수는

$128-(14+2)=112$

048 답 512

조건 ㈎, ㈏를 모두 만족시키도록 나열하면

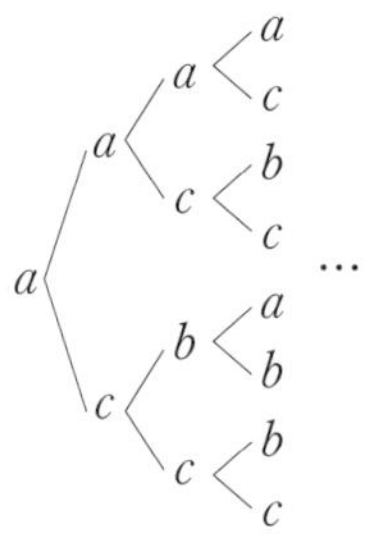

즉, 10개의 문자 사이사이의 9개의 틈에서 문자가 바뀌거나 바뀌지 않는 것의 2가지 중에서 택할 수 있다.

따라서 구하는 경우의 수는 서로 다른 2개에서 9개를 택하는 중복순열의 수와 같으므로

${}_2\Pi_9=2^9=512$

049 답 ④

단계 1 만들 수 있는 신호의 개수를 중복순열의 수를 이용하여 구하기

램프 7개가 각각 켜지거나 꺼져서 만들 수 있는 신호의 개수는

${}_2\Pi_7=2^7=128$ → 램프 한 개 < 켜짐, 꺼짐 이므로 램프 7개는 2^7

단계 2 램프가 모두 꺼진 경우 생각하기

램프가 모두 꺼진 경우는 신호에서 제외해야 하므로 구하는 신호의 개수는 → 모두 꺼진 경우는 한 가지 뿐이다.

$128-1=127$

050 답 4

두 모스 부호 •, − 중에서 중복을 허용하여

1개를 택하여 만들 수 있는 신호의 개수는 ${}_2\Pi_1=2^1$

2개를 택하여 만들 수 있는 신호의 개수는 ${}_2\Pi_2=2^2$

⋮

n개를 택하여 만들 수 있는 신호의 개수는 ${}_2\Pi_n=2^n$

즉, 두 모스 부호를 1개, 2개, ⋯, n개 택하여 만들 수 있는 신호의 개수는 2^1, 2^2, ⋯, 2^n이므로 n개 이하로 만들 수 있는 신호의 개수는 $2^1+2^2+\cdots+2^n$

$n=3$일 때, $2^1+2^2+2^3=2+4+8=14<26$

$n=4$일 때, $2^1+2^2+2^3+2^4=2+4+8+16=30>26$

따라서 자연수 n의 최솟값은 4이다.

051 답 ⑤

단계 1 조건에 따라 천의 자리와 일의 자리가 될 수 있는 숫자 구하기

천의 자리의 숫자가 될 수 있는 것은 → 가장 큰 자리에는 0이 올 수 없다.

1, 2, 3, 4, 5의 5개

일의 자리의 숫자가 될 수 있는 것은

0, 2, 4의 3개

단계 2 중복순열의 수를 이용하여 백의 자리와 십의 자리의 숫자들을 택하는 경우의 수 구하기

백의 자리의 숫자, 십의 자리의 숫자를 택하는 경우의 수는

0, 1, 2, 3, 4, 5의 6개에서 중복을 허용하여 2개를 택하는 중복순열의 수와 같으므로 → 특별한 조건이 없는 자리에는 모든 숫자를 사용할 수 있다.

${}_6\Pi_2=6^2=36$

따라서 구하는 짝수의 개수는

$5\times3\times36=540$

날선특강 자연수의 개수

0, 1, 2, ⋯, n $(1\le n\le9)$의 $n+1$개의 숫자에서 중복을 허용하여 만들 수 있는 m자리 자연수의 개수는 $n\times{}_{n+1}\Pi_{m-1}$

052 답 ③

자연수가 25의 배수이려면 일의 자리와 십의 자리의 수가 00, 25, 50, 75의 네 개 중 하나이어야 한다.

만의 자리의 숫자가 될 수 있는 것은 1, 2, 3, ⋯, 9의 9개

천의 자리의 숫자와 백의 자리의 숫자를 택하는 경우의 수는 0, 1, 2, ⋯, 9의 10개에서 중복을 허용하여 2개를 택하는 중복순열의 수와 같으므로

${}_{10}\Pi_2=10^2=100$

따라서 구하는 25의 배수의 개수는

$4\times9\times100=3600$

053 답 ①

네 개의 숫자 0, 1, 2, 3에서 중복을 허용하여 만들 수 있는 네 자리 자연수의 개수는

$3\times{}_4\Pi_3=3\times4^3=192$

0, 3을 제외한 두 개의 숫자 1, 2에서 중복을 허용하여 만들 수 있는 네 자리 자연수의 개수는

${}_2\Pi_4=2^4=16$

따라서 구하는 자연수의 개수는

$192-16=176$

054 답 ④

세 개의 숫자 1, 2, 3에서 중복을 허용하여 만들 수 있는 네 자리 자연수 중에서 2233보다 작은 자연수의 개수는

1□□□ 꼴인 경우 ${}_3\Pi_3=3^3=27$

2 1□□ 꼴인 경우 ${}_3\Pi_2=3^2=9$

2 2 1□ 꼴인 경우 ${}_3\Pi_1=3^1=3$

2 2 2□ 꼴인 경우 ${}_3\Pi_1=3^1=3$

2 2 3□ 꼴인 경우 ${}_2\Pi_1=2^1=2$

따라서 구하는 자연수의 개수는

$27+9+3+3+2=44$

055 답 ②

단계 1 $f(b)$의 값이 될 수 있는 경우의 수 구하기

$f(b)\ne2$이므로 $f(b)$의 값이 될 수 있는 수는 1, 3의 2개이다. (X의 원소 b는 Y의 원소 1, 3에 대응할 수 있다.)

단계 2 중복순열의 수를 이용하여 나머지 함숫값이 될 수 있는 경우의 수 구하기

집합 Y의 원소 1, 2, 3의 3개에서 중복을 허용하여 3개를 택하여 X의 원소 a, c, d에 대응시키면 되므로 → X의 원소 a, c, d는 Y의 원소 어느 것에나 대응할 수 있다.

${}_3\Pi_3=3^3=27$

따라서 구하는 경우의 수는

$2\times27=54$

056 답 126

X에서 Y로의 함수는 Y의 원소 1, 2의 2개에서 중복을 허용하여 7개를 택하여 X의 원소 a, b, c, d, e, f, g에 대응시키면 되므로 X에서 Y로의 함수의 개수는 ${}_2\Pi_7=2^7=128$

치역이 $\{1\}$인 함수의 개수는 1

치역이 $\{2\}$인 함수의 개수는 1

따라서 구하는 함수의 개수는

$128-2=126$

057 답 ③

조건 (가)에서 $f(2)=2$ 또는 $f(2)=4$

조건 (나)에서

$x<2$이면 $f(x)\ge f(2)$, $x>2$이면 $f(x)\le f(2)$

(i) $f(2)=2$일 때

$f(1)$의 값이 될 수 있는 수는 2, 3, 4, 5의 4개

$f(3)$, $f(4)$, $f(5)$의 값이 될 수 있는 수는 1, 2의 2개에서 중복을 허용하여 3개를 택하면 되므로

${}_2\Pi_3=2^3=8$

즉, 함수 f의 개수는 $4\times8=32$

(ii) $f(2)=4$일 때

$f(1)$의 값이 될 수 있는 수는 4, 5의 2개

$f(3)$, $f(4)$, $f(5)$의 값이 될 수 있는 수는 1, 2, 3, 4의 4개에서 중복을 허용하여 3개를 택하면 되므로

${}_4\Pi_3=4^3=64$

즉, 함수 f의 개수는 $2\times64=128$

(i), (ii)에서 구하는 함수 f의 개수는

$32+128=160$

058 답 44

단계 1 같은 것이 있는 순열의 수를 이용하여 6개의 문자를 일렬로 나열하는 경우의 수 구하기

6개의 문자 a, a, a, b, b, c를 일렬로 나열하는 경우의 수는

$\dfrac{6!}{3!\times2!}=60$ → 6개의 문자 중에 a가 3개, b가 2개

단계 2 양 끝이 서로 같은 문자인 경우의 수 구하기

(i) 양 끝의 문자가 a인 경우
양 끝에 a를 하나씩 나열하고 가운데에 $\underbrace{a,\ b,\ b,\ c}_{4\text{개 중에 } b\text{가 } 2\text{개}}$를 일렬로 나열하는 경우의 수는
$\frac{4!}{2!}=12$
(ii) 양 끝의 문자가 b인 경우
양 끝에 b를 하나씩 나열하고 가운데에 $\underbrace{a,\ a,\ a,\ c}_{4\text{개 중에 } a\text{가 } 3\text{개}}$를 일렬로 나열하는 경우의 수는
$\frac{4!}{3!}=4$
(i), (ii)에서 구하는 경우의 수는
$60-(12+4)=44$

059 답 ①

맨 앞의 문자 a, 맨 뒤의 문자 c를 제외한 6개의 문자 a, a, b, b, b, c를 일렬로 나열하는 경우의 수는
$\frac{6!}{2!\times3!}=60$

060 답 900

blossom에 있는 7개의 문자를 일렬로 나열하는 경우의 수는
$\frac{7!}{2!\times2!}=1260$
2개의 s를 한 문자 A로 생각하여 6개의 문자 b, l, o, A, o, m을 일렬로 나열하는 경우의 수는
$\frac{6!}{2!}=360$
따라서 구하는 경우의 수는
$1260-360=900$

날선특강 이웃하는 경우의 순열
이웃하지 않는 경우의 순열의 수를 구할 때
(전체 경우의 수)−(이웃하는 경우의 수)를 이용하는 것은 2개가 이웃하지 않는 경우에만 해당됨에 주의한다.

061 답 ①

단계 1 순서가 정해진 것을 같은 것으로 놓고 나열하기
할아버지, 할머니, 아버지의 순서는 정해져 있으므로 모두 A로 생각하고, 어머니, 딸, 아들의 순서도 정해져 있으므로 모두 B로 생각하여 6개의 문자 A, A, A, B, B, B를 일렬로 나열하는 경우의 수는 $\frac{6!}{3!\times3!}=20$

단계 2 원래의 것으로 돌려놓고 경우의 수 구하기
3개의 A 중에서 가장 뒤의 것은 아버지로 앞의 2개는 각각 할아버지, 할머니로 순서를 정하여 바꾸고, 3개의 B 중에서 가장 뒤의 것은 어머니로 앞의 2개는 각각 딸, 아들로 순서를 정하여 바꾼다.
따라서 구하는 경우의 수는
$20\times2!\times2!=80$

062 답 ③

홀수 1, 3, 5의 순서가 정해져 있으므로 1, 3, 5를 모두 A로 바꾸어 생각하여 A, A, A, 2, 2, 4, 6을 일렬로 배열한 후 다시 첫 번째, 두 번째, 세 번째 A를 각각 1, 3, 5로 바꾸면 된다.
$\therefore \frac{7!}{3!\times2!}=420$

063 답 1080

6개의 자음 h, p, p, n, s, s를 한 문자로 생각하고, 3개의 모음 a, i, e를 다른 한 문자로 생각하였을 때, 자음이 모음보다 앞에 오도록 나열하는 경우의 수는 1
이때 자음끼리 자리를 바꾸는 경우의 수는
$\frac{6!}{2!\times2!}=180$
모음끼리 자리를 바꾸는 경우의 수는 $3!=6$
따라서 구하는 경우의 수는
$180\times6=1080$

064 답 ③

단계 1 다섯 자리 자연수 중에서 각 자리의 수의 합이 3인 경우 구하기
다섯 자리 자연수 중에서 각 자리의 수의 합이 3인 경우는 각 자리의 수가 3, 0, 0, 0, 0 또는 2, 1, 0, 0, 0 또는 1, 1, 1, 0, 0일 때이다.

단계 2 각각의 경우의 수를 구하여 더한다.
(i) 각 자리의 수가 3, 0, 0, 0, 0인 경우
다섯 자리 자연수는 30000뿐이므로 경우의 수는 1
(ii) 각 자리의 수가 2, 1, 0, 0, 0인 경우
만의 자리의 숫자가 될 수 있는 것은 1, 2의 2개
나머지 4개의 숫자를 일렬로 나열하는 경우의 수는
$\frac{4!}{3!}=4$
즉, 다섯 자리 자연수의 개수는 $2\times4=8$
(iii) 각 자리의 수가 1, 1, 1, 0, 0인 경우
만의 자리의 숫자가 될 수 있는 것은 1의 1개
나머지 4개의 숫자를 일렬로 나열하는 경우의 수는
$\frac{4!}{2!\times2!}=6$
즉, 다섯 자리 자연수의 개수는 $1\times6=6$
(i)~(iii)에서 구하는 자연수의 개수는
$1+8+6=15$

065 답 ②

일곱 개의 숫자 0, 1, 2, 2, 3, 3, 3을 일렬로 나열하는 경우의

수는

$\frac{7!}{2!\times 3!}=420$

이때 맨 앞자리에 0이 오는 경우의 수는 6개의 숫자 1, 2, 2, 3, 3, 3을 일렬로 나열하는 경우의 수와 같으므로

$\frac{6!}{2!\times 3!}=60$

따라서 구하는 자연수의 개수는 $420-60=360$

066 답 ④

여섯 장의 카드 [1], [2], [2], [3], [4], [4]를 일렬로 나열하는 경우의 수는

$\frac{6!}{2!\times 2!}=180$

이때 442213보다 큰 자연수의 개수는

(i) 443□□□ 꼴인 경우

1, 2, 2를 일렬로 나열하는 경우의 수는

$\frac{3!}{2!}=3$

(ii) 4423□□ 꼴인 경우

1, 2를 일렬로 나열하는 경우의 수는

$2!=2$

(iii) 44223□ 꼴인 경우

442231뿐이므로 경우의 수는 1

(i)~(iii)에서 442213보다 큰 자연수의 개수는 $3+2+1=6$이므로 $180-(3+2+1)=174$

따라서 442213은 174번째 수이다.

067 답 ③

단계 1 조건을 만족시키는 경우 구하기

조건 (가), (나)를 모두 만족시키고, $a\le b\le c\le d$인 네 자연수 a, b, c, d의 순서쌍 (a, b, c, d)는

$(1, 1, 1, 6)$ 또는 $(1, 1, 3, 4)$ 또는 $(1, 2, 3, 3)$ 또는 $(2, 2, 2, 3)$ → a, b, c, d가 될 수 있는 네 자연수를 먼저 찾는다.

단계 2 각각의 경우의 수 구하기

네 자연수 1, 1, 1, 6으로 만들 수 있는 순서쌍의 개수는

$\frac{4!}{3!}=4$

네 자연수 1, 1, 3, 4로 만들 수 있는 순서쌍의 개수는

$\frac{4!}{2!}=12$

네 자연수 1, 2, 3, 3으로 만들 수 있는 순서쌍의 개수는

$\frac{4!}{2!}=12$

네 자연수 2, 2, 2, 3으로 만들 수 있는 순서쌍의 개수는

$\frac{4!}{3!}=4$

따라서 구하는 순서쌍 (a, b, c, d)의 개수는

$4+12+12+4=32$

068 답 21

1개씩 먹는 횟수를 a, 2개씩 먹는 횟수를 b라 하면

$a+2b=7$에서 순서쌍 (a, b)는 $(7, 0)$ 또는 $(5, 1)$ 또는 $(3, 2)$ 또는 $(1, 3)$

이때 1개씩 7번에 먹는 경우의 수는 1

1개씩 5번, 2개씩 1번에 먹는 경우의 수는 $\frac{6!}{5!}=6$

1개씩 3번, 2개씩 2번에 먹는 경우의 수는 $\frac{5!}{3!\times 2!}=10$

1개씩 1번, 2개씩 3번에 먹는 경우의 수는 $\frac{4!}{3!}=4$

따라서 구하는 경우의 수는

$1+6+10+4=21$

069 답 13

조건 (가)에서

$4c-a-b=d-4$이므로 $a+b+d=4c+4$

조건 (나)에서

$a\le 4$, $b\le 4$, $d\le 4$이므로 $a+b+d\le 12$

즉, $4c+4\le 12$이므로 $c\le 2$

(i) $c=1$일 때

$a+b+d=8$이고 $a\le b\le d\le 4$인 순서쌍 (a, b, d)는

$(1, 3, 4)$ 또는 $(2, 2, 4)$ 또는 $(2, 3, 3)$

세 자연수 1, 3, 4로 만들 수 있는 순서쌍의 개수는 $3!=6$

세 자연수 2, 2, 4로 만들 수 있는 순서쌍의 개수는 $\frac{3!}{2!}=3$

세 자연수 2, 3, 3으로 만들 수 있는 순서쌍의 개수는 $\frac{3!}{2!}=3$

따라서 구하는 순서쌍 (a, b, d)의 개수는 $6+3+3=12$

(ii) $c=2$일 때

$a+b+d=12$이고 $a\le b\le d\le 4$인 순서쌍 (a, b, d)는

$(4, 4, 4)$뿐이므로 구하는 순서쌍 (a, b, d)의 개수는 1

(i), (ii)에서 구하는 순서쌍 (a, b, c, d)의 개수는

$12+1=13$

070 답 ⑤

단계 1 반드시 거쳐야 하는 점을 적절히 정하기

주어진 도로망을 다음 그림의 도로망과 같이 나타내면 A′ 지점에서 B′ 지점까지 최단 거리로 가는 경우의 수와 같다.

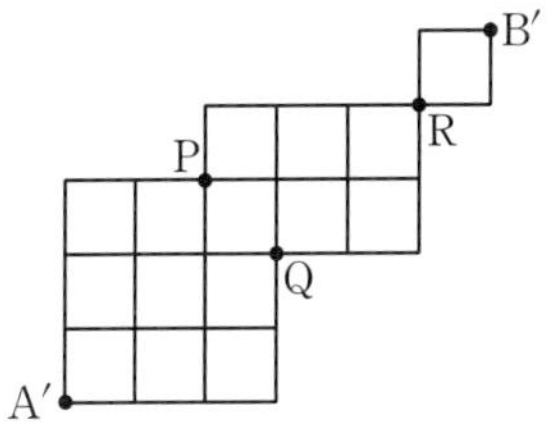

이때 세 지점 P, Q, R를 잡으면 A′ 지점에서 B′ 지점까지 최단 거리로 가는 경우는 (→ P, Q 중 하나와 R 지점은 반드시 지난다.)

A′ → P → R → B′, A′ → Q → R → B′

단계 2 각각의 최단 거리로 가는 경우의 수 구하기

(i) A′ → P → R → B′으로 가는 경우의 수는

$$\frac{5!}{2!\times3!}\times\frac{4!}{3!}\times2!=10\times4\times2=80$$

(ii) A′ → Q → R → B′으로 가는 경우의 수는

$$\frac{5!}{3!\times2!}\times\frac{4!}{2!\times2!}\times2!=10\times6\times2=120$$

(i), (ii)에서 구하는 경우의 수는

$80+120=200$

071 답 30

A → P → Q → B로 가는 경우의 수는

$$\frac{3!}{2!}\times1\times\frac{5!}{2!\times3!}=3\times1\times10=30$$

072 답 ②

(i) A → P → B로 가는 경우의 수는

$$\frac{3!}{2!}\times\frac{5!}{2!\times3!}=3\times10=30$$

(ii) A → Q → B로 가는 경우의 수는

$$\frac{6!}{3!\times3!}\times2!=20\times2=40$$

(iii) A → P → Q → B로 가는 경우의 수는

$$\frac{3!}{2!}\times\frac{3!}{2!}\times2!=3\times3\times2=18$$

(i)~(iii)에서 구하는 경우의 수는

$30+40-18=52$

073 답 54

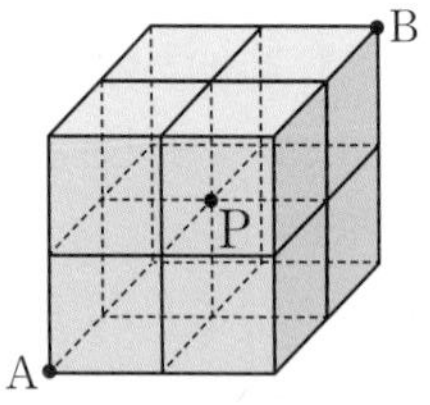

오른쪽 그림과 같이 크기가 같은 정육면체 8개를 쌓아 올려 정육면체를 만들었다고 가정하자. 8개의 정육면체가 모두 닿는 점을 P라 하면 A 지점에서 출발하여 작은 정육면체들의 모서리를 따라 B 지점까지 최단 거리로 갈 때, 점 P를 지나지 않으면 주어진 문제의 조건과 같이 큰 정육면체의 겉면을 따라 갈 수밖에 없다.

(i) A → B로 가는 경우의 수는

$$\frac{6!}{2!\times2!\times2!}=90$$

(ii) A → P → B로 가는 경우의 수는

$3!\times3!=36$

(i), (ii)에서 구하는 경우의 수는

$90-36=54$

074 답 28

단계 1 지날 수 없는 지점에 숫자 0을 표시하기

오른쪽 그림과 같이 지날 수 없는 지점에 숫자 0을 표시한다.

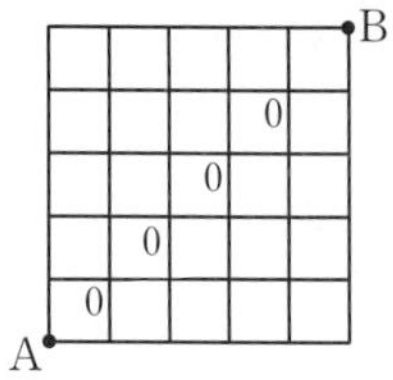

단계 2 출발 지점에서 도달할 수 있는 방법이 한 가지뿐인 지점에 숫자 1을 표시하기

오른쪽 그림과 같이 A 지점에서 이르는 방법이 한 가지뿐인 지점에 숫자 1을 표시한다.

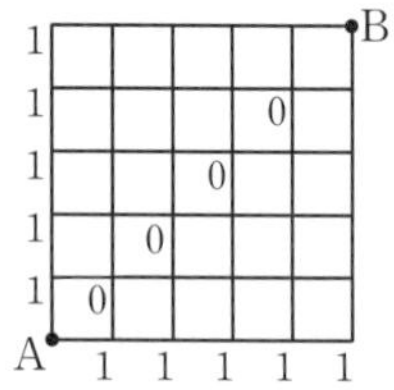

단계 3 합의 법칙에 따라 각 지점에 도달할 수 있는 경우의 수를 차례로 구하기

합의 법칙에 따라 각 지점의 합을 구해 보면 오른쪽 그림과 같다.

따라서 구하는 경우의 수는 28이다.

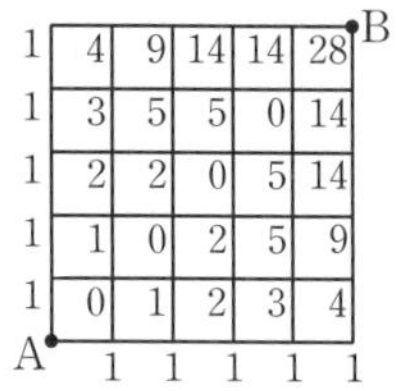

075 답 51

오른쪽 그림과 같이 합의 법칙에 따라 각 지점에 도달할 수 있는 경우의 수를 구해 보면 A 지점에서 B 지점까지 최단 거리로 가는 경우의 수는 51이다.

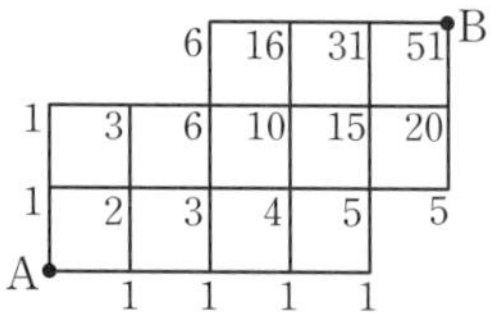

다른 풀이

오른쪽 그림과 같이 네 지점 P, Q, R, S를 잡으면 A 지점에서 B 지점까지 최단 거리로 가는 경우는

A → P → B, A → Q → B,

A → R → S → B

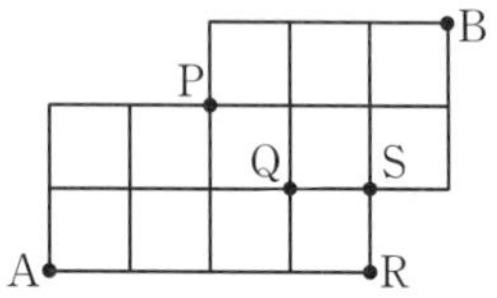

(i) A → P → B로 가는 경우의 수는

$$\frac{4!}{2!\times2!}\times\frac{4!}{3!}=6\times4=24$$

(ii) A → Q → B로 가는 경우의 수는

$$\frac{4!}{3!}\times\frac{4!}{2!\times2!}=4\times6=24$$

(iii) A → R → S → B로 가는 경우의 수는

$$1\times1\times\frac{3!}{2!}=3$$

(i)~(iii)에서 구하는 경우의 수는

$24+24+3=51$

076 답 ②

오른쪽 그림과 같이 합의 법칙에 따라 각 지점에 도달할 수 있는 경우의 수를 구해 보면 A 지점에서 B 지점까지 최단 거리로 가는 경우의 수는 17이다.

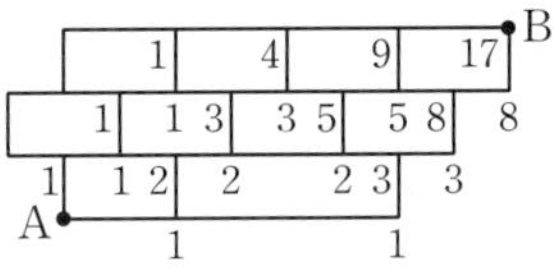

077 답 ⑤

오른쪽 그림과 같이 합의 법칙에 따라 각 지점에 도달할 수 있는 경우의 수를 구해 보면 A 지점에서 B 지점까지 최단 거리로 가는 경우의 수는 17이다.

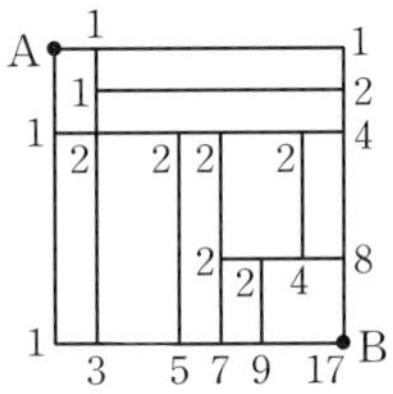

078 답 34

주어진 도로망을 $\overline{PQ}$에 대하여 대칭이동하면 오른쪽 그림과 같다. 구하는 경우의 수는 A 지점에서 B′ 지점까지 최단 거리로 가는 경우의 수와 같으므로 합의 법칙에 따라 각 지점에 도달할 수 있는 경우의 수를 구해 보면 34이다.

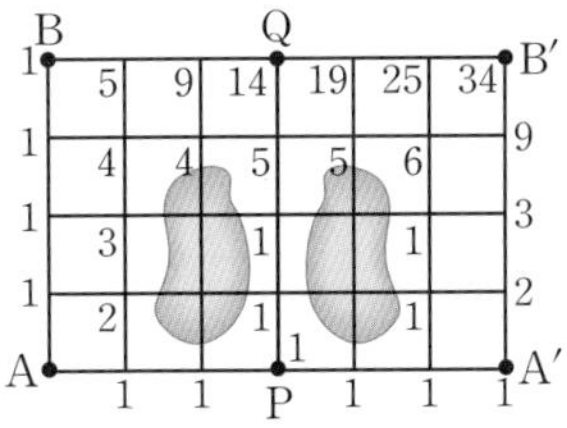

다른 풀이

오른쪽 그림과 같이 세 지점 C_1, C_2, C_3을 잡으면 A 지점에서 출발하여 두 지점 P와 Q를 잇는 도로 위의 최소 한 지점을 거쳐 B 지점까지 최단 거리로 가는 경우는 A → B → B′, A → C_1 → B′, A → P → C_2 → B′, A → C_3 → B′

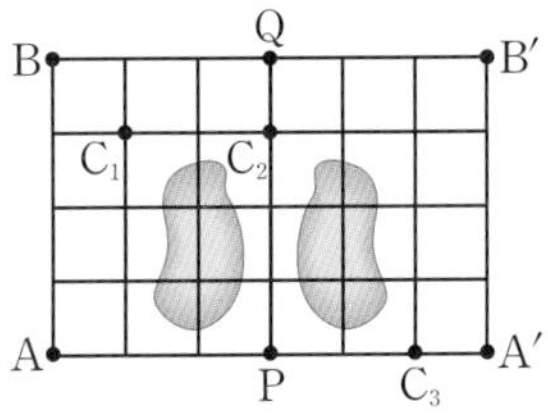

(i) A → B → B′으로 가는 경우의 수는

$1\times1=1$

(ii) A → C_1 → B′으로 가는 경우의 수는

$\frac{4!}{3!}\times\frac{6!}{5!}=4\times6=24$

(iii) A → P → C_2 → B′으로 가는 경우의 수는

$1\times1\times\frac{4!}{3!}=4$

(iv) A → C_3 → B′으로 가는 경우의 수는

$1\times\frac{5!}{4!}=5$

(i)~(iv)에서 구하는 경우의 수는

$1+24+4+5=34$

079 답 ①

단계 1 중복조합의 수를 이용하여 각각의 과일을 나누어 주는 경우의 수 구하기

사과 1개를 5명의 사람에게 나누어 주는 경우의 수는

${}_5H_1={}_5C_1=5$

오렌지 2개를 5명의 사람에게 나누어 주는 경우의 수는

${}_5H_2={}_6C_2=\frac{6\times5}{2\times1}=15$

배 3개를 5명의 사람에게 나누어 주는 경우의 수는

${}_5H_3={}_7C_3=\frac{7\times6\times5}{3\times2\times1}=35$

단계 2 곱의 법칙을 이용하여 모든 경우의 수 구하기

구하는 경우의 수는

$5\times15\times35=2625$

080 답 ③

서로 다른 4개에서 5개를 택하는 중복조합의 수와 같으므로 구하는 경우의 수는

${}_4H_5={}_8C_5={}_8C_3=\frac{8\times7\times6}{3\times2\times1}=56$

081 답 ③

세 가지 색의 장미를 4송이씩 포함하고 남은 8송이를 세 가지 색의 장미 중에서 택하면 된다.

따라서 구하는 경우의 수는 서로 다른 3개에서 8개를 택하는 중복조합의 수와 같으므로

${}_3H_8={}_{10}C_8={}_{10}C_2=\frac{10\times9}{2\times1}=45$

082 답 18

샤프 5자루를 3명의 학생에게 1자루 이상씩 나누어 주는 경우는 다음과 같이 두 가지 경우가 있다.

(i) 샤프를 한 학생에게 3자루, 나머지 두 학생에게 각각 1자루씩 나누어 주는 경우의 수는 ${}_3C_1=3$

이때 연필을 나누어 주는 경우의 수는 샤프 3자루를 받은 학생을 제외하고 샤프 1자루를 받은 2명의 학생에게 연필 6자루를 1자루 이상씩 나누어 주어야 한다. 미리 1자루씩 나누어 주면 나머지 연필 4자루를 2명의 학생에게 중복하여 나누어 주는 경우의 수는 ${}_2H_4={}_5C_4={}_5C_1=5$

즉, 구하는 경우의 수는 $3\times5=15$

(ii) 샤프를 두 학생에게 각각 2자루씩, 나머지 한 학생에게 1자루를 나누어 주는 경우의 수는 ${}_3C_2={}_3C_1=3$

이때 연필을 나누어 주는 경우의 수는 샤프 1자루를 받은 학생 1명에게 모든 연필을 주어야 하므로 1가지이다.

즉, 구하는 경우의 수는 $3\times1=3$

(i), (ii)에서 구하는 경우의 수는

$15+3=18$

083 답 ④

단계 1 중복조합의 문제임을 이해하기

다항식 $(x+y+z+w)^5$의 전개식에서 서로 다른 항의 개수는 4개의 문자 x, y, z, w 중에서 5개를 택하는 중복조합의 수와 같다.

단계 2 중복조합의 수를 이용하여 서로 다른 항의 개수 구하기

${}_4H_5={}_8C_5={}_8C_3=\frac{8\times7\times6}{3\times2\times1}=56$

084 답 ④

다항식 $(a+b+c+d)^{10}$의 전개식에서 나타나는 항은 a, b, c, d의 차수의 합이 10이어야 한다.

따라서 동류항이 아닌 것은 ④이다.

085 답 ④

주어진 다항식의 전개식에서 서로 다른 항의 개수는 3개의 문자 a, b, c에서 n개를 택하는 중복조합의 수와 같으므로 ${}_3H_n$

이때 ${}_3H_n=120$이므로

${}_3H_n={}_{n+2}C_n={}_{n+2}C_2$

$=\frac{(n+2)\times(n+1)}{2\times1}=120$

$(n+1)(n+2)=240=15\times16$

$\therefore n=14$

086 답 ⑤

다항식 $(a+b)^3$의 전개식에서 서로 다른 항의 개수는 2개의 문자 a, b에서 3개를 택하는 중복조합의 수와 같으므로

${}_2H_3={}_4C_3={}_4C_1=4$

다항식 $(x+y+z)^3$의 전개식에서 서로 다른 항의 개수는 3개의 문자 x, y, z에서 3개를 택하는 중복조합의 수와 같으므로

${}_3H_3={}_5C_3={}_5C_2=\frac{5\times4}{2\times1}=10$

이때 다항식의 두 인수 $(a+b)^3$과 $(x+y+z)^3$은 각각의 전개식에 동시에 포함되는 문자가 없으므로 구하는 서로 다른 항의 개수는

$4\times10=40$

087 답 75

단계 1 $a+b+c$, $d+e+f+g$의 값 구하기

a, b, c, d, e, f, g는 자연수이므로

$a+b+c\geq3$, $d+e+f+g\geq4$

즉, 다항식의 두 인수 $a+b+c$와 $d+e+f+g$의 값은 각각 3, 8 또는 4, 6 또는 6, 4이다.

단계 2 각각의 순서쌍의 개수 구하기

(i) $a+b+c=3$, $d+e+f+g=8$일 때

$a+b+c=3$에서 $a=A+1$, $b=B+1$, $c=C+1$로 놓으면

A, B, C는 모두 음이 아닌 정수이고 $A+B+C=0$

$A+B+C=0$의 음이 아닌 정수해의 개수는 A, B, C의 3개에서 0개를 택하는 중복조합의 수와 같으므로

${}_3H_0={}_2C_0=1$

$d+e+f+g=8$에서

$d=D+1$, $e=E+1$, $f=F+1$, $g=G+1$로 놓으면

D, E, F, G는 모두 음이 아닌 정수이고

$D+E+F+G=4$

$D+E+F+G=4$의 음이 아닌 정수해의 개수는 D, E, F, G의 4개에서 4개를 택하는 중복조합의 수와 같으므로

${}_4H_4={}_7C_4={}_7C_3=\frac{7\times6\times5}{3\times2\times1}=35$

즉, 구하는 순서쌍의 개수는 $1\times35=35$

(ii) $a+b+c=4$, $d+e+f+g=6$일 때

마찬가지로 순서쌍 (a, b, c)의 개수는 ${}_3H_1={}_3C_1=3$

순서쌍 (d, e, f, g)의 개수는 ${}_4H_2={}_5C_2=\frac{5\times4}{2\times1}=10$

즉, 구하는 순서쌍의 개수는 $3\times10=30$

(iii) $a+b+c=6$, $d+e+f+g=4$일 때

마찬가지로 순서쌍 (a, b, c)의 개수는

${}_3H_3={}_5C_3={}_5C_2=\frac{5\times4}{2\times1}=10$

순서쌍 (d, e, f, g)의 개수는 ${}_4H_0={}_3C_0=1$

즉, 구하는 순서쌍의 개수는 $10\times1=10$

(i)~(iii)에서 구하는 순서쌍의 개수는

$35+30+10=75$

088 답 ⑤

$a+b+c+d+e=3$의 음이 아닌 정수해의 개수는 a, b, c, d, e의 5개에서 3개를 택하는 중복조합의 수와 같으므로

${}_5H_3={}_7C_3=\frac{7\times6\times5}{3\times2\times1}=35$

089 답 10

$x+y+z=k$의 음이 아닌 정수해의 개수는 x, y, z의 3개에서 k개를 택하는 중복조합의 수와 같으므로

${}_3H_k={}_{k+2}C_k={}_{k+2}C_2=\frac{(k+2)\times(k+1)}{2}=28$

$(k+1)(k+2)=56=7\times8$

$\therefore k=6$

즉, 방정식 $x+y+z=6$이고 x, y, z는 자연수이므로

$x=X+1$, $y=Y+1$, $z=Z+1$로 놓으면

X, Y, Z는 모두 음이 아닌 정수이고 $X+Y+Z=3$

따라서 $X+Y+Z=3$의 음이 아닌 정수해의 개수는 X, Y, Z의 3개에서 3개를 택하는 중복조합의 수와 같으므로

${}_3H_3={}_5C_3={}_5C_2=\frac{5\times4}{2\times1}=10$

090 답 ⑤

x, y, z가 모두 음이 아닌 정수이므로 $x+y+z \geq 0$이다.

따라서 $x+y+z \leq 4$의 음이 아닌 정수해의 개수는 다음과 같다.

(i) $x+y+z=0$의 음이 아닌 정수해의 개수는
$$_3H_0 = {}_2C_0 = 1$$

(ii) $x+y+z=1$의 음이 아닌 정수해의 개수는
$$_3H_1 = {}_3C_1 = 3$$

(iii) $x+y+z=2$의 음이 아닌 정수해의 개수는
$$_3H_2 = {}_4C_2 = \frac{4 \times 3}{2 \times 1} = 6$$

(iv) $x+y+z=3$의 음이 아닌 정수해의 개수는
$$_3H_3 = {}_5C_3 = {}_5C_2 = \frac{5 \times 4}{2 \times 1} = 10$$

(v) $x+y+z=4$의 음이 아닌 정수해의 개수는
$$_3H_4 = {}_6C_4 = {}_6C_2 = \frac{6 \times 5}{2 \times 1} = 15$$

(i)~(v)에서 구하는 순서쌍 (x, y, z)의 개수는
$$1+3+6+10+15 = 35$$

091 답 50

조건 (가)에서 $a+b+c+d=11$이므로
$a=a'+1$, $b=b'+1$, $c=c'+1$, $d=d'+1$로 놓으면
a', b', c', d'은 모두 음이 아닌 정수이고 $a'+b'+c'+d'=7$

$a'+b'+c'+d'=7$의 음이 아닌 정수해의 개수는 a', b', c', d'의 4개에서 7개를 택하는 중복조합의 수와 같으므로
$$_4H_7 = {}_{10}C_7 = {}_{10}C_3 = \frac{10 \times 9 \times 8}{3 \times 2 \times 1} = 120$$

조건 (나)에서 $c<d$이므로 $c=d$인 순서쌍 (a', b', c', d')의 개수를 구하면

(i) $c'=d'=0$일 때
$a'+b'=7$의 음이 아닌 정수해의 개수와 같으므로
$$_2H_7 = {}_8C_7 = {}_8C_1 = 8$$

(ii) $c'=d'=1$일 때
$a'+b'=5$의 음이 아닌 정수해의 개수와 같으므로
$$_2H_5 = {}_6C_5 = {}_6C_1 = 6$$

(iii) $c'=d'=2$일 때
$a'+b'=3$의 음이 아닌 정수해의 개수와 같으므로
$$_2H_3 = {}_4C_3 = {}_4C_1 = 4$$

(iv) $c'=d'=3$일 때
$a'+b'=1$의 음이 아닌 정수해의 개수와 같으므로
$$_2H_1 = {}_2C_1 = 2$$

(i)~(iv)에서 구하는 순서쌍의 개수는
$$\frac{120 - (8+6+4+2)}{2} = 50$$

참고 방정식 $a+b+c+d=11$을 만족시키는 순서쌍 중에서 $c>d$인 것과 $c<d$인 것의 개수는 서로 같다.

092 답 ③

단계 1 중복조합의 수를 이용하여 $f(1) \leq f(2) \leq f(3) \leq f(4) \leq f(5)$를 만족시키는 경우의 수 구하기

$f(1) \leq f(2) \leq f(3) \leq f(4) \leq f(5)$를 만족시키는 함수의 개수는 X의 원소 1, 2, 3, 4, 5의 5개에서 중복을 허용하여 5개를 택하여 작은 순서대로 $f(1)$, $f(2)$, $f(3)$, $f(4)$, $f(5)$에 대응시키면 되므로
$$_5H_5 = {}_9C_5 = {}_9C_4 = \frac{9 \times 8 \times 7 \times 6}{4 \times 3 \times 2 \times 1} = 126$$

단계 2 중복조합의 수를 이용하여 $f(1) \leq f(2) = f(3) \leq f(4) \leq f(5)$를 만족시키는 경우의 수 구하기

$f(1) \leq f(2) = f(3) \leq f(4) \leq f(5)$를 만족시키는 함수의 개수는 X의 원소 1, 2, 3, 4, 5의 5개에서 중복을 허용하여 4개를 택하여 작은 순서대로 $f(1)$, $f(2)$, $f(4)$, $f(5)$에 대응시키면 되므로
$$_5H_4 = {}_8C_4 = \frac{8 \times 7 \times 6 \times 5}{4 \times 3 \times 2 \times 1} = 70$$

따라서 구하는 함수의 개수는 $126-70=56$

093 답 70

Y의 원소 2, 3, 5, 7, 11의 5개에서 중복을 허용하여 4개를 택하여 큰 수부터 $f(1)$, $f(2)$, $f(3)$, $f(4)$에 대응시키면 되므로
$$_5H_4 = {}_8C_4 = \frac{8 \times 7 \times 6 \times 5}{4 \times 3 \times 2 \times 1} = 70$$

094 답 ④

X에서 Y로의 함수의 개수는 ${}_3\Pi_4 = 3^4 = 81$

집합 X의 임의의 두 원소 a, b에 대하여 $a<b$이면 $f(a) \leq f(b)$를 만족시키는 함수의 개수는
$$_3H_4 = {}_6C_4 = {}_6C_2 = \frac{6 \times 5}{2 \times 1} = 15$$

따라서 구하는 함수의 개수는 $81-15=66$

날선특강 함수의 개수

집합 $X = \{1, 2, 3, \cdots, r\}$에서 집합 $Y = \{1, 2, 3, \cdots, n\}$으로의 함수 중에서

(1) 일대일함수의 개수 ➡ 서로 다른 n개에서 r개를 택하는 순열의 수 ➡ ${}_nP_r$ (단, $n \geq r$)

(2) 함수의 개수 ➡ 서로 다른 n개에서 r개를 택하는 중복순열의 수 ➡ ${}_n\Pi_r$

(3) $a<b$이면 $f(a)<f(b)$를 만족시키는 함수 f의 개수
➡ 서로 다른 n개에서 r개를 택하는 조합의 수
➡ ${}_nC_r$ (단, $n \geq r$)

(4) $a<b$이면 $g(a) \leq g(b)$를 만족시키는 함수 g의 개수
➡ 서로 다른 n개에서 r개를 택하는 중복조합의 수
➡ ${}_nH_r$

실전! 기출 문제 정복하기

본책 19쪽~21쪽

095 답 ②

여학생 3명이 원탁에 둘러앉는 경우의 수는

$(3-1)!=2!$

이때 6명의 남학생이 여학생 사이에 앉아야 하고, 각각의 여학생 사이에 앉은 남학생의 수는 모두 다르므로 각각 1명, 2명, 3명이어야 한다.

따라서 각각의 여학생 사이에 앉는 남학생의 수를 정하는 경우의 수는 3!

마지막으로 남학생 6명을 6개의 자리에 배열해야 하므로 6!

따라서 구하는 경우의 수는 $2!\times3!\times6!$

이때 $2!\times3!\times6!=12\times6!$이므로 $n=12$

096 답 ③

서로 다른 9가지 색을 모두 사용하여 각 영역을 칠하는 경우의 수는 9!

이때 주어진 그림은 120°만큼 회전할 때마다 처음의 그림과 일치하므로 세 가지씩 서로 같은 경우이다.

따라서 구하는 경우의 수는 $\frac{9!}{3}$

097 답 90

서로 다른 6가지 색 중에서 한 가지 색을 A라 하면

(i) 색 A를 가로의 길이와 세로의 길이가 각각 2, 1인 면에 칠할 때

마주보는 면에 칠하는 색을 정하는 경우의 수는 5

두 밑면을 제외한 4개의 옆면을 칠하는 경우의 수는

$(4-1)!\times2=12$

즉, 구하는 경우의 수는 $5\times12=60$

(ii) 색 A를 가로의 길이와 세로의 길이가 각각 1, 1인 면에 칠할 때

마주보는 면에 칠하는 색을 정하는 경우의 수는 5

두 밑면을 제외한 4개의 옆면을 칠하는 경우의 수는

$(4-1)!=6$

즉, 구하는 경우의 수는 $5\times6=30$

(i), (ii)에서 구하는 경우의 수는 $60+30=90$

098 답 228

1, 2, 3, 4, 5의 숫자가 각각 하나씩 적힌 5장의 카드를 세 사람에게 남김없이 나누어 주는 경우의 수는 $3^5=243$

이때 카드에 적힌 숫자의 합이 13 이상이 되도록 나누어 주는 경우는 {1, 3, 4, 5}, {2}, { } 또는 {2, 3, 4, 5}, {1}, { } 또는 {1, 2, 3, 4, 5}, { }, { }를 각각 세 사람에게 나누어 주는 경우의 수는 $2\times3!+3=15$

따라서 구하는 경우의 수는

$243-15=228$

099 답 63

각각의 점은 튀어나오거나 그렇지 않은 2가지 경우이고 점자는 6개의 점으로 구성되어 있으므로 가능한 문자의 개수는

${}_2\Pi_6=2^6$

그런데 적어도 하나의 점은 튀어나와야 하므로 구하는 문자의 개수는 $64-1=63$

100 답 ②

a, b에서 중복을 허용하여 만들 수 있는 6자리 문자열의 개수는

${}_2\Pi_6=2^6=64$

이때 문자열에 포함된 a와 b의 개수가 서로 같은 경우의 수는 a, a, a, b, b, b를 일렬로 나열하는 경우와 같으므로

$\frac{6!}{3!\times3!}=20$

따라서 구하는 경우의 수는

$64-20=44$

101 답 ⑤

7개의 문자 a, a, b, b, c, c, c를 일렬로 나열한 경우의 수는

$\frac{7!}{2!\times2!\times3!}=210$

이때 문자 a끼리 이웃하도록 나열하는 경우의 수는 2개의 a를 한 문자 A라 하면 6개의 문자 A, b, b, c, c, c를 일렬로 나열하는 경우의 수와 같으므로

$\frac{6!}{2!\times3!}=60$

따라서 구하는 경우의 수는

$210-60=150$

102 답 840

짝수 2, 4, 6의 순서가 정해져 있으므로 2, 4, 6을 모두 A라 하면 1, 3, 5, 7, A, A, A를 일렬로 나열한 후 첫 번째 A는 6, 두 번째 A는 4, 세 번째 A는 2로 바꾸면 된다.

따라서 구하는 경우의 수는 $\frac{7!}{3!}=840$

103 답 ③

학교를 A, 문구점을 B, 집을 C, 공사 중인 교차로를 X라 하고 주어진 도로망을 강변길에 대하여 대칭이동하면 네 점 A, B, C, X의 대칭점은 차례로 A′, B′, C′, X′이므로 오른쪽 그림과 같다.

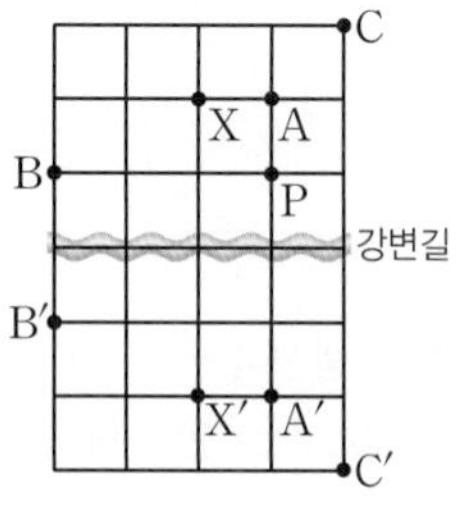

이때 구하는 경우의 수는 $A \to P \to B' \to C'$의 최단 거리로 이동하되 X′ 지점을 지나지 않는 경우의 수와 같다.

(i) $A \to P \to B' \to C'$으로 가는 경우의 수는

$$1 \times \frac{5!}{3! \times 2!} \times \frac{6!}{4! \times 2!} = 150$$

(ii) $A \to P \to B' \to X' \to C'$으로 가는 경우의 수는

$$1 \times \frac{5!}{3! \times 2!} \times \frac{3!}{2!} \times \frac{3!}{2!} = 90$$

(i), (ii)에서 구하는 경우의 수는

$150 - 90 = 60$

104 답 40

원의 접점을 연결해 직사각형으로 만들면 오른쪽 그림과 같다. 따라서 합의 법칙에 따라 각 지점에 도달할 수 있는 경우의 수를 구해 보면 A 지점에서 B 지점까지 최단 거리로 가는 경우의 수는 40이다.

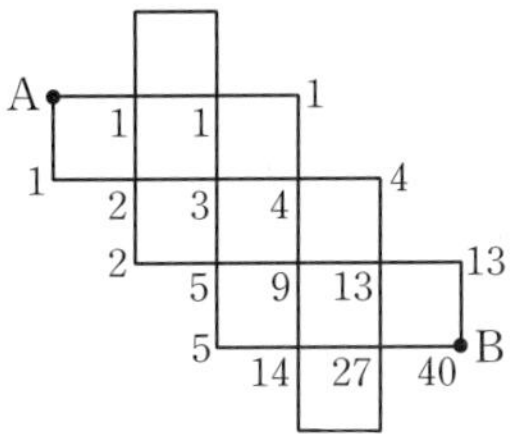

105 답 ①

x, y, z, w가 음이 아닌 정수이므로 $x+y+z+w \geq 0$

따라서 $x+y+z+w \leq 2$의 음이 아닌 정수해의 개수는 다음과 같다.

(i) $x+y+z+w=0$의 음이 아닌 정수해의 개수는

$\quad {}_4H_0 = {}_3C_0 = 1$

(ii) $x+y+z+w=1$의 음이 아닌 정수해의 개수는

$\quad {}_4H_1 = {}_4C_1 = 4$

(iii) $x+y+z+w=2$의 음이 아닌 정수해의 개수는

$$ {}_4H_2 = {}_5C_2 = \frac{5 \times 4}{2 \times 1} = 10$$

(i)~(iii)에서 구하는 순서쌍 (x, y, z, w)의 개수는

$1+4+10=15$

106 답 ②

네 명의 학생 A, B, C, D가 받은 초콜릿의 개수를 각각 a, b, c, d라 하면 구하는 경우의 수는 방정식 $a+b+c+d=8$을 만족시키는 자연수 a, b, c, d의 순서쌍의 개수와 같다.

각 학생은 적어도 1개의 초콜릿을 받아야 하므로

$a=a'+1,\ b=b'+1,\ c=c'+1,\ d=d'+1$이라 놓으면

$a'+b'+c'+d'=4$ (단, a', b', c', d'은 음이 아닌 정수)

즉, a', b', c', d' 중에서 중복을 허용하여 4개를 택하는 중복조합의 수와 같으므로

$${}_4H_4 = {}_7C_4 = {}_7C_3 = \frac{7 \times 6 \times 5}{3 \times 2 \times 1} = 35$$

이 중에서 $a=b$를 만족시키는 순서쌍의 개수는

(i) $a'=b'=0$일 때

$\quad c'+d'=4$의 음이 아닌 정수해의 개수는

$\quad {}_2H_4 = {}_5C_4 = {}_5C_1 = 5$

(ii) $a'=b'=1$일 때

$\quad c'+d'=2$의 음이 아닌 정수해의 개수는

$\quad {}_2H_2 = {}_3C_2 = {}_3C_1 = 3$

(iii) $a'=b'=2$일 때

$\quad c'+d'=0$의 음이 아닌 정수해의 개수는

$\quad {}_2H_0 = 1$

(i)~(iii)에서 구하는 순서쌍 (a', b', c', d')의 개수는

$$\frac{35-(5+3+1)}{2} = 13$$

107 답 120

3명의 사람이 의자에 앉는 경우의 수는 $3!=6$

3명의 사람이 앉은 의자를 ■로 나타내면 A ■ B ■ C ■ D

A, B, C, D 네 자리에 배치할 빈 의자의 개수를 각각 a, b, c, d라 하면

$a+b+c+d=7$ (단, $a \geq 0,\ b \geq 2,\ c \geq 2,\ d \geq 0$)

$b=b'+2,\ c=c'+2$로 놓으면

$a+b'+c'+d=3$ (단, a, b', c', d는 음이 아닌 정수)

즉, a, b', c', d 중에서 중복을 허용하여 3개를 택하는 중복조합의 수와 같으므로

$${}_4H_3 = {}_6C_3 = \frac{6 \times 5 \times 4}{3 \times 2 \times 1} = 20$$

따라서 구하는 경우의 수는

$6 \times 20 = 120$

108 답 120

단계 1 색의 일부 또는 전부를 사용하는 경우의 수 구하기

(i) 3가지 색이 사용된 경우

a, b, c에 사용될 색을 택하여 칠하는 경우의 수는

$$\frac{{}_5P_3}{2} = 30$$

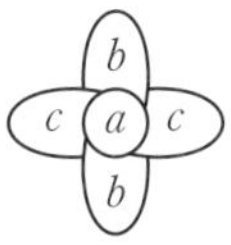

(ii) 4가지 색이 사용된 경우

a, b, c, d에 사용될 색을 택하여 칠하는 경우의 수는

$$\frac{{}_5P_4}{2} = 60$$

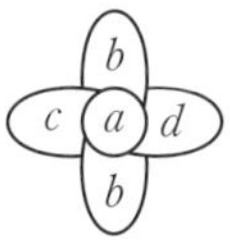

(iii) 5가지 색이 사용된 경우

a, b, c, d, e에 사용될 색을 택하여 칠하는 경우의 수는

$$\frac{{}_5P_5}{4} = 30$$ ······90%

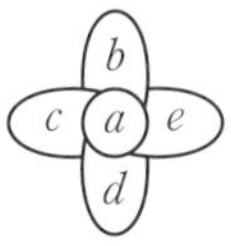

단계 2 전체의 경우의 수 구하기

(i)~(iii)에서 구하는 경우의 수는

$30+60+30=120$ ······10%

109 답 252

단계 1 조건을 단순화하여 나타내기

$f(a)\geq 2f(b)\geq 2^3f(c)\geq 2^6f(d)\geq 2^{10}f(e)$이므로
$f(a)=g(a)$, $2f(b)=g(b)$, $2^3f(c)=g(c)$, $2^6f(d)=g(d)$, $2^{10}f(e)=g(e)$로 놓으면
$g(a)\geq g(b)\geq g(c)\geq g(d)\geq g(e)$ … ㉠
이때 $2^1\leq f(x)\leq 2^{16}$ $(x=a, b, c, d, e)$이므로
$2^1\leq f(a)\leq 2^{16}$에서 $2^1\leq g(a)\leq 2^{16}$
$2^1\leq f(e)\leq 2^{16}$에서 $2^{11}\leq 2^{10}f(e)\leq 2^{26}$ $\therefore 2^{11}\leq g(e)\leq 2^{26}$
$\therefore 2^{11}\leq g(x)\leq 2^{16}$ $(x=a, b, c, d, e)$ … ㉡
㉠, ㉡에서 $Z=\{2^k|k$는 $11\leq k\leq 16$인 자연수$\}$라 할 때, 구하는 함수 f의 개수는 X에서 Z로의 함수 g 중에서 ㉠을 만족시키는 것의 개수와 같다. ……70%

단계 2 중복조합의 수를 이용하여 함수의 개수 구하기

구하는 함수의 개수는
$${}_6\mathrm{H}_5={}_{10}\mathrm{C}_5=\frac{10\times9\times8\times7\times6}{5\times4\times3\times2\times1}=252$$ ……30%

2 이항정리

본책 22쪽

110 답 $a^3+3a^2b+3ab^2+b^3$

$(a+b)^3={}_3\mathrm{C}_0a^3+{}_3\mathrm{C}_1a^2b+{}_3\mathrm{C}_2ab^2+{}_3\mathrm{C}_3b^3$
$=a^3+3a^2b+3ab^2+b^3$

111 답 $x^5-10x^4+40x^3-80x^2+80x-32$

$(x-2)^5={}_5\mathrm{C}_0x^5+{}_5\mathrm{C}_1x^4(-2)+{}_5\mathrm{C}_2x^3(-2)^2$
$+{}_5\mathrm{C}_3x^2(-2)^3+{}_5\mathrm{C}_4x(-2)^4+{}_5\mathrm{C}_5(-2)^5$
$=x^5-10x^4+40x^3-80x^2+80x-32$

112 답 -160

$(4-a)^5$의 전개식의 일반항은
${}_5\mathrm{C}_r4^r(-a)^{5-r}={}_5\mathrm{C}_r4^r(-1)^{5-r}a^{5-r}$
$a^{5-r}=a^3$에서 $5-r=3$ $\therefore r=2$
따라서 a^3의 계수는 ${}_5\mathrm{C}_2\times4^2\times(-1)^3=-160$

113 답 24

$(x+2y)^4$의 전개식의 일반항은
${}_4\mathrm{C}_rx^r(2y)^{4-r}={}_4\mathrm{C}_r2^{4-r}x^ry^{4-r}$
$x^ry^{4-r}=x^2y^2$에서 $r=2$
따라서 x^2y^2의 계수는 ${}_4\mathrm{C}_2\times2^2=24$

114 답 128

${}_7\mathrm{C}_0+{}_7\mathrm{C}_1+{}_7\mathrm{C}_2+{}_7\mathrm{C}_3+{}_7\mathrm{C}_4+{}_7\mathrm{C}_5+{}_7\mathrm{C}_6+{}_7\mathrm{C}_7=2^7=128$

115 답 0

${}_7\mathrm{C}_0-{}_7\mathrm{C}_1+{}_7\mathrm{C}_2-{}_7\mathrm{C}_3+{}_7\mathrm{C}_4-{}_7\mathrm{C}_5+{}_7\mathrm{C}_6-{}_7\mathrm{C}_7=0$

116 답 64

${}_7\mathrm{C}_1+{}_7\mathrm{C}_3+{}_7\mathrm{C}_5+{}_7\mathrm{C}_7=2^{7-1}=2^6=64$

117 답 0

${}_7\mathrm{C}_0+{}_7\mathrm{C}_1+{}_7\mathrm{C}_2+{}_7\mathrm{C}_3-{}_7\mathrm{C}_4-{}_7\mathrm{C}_5-{}_7\mathrm{C}_6-{}_7\mathrm{C}_7$
$=({}_7\mathrm{C}_0-{}_7\mathrm{C}_7)+({}_7\mathrm{C}_1-{}_7\mathrm{C}_6)+({}_7\mathrm{C}_2-{}_7\mathrm{C}_5)+({}_7\mathrm{C}_3-{}_7\mathrm{C}_4)$
$=0+0+0+0=0$

118 답 $a^4+4a^3b+6a^2b^2+4ab^3+b^4$

주어진 파스칼의 삼각형에서
$(a+b)^4=a^4+4a^3b+6a^2b^2+4ab^3+b^4$

119 답 $x^6-6x^5y+15x^4y^2-20x^3y^3+15x^2y^4-6xy^5+y^6$

주어진 파스칼의 삼각형에서

$$(x-y)^6=x^6+6x^5(-y)+15x^4(-y)^2+20x^3(-y)^3+15x^2(-y)^4+6x(-y)^5+(-y)^6$$
$$=x^6-6x^5y+15x^4y^2-20x^3y^3+15x^2y^4-6xy^5+y^6$$

120 답 ${}_5C_3$

${}_{n-1}C_{r-1}+{}_{n-1}C_r={}_nC_r$이므로

${}_4C_2+{}_4C_3={}_5C_3$

121 답 ${}_9C_3$

${}_{n-1}C_{r-1}+{}_{n-1}C_r={}_nC_r$이므로

${}_7C_2+{}_7C_3+{}_8C_2={}_8C_3+{}_8C_2={}_9C_3$

122 답 ${}_9C_3$

${}_{n-1}C_{r-1}+{}_{n-1}C_r={}_nC_r$이므로

$${}_6C_0+{}_6C_1+{}_7C_2+{}_8C_3={}_7C_1+{}_7C_2+{}_8C_3$$
$$={}_8C_2+{}_8C_3={}_9C_3$$

도전! 유형 연습하기

본책 23쪽~25쪽

123 답 ②

단계 1 이항정리를 이용하여 일반항 구하기

$(x+a)^6$의 전개식의 일반항은

${}_6C_rx^{6-r}a^r={}_6C_ra^rx^{6-r}$

단계 2 조건에 따라 적절한 r의 값 구하기

$x^{6-r}=x^4$에서 $r=2$

즉, x^4의 계수는 ${}_6C_2a^2=15a^2$

$x^{6-r}=x^5$에서 $r=1$

즉, x^5의 계수는 ${}_6C_1a^1=6a$

단계 3 a의 값 구하기

$15a^2=6a$이므로 $15a^2-6a=0$, $3a(5a-2)=0$

$\therefore a=\frac{2}{5}$ ($\because a\neq0$)

124 답 ④

$(1+x)^2$의 전개식에는 x^3항이 없다.

$(1+x)^4$의 전개식에서 x^3의 계수는 ${}_4C_3=4$

$(1+x)^6$의 전개식에서 x^3의 계수는 ${}_6C_3=20$

따라서 $(1+x)^2+(1+x)^4+(1+x)^6$의 전개식에서 x^3의 계수는

$4+20=24$

125 답 ②

$\left(x^2+\frac{k}{x}\right)^5$의 전개식의 일반항은

${}_5C_r(x^2)^{5-r}\left(\frac{k}{x}\right)^r={}_5C_rk^rx^{10-3r}$

$x^{10-3r}=x^4$에서 $10-3r=4$ $\quad\therefore r=2$

이때 x^4의 계수가 160이므로

${}_5C_2k^2=160$에서 $10k^2=160$

$\therefore k=4$ ($\because k>0$)

126 답 3

$(\sqrt{2}x+\sqrt[3]{2})^{15}$의 전개식의 일반항은

$${}_{15}C_r(\sqrt{2}x)^{15-r}(\sqrt[3]{2})^r={}_{15}C_r2^{\frac{15-r}{2}+\frac{r}{3}}x^{15-r}$$
$$={}_{15}C_r2^{\frac{45-r}{6}}x^{15-r}\ (r=0,\ 1,\ 2,\ \cdots,\ 15)$$

이때 계수가 유리수이려면 $\frac{45-r}{6}$의 값이 정수이어야 하므로

$r=3,\ 9,\ 15$

따라서 $(\sqrt{2}x+\sqrt[3]{2})^{15}$의 전개식에서 계수가 유리수인 항은

x^{12}, x^6, 상수항이므로 $n=3$

127 답 ⑤

단계 1 $(x-1)^3(x+2)^4$의 전개식의 일반항 구하기

$(x-1)^3$의 전개식의 일반항은 ${}_3C_rx^{3-r}(-1)^r$

$(x+2)^4$의 전개식의 일반항은 ${}_4C_sx^{4-s}2^s$

따라서 $(x-1)^3(x+2)^4$의 전개식의 일반항은

${}_3C_rx^{3-r}(-1)^r\times{}_4C_sx^{4-s}2^s$

$={}_3C_r\times{}_4C_s(-1)^r2^sx^{7-r-s}$

단계 2 x^5의 동류항을 모두 더하여 계수 구하기

$r+s=2$를 만족시키는 r, s의 순서쌍 $(r,\ s)$는

$(0,\ 2)$, $(1,\ 1)$, $(2,\ 0)$

따라서 구하는 x^5의 계수는

$${}_3C_0\times{}_4C_2\times(-1)^0\times2^2+{}_3C_1\times{}_4C_1\times(-1)^1\times2^1+{}_3C_2\times{}_4C_0\times(-1)^2\times2^0$$

$=24-24+3=3$

128 답 2

$(x-a)^3$의 전개식의 일반항은

${}_3C_rx^{3-r}(-a)^r={}_3C_r(-a)^rx^{3-r}$

$(x+2)^4$의 전개식의 일반항은

${}_4C_sx^{4-s}2^s={}_4C_s2^sx^{4-s}$

따라서 $(x-a)^3(x+2)^4$의 전개식의 일반항은

${}_3C_r(-a)^rx^{3-r}\times{}_4C_s2^sx^{4-s}={}_3C_r\times{}_4C_s(-a)^r2^sx^{7-r-s}$

$x^{7-r-s}=x$에서 $r+s=6$

이때 r, s는 $0\le r\le3$, $0\le s\le4$인 정수이므로 r, s의 순서쌍

$(r,\ s)$는 $(2,\ 4)$, $(3,\ 3)$

x의 계수가 -64이므로

${}_3C_2\times{}_4C_4\times(-a)^2\times2^4+{}_3C_3\times{}_4C_3\times(-a)^3\times2^3=-64$

$3\times a^2\times16+4\times(-a^3)\times8=-64$

$32a^3-48a^2-64=0,\ 2a^3-3a^2-4=0$

$(a-2)(2a^2+a+2)=0$

$\therefore a=2$ ($\because a$는 실수)

129 답 ⑤

단계 1 이항계수의 합에서 규칙성을 찾아 식을 정리하기

색칠한 부분의 모든 수의 합은

$({}_2C_1+{}_3C_1+{}_4C_1+\cdots+{}_{10}C_1)+({}_2C_2+{}_3C_2+{}_4C_2+\cdots+{}_{10}C_2)$

$=({}_1C_1+{}_2C_1+{}_3C_1+\cdots+{}_{10}C_1)+({}_2C_2+{}_3C_2+\cdots+{}_{10}C_2)-{}_1C_1$

$=({}_2C_2+{}_2C_1+{}_3C_1+\cdots+{}_{10}C_1)+({}_3C_3+{}_3C_2+\cdots+{}_{10}C_2)-{}_1C_1$

$=({}_3C_2+{}_3C_1+\cdots+{}_{10}C_1)+({}_4C_3+{}_4C_2+\cdots+{}_{10}C_2)-{}_1C_1$

$=({}_4C_2+{}_4C_1+\cdots+{}_{10}C_1)+({}_5C_3+{}_5C_2+\cdots+{}_{10}C_2)-{}_1C_1$

$\vdots$

$={}_{11}C_2+{}_{11}C_3-1={}_{12}C_3-1$

$=220-1=219$

130 답 ③

${}_{10}C_1+{}_{11}C_2+{}_{12}C_3+{}_{13}C_4+\cdots+{}_{99}C_{90}$

$={}_{10}C_0+{}_{10}C_1+{}_{11}C_2+{}_{12}C_3+\cdots+{}_{99}C_{90}-1$

$={}_{11}C_1+{}_{11}C_2+{}_{12}C_3+\cdots+{}_{99}C_{90}-1$

$={}_{12}C_2+{}_{12}C_3+\cdots+{}_{99}C_{90}-1$

$\vdots$

$={}_{99}C_{89}+{}_{99}C_{90}-1$

$={}_{100}C_{90}-1$

131 답 210

$(1+x)^n$의 전개식의 일반항은 ${}_nC_rx^r$이고

$3\le n\le9$인 경우에 x^3항이 나오므로

$(1+x)^3$의 전개식에서 x^3의 계수는 ${}_3C_3$

$(1+x)^4$의 전개식에서 x^3의 계수는 ${}_4C_3$

$\vdots$

$(1+x)^9$의 전개식에서 x^3의 계수는 ${}_9C_3$

따라서 구하는 x^3의 계수는

${}_3C_3+{}_4C_3+{}_5C_3+{}_6C_3+{}_7C_3+{}_8C_3+{}_9C_3$

$={}_4C_4+{}_4C_3+{}_5C_3+{}_6C_3+{}_7C_3+{}_8C_3+{}_9C_3$

$={}_5C_4+{}_5C_3+{}_6C_3+{}_7C_3+{}_8C_3+{}_9C_3$

$={}_6C_4+{}_6C_3+{}_7C_3+{}_8C_3+{}_9C_3$

$\vdots$

$={}_{10}C_4=210$

다른 풀이

첫째항이 $1+x$, 공비가 $1+x$인 등비수열의 합을 이용하면

$(1+x)+(1+x)^2+\cdots+(1+x)^9$

$=\dfrac{(1+x)\{(x+1)^9-1\}}{(1+x)-1}$

$=\dfrac{(1+x)^{10}-(1+x)}{x}$

이때 x^3의 계수는 $(1+x)^{10}$의 전개식에서 x^4의 계수와 같다.

따라서 구하는 값은 ${}_{10}C_4=210$

날선 특강 등비수열의 합

첫째항이 a, 공비가 $r\,(r\ne1)$인 등비수열의 첫째항부터 제 n항까지의 합을 S_n이라 하면

$S_n=\dfrac{a(1-r^n)}{1-r}=\dfrac{a(r^n-1)}{r-1}$

132 답 ③

단계 1 이항계수의 성질을 이용하여 주어진 식을 간단히 하기

${}_nC_1+{}_nC_2+{}_nC_3+\cdots+{}_nC_n$

$=({}_nC_0+{}_nC_1+{}_nC_2+{}_nC_3+\cdots+{}_nC_n)-{}_nC_0$

$=2^n-1$

단계 2 부등식 풀기

즉, 주어진 부등식은 $1024\le2^n-1\le2048$

$\therefore 1025\le2^n\le2049$

이때 $2^{10}=1024,\ 2^{11}=2048,\ 2^{12}=4096$이므로 $n=11$

133 답 ③

집합 $A=\{1, 2, 3, \cdots, 9, 10\}$의 부분집합 중에서

원소의 개수가 1인 것의 개수는 ${}_{10}C_1$

원소의 개수가 3인 것의 개수는 ${}_{10}C_3$

$\vdots$

원소의 개수가 9인 것의 개수는 ${}_{10}C_9$

따라서 원소의 개수가 홀수인 부분집합의 개수는

${}_{10}C_1+{}_{10}C_3+{}_{10}C_5+{}_{10}C_7+{}_{10}C_9=2^{10-1}=2^9=512$

134 답 ③

${}_1C_0+{}_1C_1=2^1$

${}_2C_0+{}_2C_1+{}_2C_2=2^2$

${}_3C_0+{}_3C_1+{}_3C_2+{}_3C_3=2^3$

${}_4C_0+{}_4C_1+{}_4C_2+{}_4C_3+{}_4C_4=2^4$

${}_5C_0+{}_5C_1+{}_5C_2+{}_5C_3+{}_5C_4+{}_5C_5=2^5$

따라서 구하는 수의 합은

$1+2^1+2^2+2^3+2^4+2^5=63$

135 답 ⑤

${}_nC_r={}_nC_{n-r}$이므로

${}_8C_0={}_8C_8$에서 ${}_8C_0+9\times{}_8C_8=5\times{}_8C_0+5\times{}_8C_8$

${}_8C_1={}_8C_7$에서 $2\times{}_8C_1+8\times{}_8C_7=5\times{}_8C_1+5\times{}_8C_7$

$\vdots$

따라서 구하는 값은

${}_8C_0+2\times{}_8C_1+3\times{}_8C_2+4\times{}_8C_3+\cdots+9\times{}_8C_8$

$=5({}_8C_0+{}_8C_1+{}_8C_2+{}_8C_3+\cdots+{}_8C_8)$

$=5\times2^8=1280$

다른 풀이

$r{}_nC_r=n{}_{n-1}C_{r-1}$이므로

${}_8C_0+2\times{}_8C_1+3\times{}_8C_2+4\times{}_8C_3+\cdots+9\times{}_8C_8$

$=({}_8C_0+{}_8C_1+{}_8C_2+\cdots+{}_8C_8)+({}_8C_1+2\times{}_8C_2+\cdots+8\times{}_8C_8)$

$=({}_8C_0+{}_8C_1+{}_8C_2+\cdots+{}_8C_8)+8({}_7C_0+{}_7C_1+\cdots+{}_7C_7)$

$=2^8+8\times2^7=2^7(2+8)$

$=128\times10=1280$

136 답 ③

자신을 제외한 7명 중에서 1명, 2명, …, 7명을 택하는 경우의 수의 합과 같으므로

${}_7C_1+{}_7C_2+{}_7C_3+{}_7C_4+{}_7C_5+{}_7C_6+{}_7C_7$

$=({}_7C_0+{}_7C_1+{}_7C_2+{}_7C_3+{}_7C_4+{}_7C_5+{}_7C_6+{}_7C_7)-{}_7C_0$

$=2^7-1=127$

137 답 ③

단계 1 이항정리를 이용하여 $(1+x)^{10}$의 전개식 구하기

$(1+x)^{10}={}_{10}C_0+{}_{10}C_1x+{}_{10}C_2x^2+\cdots+{}_{10}C_{10}x^{10}$

단계 2 x의 값에 적절한 수를 대입하여 정리하기

위 식의 양변에 $x=9$를 대입하면

$(1+9)^{10}={}_{10}C_0+9\times{}_{10}C_1+9^2\times{}_{10}C_2+\cdots+9^{10}\times{}_{10}C_{10}$

$10^{10}={}_{10}C_0+3^2\times{}_{10}C_1+3^4\times{}_{10}C_2+\cdots+3^{20}\times{}_{10}C_{10}$

따라서 구하는 식의 값은 10^{10}이다.

138 답 ①

$f(x)={}_{10}C_x\left(\frac{3}{4}\right)^x\left(\frac{5}{4}\right)^{10-x}$이므로

$f(0)-f(1)+f(2)-f(3)+\cdots+f(10)$

$={}_{10}C_0\left(\frac{3}{4}\right)^0\left(\frac{5}{4}\right)^{10}-{}_{10}C_1\left(\frac{3}{4}\right)^1\left(\frac{5}{4}\right)^9+{}_{10}C_2\left(\frac{3}{4}\right)^2\left(\frac{5}{4}\right)^8$

$-{}_{10}C_3\left(\frac{3}{4}\right)^3\left(\frac{5}{4}\right)^7+\cdots+{}_{10}C_{10}\left(\frac{3}{4}\right)^{10}\left(\frac{5}{4}\right)^0$

$={}_{10}C_0\left(-\frac{3}{4}\right)^0\left(\frac{5}{4}\right)^{10}+{}_{10}C_1\left(-\frac{3}{4}\right)^1\left(\frac{5}{4}\right)^9+{}_{10}C_2\left(-\frac{3}{4}\right)^2\left(\frac{5}{4}\right)^8$

$+{}_{10}C_3\left(-\frac{3}{4}\right)^3\left(\frac{5}{4}\right)^7+\cdots+{}_{10}C_{10}\left(-\frac{3}{4}\right)^{10}\left(\frac{5}{4}\right)^0$

$=\left(-\frac{3}{4}+\frac{5}{4}\right)^{10}=\left(\frac{1}{2}\right)^{10}=\frac{1}{1024}$

139 답 201

$(1+x)^{20}={}_{20}C_0+{}_{20}C_1x+{}_{20}C_2x^2+\cdots+{}_{20}C_{20}x^{20}$

위 식의 양변에 $x=10$을 대입하면

$11^{20}={}_{20}C_0+{}_{20}C_1\times10+{}_{20}C_2\times10^2+\cdots+{}_{20}C_{20}\times10^{20}$

$=1+200+19000+1000({}_{20}C_3+\cdots+{}_{20}C_{20}\times10^{17})$

$=201+1000(19+{}_{20}C_3+\cdots+{}_{20}C_{20}\times10^{17})$

따라서 11^{20}을 1000으로 나눈 나머지는 201이다.

140 답 ②

$(1+x)^{10}(1+x)^{10}=(1+x)^{20}$의 전개식에서

좌변과 우변의 $x^{\boxed{10}}$의 계수를 비교해 보자.

$(1+x)^{10}$의 전개식의 일반항은 ${}_{10}C_r1^{10-r}x^r={}_{10}C_rx^r$이므로

좌변의 일반항은 ${}_{10}C_rx^r\times{}_{10}C_sx^s={}_{10}C_r\times{}_{10}C_sx^{r+s}$

(단, $r=0, 1, 2, \cdots, 10$, $s=0, 1, 2, \cdots, 10$)

$r+s=\boxed{10}$을 만족시키는 r, s의 값을 각각 대입하면

$x^{\boxed{10}}$의 계수는

${}_{10}C_0\times{}_{10}C_{10}+{}_{10}C_1\times{}_{10}C_9+{}_{10}C_2\times{}_{10}C_8+\cdots+{}_{10}C_{10}\times{}_{10}C_0$

$={}_{10}C_0\times{}_{10}C_0+{}_{10}C_1\times{}_{10}C_1+{}_{10}C_2\times{}_{10}C_2+\cdots+{}_{10}C_{10}\times{}_{10}C_{10}$

$=({}_{10}C_0)^2+({}_{10}C_1)^2+({}_{10}C_2)^2+\cdots+({}_{10}C_{10})^2$

또한, 우변의 전개식에서 $x^{\boxed{10}}$의 계수는 $\boxed{{}_{20}C_{10}}$

$\therefore ({}_{10}C_0)^2+({}_{10}C_1)^2+({}_{10}C_2)^2+\cdots+({}_{10}C_{10})^2=\boxed{{}_{20}C_{10}}$

$\therefore$ (가) : 10, (나) : ${}_{20}C_{10}$

실전! 기출 문제 정복하기

본책 26쪽~27쪽

141 답 ②

$(1+x)^7$의 전개식의 일반항은 ${}_7C_rx^r$

$x^r=x^4$에서 $r=4$

따라서 x^4의 계수는 ${}_7C_4={}_7C_3=\frac{7\times6\times5}{3\times2\times1}=35$

142 답 64

$\left(4x+\frac{1}{2x^2}\right)^n$ $(n=2, 3, 4, 5)$의 전개식의 일반항은

${}_nC_r(4x)^{n-r}\left(\frac{1}{2x^2}\right)^r={}_nC_r2^{2n-3r}x^{n-3r}$

$x^{n-3r}=x^3$에서 $n-3r=3$ $\quad\therefore n=3(r+1)$ $\quad\cdots$ ㉠

즉, n은 3의 배수이므로 $\left(4x+\frac{1}{2x^2}\right)^n$의 전개식에서 x^3항이 존재하는 것은 $n=3$

$n=3$을 ㉠에 대입하면 $r=0$

따라서 구하는 x^3의 계수는 ${}_3C_0 2^6=64$

143 답 ③

색칠한 부분의 모든 수의 합은

${}_5C_1+{}_5C_2+{}_6C_3+{}_7C_4+{}_8C_5$

$={}_6C_2+{}_6C_3+{}_7C_4+{}_8C_5$

$={}_7C_3+{}_7C_4+{}_8C_5$

$={}_8C_4+{}_8C_5$

$={}_9C_5$

$={}_9C_4$

144 답 ③

$(2+x)^8={}_8C_0 2^8+{}_8C_1 2^7 x+{}_8C_2 2^6 x^2+\cdots+{}_8C_8 x^8$

위 식의 양변에 $x=30$을 대입하면

$32^8={}_8C_0\times2^8+{}_8C_1\times2^7\times30+{}_8C_2\times2^6\times30^2+\cdots+{}_8C_8\times30^8$

$=256+120({}_8C_1\times2^5+{}_8C_2\times2^4\times30+\cdots+{}_8C_8\times15^2\times30^5)$

$=16+120(2+{}_8C_1\times2^5+{}_8C_2\times2^4\times30+\cdots+{}_8C_8\times15^2\times30^5)$

따라서 32^8을 120으로 나눈 나머지는 16이다.

145 답 ②

$a+b+c+d<13$에서

$a=a'+1$, $b=b'+1$, $c=c'+1$, $d=d'+1$이라 놓으면

$a'+b'+c'+d'<9$ (a', b', c', d'은 음이 아닌 정수)

$a'+b'+c'+d'=0$의 음이 아닌 정수해의 개수는 ${}_4H_0={}_3C_0$

$a'+b'+c'+d'=1$의 음이 아닌 정수해의 개수는 ${}_4H_1={}_4C_1$

$a'+b'+c'+d'=2$의 음이 아닌 정수해의 개수는 ${}_4H_2={}_5C_2$

⋮

$a'+b'+c'+d'=8$의 음이 아닌 정수해의 개수는 ${}_4H_8={}_{11}C_8$

따라서 구하는 순서쌍의 개수는

${}_3C_0+{}_4C_1+{}_5C_2+\cdots+{}_{11}C_8$

$={}_4C_0+{}_4C_1+{}_5C_2+\cdots+{}_{11}C_8$

$={}_5C_1+{}_5C_2+\cdots+{}_{11}C_8$

$={}_6C_2+\cdots+{}_{11}C_8$

$={}_{12}C_8={}_{12}C_4=\dfrac{12\times11\times10\times9}{4\times3\times2\times1}=495$

146 답 ④

${}_1H_n+{}_2H_{n-1}+{}_3H_{n-2}+\cdots+{}_{n+1}H_0$

$={}_nC_n+{}_nC_{n-1}+{}_nC_{n-2}+\cdots+{}_nC_0=2^n$

$2^n>1024$, 즉 $2^n>2^{10}$

따라서 구하는 자연수 n의 최솟값은 11이다.

147 답 ①

$N=111^5+4\times111^4+6\times111^3+4\times111^2+111$

$=111(111^4+4\times111^3+6\times111^2+4\times111+1)$

$=111({}_4C_0\times111^4+{}_4C_1\times111^3+{}_4C_2\times111^2+{}_4C_3\times111+{}_4C_4)$

$=111(111+1)^4=111\times112^4$

$=(3\times37)\times(2^4\times7)^4$

$=2^{16}\times3\times7^4\times37$

따라서 구하는 약수의 개수는

$(16+1)(1+1)(4+1)(1+1)=340$

148 답 54

단계 1 주어진 다항식의 전개식에서 일반항 구하기

$\left(3x^2+\dfrac{1}{x^7}\right)^n$의 전개식의 일반항은

${}_nC_r(3x^2)^{n-r}\left(\dfrac{1}{x^7}\right)^r={}_nC_r 3^{n-r}x^{2n-9r}$ ……20%

단계 2 조건을 만족시키는 자연수 n, r의 값 구하기

$\dfrac{1}{x^{10}}$항이 존재하므로 $x^{2n-9r}=x^{-10}$에서

$2n-9r=-10$ ∴ $9r=2(n+5)$

즉, $9r$는 2의 배수이므로 조건을 만족시키는 자연수 n이 최소인 경우는 $r=2$

$18=2(n+5)$에서 $n=4$ ……60%

단계 3 $\dfrac{1}{x^{10}}$의 계수 구하기

구하는 $\dfrac{1}{x^{10}}$의 계수는

${}_4C_2 3^2=54$ ……20%

149 답 1

단계 1 이항정리를 이용하여 각 항의 계수 구하기

$x-1=t$라 하면

$1+(t+1)+(t+1)^2+\cdots+(t+1)^7=a_0+a_1t+\cdots+a_7t^7$

좌변과 우변의 각 항의 계수를 비교하면

상수항은 $a_0=8={}_8C_1$

t의 계수는 $a_1={}_1C_1+{}_2C_1+{}_3C_1+\cdots+{}_7C_1={}_8C_2$

t^2의 계수는 $a_2={}_2C_2+{}_3C_2+{}_4C_2+\cdots+{}_7C_2={}_8C_3$

⋮

t^7의 계수는 $a_7={}_7C_7={}_8C_8$ ……50%

단계 2 이항계수의 성질을 이용하여 식의 값 구하기

$a_0-a_1+a_2-a_3+\cdots-a_7$

$={}_8C_1-{}_8C_2+{}_8C_3-{}_8C_4+\cdots-{}_8C_8$

$=-({}_8C_0-{}_8C_1+{}_8C_2-{}_8C_3+\cdots+{}_8C_8)+{}_8C_0$

$=0+1$

$=1$ ……50%

Ⅱ. 확률

1 확률의 뜻과 활용

➔ 본책 30쪽~32쪽

150 답 $\{1, 2, 3, 4\}$

151 답 $\{1\}, \{2\}, \{3\}, \{4\}$

152 답 $\{1, 3\}$

153 답 $\{1, 2, 3, 4\}$

154 답 $\{2, 3\}$

155 답 $\{4\}$

156 답 ○

157 답 ○

158 답 ○

159 답 ×

160 답 ○

$(A\cap B)\cap(A\cap B^C)=A\cap(B\cap B^C)=\varnothing$

161 답 ○

$(A\cup B)\cap(A^C\cap B^C)=(A\cup B)\cap(A\cup B)^C=\varnothing$

162 답 $\frac{1}{2}$

$A=\{2, 4, 6\}$이므로

$\mathrm{P}(A)=\frac{3}{6}=\frac{1}{2}$

163 답 $\frac{2}{3}$

$B=\{1, 2, 3, 6\}$이므로

$\mathrm{P}(B)=\frac{4}{6}=\frac{2}{3}$

164 답 $\frac{1}{2}$

$C=\{2, 3, 5\}$이므로

$\mathrm{P}(C)=\frac{3}{6}=\frac{1}{2}$

[165 ~ 167]

서로 다른 두 개의 주사위를 동시에 던질 때, 모든 경우의 수는

$6\times6=36$

165 답 $\frac{1}{6}$

나오는 두 눈의 수가 같은 경우는

$(1, 1), (2, 2), (3, 3), (4, 4), (5, 5), (6, 6)$의 6가지

따라서 구하는 확률은 $\frac{6}{36}=\frac{1}{6}$

166 답 $\frac{5}{36}$

나오는 두 눈의 수의 합이 8인 경우는

$(2, 6), (3, 5), (4, 4), (5, 3), (6, 2)$의 5가지

따라서 구하는 확률은 $\frac{5}{36}$

167 답 $\frac{1}{18}$

나오는 두 눈의 수의 차가 5인 경우는

$(1, 6), (6, 1)$의 2가지

따라서 구하는 확률은 $\frac{2}{36}=\frac{1}{18}$

168 답 $\frac{4}{45}$

10장의 카드 중에서 임의로 2장의 카드를 동시에 뽑는 경우의 수는 ${}_{10}\mathrm{C}_2=45$

뽑힌 카드에 적힌 수의 곱이 소수일 경우의 수는

$(1, 2), (1, 3), (1, 5), (1, 7)$의 4가지

따라서 구하는 확률은 $\frac{4}{45}$

169 답 $\frac{3}{5}$

$\frac{600}{1000}=\frac{3}{5}$

170 답 $\frac{9}{10}$

$\frac{900}{1000}=\frac{9}{10}$

171 답 $\frac{1}{8}$

$\frac{50}{400}=\frac{1}{8}$

172 답 $\frac{3}{8}$

$\frac{30}{400}+\frac{120}{400}=\frac{3}{8}$

173 답 $\frac{1}{2}$

$\frac{30}{400}+\frac{120}{400}+\frac{50}{400}=\frac{200}{400}=\frac{1}{2}$

174 답 ㄱ, ㄴ, ㄷ, ㅁ, ㅂ

175 답 0

두 눈의 수의 합의 최댓값은 12이다. 따라서 두 눈의 수의 합이 16인 사건은 절대로 일어나지 않으므로 구하는 확률은 0이다.

176 답 1

두 눈의 수의 곱의 최댓값은 36이다. 따라서 두 눈의 수의 곱이 40 이하인 사건은 반드시 일어나므로 구하는 확률은 1이다.

177 답 $\frac{3}{4}$

$$\begin{aligned}\mathrm{P}(A\cup B)&=\mathrm{P}(A)+\mathrm{P}(B)-\mathrm{P}(A\cap B)\\&=\frac{1}{2}+\frac{1}{2}-\frac{1}{4}\\&=\frac{3}{4}\end{aligned}$$

178 답 $\frac{1}{6}$

$$\begin{aligned}\mathrm{P}(A\cap B)&=\mathrm{P}(A)+\mathrm{P}(B)-\mathrm{P}(A\cup B)\\&=\frac{1}{3}+\frac{1}{3}-\frac{1}{2}\\&=\frac{1}{6}\end{aligned}$$

179 답 0.77

두 사건 A, B가 서로 배반사건이므로

$\mathrm{P}(A\cup B)=\mathrm{P}(A)+\mathrm{P}(B)$에서

$0.89=0.12+\mathrm{P}(B)$ $\quad\therefore \mathrm{P}(B)=0.77$

[180 ~ 185]

표본공간을 S라 하면 $S=\{1, 2, 3, \cdots, 20\}$

$A=\{2, 4, 6, 8, 10, 12, 14, 16, 18, 20\}$

$B=\{2, 3, 5, 7, 11, 13, 17, 19\}$

180 답 $\frac{1}{2}$

$\mathrm{P}(A)=\frac{10}{20}=\frac{1}{2}$

181 답 $\frac{2}{5}$

$\mathrm{P}(B)=\frac{8}{20}=\frac{2}{5}$

182 답 $\frac{1}{20}$

$A\cap B=\{2\}$이므로 $\mathrm{P}(A\cap B)=\frac{1}{20}$

183 답 $\frac{17}{20}$

$$\begin{aligned}\mathrm{P}(A\cup B)&=\mathrm{P}(A)+\mathrm{P}(B)-\mathrm{P}(A\cap B)\\&=\frac{1}{2}+\frac{2}{5}-\frac{1}{20}=\frac{17}{20}\end{aligned}$$

184 답 $\frac{1}{2}$

$\mathrm{P}(A^C)=1-\mathrm{P}(A)=1-\frac{1}{2}=\frac{1}{2}$

185 답 $\frac{3}{5}$

$\mathrm{P}(B^C)=1-\mathrm{P}(B)=1-\frac{2}{5}=\frac{3}{5}$

186 답 $\frac{7}{8}$

적어도 한 개는 뒷면이 나오는 사건을 A라 하면

A^C는 동전 3개가 모두 앞면이 나오는 사건이다.

동전 3개가 모두 앞면이 나올 확률은 $\mathrm{P}(A^C)=\frac{1}{8}$

따라서 적어도 한 개는 뒷면이 나올 확률은

$\mathrm{P}(A)=1-\mathrm{P}(A^C)=1-\frac{1}{8}=\frac{7}{8}$

도전! 유형 연습하기

본책 33쪽~40쪽

187 답 ⑤

단계 1 집합 기호를 이용하여 사건을 나타낸 후 판단하기

⑤ $A^C\cup B^C\cup C^C=(A\cap B\cap C)^C$이고,

$A\cap B\cap C=\{7\}$이므로

$A^C \cup B^C \cup C^C = \{1, 2, 3, 4, 5, 6, 8, 9, 10\}$

$\therefore A^C \cup B^C \cup C^C \neq S$ (거짓)

따라서 옳지 않은 것은 ⑤이다.

188 답 ③

$S = \{\varnothing, \{a\}, \{b\}, \{c\}, \{a, b\}, \{a, c\}, \{b, c\}, \{a, b, c\}\}$이므로

ㄱ. $n(S) = 8$ (참)

ㄴ. $\{a, c\} \in S$, $\{a, c\} \not\subset S$ (거짓)

ㄷ. $\varnothing \in S$ (참)

따라서 옳은 것은 ㄱ, ㄷ이다.

189 답 23

표본공간을 S라 하면 $S = \{1, 2, 3, \cdots, 10\}$

$A = \{2, 3, 5, 7\}$, $B = \{3, 6, 9\}$이므로

$A \cup B = \{2, 3, 5, 6, 7, 9\}$

$\therefore (A \cup B)^C = \{1, 4, 8, 10\}$

따라서 구하는 모든 원소의 합은

$1 + 4 + 8 + 10 = 23$

190 답 ③

단계 1 세 사건의 원소 구하기

$A = \{6, 21, 36, 51, 66\}$

$B = \{2, 3, 5, \cdots, 79\}$

$C = \{1, 3, 9, 27\}$

단계 2 각각의 사건이 배반사건인지 판별하기

ㄱ, ㄷ. $A \cap B = C \cap A = \varnothing$이므로 두 사건 A와 B, 두 사건 C와 A는 각각 서로 배반사건이다.

ㄴ. $B \cap C = \{3\}$이므로 두 사건 B, C는 서로 배반사건이 아니다.

따라서 서로 배반사건인 것은 ㄱ, ㄷ이다.

191 답 ②

$A = \{2, 4, 6\}$, $B = \{1, 2, 3, 4, 6\}$이므로

$A \cup B = \{1, 2, 3, 4, 6\}$에서 $(A \cup B)^C = \{5\}$

$\therefore n((A \cup B)^C) = 1$

따라서 사건 $A \cup B$와 배반인 사건 C의 개수는

$2^1 = 2$

참고 임의의 사건 A에 대하여 $A \cap \varnothing = \varnothing$이므로 공사건 $\varnothing$은 모든 사건에 대하여 서로 배반사건이다.

192 답 16

$A = \{(a, b) \mid ab = 4$, a, b는 6 이하의 자연수$\}$

$= \{(1, 4), (2, 2), (4, 1)\}$

또, $\dfrac{b}{a} = n$에서 $b = na$이므로

$B_n = \{(a, b) \mid b = an$, a, b는 6 이하의 자연수$\}$이고

$B_1 = \{(1, 1), (2, 2), (3, 3), (4, 4), (5, 5), (6, 6)\}$,

$B_2 = \{(1, 2), (2, 4), (3, 6)\}$, $B_3 = \{(1, 3), (2, 6)\}$,

$B_4 = \{(1, 4)\}$, $B_5 = \{(1, 5)\}$, $B_6 = \{(1, 6)\}$

이때 두 사건 A, B_n이 서로 배반사건이 되려면 $A \cap B_n = \varnothing$이어야 하므로 $n = 2, 3, 5, 6$

따라서 구하는 자연수 n의 값의 합은

$2 + 3 + 5 + 6 = 16$

193 답 ④

단계 1 일어날 수 있는 모든 경우의 수 구하기

다섯 명의 학생이 가위, 바위, 보 중에서 하나를 낼 때, 모든 경우의 수는 $3^5 = 243$

단계 2 비기는 경우의 수 구하기

(i) 모두 같은 것을 내는 경우의 수는 ${}_3C_1 = 3$

(ii) 가위, 바위, 보를 낸 학생의 수가 1, 2, 2인 경우의 수는

$${}_5C_1 \times {}_4C_2 \times {}_2C_2 \times \frac{3!}{2!} = 90$$

(iii) 가위, 바위, 보를 낸 학생의 수가 1, 1, 3인 경우의 수는

$${}_5C_1 \times {}_4C_1 \times {}_3C_3 \times \frac{3!}{2!} = 60$$

(i)~(iii)에서 $3 + 90 + 60 = 153$

단계 3 수학적 확률 구하기

비길 확률은 $\dfrac{153}{243} = \dfrac{17}{27}$

따라서 $m = 27$, $n = 17$이므로 $m + n = 27 + 17 = 44$

194 답 $\dfrac{17}{36}$

한 개의 주사위를 두 번 던질 때, 모든 경우의 수는

$6 \times 6 = 36$

이차방정식 $x^2 + ax + b = 0$의 판별식을 D라 하면 이 이차방정식이 서로 다른 두 실근을 가지려면 $D > 0$이어야 하므로

$D = a^2 - 4b > 0 \qquad \therefore a^2 > 4b$

$a^2 > 4b$를 만족시키는 순서쌍 (a, b)는

$(3, 1), (3, 2), (4, 1), (4, 2), (4, 3),$

$(5, 1), (5, 2), (5, 3), (5, 4), (5, 5), (5, 6),$

$(6, 1), (6, 2), (6, 3), (6, 4), (6, 5), (6, 6)$의 17개이다.

따라서 구하는 확률은 $\dfrac{17}{36}$

날선특강 실근의 개수

이차방정식 $ax^2 + bx + c = 0\,(a \neq 0)$에서 판별식 $D = b^2 - 4ac$일 때

(1) $D > 0$이면 서로 다른 두 실근을 가진다.

(2) $D = 0$이면 서로 같은 두 실근(중근)을 가진다.

(3) $D < 0$이면 서로 다른 두 허근을 가진다.

195 답 ②

3명의 학생이 쪽지를 한 장씩 나누어 가지는 경우의 수는

$3!=6$

3명의 학생을 각각 A, B, C라 하면 A, B, C가 자신이 넣은 쪽지를 갖지 못하는 경우는 오른쪽 표와 같이 (A, B, C)가 (B, C, A) 또는 (C, A, B)의 쪽지를 갖는 경우이다.

A	B	C
B	C	A
C	A	B

따라서 구하는 확률은 $\frac{2}{6}=\frac{1}{3}$

196 답 $\frac{14}{55}$

단계 1 당첨된 4명의 좌석을 배정하는 경우의 수 구하기

당첨된 4명의 좌석을 임의로 배정하는 경우의 수는 ${}_{12}P_4$

단계 2 당첨된 4명의 좌석이 서로 이웃하지 않을 경우의 수 구하기

당첨된 4명이 배정받지 않은 8개의 좌석을 먼저 나열한 후 좌석과 좌석 사이, 양 끝의 9개의 자리에 당첨된 4명의 좌석을 배성하는 경우의 수는 ${}_9P_4$

단계 3 확률 구하기

구하는 확률은 $\frac{{}_9P_4}{{}_{12}P_4}=\frac{9\times8\times7\times6}{12\times11\times10\times9}=\frac{14}{55}$

197 답 ①

6명의 학생이 일렬로 서는 경우의 수는 $6!=720$

맨 앞과 맨 뒤에 선 두 학생이 남학생인 경우의 수는

${}_2P_2\times4!=48$

맨 앞과 맨 뒤에 선 두 학생이 여학생인 경우의 수는

${}_4P_2\times4!=288$

즉, 맨 앞과 맨 뒤에선 두 학생의 성별이 같은 경우의 수는

$48+288=336$

따라서 구하는 확률은

$\frac{336}{720}=\frac{7}{15}$

198 답 $\frac{2}{5}$

다섯 개의 숫자 1, 2, 3, 4, 5로 만들 수 있는 네 자리 자연수의 개수는 ${}_5P_4=120$

이때 3000 이하인 자연수는 1□□□ 또는 2□□□ 꼴이다.

(i) 1□□□ 꼴인 자연수의 개수는 ${}_4P_3=24$

(ii) 2□□□ 꼴인 자연수의 개수는 ${}_4P_3=24$

(i), (ii)에서 3000 이하인 자연수의 개수는

$24+24=48$

따라서 구하는 확률은 $\frac{48}{120}=\frac{2}{5}$

199 답 ①

모음은 i, e의 2개, 자음은 f, r, n, d의 4개이다.

6개의 문자를 일렬로 나열하는 경우의 수는 $6!=720$

모음을 홀수 번째에 나열하는 경우의 수는 ${}_3P_2=6$

자음을 남은 자리에 나열하는 경우의 수는 $4!=24$

즉, 모음이 홀수 번째에 오도록 나열하는 경우의 수는

$6\times24=144$

따라서 구하는 확률은 $\frac{144}{720}=\frac{1}{5}$

200 답 ②

단계 1 6명의 학생이 원탁에 둘러앉는 모든 경우의 수 구하기

6명의 학생이 원탁에 둘러앉는 경우의 수는 $(6-1)!=120$

단계 2 조건을 만족시키도록 둘러앉는 경우의 수 구하기

교재를 가진 두 학생을 마주 보도록 고정한 뒤 남은 네 자리에 나머지 네 학생이 앉는 경우의 수는 $4!=24$

단계 3 확률 구하기

구하는 확률은 $\frac{24}{120}=\frac{1}{5}$

201 답 ④

4명의 사람이 원탁에 둘러앉는 경우의 수는 $(4-1)!=6$

A와 B를 한 사람으로 생각하여 3명이 원탁에 둘러앉는 경우의 수는 $(3-1)!=2$

A와 B가 자리를 바꾸는 경우의 수는 $2!=2$

즉, A와 B가 이웃하여 앉는 경우의 수는 $2\times2=4$

따라서 구하는 확률은 $\frac{4}{6}=\frac{2}{3}$

202 답 ③

단계 1 세 가지 메뉴 중에서 한 가지씩을 주문하는 모든 경우의 수 구하기

네 명의 학생이 세 가지 메뉴 중에서 한 가지씩을 주문하는 경우의 수는 ${}_3\Pi_4=3^4=81$

단계 2 옆에 앉은 학생과 다른 메뉴를 주문하는 경우의 수 구하기

네 명의 학생이 옆에 앉은 학생과 다른 메뉴를 주문하는 경우의 수는

$3\times2\times2\times2=24$

단계 3 확률 구하기

구하는 확률은 $\frac{24}{81}=\frac{8}{27}$

203 답 ②

천의 자리에 올 수 있는 숫자는 1, 2의 2가지이므로 만들 수 있는 네 자리 자연수의 개수는

$2\times{}_3\Pi_3=2\times3^3=54$

이때 홀수가 되려면 일의 자리에는 1의 1가지가 올 수 있고, 백의 자리와 십의 자리에는 0, 1, 2에서 중복을 허용하여 2개를 택하여 나열하면 되므로 홀수의 개수는

$2\times{}_3\Pi_2\times1=18$

따라서 구하는 확률은 $\frac{18}{54}=\frac{1}{3}$

204 답 46

X에서 Y로의 함수 f의 개수는 ${}_3\Pi_5=3^5=243$

이때 $f(-1)f(0)f(1)\neq0$인 함수 f의 개수는 ${}_2\Pi_3\times{}_3\Pi_2=72$

즉, $f(-1)f(0)f(1)=0$인 함수 f의 개수는 $243-72=171$이므로 $f(-1)f(0)f(1)=0$일 확률은 $\frac{171}{243}=\frac{19}{27}$

따라서 $m=27$, $n=19$이므로

$m+n=27+19=46$

205 답 ④

단계 1 8개의 문자를 일렬로 나열하는 모든 경우의 수 구하기

8개의 문자를 일렬로 나열하는 경우의 수는

$\frac{8!}{4!\times2!\times2!}=420$

단계 2 b끼리 서로 이웃하는 경우의 수 구하기

이웃하는 2개의 b를 한 문자로 생각하여 7개의 문자를 일렬로 나열하는 경우의 수는

$\frac{7!}{4!\times2!}=105$ → a, a, a, a, B, c, c를 나열

단계 3 확률 구하기

구하는 확률은 $\frac{105}{420}=\frac{1}{4}$

206 답 $\frac{1}{36}$

네 명의 학생이 정육면체 주사위를 한 번씩 던질 때 모든 경우의 수는 $6^4=1296$

2, 4, 6 중에서 두 번 나올 숫자를 정하는 경우의 수는 ${}_3C_1=3$

네 명의 학생에게 짝수를 분배하는 경우의 수는

$\frac{4!}{2!}=12$

즉, 2, 4, 6은 한 번 이상 나오고 1, 3, 5는 나오지 않는 경우의 수는 $3\times12=36$

따라서 구하는 확률은 $\frac{36}{1296}=\frac{1}{36}$

207 답 ②

8장의 카드를 일렬로 나열하는 경우의 수는

$\frac{8!}{4!\times3!}=280$

A와 B가 적힌 5장의 카드를 일렬로 나열하고 양 끝과 카드 사이사이 6개의 자리 중에서 3개를 택하여 C가 적힌 카드를 한 장씩 놓는 경우의 수는

$\frac{5!}{4!}\times{}_6C_3=5\times20=100$

따라서 구하는 확률은 $\frac{100}{280}=\frac{5}{14}$

208 답 $\frac{4}{9}$

단계 1 10명의 학생들을 5명씩 두 팀으로 나누는 모든 경우의 수 구하기

10명의 학생들을 5명씩 두 팀으로 나누는 경우의 수는

${}_{10}C_5\times{}_5C_5\times\frac{1}{2}=126$

단계 2 주원이와 유찬이가 같은 팀이 되도록 팀을 나누는 경우의 수 구하기

주원이와 유찬이팀의 나머지 3명과 다른 팀 5명으로 나누는 경우의 수는

${}_8C_3\times{}_5C_5=56$

단계 3 확률 구하기

구하는 확률은 $\frac{56}{126}=\frac{4}{9}$

209 답 ③

8개의 점 중에서 임의로 택한 3개의 점을 꼭짓점으로 하는 삼각형의 개수는 ${}_8C_3=56$

오른쪽 그림과 같이 예각삼각형은 꼭짓점 사이의 간격이 각각 3칸, 3칸, 2칸인 삼각형이므로 그 개수는 8

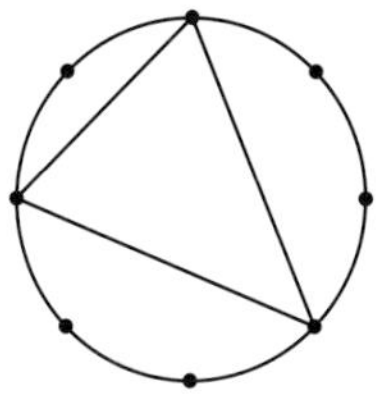

따라서 구하는 확률은 $\frac{8}{56}=\frac{1}{7}$

210 답 ③

12 이하의 자연수 중에서 서로 다른 두 수를 택하는 경우의 수는

${}_{12}C_2=66$

12 이하의 자연수 중에서 4로 나누었을 때, 나머지가 k인 수의 집합을 A_k라 하면

$A_0=\{4, 8, 12\}$, $A_1=\{1, 5, 9\}$,

$A_2=\{2, 6, 10\}$, $A_3=\{3, 7, 11\}$

즉, A_0과 A_1 또는 A_2와 A_3의 원소를 각각 하나씩 택하여 합한 경우 4로 나누었을 때 나머지가 1이므로 경우의 수는

$3\times3+3\times3=18$

따라서 구하는 확률은 $\frac{18}{66}=\frac{3}{11}$

211 답 ⑤

단계 1 800장의 카드 중에서 한 장을 뽑는 모든 경우의 수 구하기

800장의 카드 중에서 한 장을 뽑는 경우의 수는

${}_{800}C_1=800$

단계 2 각 자리의 숫자들의 합이 8인 경우의 수 구하기

백의 자리, 십의 자리, 일의 자리의 숫자를 각각 a, b, c라 하면 $a+b+c=8$을 만족시키는 음이 아닌 정수 a, b, c의 순서쌍 (a, b, c)의 개수는

${}_{3}\mathrm{H}_{8}={}_{10}\mathrm{C}_{8}={}_{10}\mathrm{C}_{2}=45$

단계 3 확률 구하기

구하는 확률은 $\frac{45}{800}=\frac{9}{160}$

212 답 ②

X에서 X로의 함수 f의 개수는 ${}_{5}\Pi_{5}=5^5=3125$

$f(2)\le f(3)\le f(4)$를 만족시키는 함수 f에 대하여

$f(1)$, $f(5)$의 값을 정하는 경우의 수는

${}_{5}\Pi_{2}=5^2=25$

$f(2)$, $f(3)$, $f(4)$의 값을 정하는 경우의 수는

${}_{5}\mathrm{H}_{3}={}_{7}\mathrm{C}_{3}=35$

즉, $f(2)\le f(3)\le f(4)$인 함수 f의 개수는 $25\times35=875$

따라서 구하는 확률은 $\frac{875}{3125}=\frac{7}{25}$

213 답 $\frac{13}{33}$

방정식 $x+y+z=10$을 만족시키는 음이 아닌 정수 x, y, z의 순서쌍 (x, y, z)의 개수는

${}_{3}\mathrm{H}_{10}={}_{12}\mathrm{C}_{10}={}_{12}\mathrm{C}_{2}=66$

$2x\le y$에서 $y=2x+y'$ (y'는 음이 아닌 정수)로 놓으면

$x+(2x+y')+z=10$

즉, $3x+y'+z=10$을 만족시키는 음이 아닌 정수 x, y', z의 순서쌍 (x, y', z)의 개수와 같다.

$x=0$일 때, $y'+z=10$에서 ${}_{2}\mathrm{H}_{10}={}_{11}\mathrm{C}_{10}={}_{11}\mathrm{C}_{1}=11$

$x=1$일 때, $y'+z=7$에서 ${}_{2}\mathrm{H}_{7}={}_{8}\mathrm{C}_{7}={}_{8}\mathrm{C}_{1}=8$

$x=2$일 때, $y'+z=4$에서 ${}_{2}\mathrm{H}_{4}={}_{5}\mathrm{C}_{4}={}_{5}\mathrm{C}_{1}=5$

$x=3$일 때, $y'+z=1$에서 ${}_{2}\mathrm{H}_{1}={}_{2}\mathrm{C}_{1}=2$

이므로 $2x\le y$인 순서쌍 (x, y, z)의 개수는

$11+8+5+2=26$

따라서 구하는 확률은 $\frac{26}{66}=\frac{13}{33}$

214 답 5

단계 1 통계적 확률을 이용하여 식 세우기

10개의 제비 중에서 2개를 뽑는 경우의 수는

${}_{10}\mathrm{C}_{2}=45$

상자 속에 들어 있는 당첨 제비의 개수를 n이라 하면

n개의 당첨 제비 중에서 2개를 뽑는 경우의 수는

${}_{n}\mathrm{C}_{2}=\frac{n(n-1)}{2}$

이때 9번 중에 2번 꼴로 2개가 모두 당첨 제비였으므로

$\dfrac{\frac{n(n-1)}{2}}{45}=\frac{2}{9}$ → $\frac{{}_{n}\mathrm{C}_{2}}{{}_{10}\mathrm{C}_{2}}=\frac{2}{9}$

단계 2 n의 값 구하기

$\frac{n(n-1)}{90}=\frac{2}{9}$이므로 $n(n-1)=20$ $\quad\therefore n=5$

따라서 상자 속에 들어 있는 당첨 제비는 5개이다.

215 답 $\frac{3}{5}$

고속 열차 또는 관람차를 처음으로 이용한 입장객은

$46714+25286=72000$ (명)

따라서 구하는 확률은 $\frac{72000}{120000}=\frac{3}{5}$

216 답 ②

USB 저장장치가 불량품일 확률은 $p=\frac{2}{1000}=\frac{1}{500}$

SD카드 저장장치가 불량품일 확률은 $q=\frac{1}{20000}$

$\therefore pq=\frac{1}{500}\times\frac{1}{20000}=\frac{1}{10000000}=10^{-7}$

217 답 $\frac{7}{9}$

단계 1 주어진 식을 변형하여 $\mathrm{P}(A)+\mathrm{P}(B)$의 값 구하기

$\{\mathrm{P}(A)+\mathrm{P}(B)\}^2=\{\mathrm{P}(A)-\mathrm{P}(B)\}^2+4\mathrm{P}(A)\mathrm{P}(B)$

$=\left(\frac{5}{9}\right)^2+4\times\frac{2}{27}$

$=\frac{49}{81}$

$\therefore \mathrm{P}(A)+\mathrm{P}(B)=\frac{7}{9}$

단계 2 서로 배반사건임을 이용하여 $\mathrm{P}(A\cup B)$ 구하기

두 사건 A, B가 서로 배반사건이므로

$\mathrm{P}(A\cup B)=\mathrm{P}(A)+\mathrm{P}(B)=\frac{7}{9}$

218 답 ⑤

$\mathrm{P}(A\cup B)=\mathrm{P}(A)+\mathrm{P}(B)-\mathrm{P}(A\cap B)$에서

$\mathrm{P}(A\cap B)=\mathrm{P}(A)+\mathrm{P}(B)-\mathrm{P}(A\cup B)$

$=0.6+0.3-0.8$

$=0.1$

$A^C\cup B^C=(A\cap B)^C$이므로

$\mathrm{P}(A^C\cup B^C)=\mathrm{P}((A\cap B)^C)=1-\mathrm{P}(A\cap B)$

$=1-0.1=0.9$

219 답 ③

$\mathrm{P}(A\cap B)=\frac{1}{2}\mathrm{P}(A)=\frac{1}{3}\mathrm{P}(B)$에서

$\mathrm{P}(B)=\dfrac{3}{2}\mathrm{P}(A)$이므로

$$\mathrm{P}(A\cup B)=\mathrm{P}(A)+\mathrm{P}(B)-\mathrm{P}(A\cap B)$$
$$=\mathrm{P}(A)+\dfrac{3}{2}\mathrm{P}(A)-\dfrac{1}{2}\mathrm{P}(A)$$
$$=2\mathrm{P}(A)$$

$\mathrm{P}(A\cup B)\le1$에서 $2\mathrm{P}(A)\le1$ $\therefore \mathrm{P}(A)\le\dfrac{1}{2}$

따라서 $\mathrm{P}(A)$의 최댓값은 $\dfrac{1}{2}$이다.

220 답 ③

두 사건 A, B가 서로 배반사건이고

조건 ㈎에서 $\mathrm{P}(A\cup B)=\dfrac{3}{4}$이므로

$\mathrm{P}(A)+\mathrm{P}(B)=\dfrac{3}{4}$ $\therefore \mathrm{P}(B)=\dfrac{3}{4}-\mathrm{P}(A)$

조건 ㈏에서 $\dfrac{1}{3}\le\mathrm{P}(A)\le\dfrac{1}{2}$이므로

$-\dfrac{1}{2}\le-\mathrm{P}(A)\le-\dfrac{1}{3}$, $\dfrac{3}{4}-\dfrac{1}{2}\le\dfrac{3}{4}-\mathrm{P}(A)\le\dfrac{3}{4}-\dfrac{1}{3}$

$\therefore \dfrac{1}{4}\le\mathrm{P}(B)\le\dfrac{5}{12}$

따라서 $M=\dfrac{5}{12}$, $m=\dfrac{1}{4}$이므로

$\dfrac{10m}{M}=10\times\dfrac{1}{4}\times\dfrac{12}{5}=6$

221 답 17

$A\cap B^{c}$와 $B\cap C^{c}$, $B\cap C^{c}$와 $C\cap A^{c}$, $C\cap A^{c}$와 $A\cap B^{c}$는 각각 서로 배반사건이고

$(A\cap B^{c})\cup(B\cap C^{c})\cup(C\cap A^{c})$
$=(A\cup B\cup C)-(A\cap B\cap C)$이므로

$\mathrm{P}(A\cap B^{c})+\mathrm{P}(B\cap C^{c})+\mathrm{P}(C\cap A^{c})$
$=\mathrm{P}(A\cup B\cup C)-\mathrm{P}(A\cap B\cap C)$에서

$\dfrac{1}{2}+\dfrac{1}{4}+\dfrac{1}{8}=\dfrac{15}{16}-\mathrm{P}(A\cap B\cap C)$

$\therefore \mathrm{P}(A\cap B\cap C)=\dfrac{15}{16}-\left(\dfrac{1}{2}+\dfrac{1}{4}+\dfrac{1}{8}\right)=\dfrac{1}{16}$

따라서 $m=16$, $n=1$이므로
$m+n=16+1=17$

222 답 ㄱ

단계 1 확률의 덧셈정리를 이용하여 식을 변형하고 확률의 기본 성질에 따라 참임을 판별하기

ㄱ. $\mathrm{P}(A\cup B)=\mathrm{P}(A)+\mathrm{P}(B)-\mathrm{P}(A\cap B)$이므로

$\mathrm{P}(A)+\mathrm{P}(B)-\mathrm{P}(A\cap B)=\mathrm{P}(A)+\mathrm{P}(B)$

$\therefore \mathrm{P}(A\cap B)=0$

즉, $A\cap B=\varnothing$이므로 두 사건 A, B는 서로 배반사건이다.

(참)

단계 2 반례를 들어 거짓임을 판별하기

ㄴ. [반례] $S=\{a, b\}$, $A=\{a\}$, $B=\{b\}$라 하면

$\mathrm{P}(A)-\mathrm{P}(B)=\dfrac{1}{2}-\dfrac{1}{2}=0$이지만 $A\cap B^{c}=\{a\}\ne\varnothing$

(거짓)

ㄷ. [반례] $S=\{a, b\}$, $A=B=\{a\}$라 하면

$\mathrm{P}(A)+\mathrm{P}(B)=\dfrac{1}{2}+\dfrac{1}{2}=1$이지만 $A\cup B=\{a\}\ne S$

(거짓)

따라서 옳은 것은 ㄱ뿐이다.

223 답 95

조건 ㈏에서 $\mathrm{P}(B)<\mathrm{P}(A)<1$이므로
$n(B)<n(A)<5$

조건 ㈎에서 A와 B는 서로 배반사건이므로

$n(A\cup B)=n(A)+n(B)\le5$ $\therefore n(A)\le5-n(B)$

(i) $n(B)=0$일 때 $0<n(A)<5$

사건 A를 정하는 경우의 수는
$_{5}\mathrm{C}_{1}+_{5}\mathrm{C}_{2}+_{5}\mathrm{C}_{3}+_{5}\mathrm{C}_{4}=5+10+10+5=30$

즉, 두 사건 A, B의 순서쌍 (A, B)의 개수는 30

(ii) $n(B)=1$일 때 $1<n(A)\le4$

사건 B를 정하는 경우의 수는 $_{5}\mathrm{C}_{1}=5$

사건 A를 정하는 경우의 수는
$_{4}\mathrm{C}_{2}+_{4}\mathrm{C}_{3}+_{4}\mathrm{C}_{4}=6+4+1=11$

즉, 두 사건 A, B의 순서쌍 (A, B)의 개수는
$5\times11=55$

(iii) $n(B)=2$일 때 $2<n(A)\le3$ $\therefore n(A)=3$

사건 B를 정하는 경우의 수는 $_{5}\mathrm{C}_{2}=10$

사건 A를 정하는 경우의 수는 $_{3}\mathrm{C}_{3}=1$

즉, 두 사건 A, B의 순서쌍 (A, B)의 개수는
$10\times1=10$

(i)~(iii)에서 구하는 순서쌍 (A, B)의 개수는
$30+55+10=95$

224 답 ①

단계 1 등식을 정리하여 조건을 만족시키는 경우를 나누는 기준 정하기

$ab+bc=b^{2}+ac$에서 $ab+bc-b^{2}-ac=0$

$b(a-b)+c(b-a)=0$, $(a-b)(b-c)=0$

$\therefore a=b$ 또는 $b=c$

단계 2 각각의 경우의 확률 구하기

한 개의 주사위를 3번 던질 때 경우의 수는 $6\times6\times6=6^{3}$

$a=b$인 사건을 A, $b=c$인 사건을 B라 하면

$a=b$인 (a, b)의 순서쌍은 $(1, 1)$, $(2, 2)$, $(3, 3)$, $(4, 4)$,

$(5, 5)$, $(6, 6)$의 6개이므로 $\mathrm{P}(A)=\dfrac{6^{2}}{6^{3}}=\dfrac{1}{6}$

$b=c$인 (b, c)의 순서쌍은 $(1, 1)$, $(2, 2)$, $(3, 3)$, $(4, 4)$,

(5, 5), (6, 6)의 6개이므로 $\mathrm{P}(B)=\frac{6^2}{6^3}=\frac{1}{6}$

$a=b=c$인 (a, b, c)의 순서쌍은 (1, 1, 1), (2, 2, 2), (3, 3, 3), (4, 4, 4), (5, 5, 5), (6, 6, 6)의 6개이므로

$\mathrm{P}(A\cap B)=\frac{6}{6^3}=\frac{1}{36}$

단계 3 중복이 있는 경우를 제외한 확률 구하기

구하는 확률은

$\mathrm{P}(A\cup B)=\mathrm{P}(A)+\mathrm{P}(B)-\mathrm{P}(A\cap B)$

$=\frac{1}{6}+\frac{1}{6}-\frac{1}{36}=\frac{11}{36}$

225 답 $\frac{67}{100}$

카드에 적힌 수가 2의 배수인 사건을 A, 3의 배수인 사건을 B라 하면 100 이하의 자연수 중에서 2의 배수는 50개, 3의 배수는 33개이므로 $\mathrm{P}(A)=\frac{50}{100}$, $\mathrm{P}(B)=\frac{33}{100}$

2의 배수이면서 3의 배수인 수, 즉 6의 배수는 16개이므로

$\mathrm{P}(A\cap B)=\frac{16}{100}$

$\therefore \mathrm{P}(A\cup B)=\mathrm{P}(A)+\mathrm{P}(B)-\mathrm{P}(A\cap B)$

$=\frac{50}{100}+\frac{33}{100}-\frac{16}{100}=\frac{67}{100}$

226 답 ①

택한 사람이 A 체험부스에 참여한 사람인 사건을 A, B 체험부스에 참여한 사람인 사건을 B라 하면

$\mathrm{P}(A)=\frac{60}{100}=\frac{3}{5}$, $\mathrm{P}(B)=\frac{50}{100}=\frac{1}{2}$

어느 체험부스도 참여하지 않은 사람일 확률은

$1-\mathrm{P}(A\cup B)=\frac{5}{100}=\frac{1}{20}$

$\therefore \mathrm{P}(A\cup B)=1-\frac{1}{20}=\frac{19}{20}$

$\mathrm{P}(A\cup B)=\mathrm{P}(A)+\mathrm{P}(B)-\mathrm{P}(A\cap B)$이므로 구하는 확률은

$\mathrm{P}(A\cap B)=\mathrm{P}(A)+\mathrm{P}(B)-\mathrm{P}(A\cup B)$

$=\frac{3}{5}+\frac{1}{2}-\frac{19}{20}=\frac{3}{20}$

227 답 $\frac{1}{3}$

단계 1 조건을 만족시키는 각각의 경우의 수 구하기

선생님 1명이 맨 앞에 서는 사건을 A, 맨 뒤에 서는 사건을 B라 하자.

A는 학생 5명을 선생님 뒤에 일렬로 배열하는 사건이므로

$\mathrm{P}(A)=\frac{5!}{6!}=\frac{1}{6}$

또, B는 학생 5명을 선생님 앞에 일렬로 배열하는 사건이므로

$\mathrm{P}(B)=\frac{5!}{6!}=\frac{1}{6}$

단계 2 중복이 없는 경우 더하여 확률 구하기

두 사건 A, B는 서로 배반사건이므로 구하는 확률은

$\mathrm{P}(A\cup B)=\mathrm{P}(A)+\mathrm{P}(B)=\frac{1}{6}+\frac{1}{6}=\frac{1}{3}$

228 답 ②

두 주머니 A, B에서 꺼낸 공에 적힌 수를 각각 a, b라 하면 공에 적힌 두 수의 곱이 6인 경우는

$a=2$, $b=3$ 또는 $a=3$, $b=2$인 경우이다.

$a=2$, $b=3$인 사건을 A, $a=3$, $b=2$인 사건을 B라 하면

$\mathrm{P}(A)=\frac{2}{6}\times\frac{1}{7}=\frac{1}{21}$, $\mathrm{P}(B)=\frac{3}{6}\times\frac{4}{7}=\frac{2}{7}$

두 사건 A, B는 서로 배반사건이므로 구하는 확률은

$\mathrm{P}(A\cup B)=\mathrm{P}(A)+\mathrm{P}(B)$

$=\frac{1}{21}+\frac{2}{7}=\frac{1}{3}$

229 답 ④

두 사람이 보관함을 각각 한 칸씩 택하는 경우의 수는

${}_9\mathrm{P}_2=72$

보관함이 좌우로 이웃하는 사건을 A, 보관함이 상하로 이웃하는 사건을 B라 하면

$\mathrm{P}(A)=\frac{{}_8\mathrm{C}_1\times 2!}{72}=\frac{16}{72}=\frac{2}{9}$, $\mathrm{P}(B)=\frac{{}_3\mathrm{C}_1\times 2!}{72}=\frac{6}{72}=\frac{1}{12}$

두 사건 A, B는 서로 배반사건이므로 구하는 확률은

$\mathrm{P}(A\cup B)=\mathrm{P}(A)+\mathrm{P}(B)$

$=\frac{2}{9}+\frac{1}{12}=\frac{11}{36}$

230 답 ⑤

단계 1 3개 모두 당첨 제비가 아닌 확률 구하기

적어도 1개가 당첨 제비인 사건을 A라 하면 A^C는 3개가 모두 당첨 제비가 아닌 사건이므로

$\mathrm{P}(A^C)=\frac{{}_6\mathrm{C}_3}{{}_{10}\mathrm{C}_3}=\frac{20}{120}=\frac{1}{6}$

단계 2 여사건의 확률을 이용하여 적어도 한 개는 당첨 제비일 확률 구하기

$\mathrm{P}(A)=1-\frac{1}{6}=\frac{5}{6}$

231 답 ④

카드에 적힌 수의 곱이 짝수인 사건을 A라 하면 A^C는 카드에 적힌 수의 곱이 홀수인 사건이므로

$\mathrm{P}(A^C)=\frac{{}_5\mathrm{C}_3}{{}_9\mathrm{C}_3}=\frac{5}{42}$

$\therefore \mathrm{P}(A)=1-\frac{5}{42}=\frac{37}{42}$

232 답 $\frac{103}{108}$

눈의 수의 합이 6 이상인 사건을 A라 하면 A^C는 눈의 수의 합이 6 미만인 사건이다.
세 개의 주사위를 동시에 던져서 나온 눈의 수를 a, b, c라 하면 모든 경우의 수는 $6^3=216$
(i) $a+b+c=3$인 경우의 수는
$_3H_0={}_2C_0=1$
(ii) $a+b+c=4$인 경우의 수는
$_3H_1={}_3C_1=3$
(iii) $a+b+c=5$인 경우의 수는
$_3H_2={}_4C_2=6$
(i)~(iii)에서 $P(A^C)=\frac{1+3+6}{216}=\frac{5}{108}$
$\therefore P(A)=1-\frac{5}{108}=\frac{103}{108}$

233 답 ①

택한 2명의 학생의 성별이 서로 같은 사건을 A라 하면 A^C는 택한 2명의 학생의 성별이 서로 다른 사건이다. 남학생의 수를 k라 하면
$P(A^C)=\frac{{}_kC_1\times{}_{9-k}C_1}{{}_9C_2}=\frac{k(9-k)}{36}$
이때 $P(A)=\frac{4}{9}$이므로
$P(A^C)=1-P(A)=1-\frac{4}{9}=\frac{5}{9}$
즉, $\frac{k(9-k)}{36}=\frac{5}{9}$이므로 $k(9-k)=20$
$k^2-9k+20=0$, $(k-4)(k-5)=0$
$\therefore k=4$ 또는 $k=5$
이때 남학생 수가 여학생 수보다 많으므로 남학생 수와 여학생 수는 각각 5, 4이고 그 차는 $5-4=1$

234 답 ⑤

꺼낸 동전의 금액의 합이 1400원 미만인 사건을 A라 하면 A^C는 꺼낸 동전의 금액의 합이 1400원 이상인 사건이다.
주머니에서 꺼낸 6개의 동전의 금액의 합이 1400원 이상일 사건은 주머니에 남겨진 3개의 동전의 금액의 합이 550원 미만일 사건과 같으므로 남겨진 3개의 동전 중 500원짜리는 한 개도 없어야 한다. 50원짜리 3개, 100원짜리 3개의 동전 중 남겨진 3개의 동전을 택하는 경우의 수는 $_6C_3$이므로
$P(A^C)=\frac{{}_6C_3}{{}_9C_3}=\frac{20}{84}=\frac{5}{21}$
$\therefore P(A)=1-\frac{5}{21}=\frac{16}{21}$

실전! 기출 문제 정복하기

본책 41쪽~43쪽

235 답 ④

$S=\{HHH, HHT, HTH, THH, HTT, THT, TTH, TTT\}$
$A=\{HHH, HTT, THT, TTH\}$
$B=\{HHT, HTH, THH, HTT, THT, TTH, TTT\}$
④ $A\cap B=\{HTT, THT, TTH\}$이므로 $A\cap B\neq\varnothing$ (거짓)

236 답 $\frac{13}{36}$

한 개의 주사위를 두 번 던질 때 경우의 수는 $6\times6=36$
$f(x)=ax^2+4bx+a$, $g(x)=bx^2+2ax-b$에서
$f(x)>g(x)$이려면 $f(x)-g(x)>0$에서 이차항의 계수가 양수이어야 하므로
$(a-b)x^2+2(2b-a)x+a+b>0$
$a-b>0$ $\therefore a>b$ …㉠
또, 이차방정식 $(a-b)x^2+2(2b-a)x+a+b=0$의 판별식을 D라 할 때, $D<0$이어야 하므로
$\frac{D}{4}=(2b-a)^2-(a-b)(a+b)<0$
$b(5b-4a)<0$, $5b-4a<0$ ($\because b>0$) $\therefore a>\frac{5}{4}b$ …㉡
㉠, ㉡에서 $a>\frac{5}{4}b$
$a>\frac{5}{4}b$를 만족시키는 a, b의 순서쌍 (a, b)는
(2, 1), (3, 1), (3, 2), (4, 1), (4, 2), (4, 3), (5, 1), (5, 2), (5, 3), (6, 1), (6, 2), (6, 3), (6, 4)의 13개
따라서 구하는 확률은 $\frac{13}{36}$

237 답 ④

주머니에서 임의로 2개의 구슬을 꺼내는 경우의 수는
$_7C_2=21$
꺼낸 구슬에 적힌 두 자연수가 서로소인 경우는
(2, 3), (2, 5), (2, 7), (3, 4), (3, 5), (3, 7), (3, 8), (4, 5), (4, 7), (5, 6), (5, 7), (5, 8), (6, 7), (7, 8)
의 14가지
따라서 구하는 확률은 $\frac{14}{21}=\frac{2}{3}$

238 답 ②

7장의 카드를 일렬로 나열하는 경우의 수는
$\frac{7!}{3!}=840$
자음이 적힌 카드 3장을 홀수 번째에 놓는 경우의 수는

${}_4P_3=24$
모음이 적힌 카드 1장을 짝수 번째에 놓는 경우의 수는
${}_3P_1=3$
나머지 기호가 적힌 카드를 놓는 경우의 수는 1
따라서 구하는 확률은 $\frac{24\times3\times1}{840}=\frac{3}{35}$

239 답 ②

서로 다른 두 개의 주사위를 던져서 나온 눈의 수의 순서쌍 (a, b)의 개수는 $6\times6=36$
이때 삼각형 OPQ는 $a=b$일 때 직각삼각형, $a<b$일 때 예각삼각형이다.

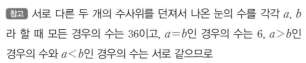

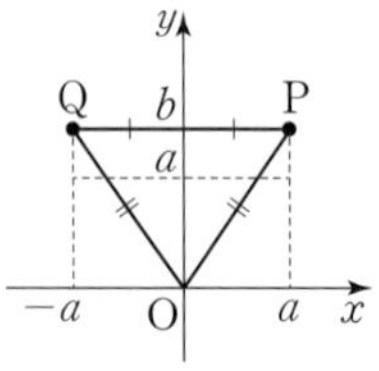

$a<b$를 만족시키는 순서쌍 (a, b)는
(1, 2), (1, 3), (1, 4), (1, 5), (1, 6),
(2, 3), (2, 4), (2, 5), (2, 6), (3, 4),
(3, 5), (3, 6), (4, 5), (4, 6), (5, 6)의 15개
따라서 구하는 확률은 $\frac{15}{36}=\frac{5}{12}$

참고 서로 다른 두 개의 주사위를 던져서 나온 눈의 수를 각각 a, b라 할 때 모든 경우의 수는 36이고, $a=b$인 경우의 수는 6, $a>b$인 경우의 수와 $a<b$인 경우의 수는 서로 같으므로
$\frac{36-6}{2}=15$

240 답 $\frac{18}{55}$

12개의 꼭짓점 중에서 임의로 3개를 택하여 삼각형을 만드는 경우의 수는 ${}_{12}C_3=220$
삼각형의 어떤 변도 육각기둥 ABCDEF−GHIJKL의 모서리가 아닌 삼각형의 개수는
(i) 면 ABCDEF에서 1개, 면 GHIJKL에서 2개의 꼭짓점을 택하여 삼각형을 만드는 경우
면 ABCDEF에서 1개의 꼭짓점을 택하는 경우의 수는 6이고, 그 각각에 대하여 면 GHIJKL에서 2개의 꼭짓점을 택하는 경우의 수는 ${}_5C_2-4=6$
즉, 삼각형을 만드는 경우의 수는 $6\times6=36$
(ii) 면 ABCDEF에서 2개, 면 GHIJKL에서 1개의 꼭짓점을 택하여 삼각형을 만드는 경우
(i)과 마찬가지로 경우의 수는 36
(i), (ii)에서 구하는 확률은 $\frac{36+36}{220}=\frac{18}{55}$

241 답 3

10개의 공 중에서 2개의 공을 꺼내는 경우의 수는
${}_{10}C_2=45$
10개의 공 중에서 빨간 공이 n개라 하면 꺼낸 2개의 공이 모두 빨간 공일 경우의 수는 ${}_nC_2$
이때 꺼낸 2개의 공이 모두 빨간 공일 확률이 $\frac{1}{15}$이므로
$\frac{{}_nC_2}{45}=\frac{1}{15}$에서 $\frac{n(n-1)}{90}=\frac{1}{15}$
$n(n-1)=6=3\times2$ $\therefore n=3$
따라서 빨간 공의 개수는 3이다.

242 답 ②

두 사건 A, B^C는 서로 배반사건이므로
$A\cap B^C=\varnothing$에서 $A\subset B$ $\therefore A\cap B=A$
$\therefore P(B)=P(A\cap B)+P(A^C\cap B)$
$=P(A)+P(A^C\cap B)$
$=\frac{1}{3}+\frac{1}{6}=\frac{1}{2}$

243 답 ④

주머니에서 임의로 하나의 공을 꺼내는 경우의 수는 50
양의 약수가 6개인 수는 서로 다른 두 소수 p, q에 대하여 p^5 또는 $p\times q^2$ 꼴이다.
(i) 꺼낸 공에 적힌 수가 p^5 꼴인 사건을 A라 하면
2^5의 1개이므로 $P(A)=\frac{1}{50}$
(ii) 꺼낸 공에 적힌 수가 $p\times q^2$ 꼴인 사건을 B라 하면
2×3^2, 2×5^2, 3×2^2, 5×2^2, 5×3^2, 7×2^2, 11×2^2의 7개이므로 $P(B)=\frac{7}{50}$
두 사건 A, B는 서로 배반사건이므로 (i), (ii)에서 구하는 확률은
$P(A)+P(B)=\frac{1}{50}+\frac{7}{50}=\frac{4}{25}$

날선 특강 약수의 개수
자연수 N이 $N=a^m\times b^n$ (a, b는 소수) 꼴로 소인수분해될 때, 자연수 N의 양의 약수는 $(m+1)\times(n+1)$개이다.

244 답 979

9 이하의 자연수를 각 행에 들어갈 3개씩 3묶음으로 나누는 경우의 수는
${}_9C_3\times{}_6C_3\times{}_3C_3\times\frac{1}{3!}=280$
3묶음을 각 행에 배열하는 경우의 수는
$3!=6$
각 행에서 각 칸에 들어갈 수를 정하는 경우의 수는
$3!\times3!\times3!$
따라서 9개의 칸에 9 이하의 자연수를 한 개씩 임의로 써넣는 경우의 수는
$280\times6\times3!\times3!\times3!$ ⋯ ㉠
이때 $f(1)$, $f(2)$, $f(3)$의 세 개의 값이 모두 같은 경우는 존재하지 않고, 세 개의 값 중에서 두 개의 값이 같은 경우는 각 행

의 수가
$\{2, 3, 6\}$, $\{1, 4, 9\}$, $\{5, 7, 8\}$
또는 $\{4, 3, 6\}$, $\{1, 8, 9\}$, $\{2, 5, 7\}$
인 2가지 경우이다.
즉, 세 개의 값이 모두 다르도록 3개씩 3묶음으로 나누는 경우의 수는
$280-2=278$
$f(1)<f(2)<f(3)$이기 위해서는 각 묶음이 들어갈 행이 정해져 있으므로 3묶음을 각 행에 배열하는 경우의 수는 1
각 행에서 각 칸에 들어갈 수를 정하는 경우의 수는
$3!\times3!\times3!$
따라서 조건을 만족시키는 경우의 수는
$278\times1\times3!\times3!\times3!$ … ㉡
㉠, ㉡에서 구하는 확률은
$\dfrac{278\times1\times3!\times3!\times3!}{280\times6\times3!\times3!\times3!}=\dfrac{139}{840}$
그러므로 $m=840$, $n=139$이므로
$m+n=840+139=979$

참고 각각의 자연수를 소인수분해하여 생각해 보면 세 수의 곱이 서로 같도록 나누는 경우를 쉽게 판단할 수 있다.

245 답 ⑤

방정식 $x+y+z=10$을 만족시키는 자연수 x, y, z의 순서쌍 (x, y, z)의 개수는 ${}_3H_7={}_9C_7={}_9C_2=36$
$(x-y)(y-z)(z-x)\neq0$인 사건을 A라 하면 A^C는
$(x-y)(y-z)(z-x)=0$인 사건이다.
이때 $(x-y)(y-z)(z-x)=0$이면
$x=y$ 또는 $y=z$ 또는 $z=x$
또한, $x+y+z=10$이므로 $x=y=z$인 경우는 없다.
(i) $x=y$일 때
$2y+z=10$이므로 이를 만족시키는 순서쌍 (x, y, z)는
$(1, 1, 8)$, $(2, 2, 6)$, $(3, 3, 4)$, $(4, 4, 2)$의 4개
(ii) $y=z$일 때
$x+2z=10$이므로 (i)과 마찬가지로 이를 만족시키는 순서쌍 (x, y, z)는 4개
(iii) $z=x$일 때
$2x+y=10$이므로 (i)과 마찬가지로 이를 만족시키는 순서쌍 (x, y, z)는 4개
(i)~(iii)에서 $P(A^C)=\dfrac{4+4+4}{36}=\dfrac{12}{36}=\dfrac{1}{3}$
$\therefore P(A)=1-P(A^C)=1-\dfrac{1}{3}=\dfrac{2}{3}$

246 답 12

7개의 공을 일렬로 나열하는 경우의 수는 $7!$
같은 숫자가 적혀 있는 공이 서로 이웃하지 않을 사건을 A라 하면 A^C는 같은 숫자가 적혀 있는 공이 서로 이웃하는 사건이다.
즉, 4가 적힌 공이 이웃하도록 나열하는 경우의 수는 $6!\times2$
$\therefore P(A^C)=\dfrac{6!\times2}{7!}=\dfrac{2}{7}$
$\therefore P(A)=1-\dfrac{2}{7}=\dfrac{5}{7}$
따라서 $p=7$, $q=5$이므로 $p+q=7+5=12$

247 답 707

단계 1 전체의 경우의 수 구하기
집합 A의 부분집합의 개수는 $2^5=32$이므로 A의 부분집합 중에서 임의로 서로 다른 두 집합을 택하는 경우의 수는
${}_{32}C_2=496$ ……20%

단계 2 문제의 조건을 만족시키는 경우의 수 구하기
두 부분집합을 X, $Y(X\subset Y)$라 할 때, 다섯 원소 a, b, c, d, e를 각각 세 집합 $X\cap Y$, $X^C\cap Y$, $X^C\cap Y^C$ 중에서 하나에 포함시키는 경우의 수는 $3^5=243$

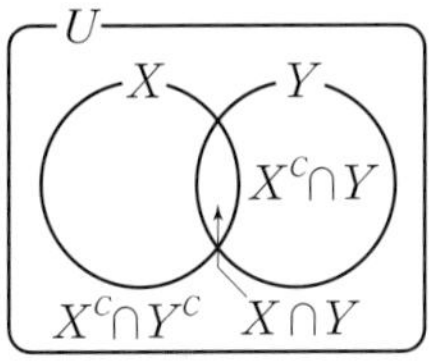

이 중에서 $X=Y$인 경우, 즉 다섯 원소 a, b, c, d, e를 각각 두 집합 $X\cap Y$, $X^C\cap Y^C$ 중에서 하나에 포함시키는 경우의 수는
$2^5=32$
주어진 조건을 만족시키는 서로 다른 두 부분집합의 쌍의 개수는
$243-32=211$ ……60%

단계 3 확률 구하기
구하는 확률은 $\dfrac{211}{496}$
따라서 $m=496$, $n=211$이므로
$m+n=496+211=707$ ……20%

248 답 $\dfrac{11}{21}$

단계 1 세 수가 모두 짝수이거나 한 수는 짝수, 두 수는 홀수일 때의 확률 구하기
주머니에서 임의로 3개의 공을 동시에 꺼내는 경우의 수는
${}_9C_3=84$
주머니에서 꺼낸 3개의 공에 적혀 있는 세 수의 합이 짝수이려면 세 수가 모두 짝수이거나 한 수는 짝수이고 두 수는 홀수이어야 한다.
(i) 세 수가 모두 짝수인 경우
2, 4, 6, 8이 적힌 4개의 공 중에서 3개를 꺼내는 경우의 수는 ${}_4C_3={}_4C_1=4$
이므로 그 확률은
$\dfrac{4}{84}=\dfrac{1}{21}$
(ii) 한 수는 짝수이고 두 수는 홀수인 경우

2, 4, 6, 8이 적힌 4개의 공 중에서 1개, 1, 3, 5, 7, 9가 적힌 5개의 공 중에서 2개를 꺼내는 경우의 수는

${}_4C_1 \times {}_5C_2 = 4 \times 10 = 40$

이므로 그 확률은

$\frac{40}{84} = \frac{10}{21}$ ……80%

단계 2 확률의 덧셈정리를 이용하여 확률 구하기

(i), (ii)는 서로 배반사건이므로 구하는 확률은

$\frac{1}{21} + \frac{10}{21} = \frac{11}{21}$ ……20%

2 조건부확률

본책 44쪽~47쪽

249 답 $\frac{1}{3}$

$P(B|A) = \frac{P(A \cap B)}{P(A)} = \frac{0.2}{0.6} = \frac{1}{3}$

250 답 $\frac{1}{2}$

$P(A|B) = \frac{P(A \cap B)}{P(B)} = \frac{0.2}{0.4} = \frac{1}{2}$

[251 ~ 253]

$A = \{1, 2, 3, 4, 5\}$, $B = \{3, 6\}$이므로 $A \cap B = \{3\}$

251 답 $\frac{5}{6}$

$P(A) = \frac{5}{6}$

252 답 $\frac{1}{6}$

$P(A \cap B) = \frac{1}{6}$

253 답 $\frac{1}{5}$

$P(B|A) = \frac{P(A \cap B)}{P(A)} = \frac{\frac{1}{6}}{\frac{5}{6}} = \frac{1}{5}$

254 답 $\frac{1}{3}$

$P(B|A) = \frac{P(A \cap B)}{P(A)} = \frac{\frac{1}{7}}{\frac{3}{7}} = \frac{1}{3}$

255 답 $\frac{1}{2}$

$P(A|B) = \frac{P(A \cap B)}{P(B)} = \frac{\frac{1}{7}}{\frac{2}{7}} = \frac{1}{2}$

256 답 $\frac{4}{9}$

$P(A|B) = \frac{P(A \cap B)}{P(B)} = \frac{\frac{8}{30}}{\frac{18}{30}} = \frac{4}{9}$

257 답 $\frac{4}{7}$

$P(B|A) = \frac{P(A \cap B)}{P(A)} = \frac{\frac{8}{30}}{\frac{14}{30}} = \frac{4}{7}$

258 답 $\frac{5}{9}$

$P(A^C|B)=\frac{P(A^C\cap B)}{P(B)}=\frac{\frac{10}{30}}{\frac{18}{30}}=\frac{5}{9}$

259 답 $\frac{3}{7}$

$P(B^C|A)=\frac{P(A\cap B^C)}{P(A)}=\frac{\frac{6}{30}}{\frac{14}{30}}=\frac{3}{7}$

260 답 1

$P(A|B)+P(A^C|B)=\frac{P(A\cap B)}{P(B)}+\frac{P(A^C\cap B)}{P(B)}$

$=\frac{4}{9}+\frac{5}{9}=1$

261 답 1

$P(B|A)+P(B^C|A)=\frac{P(A\cap B)}{P(A)}+\frac{P(A\cap B^C)}{P(A)}$

$=\frac{4}{7}+\frac{3}{7}=1$

262 답 0.2

$P(A\cap B)=P(B)P(A|B)$

$=0.5\times0.4=0.2$

263 답 0.25

$P(B|A)=\frac{P(A\cap B)}{P(A)}=\frac{0.2}{0.8}=0.25$

264 답 $\frac{2}{3}$

$P(A)=\frac{4}{6}=\frac{2}{3}$

265 답 $\frac{3}{5}$

첫 번째에 검은 공을 꺼냈으므로 주머니 안에는 검은 공 3개와 흰 공 2개가 남아 있다.

$\therefore P(B|A)=\frac{3}{5}$

266 답 $\frac{2}{5}$

$P(A\cap B)=P(A)P(B|A)=\frac{2}{3}\times\frac{3}{5}=\frac{2}{5}$

[267~268]

첫 번째 자유투를 성공하는 사건을 A, 두 번째 자유투를 성공하는 사건을 B라 하자.

267 답 $\frac{1}{6}$

$P(A\cap B^C)=P(A)P(B^C|A)=\frac{2}{3}\times\frac{1}{4}=\frac{1}{6}$

268 답 $\frac{1}{12}$

$P(A^C\cap B)=P(A^C)P(B|A^C)=\frac{1}{3}\times\frac{1}{4}=\frac{1}{12}$

269 답 $\frac{5}{18}$

$P(A\cap B)=P(A)P(B|A)=\frac{5}{6}\times\frac{1}{3}=\frac{5}{18}$

270 답 $\frac{1}{9}$

$P(A^C\cap B)=P(A^C)P(B|A^C)=\frac{1}{6}\times\frac{2}{3}=\frac{1}{9}$

271 답 $\frac{7}{18}$

$P(B)=P(A\cap B)+P(A^C\cap B)$

$=\frac{5}{18}+\frac{1}{9}=\frac{7}{18}$

272 답 $A\cap B$

273 답 $\frac{2}{3}$

$P(B)=\frac{8}{12}=\frac{2}{3}$

274 답 $\frac{2}{3}$

$P(B|A)=\frac{P(A\cap B)}{P(A)}=\frac{\frac{2}{12}}{\frac{3}{12}}=\frac{2}{3}$

275 답 독립

$P(B|A)=\frac{2}{3}$, $P(B)=\frac{2}{3}$이므로 $P(B|A)=P(B)$

따라서 두 사건 A, B는 서로 독립이다.

276 답 독립

$P(A)P(B)=\frac{2}{7}\times\frac{3}{4}=\frac{3}{14}$, $P(A\cap B)=\frac{3}{14}$이므로

$P(A\cap B)=P(A)P(B)$

따라서 두 사건 A, B는 서로 독립이다.

277 답 종속

$P(A)P(B)=0.4\times0.5=0.2$, $P(A\cap B)=0.02$이므로

$P(A\cap B)\neq P(A)P(B)$
따라서 두 사건 A, B는 서로 종속이다.

278 답 0.4

두 사건 A, B가 서로 독립이므로
$P(A|B)=P(A)=0.4$

279 답 0.5

두 사건 A^C, B^C가 서로 독립이므로
$P(B^C|A^C)=P(B^C)=1-0.5=0.5$

280 답 0.2

두 사건 A, B가 서로 독립이므로
$P(A\cap B)=P(A)P(B)=0.4\times0.5=0.2$

281 답 0.7

$P(A\cup B)=P(A)+P(B)-P(A\cap B)$
$=0.4+0.5-0.2=0.7$

282 답 종속

$P(A)=\frac{1}{3}$, $P(B)=\frac{1}{2}$, $P(A\cap B)=\frac{1}{3}$에서
$P(A)P(B)=\frac{1}{3}\times\frac{1}{2}=\frac{1}{6}$이므로
$P(A\cap B)\neq P(A)P(B)$
따라서 두 사건 A, B는 서로 종속이다.

283 답 독립

$P(B)=\frac{1}{2}$, $P(C)=\frac{2}{3}$, $P(B\cap C)=\frac{1}{3}$에서
$P(B)P(C)=\frac{1}{2}\times\frac{2}{3}=\frac{1}{3}$이므로
$P(B\cap C)=P(B)P(C)$
따라서 두 사건 B, C는 서로 독립이다.

284 답 $\frac{5}{24}$

주머니 A에서 흰 공을 꺼내는 사건을 A, 주머니 B에서 흰 공을 꺼내는 사건을 B라 하면 $P(A)=\frac{5}{8}$, $P(B)=\frac{1}{3}$이고, 두 사건 A, B는 서로 독립이므로
$P(A\cap B)=P(A)P(B)=\frac{5}{8}\times\frac{1}{3}=\frac{5}{24}$

285 답 10

제비 뽑기를 5번 반복해서 시행할 때, 2번 당첨되는 경우의 수는
${}_5C_2=10$

286 답 $\frac{8}{243}$

$p_1=p_2=p_3=\cdots=p_n=\frac{2^3}{3^5}=\frac{8}{243}$
$\therefore p=\frac{8}{243}$

287 답 $\frac{80}{243}$

5번의 시행에서 2번 당첨될 확률은
${}_5C_2\left(\frac{1}{3}\right)^2\left(\frac{2}{3}\right)^3=\frac{80}{243}$

288 답 $\frac{1}{2}$

$P(A)=\frac{2}{4}\times\frac{2}{4}+\frac{2}{4}\times\frac{2}{4}=\frac{1}{2}$

289 답 $\frac{5}{16}$

각 시행은 서로 독립이므로
${}_5C_2\left(\frac{1}{2}\right)^2\left(\frac{1}{2}\right)^3=\frac{10}{32}=\frac{5}{16}$

290 답 $\frac{7}{32}$

4의 약수의 눈이 나오는 사건을 A라 하면
$P(A)=\frac{3}{6}=\frac{1}{2}$
각 시행은 서로 독립이므로
${}_8C_3\left(\frac{1}{2}\right)^3\left(\frac{1}{2}\right)^5=\frac{7}{32}$

291 답 $\frac{216}{625}$

이 양궁 선수가 한 발의 화살을 쏠 때, 과녁의 10점 영역을 맞히는 사건을 A라 하면
$P(A)=\frac{40}{100}=\frac{2}{5}$
각 시행은 서로 독립이므로
${}_4C_2\left(\frac{2}{5}\right)^2\left(\frac{3}{5}\right)^2=\frac{216}{625}$

292 답 $\frac{32}{81}$

윷가락을 한 개 던졌을 때, 등이 나오는 사건을 A라 하면
$P(A)=\frac{1}{3}$
각 윷가락은 서로 독립이므로
${}_4C_1\left(\frac{1}{3}\right)^1\left(\frac{2}{3}\right)^3=\frac{32}{81}$

도전! 유형 연습하기

➔ 본책 48쪽~56쪽

293 답 ①

단계 1 카드에 적힌 수가 3의 배수일 확률과 7의 배수일 확률 구하기

카드에 적힌 수가 3의 배수인 사건을 A, 7의 배수인 사건을 B라 하면

$\mathrm{P}(A)=\frac{66}{200}=\frac{33}{100}$, $\mathrm{P}(A\cap B)=\frac{9}{200}$

단계 2 조건부확률을 이용하여 확률 구하기

구하는 확률은

$$\mathrm{P}(B|A)=\frac{\mathrm{P}(A\cap B)}{\mathrm{P}(A)}=\frac{\frac{9}{200}}{\frac{33}{100}}=\frac{3}{22}$$

294 답 ②

A 교복을 선호하는 학생인 사건을 A, 3학년 학생인 사건을 B라 하면

$\mathrm{P}(A)=\frac{117}{264}=\frac{39}{88}$, $\mathrm{P}(A\cap B)=\frac{36}{264}=\frac{3}{22}$

따라서 구하는 확률은

$$\mathrm{P}(B|A)=\frac{\mathrm{P}(A\cap B)}{\mathrm{P}(A)}=\frac{\frac{3}{22}}{\frac{39}{88}}=\frac{4}{13}$$

295 답 ③

abc가 짝수인 사건을 A, $a+b+c$가 홀수인 사건을 B라 하면

a, b, c가 모두 홀수일 확률은 $\frac{({}_3\mathrm{C}_1)^3}{6^3}=\frac{1}{8}$이므로

$\mathrm{P}(A)=1-\frac{1}{8}=\frac{7}{8}$

이때 $A\cap B$는 세 수 a, b, c 중에서 두 수는 짝수, 나머지 한 수는 홀수인 경우이므로

$$\mathrm{P}(A\cap B)=\frac{({}_3\mathrm{C}_1)^2\times{}_3\mathrm{C}_1\times\frac{3!}{2!}}{6^3}=\frac{3}{8}$$

$$\therefore \mathrm{P}(B|A)=\frac{\mathrm{P}(A\cap B)}{\mathrm{P}(A)}=\frac{\frac{3}{8}}{\frac{7}{8}}=\frac{3}{7}$$

따라서 $m=7$, $n=3$이므로 $m+n=7+3=10$

296 답 $\frac{5}{8}$

택한 한 명이 버스로 등교하는 학생인 사건을 A, 남학생인 사건을 B라 하면

$\mathrm{P}(A)=\frac{40}{100}=\frac{2}{5}$, $\mathrm{P}(A\cap B)=\frac{25}{100}=\frac{1}{4}$

따라서 구하는 확률은

$$\mathrm{P}(B|A)=\frac{\mathrm{P}(A\cap B)}{\mathrm{P}(A)}=\frac{\frac{1}{4}}{\frac{2}{5}}=\frac{5}{8}$$

297 답 ④

첫 번째 꺼낸 과일이 잘 익은 과일인 사건을 A, 두 번째 꺼낸 과일이 덜 익은 과일인 사건을 B라 하고, 잘 익은 과일의 개수를 a, 덜 익은 과일의 개수를 b라 하면

$\mathrm{P}(A)=\frac{a}{a+b}$, $\mathrm{P}(B|A)=\frac{b}{a+b-1}$

즉, $\frac{a}{a+b}=\frac{5}{7}$에서 $2a-5b=0$ ⋯ ㉠

$\frac{b}{a+b-1}=\frac{3}{10}$에서 $3a-7b-3=0$ ⋯ ㉡

㉠, ㉡을 연립하여 풀면 $a=15$, $b=6$

따라서 잘 익은 과일은 15개이다.

298 답 ①

단계 1 각각의 시행에서 조건을 만족시키는 확률 구하기

전체 카드 중에서 짝수는 2와 4뿐이므로 파란색 카드 중에서 3장을 뽑을 때, 2, 4는 반드시 포함되어야 한다.

파란색 카드 중에서 2, 4를 포함하여 3장을 뽑는 사건을 A, 마지막에 뽑힌 3장의 카드 중에서 짝수가 2개 포함된 사건을 B라 하면

$\mathrm{P}(A)=\frac{{}_2\mathrm{C}_2\times{}_3\mathrm{C}_1}{{}_5\mathrm{C}_3}=\frac{3}{10}$, $\mathrm{P}(B|A)=\frac{{}_2\mathrm{C}_2\times{}_6\mathrm{C}_1}{{}_8\mathrm{C}_3}=\frac{3}{28}$

단계 2 확률의 곱셈정리를 이용하여 확률 구하기

구하는 확률은

$\mathrm{P}(A\cap B)=\mathrm{P}(A)\mathrm{P}(B|A)=\frac{3}{10}\times\frac{3}{28}=\frac{9}{280}$

299 답 $\frac{7}{30}$

갑이 당첨 제비를 뽑는 사건을 A, 을이 당첨 제비를 뽑는 사건을 B라 하면

$\mathrm{P}(A)=\frac{3}{10}$

$\therefore \mathrm{P}(A^C)=1-\mathrm{P}(A)=\frac{7}{10}$, $\mathrm{P}(B|A^C)=\frac{3}{9}=\frac{1}{3}$

$\therefore \mathrm{P}(A^C\cap B)=\mathrm{P}(A^C)\mathrm{P}(B|A^C)=\frac{7}{10}\times\frac{1}{3}=\frac{7}{30}$

300 답 ③

1회의 시행에서 모두 같은 자세를 취할 확률은

$\frac{{}_2\mathrm{C}_1}{2^4}=\frac{1}{8}$

1회의 시행에서 두 자세를 취한 학생의 수가 같을 확률은

$\frac{{}_4\mathrm{C}_2\times{}_2\mathrm{C}_2}{2^4}=\frac{3}{8}$

즉, 1회의 시행에서 탈락하는 학생이 나오지 않을 확률은

$\frac{1}{8}+\frac{3}{8}=\frac{1}{2}$

따라서 구하는 확률은

$\left(\frac{1}{2}\right)^2\times\left(1-\frac{1}{2}\right)=\left(\frac{1}{2}\right)^3=\frac{1}{8}$

301 답 ③

단계 1 확률의 곱셈정리를 이용하여 종속인 사건의 확률 구하기

5월 2일부터 4일까지 미세먼지 수준이 '좋음'인 날이

(i) 2일, 3일의 미세먼지 수준이 '좋음'인 경우 4일의 미세먼지 수준은 상관없으므로 조건을 만족시키는 확률은
$0.3\times0.4\times1=0.12$

(ii) 미세먼지 수준이 '좋음'인 날이 2일과 4일뿐일 확률은
$0.3\times0.6\times0.3=0.054$

(iii) 미세먼지 수준이 '좋음'인 날이 3일과 4일뿐일 확률은
$0.7\times0.3\times0.4=0.084$

단계 2 확률의 덧셈정리를 이용하여 확률 구하기

(i)~(iii)에서 구하는 확률은
$0.12+0.054+0.084=0.258$

302 답 ②

수요일부터 토요일까지 비가 오는 경우를 ○, 비가 오지 않는 경우를 ×로 나타내면 토요일에 비가 오지 않는 경우는 다음과 같다.

수	목	금	토
○	○	○	×
○	×	○	×
○	○	×	×
○	×	×	×

따라서 구하는 확률은

$$\frac{1}{4}\times\frac{1}{4}\times\frac{3}{4}+\frac{3}{4}\times\frac{1}{6}\times\frac{3}{4}+\frac{1}{4}\times\frac{3}{4}\times\frac{5}{6}+\frac{3}{4}\times\frac{5}{6}\times\frac{5}{6}$$

$$=\frac{3}{64}+\frac{9}{96}+\frac{15}{96}+\frac{75}{144}=\frac{471}{576}=\frac{157}{192}$$

303 답 ③

단계 1 $P(A\cap B)$ 구하기

$$P(A\cap B)=P(A)P(B|A)=\frac{2}{5}\times\frac{1}{4}=\frac{1}{10}$$

단계 2 $P(A\cup B)$ 구하기

$$P(A\cup B)=P(A)+P(B)-P(A\cap B)=\frac{2}{5}+\frac{1}{3}-\frac{1}{10}=\frac{19}{30}$$

단계 3 $P(A^c\cap B^c)$ 구하기

$$P(A^c\cap B^c)=P((A\cup B)^c)=1-P(A\cup B)=1-\frac{19}{30}=\frac{11}{30}$$

304 답 75

$P(B)=0.5$, $P(A|B)=0.6$이므로

$$P(A|B)=\frac{P(A\cap B)}{P(B)}=\frac{P(A\cap B)}{0.5}=0.6$$

$\therefore P(A\cap B)=0.3$

이때 $P(A)=0.4$이므로

$$P(B|A)=\frac{P(A\cap B)}{P(A)}=\frac{0.3}{0.4}=0.75$$

$\therefore 100P(B|A)=100\times0.75=75$

305 답 ④

$P(A)=\frac{1}{3}$, $P(B|A)=\frac{1}{6}$이므로

$$P(B|A)=\frac{P(A\cap B)}{P(A)}=\frac{P(A\cap B)}{\frac{1}{3}}=\frac{1}{6}$$

$\therefore P(A\cap B)=\frac{1}{18}$

$$\therefore P(A^c|B)=\frac{P(A^c\cap B)}{P(B)}=\frac{P(B)-P(A\cap B)}{P(B)}=\frac{\left(1-\frac{3}{4}\right)-\frac{1}{18}}{1-\frac{3}{4}}=\frac{7}{9}$$

306 답 ③

$P(B|A)=0.6$, $P(A)=0.2$이므로

$$P(A\cap B)=P(A)P(B|A)=0.2\times0.6=0.12$$

$P(A|B)=0.4$이므로 $P(A\cap B)=P(B)P(A|B)$에서

$0.12=0.4P(B)$ $\qquad\therefore P(B)=0.3$

$$\therefore P(A\cup B)=P(A)+P(B)-P(A\cap B)=0.2+0.3-0.12=0.38$$

307 답 ②

$P(A)=3P(B)$이므로 $\frac{2}{P(B)}-\frac{3}{P(A)}=5$에서

$\frac{2}{P(B)}-\frac{3}{3P(B)}=5$, $\frac{1}{P(B)}=5$

$\therefore P(B)=\frac{1}{5}$

$$\therefore P(A\cap B)=P(B)P(A|B)=\frac{1}{5}\times\frac{1}{2}=\frac{1}{10}$$

308 답 $\frac{9}{10}$

단계 1 조건을 만족시키는 각각의 확률 구하기

주사위를 한 번 던져서 나온 눈의 수가 6의 약수인 사건을 A, 노란 공이 적어도 1개 포함되는 사건을 E라 하면

(i) 주사위에서 나온 눈의 수가 6의 약수인 경우 A 주머니에서 꺼낸 3개의 공에 노란 공이 적어도 1개 포함될 확률은

$$P(A)=\frac{4}{6}=\frac{2}{3},\ P(E|A)=1-\frac{{}_3C_3}{{}_6C_3}=\frac{19}{20}$$

$\therefore$ $P(A\cap E)=P(A)P(E|A)=\frac{2}{3}\times\frac{19}{20}=\frac{19}{30}$

(ⅱ) 주사위에서 나온 눈의 수가 6의 약수가 아닌 경우 B 주머니에서 꺼낸 3개의 공에 노란 공이 적어도 1개 포함될 확률은

$P(A^C)=\frac{2}{6}=\frac{1}{3}$, $P(E|A^C)=1-\frac{{}_4C_3}{{}_6C_3}=\frac{4}{5}$

$\therefore$ $P(A^C\cap E)=P(A^C)P(E|A^C)=\frac{1}{3}\times\frac{4}{5}=\frac{4}{15}$

단계 2 노란 공이 적어도 1개 포함될 확률 구하기

(ⅰ), (ⅱ)에서 구하는 확률은

$P(E)=P(A\cap E)+P(A^C\cap E)=\frac{19}{30}+\frac{4}{15}=\frac{9}{10}$

309 답 ④

C 국가에서 생산된 커피 원두를 선택하는 사건을 A, C 국가에서 생산된 커피 원두라고 판정하는 사건을 E라 하면

(ⅰ) 택한 커피 원두 샘플이 C 국가의 것인 경우 C 국가의 것으로 판정할 확률은

$P(A)=\frac{4}{12}=\frac{1}{3}$, $P(E|A)=\frac{9}{10}$

$\therefore$ $P(A\cap E)=P(A)P(E|A)=\frac{1}{3}\times\frac{9}{10}=\frac{3}{10}$

(ⅱ) 택한 커피 원두 샘플이 C 국가의 것이 아닌 경우 C 국가의 것으로 판정할 확률은

$P(A^C)=\frac{8}{12}=\frac{2}{3}$, $P(E|A^C)=\frac{1}{5}$

$\therefore$ $P(A^C\cap E)=P(A^C)P(E|A^C)=\frac{2}{3}\times\frac{1}{5}=\frac{2}{15}$

(ⅰ), (ⅱ)에서 구하는 확률은

$P(E)=P(A\cap E)+P(A^C\cap E)=\frac{3}{10}+\frac{2}{15}=\frac{13}{30}$

310 답 ②

주머니에서 서로 같은 색의 공을 꺼내는 사건을 A, 앞면이 나온 동전의 개수가 2개인 사건을 E라 하면

(ⅰ) 꺼낸 공의 색이 서로 같은 경우 앞면이 나온 동전의 개수가 2일 확률은

$P(A)=\frac{{}_3C_2+{}_2C_2}{{}_5C_2}=\frac{2}{5}$, $P(E|A)=\frac{\frac{3!}{2!}}{2^3}=\frac{3}{8}$

$\therefore$ $P(A\cap E)=P(A)P(E|A)=\frac{2}{5}\times\frac{3}{8}=\frac{3}{20}$

(ⅱ) 꺼낸 공의 색이 서로 다른 경우 앞면이 나온 동전의 개수가 2일 확률은

$P(A^C)=\frac{{}_3C_1\times{}_2C_1}{{}_5C_2}=\frac{3}{5}$, $P(E|A^C)=\frac{1}{2^2}=\frac{1}{4}$

$\therefore$ $P(A^C\cap E)=P(A^C)P(E|A^C)=\frac{3}{5}\times\frac{1}{4}=\frac{3}{20}$

(ⅰ), (ⅱ)에서 구하는 확률은

$P(E)=P(A\cap E)+P(A^C\cap E)=\frac{3}{20}+\frac{3}{20}=\frac{3}{10}$

311 답 ②

단계 1 확률의 곱셈정리를 이용하여 $P(A\cap B)$와 $P(A\cap B^C)$ 구하기

택한 한 명이 고등학생인 사건을 A, 헌혈 경험이 있는 사건을 E, 이 지역의 대학생의 수를 k라 하면

$P(A)=\frac{1.5k}{1.5k+k}=\frac{1.5}{2.5}=\frac{3}{5}$

또, $P(E|A)=\frac{1}{5}$, $P(E|A^C)=\frac{3}{5}$이므로

$P(A\cap E)=P(A)P(E|A)=\frac{3}{5}\times\frac{1}{5}=\frac{3}{25}$

$P(A^C\cap E)=P(A^C)P(E|A^C)=\frac{2}{5}\times\frac{3}{5}=\frac{6}{25}$

단계 2 조건부확률의 정의를 이용하여 확률 구하기

구하는 확률은

$$P(A|E)=\frac{P(A\cap E)}{P(E)}=\frac{P(A\cap E)}{P(A\cap E)+P(A^C\cap E)}$$

$$=\frac{\frac{3}{25}}{\frac{3}{25}+\frac{6}{25}}=\frac{1}{3}$$

312 답 $\frac{1}{4}$

갑이 '당첨'이라 적힌 카드를 뒤집는 사건을 A, 을이 '당첨'이라 적힌 카드를 뒤집는 사건을 E라 하면

$P(A)=\frac{2}{5}$, $P(E|A)=\frac{1}{4}$, $P(E|A^C)=\frac{1}{2}$이므로

$P(A\cap E)=P(A)P(E|A)=\frac{2}{5}\times\frac{1}{4}=\frac{1}{10}$

$P(A^C\cap E)=P(A^C)P(E|A^C)=\frac{3}{5}\times\frac{1}{2}=\frac{3}{10}$

따라서 구하는 확률은

$$P(A|E)=\frac{P(A\cap E)}{P(E)}=\frac{P(A\cap E)}{P(A\cap E)+P(A^C\cap E)}$$

$$=\frac{\frac{1}{10}}{\frac{1}{10}+\frac{3}{10}}=\frac{1}{4}$$

313 답 ①

전자우편의 제목이 '여행'이라는 단어를 포함하는 사건을 A, 광고인 사건을 E라 하면

$P(A)=0.1$, $P(E|A)=0.5$, $P(E|A^C)=0.2$이므로

제목이 '여행'이라는 단어를 포함하는 광고 전자우편일 확률은

$P(A\cap E)=P(A)P(E|A)=0.1\times0.5=0.05$

제목이 '여행'이라는 단어를 포함하지 않은 광고 전자우편일 확률은

$P(A^C\cap E)=P(A^C)P(E|A^C)=\{1-P(A)\}P(E|A^C)$

$=0.9\times0.2=0.18$

따라서 구하는 확률은

$$P(A|E)=\frac{P(A\cap E)}{P(E)}=\frac{P(A\cap E)}{P(A\cap E)+P(A^C\cap E)}$$
$$=\frac{0.05}{0.05+0.18}=\frac{0.05}{0.23}=\frac{5}{23}$$

314 답 $\frac{6}{13}$

구입한 핸드폰이 A 회사의 핸드폰인 사건을 A, B 회사의 핸드폰인 사건을 B, C 회사의 핸드폰인 사건을 C라 하고, 폴더폰인 사건을 E라 하면

$P(A\cap E)=P(A)P(E|A)=\frac{1}{5}\times\frac{1}{10}=\frac{1}{50}$

$P(B\cap E)=P(B)P(E|B)=\frac{1}{2}\times\frac{1}{10}=\frac{1}{20}$

$P(C\cap E)=P(C)P(E|C)=\frac{3}{10}\times\frac{1}{5}=\frac{3}{50}$

$\therefore P(E)=P(A\cap E)+P(B\cap E)+P(C\cap E)$

$=\frac{1}{50}+\frac{1}{20}+\frac{3}{50}=\frac{13}{100}$

따라서 구하는 확률은

$$P(C|E)=\frac{P(C\cap E)}{P(E)}=\frac{\frac{3}{50}}{\frac{13}{100}}=\frac{6}{13}$$

315 답 ④

단계 1 독립사건의 정의를 이용하여 사건 B의 조건 구하기

$A=\{1, 2, 4, 8\}$이므로 $P(A)=\frac{4}{8}=\frac{1}{2}$

조건 ㈏에서 $n(A\cap B)=2$이므로

$P(A\cap B)=\frac{2}{8}=\frac{1}{4}$

조건 ㈎에서 두 사건 A, B는 서로 독립이므로

$P(A\cap B)=P(A)P(B)$

$\frac{1}{4}=\frac{1}{2}P(B)\qquad \therefore P(B)=\frac{1}{2}$

즉, 사건 B의 원소의 개수는 4이다.

단계 2 조건을 만족시키는 사건 B의 개수 구하기

사건 B의 원소 중에서 2개는 사건 A의 원소이고 2개는 사건 A의 여사건의 원소이므로 사건 B의 개수는

${}_4C_2\times{}_4C_2=36$

316 답 ⑤

택한 한 명의 학생이 남학생인 사건을 A, 안경을 착용하는 사건을 B라 하면

$P(A)=\frac{300}{720}$, $P(B)=\frac{480}{720}$

두 사건 A, B가 서로 독립이면 두 사건 A^C, B^C도 서로 독립이므로

$P(A^C\cap B^C)=P(A^C)P(B^C)$

$=\left(1-\frac{300}{720}\right)\left(1-\frac{480}{720}\right)$

$=\frac{7}{12}\times\frac{1}{3}=\frac{7}{36}$

즉, $P(A^C\cap B^C)=\frac{7}{36}$이므로

$\frac{k}{720}=\frac{7}{36}\qquad \therefore k=140$

날선특강 두 사건 A, B가 독립일 때, 서로 독립인 사건

두 사건 A, B가 서로 독립이면

(1) A와 B^C가 서로 독립
➡ $P(A\cap B^C)=P(A)P(B^C)$

(2) A^C와 B가 서로 독립
➡ $P(A^C\cap B)=P(A^C)P(B)$

(3) A^C와 B^C가 서로 독립
➡ $P(A^C\cap B^C)=P(A^C)P(B^C)$

317 답 ⑤

ㄱ. A, B가 서로 배반사건이면 $A\cap B=\varnothing$

$\therefore P(A|B)=\frac{P(A\cap B)}{P(B)}=0$ (참)

ㄴ. A, B가 서로 독립이면 $P(A\cap B)=P(A)P(B)>0$
따라서 $A\cap B\neq\varnothing$이므로 A, B는 서로 배반사건이 아니다. (참)

ㄷ. A, B가 서로 배반사건이면 $A\cap B=\varnothing$
이때 $P(A\cap B)=0$이고 $P(A)P(B)>0$이므로
$P(A\cap B)\neq P(A)P(B)$
따라서 A, B는 서로 독립이 아니다. (참)

그러므로 옳은 것은 ㄱ, ㄴ, ㄷ이다.

날선특강 배반사건과 독립사건의 관계

$P(A)>0$, $P(B)>0$인 두 사건 A, B에 대하여

(1) A, B가 서로 배반사건이면 A, B는 서로 종속이다.

(2) A, B가 서로 독립이면 A, B는 서로 배반사건이 아니다.

318 답 ③

두 사건 A, B가 서로 독립이므로

$P(A\cap B)=\boxed{P(A)P(B)}$

$A^C\cap B^C=(\boxed{A\cup B})^C$에서

$P(A^C\cap B^C)=1-P(\boxed{A\cup B})$

$=1-\{P(A)+P(B)-P(\boxed{A\cap B})\}$

$=1-\{P(A)+P(B)-P(A)P(B)\}$

$=\{1-P(A)\}\{1-P(B)\}$

$=P(A^C)P(B^C)$

따라서 두 사건 A^C, B^C도 서로 독립이다.

$\therefore$ ㈎ : $P(A)P(B)$, ㈏ : $A\cup B$, ㈐ : $A\cap B$

319 답 24

$A_2=\{2, 4, 6, \cdots, 20\}$이므로 $P(A_2)=\frac{1}{2}$

2 이상의 자연수 k에 대하여 두 사건 A_2, A_k가 서로 독립이려면

$P(A_2|A_k)=P(A_2)=\frac{1}{2}$에서 $\frac{n(A_2\cap A_k)}{n(A_k)}=\frac{1}{2}$

즉, $n(A_k)=2n(A_2\cap A_k)$이므로 사건 A_k의 원소 중에서 짝수인 것과 홀수인 것의 개수가 서로 같아야 한다.

따라서 조건을 만족시키는 사건 A_k는

$A_3=\{3, 6, 9, 12, 15, 18\}$, $A_5=\{5, 10, 15, 20\}$,

$A_7=\{7, 14\}$, $A_9=\{9, 18\}$

$\therefore k=3$ 또는 $k=5$ 또는 $k=7$ 또는 $k=9$

따라서 구하는 자연수 k의 값의 합은

$3+5+7+9=24$

320 답 ④

단계 1 독립인 사건의 성질을 이용하여 $P(A)$, $P(B)$ 구하기

$P(B^C)=\frac{3}{5}$이므로 $P(B)=1-P(B^C)=\frac{2}{5}$

두 사건 A, B가 서로 독립이면 두 사건 A, B^C도 서로 독립이므로

$P(A)=P(A|B^C)=\frac{2}{3}$

단계 2 확률의 덧셈정리를 이용하여 $P(A\cup B)$ 구하기

$P(A\cup B)=P(A)+P(B)-P(A\cap B)$

$=P(A)+P(B)-P(A)P(B)$

$=\frac{2}{3}+\frac{2}{5}-\frac{2}{3}\times\frac{2}{5}=\frac{4}{5}$

321 답 $\frac{3}{7}$

두 사건 A, B가 서로 독립이므로

$P(A\cap B)=P(A)-P(B)$에서 $P(A)P(B)=P(A)-P(B)$

$P(A)=\frac{3}{4}$이므로 $\frac{3}{4}P(B)=\frac{3}{4}-P(B)$

$\frac{7}{4}P(B)=\frac{3}{4}$ $\quad\therefore P(B)=\frac{3}{7}$

322 답 ①

두 사건 A, B가 서로 독립이므로

$P(A\cup B)=P(A)+P(B)-P(A\cap B)$

$=P(A)+P(B)-P(A)P(B)$

$P(A)=\frac{1}{3}$, $P(A\cup B)=\frac{4}{5}$이므로

$\frac{4}{5}=\frac{1}{3}+P(B)-\frac{1}{3}P(B)$

$\therefore P(B)=\frac{7}{10}$

323 답 ④

두 사건 A, B가 서로 독립이면 두 사건 A^C, B^C도 서로 독립이므로

$P(B^C)=P(B^C|A^C)=\frac{2}{5}$

또, 두 사건 A, B가 서로 독립이면 두 사건 A, B^C도 서로 독립이고, 두 사건 A^C, B도 서로 독립이므로

$P(A\cap B^C)+P(A^C\cap B)$

$=P(A)P(B^C)+P(A^C)P(B)$

$=\frac{1}{3}\times\frac{2}{5}+\{1-P(A)\}\times\{1-P(B^C)\}$

$=\frac{1}{3}\times\frac{2}{5}+\frac{2}{3}\times\frac{3}{5}=\frac{8}{15}$

따라서 $m=15$, $n=8$이므로

$m+n=15+8=23$

324 답 ⑤

두 사건 A, B가 서로 독립이므로

$P(A\cap B)=P(A)P(B)$

$P(A)=a$, $P(B)=b$라 하면

$P(A\cap B)=\frac{1}{3}$이므로 $ab=\frac{1}{3}$

$\therefore b=\frac{1}{3a}$ (단, $0<a\le1$, $0<b\le1$) $\quad\cdots$ ㉠

또, $P(A\cup B)=k-\frac{1}{3}$이므로

$P(A\cup B)=P(A)+P(B)-P(A\cap B)$

$=P(A)+P(B)-P(A)P(B)$에서

$k-\frac{1}{3}=a+b-ab$

$ab=\frac{1}{3}$이므로 $a+b=k$

$\therefore b=-a+k$ $\quad\cdots$ ㉡

이때 a, b에 대한 연립방정식 ㉠, ㉡이 근을 가져야 하므로

$-a+k=\frac{1}{3a}$에서 $3a^2-3ka+1=0$

이차방정식 $3a^2-3ka+1=0$의 판별식을 D라 하면

$D\ge0$이어야 하므로 $D=9k^2-12\ge0$

$k^2\ge\frac{4}{3}$ $\quad\therefore k\ge\frac{2\sqrt{3}}{3}$ ($\because k>0$)

따라서 실수 k의 최솟값은 $\frac{2\sqrt{3}}{3}$이다.

325 답 $\frac{1443}{4096}$

단계 1 조건을 만족시키는 각각의 경우의 확률 구하기

학생 B가 2회에 이길 확률은 $\frac{3}{4}\times\frac{1}{4}=\frac{3}{4^2}$

4회에 이길 확률은 $\left(\frac{3}{4}\right)^3\times\frac{1}{4}=\frac{3^3}{4^4}$

6회에 이길 확률은 $\left(\frac{3}{4}\right)^5\times\frac{1}{4}=\frac{3^5}{4^6}$

단계 2 확률의 덧셈정리를 이용하여 확률 구하기

구하는 확률은

$\frac{3}{4^2}+\frac{3^3}{4^4}+\frac{3^5}{4^6}=\frac{1443}{4096}$

326 답 $\frac{1}{36}$

시행을 마칠 때까지 나온 주사위의 눈의 수의 합이 10일 때는 주사위의 눈이 차례로 6, 4가 나온 경우이다.
한 개의 주사위를 던져서 첫 번째 나온 눈의 수가 6인 사건을 A, 두 번째 나온 눈의 수가 4인 사건을 B라 하면 A, B는 서로 독립이므로

$\mathrm{P}(A\cap B)=\mathrm{P}(A)\mathrm{P}(B)=\frac{1}{6}\times\frac{1}{6}=\frac{1}{36}$

327 답 ①

세 학생 A, B, C가 자유투를 성공시키는 사건을 각각 A, B, C라 하면 세 사건 A, B, C는 서로 독립이므로

(i) 학생 A만 성공할 확률은

$\mathrm{P}(A\cap B^C\cap C^C)=\frac{1}{2}\times\frac{1}{3}\times\frac{1}{4}=\frac{1}{24}$

(ii) 학생 B만 성공할 확률은

$\mathrm{P}(A^C\cap B\cap C^C)=\frac{1}{2}\times\frac{2}{3}\times\frac{1}{4}=\frac{1}{12}$

(iii) 학생 C만 성공할 확률은

$\mathrm{P}(A^C\cap B^C\cap C)=\frac{1}{2}\times\frac{1}{3}\times\frac{3}{4}=\frac{1}{8}$

(i)~(iii)에서 구하는 확률은

$\frac{1}{24}+\frac{1}{12}+\frac{1}{8}=\frac{1}{4}$

328 답 ④

단계 1 독립시행의 확률을 이용하여 확률 구하기

숙제를 미리 해 온 학생의 수가 8명 이하인 사건을 A라 하면 A^C는 숙제를 미리 해 온 학생의 수가 9명 이상인 사건이므로

$\mathrm{P}(A^C)={}_{10}\mathrm{C}_9\left(\frac{1}{2}\right)^9\left(\frac{1}{2}\right)^1+{}_{10}\mathrm{C}_{10}\left(\frac{1}{2}\right)^{10}\left(\frac{1}{2}\right)^0=\frac{11}{1024}$

단계 2 여사건의 확률을 이용하여 확률 구하기

$\mathrm{P}(A)=1-\mathrm{P}(A^C)=1-\frac{11}{1024}=\frac{1013}{1024}$

329 답 ②

네 명의 학생이 윷가락을 한 개씩 동시에 던져서 첫 번째에 윷가락의 등과 배가 두 개씩 나오는 사건을 A, 두 번째에 윷가락의 등과 배가 두 개씩 나오는 사건을 B라 하면

윷가락 한 개를 던질 때 등이 나올 확률은 $\frac{1}{3}$이므로 네 개의 윷가락을 동시에 던져서 등과 배가 2개씩 나올 확률은

${}_4\mathrm{C}_2\left(\frac{1}{3}\right)^2\left(\frac{2}{3}\right)^2=\frac{8}{27}$

즉, 네 개의 윷을 동시에 던져서 등과 배가 2개씩 나오지 않을 확률은

$1-\frac{8}{27}=\frac{19}{27}$

이때 두 사건 A, B는 서로 독립이므로 두 사건 A^C, B도 서로 독립이다.

$\therefore \mathrm{P}(A^C\cap B)=\mathrm{P}(A^C)\mathrm{P}(B)$

$=\frac{19}{27}\times\frac{8}{27}=\frac{152}{729}$

330 답 $\frac{27}{64}$

패스를 한 번 할 때 성공할 확률이 $\frac{1}{4}$이므로 패스를 4번 했을 때 1번만 성공할 확률은

${}_4\mathrm{C}_1\left(\frac{1}{4}\right)^1\left(\frac{3}{4}\right)^3=\frac{27}{64}$

331 답 ④

5번째 경기에서 A가 우승하려면 4번째 경기까지 A가 2번 이기고, 5번째 경기에서 A가 이기면 된다.
따라서 구하는 확률은

${}_4\mathrm{C}_2\left(\frac{2}{3}\right)^2\left(\frac{1}{3}\right)^2\times\frac{2}{3}=\frac{8}{27}\times\frac{2}{3}=\frac{16}{81}$

332 답 810

1명의 학생이 최종 당첨자가 될 확률은

$\frac{1}{2}\times\frac{1}{5}=\frac{1}{10}$

따라서 5명의 학생 중에서 최종 당첨자가 3명일 확률은

$p={}_5\mathrm{C}_3\left(\frac{1}{10}\right)^3\left(\frac{9}{10}\right)^2=\frac{81}{10^4}$

$\therefore 10^5p=10^5\times\frac{81}{10^4}=810$

333 답 43

단계 1 $a+b$가 3의 배수인 경우 구하기

1개의 동전을 던져서 앞면이 나와도 x축의 양의 방향으로 1만큼, 뒷면이 나와도 x축의 양의 방향으로 1만큼 평행이동하므로 $a=6$

$a=6$이고 $0\le b\le 6$이므로 $a+b$가 3의 배수가 되는 경우는

$b=0,\ 3,\ 6$ → 뒷면은 0번에서 6번까지 나올 수 있다.

단계 2 독립시행의 확률을 이용하여 확률 구하기

구하는 확률은

${}_6\mathrm{C}_0\left(\frac{1}{2}\right)^0\left(\frac{1}{2}\right)^6+{}_6\mathrm{C}_3\left(\frac{1}{2}\right)^3\left(\frac{1}{2}\right)^3+{}_6\mathrm{C}_6\left(\frac{1}{2}\right)^6\left(\frac{1}{2}\right)^0$

$=\frac{1}{64}+\frac{20}{64}+\frac{1}{64}=\frac{11}{32}$

따라서 $p=32$, $q=11$이므로

$p+q=32+11=43$

334 답 ②

주사위를 8번 던질 때, 3 이하의 눈이 나오는 횟수를 a, 4 이상의 눈이 나오는 횟수를 b라 하면

$a+b=8$ ⋯ ㉠

$a-b=4$ ⋯ ㉡

㉠, ㉡을 연립하여 풀면 $a=6$, $b=2$

따라서 구하는 확률은

${}_8C_6\left(\frac{1}{2}\right)^6\left(\frac{1}{2}\right)^2=\frac{7}{64}$

335 답 $\frac{1}{2}$

$a+b=10$이므로 $b=10-a$에서

$\frac{|a-b|}{2}=\frac{|2a-10|}{2}=|a-5|$

이때 $|a-5|=$(홀수)인 a의 값은 0, 2, 4, 6, 8, 10이다.

따라서 구하는 확률은

$${}_{10}C_0\left(\frac{1}{2}\right)^0\left(\frac{1}{2}\right)^{10}+{}_{10}C_2\left(\frac{1}{2}\right)^2\left(\frac{1}{2}\right)^8+{}_{10}C_4\left(\frac{1}{2}\right)^4\left(\frac{1}{2}\right)^6$$
$$+{}_{10}C_6\left(\frac{1}{2}\right)^6\left(\frac{1}{2}\right)^4+{}_{10}C_8\left(\frac{1}{2}\right)^8\left(\frac{1}{2}\right)^2+{}_{10}C_{10}\left(\frac{1}{2}\right)^{10}\left(\frac{1}{2}\right)^0$$
$$=({}_{10}C_0+{}_{10}C_2+{}_{10}C_4+{}_{10}C_6+{}_{10}C_8+{}_{10}C_{10})\times\left(\frac{1}{2}\right)^{10}$$
$$=2^9\times\left(\frac{1}{2}\right)^{10}=\frac{1}{2}$$

336 답 ⑤

짝수의 눈이 x번, 홀수의 눈이 y번 나온다고 하면

$x+y=10$ ⋯ ㉠

$2x-y=8$ ⋯ ㉡

㉠, ㉡을 연립하여 풀면 $x=6$, $y=4$

즉, 한 개의 주사위를 10번 던질 때, 짝수의 눈이 6번, 홀수의 눈이 4번 나와야 한다.

따라서 구하는 확률은

${}_{10}C_6\left(\frac{1}{2}\right)^6\left(\frac{1}{2}\right)^4=\frac{210}{2^{10}}=\frac{105}{512}$

337 답 ④

주사위를 한 번 던질 때, 주사위의 눈의 수가 5의 약수일 확률은 $\frac{1}{3}$, 5의 약수가 아닐 확률은 $\frac{2}{3}$이다.

시계 방향으로의 이동을 양의 방향으로, 시계 반대 방향으로의 이동을 음의 방향으로 놓으면 6회의 시행에서 주사위의 눈의 수가 5의 약수인 횟수를 x($x=0$, 1, 2, 3, 4, 5, 6)라 할 때, 주어진 규칙에 따라 이동한 칸수는

$3x-(6-x)=4x-6$

점 P가 꼭짓점 C의 위치에 있는 경우는 정수 k에 대하여

$4x-6=6k+4$이므로 $x=\frac{3}{2}(k+1)+1$

즉, $k=-1$일 때 $x=1$인 경우 또는 $k=1$일 때 $x=4$인 경우의 두 가지뿐이다.

(i) $x=1$일 확률은 ${}_6C_1\left(\frac{1}{3}\right)^1\left(\frac{2}{3}\right)^5=\frac{64}{243}$

(ii) $x=4$일 확률은 ${}_6C_4\left(\frac{1}{3}\right)^4\left(\frac{2}{3}\right)^2=\frac{20}{243}$

(i), (ii)에서 구하는 확률은

$\frac{64}{243}+\frac{20}{243}=\frac{28}{81}$

실전! 기출 문제 정복하기

본책 57쪽~59쪽

338 답 ③

주사위를 두 번 던질 때 나오는 모든 경우의 수는 $6\times6=36$

고객 점수를 8점 얻는 사건을 A, 주사위를 2번 던져 나온 눈의 수 중에서 6이 없는 사건을 B라 하면

$A=\{(2, 6), (3, 5), (4, 4), (5, 3), (6, 2)\}$

$A\cap B=\{(3, 5), (4, 4), (5, 3)\}$

$\therefore$ $\mathrm{P}(A)=\frac{5}{36}$, $\mathrm{P}(A\cap B)=\frac{3}{36}=\frac{1}{12}$

따라서 구하는 확률은

$$\mathrm{P}(B|A)=\frac{\mathrm{P}(A\cap B)}{\mathrm{P}(A)}=\frac{\frac{1}{12}}{\frac{5}{36}}=\frac{3}{5}$$

339 답 ①

(i) $a=1$일 때, $a<b<4\le c$가 되려면 $b=2$ 또는 $b=3$, $c=4$ 또는 $c=5$이므로 확률은

$\frac{2}{6}\times\frac{2}{5}\times\frac{2}{4}=\frac{8}{120}$

(ii) $a=2$일 때, $a<b<4\le c$가 되려면 $b=3$, $c=4$ 또는 $c=5$이므로 확률은

$\frac{1}{6}\times\frac{1}{5}\times\frac{2}{4}=\frac{2}{120}$

(iii) $a\geq 3$인 경우 조건을 만족시키는 b, c가 없다.

(i)~(iii)에서 구하는 확률은

$\frac{8}{120}+\frac{2}{120}=\frac{10}{120}=\frac{1}{12}$

340 답 ④

$P(A|B)=\frac{1}{3}$이므로 $\frac{P(A\cap B)}{P(B)}=\frac{1}{3}$

$\therefore P(B)=3P(A\cap B)$

$P(B|A)=\frac{1}{2}$이므로 $\frac{P(A\cap B)}{P(A)}=\frac{1}{2}$

$\therefore P(A)=2P(A\cap B)$

$P(A\cup B)=\frac{2}{3}$이므로

$P(A\cup B)=P(A)+P(B)-P(A\cap B)$에서

$\frac{2}{3}=2P(A\cap B)+3P(A\cap B)-P(A\cap B)$

$\frac{2}{3}=4P(A\cap B)$

$\therefore P(A\cap B)=\frac{1}{6}$

341 답 $\frac{103}{300}$

(i) A가 부전승을 할 경우

대진이 배정될 확률은 $\frac{1}{3}$

A가 B와 C를 이길 확률은

$\frac{1}{2}\times\frac{4}{5}+\frac{1}{2}\times\frac{3}{10}=\frac{11}{20}$

따라서 A가 우승할 확률은 $\frac{1}{3}\times\frac{11}{20}=\frac{11}{60}$

(ii) B가 부전승을 할 경우

대진이 배정될 확률은 $\frac{1}{3}$

A가 C와 B를 이길 확률은

$\frac{3}{10}\times\frac{4}{5}=\frac{6}{25}$

따라서 A가 우승할 확률은 $\frac{1}{3}\times\frac{6}{25}=\frac{2}{25}$

(iii) C가 부전승을 할 경우

(ii)와 마찬가지로 $\frac{2}{25}$

(i)~(iii)에서 구하는 확률은

$\frac{11}{60}+\frac{2}{25}+\frac{2}{25}=\frac{103}{300}$

342 답 46

현송이가 도서관에 들르는 사건을 A, 편의점에 들르는 사건을 B, 서점에 들르는 사건을 C라 하고, 우산을 놓고 오는 사건을 E라 하면

$P(A\cap E)=\frac{1}{4}$

$P(B\cap E)=\frac{3}{4}\times\frac{1}{4}=\frac{3}{16}$

$P(C\cap E)=\left(\frac{3}{4}\right)^2\times\frac{1}{4}=\frac{9}{64}$

$\therefore P(C|E)=\frac{P(C\cap E)}{P(E)}=\frac{\frac{9}{64}}{\frac{1}{4}+\frac{3}{16}+\frac{9}{64}}=\frac{9}{37}$

따라서 $m=37$, $n=9$이므로 $m+n=37+9=46$

343 답 ⑤

① 두 사건 A, B가 서로 배반사건이면 $P(A\cap B)=0$

$\therefore P(B|A)=\frac{P(A\cap B)}{P(A)}=0$ (참)

② $P(A^C|B)=\frac{P(A^C\cap B)}{P(B)}$

$=\frac{P(B)-P(A\cap B)}{P(B)}$

$=1-\frac{P(A\cap B)}{P(B)}$

$=1-P(A|B)$ (참)

③ 두 사건 A, B가 서로 독립이면

$P(A\cap B)=P(A)P(B)$이므로

$P(A\cup B)=P(A)+P(B)-P(A\cap B)$

$=P(A)+P(B)-P(A)P(B)$ (참)

④ 두 사건 A, B가 서로 독립이면

$P(A|B)-P(A|B^C)$

$=\frac{P(A\cap B)}{P(B)}-\frac{P(A\cap B^C)}{P(B^C)}$

$=\frac{P(A)P(B)}{P(B)}-\frac{P(A)P(B^C)}{P(B^C)}$

$=P(A)-P(A)=0$

$\therefore P(A|B)=P(A|B^C)$ (참)

⑤ [반례] 표본공간 $S=\{1, 2, 3, 4, 5, 6\}$에서

$A=\{1, 2\}$, $B=\{1, 3, 5\}$라 하면

$P(A\cap B)=\frac{1}{6}$, $P(A)=\frac{2}{6}=\frac{1}{3}$, $P(B)=\frac{3}{6}=\frac{1}{2}$이므로

$P(A\cap B)=P(A)P(B)$

즉, 두 사건 A, B는 서로 독립이지만

$P(A|B)=\frac{1}{3}$, $P(B|A)=\frac{1}{2}$이므로

$P(A|B)\neq P(B|A)$ (거짓)

따라서 옳지 않은 것은 ⑤이다.

날선 특강 사건의 독립과 종속의 성질

두 사건 A, B가

(1) 독립 ➡ $P(B|A)=P(B|A^C)=P(B)$

(2) 종속 ➡ $P(B|A)\neq P(B|A^C)$

344 답 8

$A=\{1, 3, 5\}$에서 $P(A)=\frac{1}{2}$

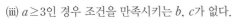

두 사건 A, B가 서로 독립이려면

$P(A)=P(A|B)=\frac{n(A\cap B)}{n(B)}$에서

$\frac{n(A\cap B)}{n(B)}=\frac{1}{2}$ $\quad\therefore n(B)=2n(A\cap B)$

즉, $n(B)$는 짝수이어야 하므로 $m=2, 3, 5, 6$

(i) $m=2$일 때 $B=\{1, 2\}$, $A\cap B=\{1\}$에서

$P(A|B)=\frac{1}{2}$이므로 $P(A)=P(A|B)$

따라서 두 사건 A, B는 서로 독립이다.

(ii) $m=3$일 때 $B=\{1, 3\}$, $A\cap B=\{1, 3\}$에서

$P(A|B)=1$이므로 $P(A)\neq P(A|B)$

따라서 두 사건 A, B는 서로 종속이다.

(iii) $m=5$일 때 $B=\{1, 5\}$, $A\cap B=\{1, 5\}$에서

$P(A|B)=1$이므로 $P(A)\neq P(A|B)$

따라서 두 사건 A, B는 서로 종속이다.

(iv) $m=6$일 때 $B=\{1, 2, 3, 6\}$, $A\cap B=\{1, 3\}$에서

$P(A|B)=\frac{1}{2}$이므로 $P(A)=P(A|B)$

따라서 두 사건 A, B는 서로 독립이다.

(i)~(iv)에서 m의 값은 2, 6이므로 그 합은 $2+6=8$

345 답 ⑤

두 사건 A, B가 서로 독립이므로

$$P(A\cup B)=P(A)+P(B)-P(A\cap B)$$
$$=P(A)+P(B)-P(A)P(B)$$

$P(A)=\frac{1}{3}$, $P(A\cup B)=\frac{1}{2}$이므로

$\frac{1}{2}=\frac{1}{3}+P(B)-\frac{1}{3}P(B)$

$\therefore P(B)=\frac{1}{4}$

$$\therefore P(A\cap B^C)=P(A)-P(A\cap B)$$
$$=P(A)-P(A)P(B)$$
$$=\frac{1}{3}-\frac{1}{3}\times\frac{1}{4}=\frac{1}{4}$$

346 답 ②

임의로 선택한 상자에서 공을 하나 꺼낼 때, 상자 A에서 공을 꺼내는 사건을 A, 상자 B에서 공을 꺼내는 사건을 B, 꺼낸 공이 검은 공일 사건을 E라 하면 선택한 상자에서 꺼낸 공이 검은 공일 때, 상자에 남은 공이 모두 흰 공인 경우는 상자 B에서 검은 공을 꺼낼 때이다.

따라서 구하는 확률은

$$P(B|E)=\frac{P(B\cap E)}{P(E)}=\frac{P(B\cap E)}{P(A\cap E)+P(B\cap E)}$$
$$=\frac{\frac{1}{2}\times\frac{1}{3}}{\frac{1}{2}\times\frac{1}{2}+\frac{1}{2}\times\frac{1}{3}}=\frac{2}{5}$$

347 답 15

각각의 상자를 택할 확률은 $\frac{1}{n}$이므로

[상자 1]을 택했을 때, 모두 흰 구슬이 나올 확률은 $\frac{1}{n}\times 0$

[상자 2]를 택했을 때, 모두 흰 구슬이 나올 확률은 $\frac{1}{n}\times\frac{{}_2C_2}{{}_nC_2}$

[상자 3]을 택했을 때, 모두 흰 구슬이 나올 확률은 $\frac{1}{n}\times\frac{{}_3C_2}{{}_nC_2}$

⋮

[상자 $n-1$]을 택했을 때, 모두 흰 구슬이 나올 확률은

$\frac{1}{n}\times\frac{{}_{n-1}C_2}{{}_nC_2}$

[상자 n]을 택했을 때, 모두 흰 구슬이 나올 확률은 $\frac{1}{n}\times\frac{{}_nC_2}{{}_nC_2}$

$$\therefore P_n=\frac{1}{n}\times 0+\frac{1}{n}\times\frac{{}_2C_2}{{}_nC_2}+\frac{1}{n}\times\frac{{}_3C_2}{{}_nC_2}+\cdots$$
$$+\frac{1}{n}\times\frac{{}_{n-1}C_2}{{}_nC_2}+\frac{1}{n}\times\frac{{}_nC_2}{{}_nC_2}$$
$$=\frac{1}{n}\left(\frac{{}_2C_2+{}_3C_2+\cdots+{}_{n-1}C_2+{}_nC_2}{{}_nC_2}\right)$$
$$=\frac{1}{n}\times\frac{{}_{n+1}C_3}{{}_nC_2}$$
$$=\frac{1}{n}\times\frac{\frac{(n+1)n(n-1)}{3\times2\times1}}{\frac{n(n-1)}{2}}=\frac{n+1}{3n}$$

$\therefore P_{11}=\frac{12}{33}=\frac{4}{11}$

따라서 $p=11$, $q=4$이므로 $p+q=11+4=15$

348 답 ③

y좌표가 처음으로 3이 되어 시행을 멈추었을 때, 각각의 확률은

(i) 점 A가 (0, 3)에서 멈추었을 때,

$${}_3C_3\left(\frac{1}{2}\right)^3\left(\frac{1}{2}\right)^0=\frac{1}{8}$$

(ii) 점 A가 (1, 3)에서 멈추었을 때,

$${}_3C_2\left(\frac{1}{2}\right)^2\left(\frac{1}{2}\right)^1\times\frac{1}{2}=\frac{3}{16}$$

(iii) 점 A가 (2, 3)에서 멈추었을 때,

$${}_4C_2\left(\frac{1}{2}\right)^2\left(\frac{1}{2}\right)^2\times\frac{1}{2}=\frac{3}{16}$$

(i)~(iii)에서 구하는 확률은

$$\frac{\frac{3}{16}}{\frac{1}{8}+\frac{3}{16}+\frac{3}{16}}=\frac{3}{8}$$

349 답 769

8장의 카드 중에서 임의로 1장을 뽑은 후 동전 8개를 던질 때 뽑힌 카드에 적힌 수가 1이면 앞면이 나온 동전의 개수가 1보다 큰 확률은

$\frac{1}{8} \times \frac{{}_8C_2+{}_8C_3+{}_8C_4+\cdots+{}_8C_8}{2^8}$

뽑힌 카드에 적힌 수가 2이면 앞면이 나온 동전의 개수가 2보다 클 확률은

$\frac{1}{8} \times \frac{{}_8C_3+{}_8C_4+{}_8C_5+\cdots+{}_8C_8}{2^8}$

⋮

뽑힌 카드에 적힌 수가 7이면 앞면이 나온 동전의 개수가 7보다 클 확률은

$\frac{1}{8} \times \frac{{}_8C_8}{2^8}$

따라서 p의 값은

$$p=\frac{1}{8} \times \frac{{}_8C_2+2{}_8C_3+3{}_8C_4+\cdots+7{}_8C_8}{2^8}$$
$$=\left(\frac{1}{2}\right)^{11} \times \{({}_8C_1+2{}_8C_2+3{}_8C_3+\cdots+8{}_8C_8) -({}_8C_1+{}_8C_2+{}_8C_3+\cdots+{}_8C_8)\}$$
$$=\left(\frac{1}{2}\right)^{11} \times \{8\times 2^7-(2^8-1)\}$$
$$=\left(\frac{1}{2}\right)^{11} \times (3\times 2^8+1)$$
$$=\left(\frac{1}{2}\right)^{11} \times 769$$

$\therefore\ 2^{11}p=2^{11}\times\left(\frac{1}{2}\right)^{11}\times 769=769$

참고 $r{}_nC_r=n{}_{n-1}C_{r-1}$이므로

${}_nC_1+2{}_nC_2+3{}_nC_3+\cdots+n{}_nC_n=n\times 2^{n-1}$

350 답 $\frac{4}{13}$

단계 1 확률의 곱셈정리를 이용하여 $P(A\cap B)$와 $P(A\cap B^C)$ 구하기

꺼낸 2장의 카드에 적혀 있는 두 수의 합이 홀수인 사건을 A, 주머니 A에서 꺼낸 카드에 적혀 있는 수가 짝수인 사건을 B라 하면

$P(A\cap B)=\frac{2}{5}\times\frac{2}{5}=\frac{4}{25}$

$P(A\cap B^C)=\frac{3}{5}\times\frac{3}{5}=\frac{9}{25}$ ……50%

단계 2 조건부확률을 이용하여 확률 구하기

구하는 확률은

$$P(B|A)=\frac{P(A\cap B)}{P(A)}=\frac{P(A\cap B)}{P(A\cap B)+P(A\cap B^C)}$$
$$=\frac{\frac{4}{25}}{\frac{4}{25}+\frac{9}{25}}=\frac{4}{13}$$ ……50%

351 답 $\frac{171}{512}$

단계 1 한 번의 시행에서 확률 구하기

한 번의 가위바위보에서 갑이 이길 확률은

$\frac{1}{2\times 2}=\frac{1}{4}$

한 번의 가위바위보에서 갑과 을이 비길 확률은

$\frac{1}{2\times 2}=\frac{1}{4}$ ……30%

단계 2 각각의 독립시행의 확률 구하기

갑이 첫 번째 가위바위보에서 승자가 될 확률은 $\frac{1}{4}$

갑이 두 번째 가위바위보에서 승자가 될 확률은

$\frac{1}{4}\times\frac{1}{4}=\left(\frac{1}{4}\right)^2$

⋮

갑이 네 번째 가위바위보에서 승자가 될 확률은

$\left(\frac{1}{4}\right)^3\times\frac{1}{4}=\left(\frac{1}{4}\right)^4$

갑이 다섯 번째 가위바위보에서 승자가 될 확률은

$\left(\frac{1}{4}\right)^4\times\frac{1}{4}+\left(\frac{1}{4}\right)^4\times\frac{1}{4}=2\times\left(\frac{1}{4}\right)^5$ ……50%

단계 3 갑이 승자가 될 확률 구하기

갑이 승자가 될 확률은

$\frac{1}{4}+\left(\frac{1}{4}\right)^2+\left(\frac{1}{4}\right)^3+\left(\frac{1}{4}\right)^4+2\times\left(\frac{1}{4}\right)^5=\frac{171}{512}$ ……20%

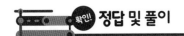

Ⅲ. 통계

1 확률변수와 확률분포

➔ 본책 62쪽~64쪽

352 답 0, 1, 2

한 개의 주사위를 두 번 던질 때 나올 수 있는 결과는 다음과 같다.
(ⅰ) 두 번 모두 짝수가 나오지 않는 경우 $X=0$
(ⅱ) 두 번 중 한 번만 짝수가 나오는 경우 $X=1$
(ⅲ) 두 번 모두 짝수가 나오는 경우 $X=2$
(ⅰ)~(ⅲ)에서 X가 가질 수 있는 값은 $X=0,\ 1,\ 2$

353 답 $\frac{1}{4}$

주사위를 한 번 던질 때 짝수가 나올 확률은 $\frac{3}{6}=\frac{1}{2}$이므로 두 번 모두 짝수가 나올 확률은

$\mathrm{P}(X=2)=\frac{1}{2}\times\frac{1}{2}=\frac{1}{4}$

354 답 $x,\ 3-x$

확률변수 X가 가질 수 있는 값은 0, 1, 2, 3이다.
6개의 공 중에서 3개의 공을 꺼내는 경우의 수는 ${}_6\mathrm{C}_3$
꺼낸 공 중에서 파란 공이 x개인 경우의 수는
${}_3\mathrm{C}_x\times{}_3\mathrm{C}_{3-x}$
따라서 X의 확률질량함수는

$\mathrm{P}(X=x)=\frac{{}_3\mathrm{C}_{\boxed{x}}\times{}_3\mathrm{C}_{\boxed{3-x}}}{{}_6\mathrm{C}_3}\ (x=0,\ 1,\ 2,\ 3)$

355 답 풀이 참조

$\mathrm{P}(X=0)=\frac{{}_3\mathrm{C}_0\times{}_3\mathrm{C}_3}{{}_6\mathrm{C}_3}=\frac{1}{20}$

$\mathrm{P}(X=1)=\frac{{}_3\mathrm{C}_1\times{}_3\mathrm{C}_2}{{}_6\mathrm{C}_3}=\frac{9}{20}$

$\mathrm{P}(X=2)=\frac{{}_3\mathrm{C}_2\times{}_3\mathrm{C}_1}{{}_6\mathrm{C}_3}=\frac{9}{20}$

$\mathrm{P}(X=3)=\frac{{}_3\mathrm{C}_3\times{}_3\mathrm{C}_0}{{}_6\mathrm{C}_3}=\frac{1}{20}$

따라서 X의 확률분포를 표로 나타내면 다음과 같다.

X	0	1	2	3	합계
$\mathrm{P}(X=x)$	$\frac{1}{20}$	$\frac{9}{20}$	$\frac{9}{20}$	$\frac{1}{20}$	1

356 답 $\mathrm{P}(X=x)={}_4\mathrm{C}_x\left(\frac{1}{5}\right)^x\left(\frac{4}{5}\right)^{4-x}\ (x=0,\ 1,\ 2,\ 3,\ 4)$

확률변수 X가 가질 수 있는 값은 0, 1, 2, 3, 4이다.
활을 한 번 쏘아 과녁의 중앙에 맞힐 확률이 $\frac{1}{5}$이므로 4번의 시행에서 과녁의 중앙을 x번 맞힐 확률은 ${}_4\mathrm{C}_x\left(\frac{1}{5}\right)^x\left(\frac{4}{5}\right)^{4-x}$이다.
따라서 X의 확률질량함수는

$\mathrm{P}(X=x)={}_4\mathrm{C}_x\left(\frac{1}{5}\right)^x\left(\frac{4}{5}\right)^{4-x}\ (x=0,\ 1,\ 2,\ 3,\ 4)$

357 답 풀이 참조

$\mathrm{P}(X=0)={}_4\mathrm{C}_0\left(\frac{1}{5}\right)^0\left(\frac{4}{5}\right)^4=\frac{256}{625}$

$\mathrm{P}(X=1)={}_4\mathrm{C}_1\left(\frac{1}{5}\right)^1\left(\frac{4}{5}\right)^3=\frac{256}{625}$

$\mathrm{P}(X=2)={}_4\mathrm{C}_2\left(\frac{1}{5}\right)^2\left(\frac{4}{5}\right)^2=\frac{96}{625}$

$\mathrm{P}(X=3)={}_4\mathrm{C}_3\left(\frac{1}{5}\right)^3\left(\frac{4}{5}\right)^1=\frac{16}{625}$

$\mathrm{P}(X=4)={}_4\mathrm{C}_4\left(\frac{1}{5}\right)^4\left(\frac{4}{5}\right)^0=\frac{1}{625}$

따라서 X의 확률분포를 표로 나타내면 다음과 같다.

X	0	1	2	3	4	합계
$\mathrm{P}(X=x)$	$\frac{256}{625}$	$\frac{256}{625}$	$\frac{96}{625}$	$\frac{16}{625}$	$\frac{1}{625}$	1

358 답 15

확률의 총합은 1이므로

$\mathrm{P}(X=1)+\mathrm{P}(X=2)+\mathrm{P}(X=3)+\mathrm{P}(X=4)+\mathrm{P}(X=5)$

$=\frac{1}{a}+\frac{2}{a}+\frac{3}{a}+\frac{4}{a}+\frac{5}{a}=1$

$\frac{15}{a}=1\qquad\therefore a=15$

359 답 $\frac{3}{5}$

$\mathrm{P}(2\le X\le 4)$

$=\mathrm{P}(X=2)+\mathrm{P}(X=3)+\mathrm{P}(X=4)$

$=\frac{2}{15}+\frac{3}{15}+\frac{4}{15}$

$=\frac{9}{15}=\frac{3}{5}$

360 답 ㄱ, ㄹ

연속확률변수는 어떤 범위에 속하는 모든 실수의 값을 가질 수 있으므로 ㄱ, ㄹ이다.

361 답 $\frac{1}{3}$

$\mathrm{P}(2\le X\le 3)$은 오른쪽 그림과 같이 함수 $y=f(x)$의 그래프와 x축 및 직선 $x=2$로 둘러싸인 도형의 넓이와 같으므로

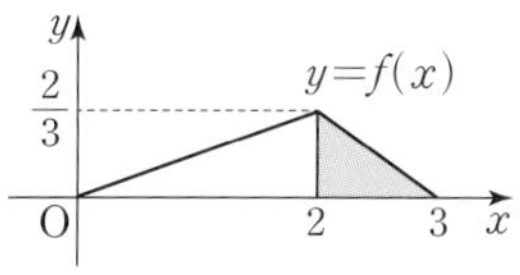

$\mathrm{P}(2\le X\le 3)=\frac{1}{2}\times1\times\frac{2}{3}=\frac{1}{3}$

362 답 1

$f(x) \ge 0$이어야 하므로 $k \ge 0$이다. 또, 함수 $y=f(x)$의 그래프와 x축 및 두 직선 $x=-1$, $x=1$로 둘러싸인 도형의 넓이가 1이어야 하므로

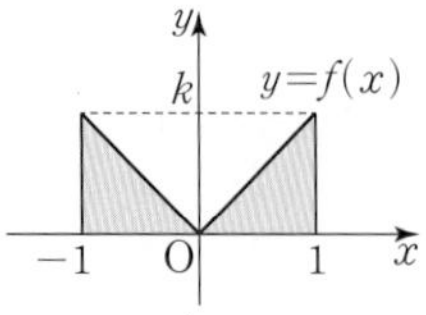

$\frac{1}{2} \times 1 \times k + \frac{1}{2} \times 1 \times k = 1$

$\therefore k=1$

363 답 $\frac{1}{8}$

$f(x) \ge 0$이어야 하므로 기울기가 양수이어야 한다. 즉, $k \ge 0$이다.

또, 함수 $y=f(x)$의 그래프와 x축 및 직선 $x=4$로 둘러싸인 도형의 넓이가 1이어야 하므로

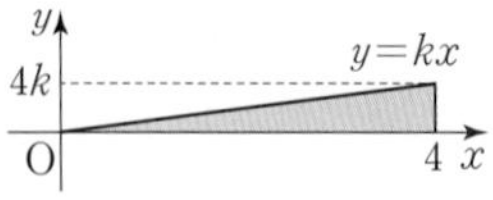

$\frac{1}{2} \times 4 \times 4k = 1$, $8k=1$

$\therefore k=\frac{1}{8}$

364 답 $\frac{1}{4}$

$P(0 \le X \le 2)$는 오른쪽 그림과 같이 함수 $y=f(x)$의 그래프와 x축 및 직선 $x=2$로 둘러싸인 도형의 넓이와 같으므로

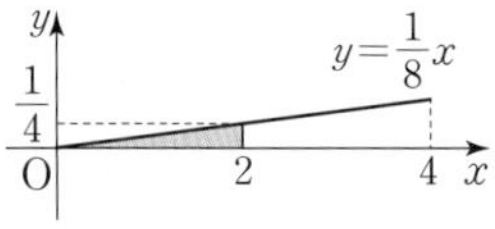

$P(0 \le X \le 2) = \frac{1}{2} \times 2 \times \frac{1}{4} = \frac{1}{4}$

365 답 $\frac{3}{8}$, 2, $\frac{1}{8}$, 1

$E(X) = 0 \times \frac{3}{8} + 1 \times \boxed{\frac{3}{8}} + \boxed{2} \times \frac{1}{8} + 3 \times \boxed{\frac{1}{8}} = \boxed{1}$

366 답 X^2, $\frac{3}{8}$, $\frac{1}{8}$, 1, 1

$V(X) = E(\boxed{X^2}) - \{E(X)\}^2$

$= 0^2 \times \frac{3}{8} + 1^2 \times \boxed{\frac{3}{8}} + 2^2 \times \frac{1}{8} + 3^2 \times \boxed{\frac{1}{8}} - \boxed{1}^2$

$= \boxed{1}$

367 답 1

$\sigma(X) = \sqrt{V(X)} = \boxed{1}$

368 답 $\frac{5}{2}$

$E(X) = 1 \times \frac{3}{10} + 2 \times \frac{1}{5} + 3 \times \frac{1}{5} + 4 \times \frac{3}{10} = \frac{5}{2}$

369 답 $\frac{29}{20}$

$V(X) = E(X^2) - \{E(X)\}^2$

$= 1^2 \times \frac{3}{10} + 2^2 \times \frac{1}{5} + 3^2 \times \frac{1}{5} + 4^2 \times \frac{3}{10} - \left(\frac{5}{2}\right)^2$

$= \frac{29}{20}$

370 답 $\frac{\sqrt{145}}{10}$

$\sigma(X) = \sqrt{V(X)} = \sqrt{\frac{29}{20}} = \frac{\sqrt{145}}{10}$

371 답 평균 : −6, 분산 : 16, 표준편차 : 4

$E(-2X) = -2E(X) = -2 \times 3 = -6$

$V(-2X) = (-2)^2 V(X) = 4 \times 4 = 16$

$\sigma(-2X) = |-2|\sigma(X) = 2 \times 2 = 4$

372 답 평균 : 10, 분산 : 36, 표준편차 : 6

$E(3X+1) = 3E(X) + 1 = 3 \times 3 + 1 = 10$

$V(3X+1) = 3^2 V(X) = 9 \times 4 = 36$

$\sigma(3X+1) = |3|\sigma(X) = 3 \times 2 = 6$

도전! 유형 연습하기

본책 65쪽~72쪽

373 답 풀이 참조

단계 1 확률변수 X가 가질 수 있는 값 구하기

뽑힌 카드에 적힌 두 수를 a, b $(a<b)$라 하면 순서쌍 (a, b)에 대하여 두 수의 차가

1인 경우 (2, 3), (3, 4), (4, 5)의 3개

2인 경우 (2, 4), (3, 5)의 2개

3인 경우 (2, 5)의 1개

이므로 확률변수 X가 가질 수 있는 값은 1, 2, 3이다.

단계 2 확률변수 X가 가질 수 있는 값의 확률 구하기

$P(X=1) = \frac{3}{{}_4C_2} = \frac{1}{2}$

$P(X=2) = \frac{2}{{}_4C_2} = \frac{1}{3}$

$P(X=3) = \frac{1}{{}_4C_2} = \frac{1}{6}$

단계 3 X의 확률분포를 표로 나타내기

X	1	2	3	합계
$P(X=x)$	$\frac{1}{2}$	$\frac{1}{3}$	$\frac{1}{6}$	1

374 답 77

두 개의 주사위를 동시에 던지는 시행에서 확률변수 X가 가질 수 있는 값은 2, 3, ⋯, 12이다.
따라서 X가 가질 수 있는 값들의 합은
$2+3+\cdots+12=77$

375 답 $\frac{7}{10}$

단계 1 상수 a의 값 구하기

확률의 총합은 1이므로
$\frac{1}{10}+a+\frac{1}{5}+2a+\frac{1}{10}=1$, $3a=\frac{3}{5}$
$\therefore a=\frac{1}{5}$

단계 2 $P(2\le X\le 4)$ 구하기

$P(2\le X\le 4)=P(X=2)+P(X=3)+P(X=4)$
$=\frac{1}{5}+\frac{2}{5}+\frac{1}{10}=\frac{7}{10}$

376 답 $\frac{1}{8}$

확률의 총합은 1이므로
$\frac{1}{4}+a+\frac{1}{8}+b=1$ $\quad\therefore a+b=\frac{5}{8}$ ⋯ ㉠
$P(X<1)=\frac{5}{8}$에서
$P(X<1)=P(X=-2)+P(X=-1)$
$=\frac{1}{4}+a=\frac{5}{8}$
$\therefore a=\frac{3}{8}$ ⋯ ㉡
㉡을 ㉠에 대입하면 $b=\frac{1}{4}$
$\therefore a-b=\frac{3}{8}-\frac{1}{4}=\frac{1}{8}$

377 답 $\frac{9}{25}$

단계 1 상수 k의 값 구하기

확률의 총합은 1이므로
$P(X=-2)+P(X=-1)+\cdots+P(X=2)=1$
$\left\{k-\left(-\frac{2}{10}\right)\right\}+\left\{k-\left(-\frac{1}{10}\right)\right\}+k+\left(k+\frac{1}{10}\right)+\left(k+\frac{2}{10}\right)=1$
$5k+\frac{3}{5}=1$ $\quad\therefore k=\frac{2}{25}$

단계 2 $P(|X|=1)$ 구하기

$P(|X|=1)=P(X=-1)+P(X=1)$
$=\left\{k-\left(-\frac{1}{10}\right)\right\}+\left(k+\frac{1}{10}\right)$
$=2k+\frac{1}{5}=2\times\frac{2}{25}+\frac{1}{5}=\frac{9}{25}$

378 답 $\frac{2}{3}$

$X^2-5X+6=0$에서 $(X-2)(X-3)=0$
$\therefore X=2$ 또는 $X=3$
$\therefore P(X^2-5X+6=0)$
$=P(X=2)+P(X=3)$
$=\frac{2}{12}+\left(\frac{3}{4}-\frac{3}{12}\right)=\frac{2}{3}$

379 답 ⑤

확률의 총합은 1이므로
$P(X=1)+P(X=2)+\cdots+P(X=5)=1$
$\frac{2}{k}+\frac{3}{k}+\frac{4}{k}+\frac{5}{k}+\frac{6}{k}=1$, $\frac{20}{k}=1$
$\therefore k=20$
$\therefore P(X\ge 3)$
$=P(X=3)+P(X=4)+P(X=5)$
$=\frac{4}{20}+\frac{5}{20}+\frac{6}{20}=\frac{15}{20}=\frac{3}{4}$

380 답 $\frac{5}{11}$

$P(X=x)\ge 0$이므로 $c\ge 0$
또, 확률의 총합은 1이므로
$P(X=0)+P(X=1)+\cdots+P(X=7)=1$
$c+c+c+2c+2c+2c+5c^2+5c^2=1$
$10c^2+9c=1$, $10c^2+9c-1=0$
$(10c-1)(c+1)=0$
$c\ge 0$이므로 $c=\frac{1}{10}$
따라서 X의 확률질량함수는

$$P(X=x)=\begin{cases}\frac{1}{10} & (x=0,\ 1,\ 2)\\ \frac{1}{5} & (x=3,\ 4,\ 5)\\ \frac{1}{20} & (x=6,\ 7)\end{cases}$$

이때 $A=\{2, 3, 5, 7\}$, $B=\{4, 5, 6, 7\}$이므로
$A\cap B=\{5, 7\}$
$\therefore P(A)=P(X=2)+P(X=3)+P(X=5)+P(X=7)$
$=\frac{1}{10}+\frac{1}{5}+\frac{1}{5}+\frac{1}{20}=\frac{11}{20}$
$P(A\cap B)=P(X=5)+P(X=7)$
$=\frac{1}{5}+\frac{1}{20}=\frac{1}{4}$
$\therefore P(B|A)=\frac{P(A\cap B)}{P(A)}$
$=\frac{\frac{1}{4}}{\frac{11}{20}}=\frac{5}{11}$

381 답 $\frac{13}{35}$

단계 1 확률변수 X의 확률분포 구하기

확률변수 X가 가질 수 있는 값은 0, 1, 2, 3이고,

$P(X=2)=\frac{{}_3C_2\times{}_4C_1}{{}_7C_3}=\frac{12}{35}$

$P(X=3)=\frac{{}_3C_3\times{}_4C_0}{{}_7C_3}=\frac{1}{35}$

단계 2 $P(X\geq2)$ 구하기

선출된 여학생이 2명 이상일 확률은

$P(X\geq2)=P(X=2)+P(X=3)$

$=\frac{12}{35}+\frac{1}{35}=\frac{13}{35}$

382 답 ②

$P(X\geq1)=1-P(X<1)=1-P(X=0)$이고

$P(X=0)={}_{50}C_0\left(\frac{1}{5}\right)^0\left(\frac{4}{5}\right)^{50}=\left(\frac{4}{5}\right)^{50}$

따라서 구하는 확률은

$P(X\geq1)=1-\left(\frac{4}{5}\right)^{50}$

383 답 $\frac{5}{6}$

$P(X=x)=\frac{{}_6C_x\times{}_4C_{3-x}}{{}_{10}C_3}$ (단, $x=0, 1, 2, 3$)

$X^2-2X\leq0$에서 $X(X-2)\leq0$ $\therefore 0\leq X\leq2$

$\therefore P(X^2-2X\leq0)=P(0\leq X\leq2)$

$=P(X=0)+P(X=1)+P(X=2)$

$=\frac{{}_6C_0\times{}_4C_3}{{}_{10}C_3}+\frac{{}_6C_1\times{}_4C_2}{{}_{10}C_3}+\frac{{}_6C_2\times{}_4C_1}{{}_{10}C_3}$

$=\frac{4}{120}+\frac{36}{120}+\frac{60}{120}$

$=\frac{100}{120}=\frac{5}{6}$

384 답 ②

확률변수 X가 가질 수 있는 값은 1, 2, 3, 4, 5, 6이고, 나오는 두 눈의 수를 a, b라 하면 순서쌍 (a, b)에 대하여

$X=5$인 경우

(1, 5), (2, 5), (3, 5), (4, 5), (5, 1), (5, 2), (5, 3), (5, 4), (5, 5)의 9개

$X=6$인 경우

(1, 6), (2, 6), (3, 6), (4, 6), (5, 6), (6, 1), (6, 2), (6, 3), (6, 4), (6, 5), (6, 6)의 11개

$\therefore P(X\geq5)=P(X=5)+P(X=6)$

$=\frac{1}{4}+\frac{11}{36}$

$=\frac{20}{36}=\frac{5}{9}$

385 답 4

확률변수 X가 가질 수 있는 값은 2, 3, 4, 5이고, 그 확률은

$P(X=2)=\frac{{}_3C_3\times{}_7C_2}{{}_{10}C_5}=\frac{1}{12}$

$P(X=3)=\frac{{}_3C_2\times{}_7C_3}{{}_{10}C_5}=\frac{5}{12}$

$P(X=4)=\frac{{}_3C_1\times{}_7C_4}{{}_{10}C_5}=\frac{5}{12}$

$P(X=5)=\frac{{}_3C_0\times{}_7C_5}{{}_{10}C_5}=\frac{1}{12}$

따라서 X의 확률분포를 표로 나타내면 다음과 같다.

X	2	3	4	5	합계
$P(X=x)$	$\frac{1}{12}$	$\frac{5}{12}$	$\frac{5}{12}$	$\frac{1}{12}$	1

이때 $P(X=4)+P(X=5)=\frac{5}{12}+\frac{1}{12}=\frac{1}{2}$이므로

$P(X\geq4)=\frac{1}{2}$ $\therefore k=4$

386 답 $\frac{2}{7}$

단계 1 확률의 총합은 1임을 이용하여 상수 k의 값 구하기

함수 $y=f(x)$의 그래프와 x축으로 둘러싸인 도형의 넓이가 1이므로

$\frac{1}{2}\times(2+5)\times k=1$, $\frac{7}{2}k=1$

$\therefore k=\frac{2}{7}$

387 답 ①

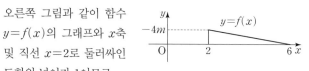

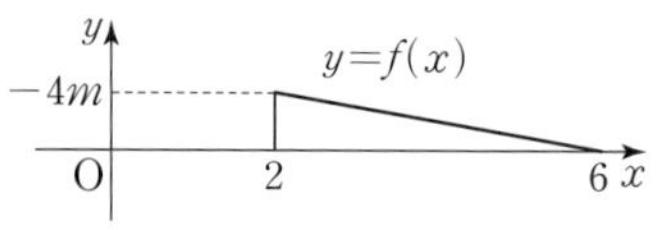

오른쪽 그림과 같이 함수 $y=f(x)$의 그래프와 x축 및 직선 $x=2$로 둘러싸인 도형의 넓이가 1이므로

$\frac{1}{2}\times4\times(-4m)=1$, $-8m=1$

$\therefore m=-\frac{1}{8}$

참고 함수 $f(x)=m(x-6)$의 그래프는 점 (6, 0)을 지나고 $f(x)\geq0$이므로 기울기 m은 음수가 되어야 한다.

388 답 ④

① 함수 $y=f(x)$의 그래프와 x축으로 둘러싸인 도형의 넓이가 $\frac{1}{2}$이므로 확률밀도함수가 아니다.

② 함수 $y=f(x)$의 그래프와 x축 및 두 직선 $x=-1$, $x=1$로 둘러싸인 도형의 넓이가 2이므로 확률밀도함수가 아니다.

③ $-1<x<1$에서 $f(x)<0$이므로 확률밀도함수가 아니다.

④ $-1\leq x\leq1$에서 $f(x)\geq0$이고 함수 $y=f(x)$의 그래프와 x축 및 직선 $x=1$로 둘러싸인 도형의 넓이가 1이므로 확률밀

도함수이다.

⑤ $0<x\leq1$에서 $f(x)<0$이므로 확률밀도함수가 아니다.

따라서 연속확률변수 X의 확률밀도함수 $f(x)$가 될 수 있는 것은 ④이다.

389 답 ②

$f(x)\geq0$이므로 $a\geq0$

함수 $y=f(x)$의 그래프와 x축으로 둘러싸인 도형의 넓이가 1이므로

$2\times\left(\dfrac{1}{2}\times a\times a\right)=1$, $a^2=1$

$\therefore a=1 \ (\because a\geq0)$

390 답 $\dfrac{5}{8}$

 확률밀도함수 $f(x)$의 그래프 그리기

함수 $y=f(x)$의 그래프는 오른쪽 그림과 같다.

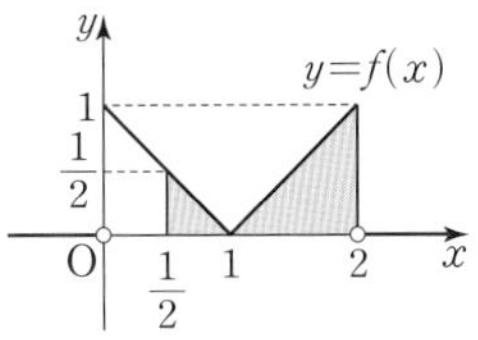

단계 2 $\mathrm{P}\left(\dfrac{1}{2}\leq X\leq2\right)$ 구하기

$\mathrm{P}\left(\dfrac{1}{2}\leq X\leq2\right)$는 오른쪽 그림의 색칠한 부분의 넓이와 같으므로

$\left(\dfrac{1}{2}\times\dfrac{1}{2}\times\dfrac{1}{2}\right)+\left(\dfrac{1}{2}\times1\times1\right)=\dfrac{5}{8}$

391 답 $\dfrac{13}{3}$

함수 $y=f(x)$의 그래프와 x축으로 둘러싸인 도형의 넓이가 1이므로

$\dfrac{1}{2}\times a\times\dfrac{6}{7}=1$, $\dfrac{3}{7}a=1$

$\therefore a=\dfrac{7}{3}$

또, $\mathrm{P}(b\leq X\leq a)$는 위의 그림의 색칠한 부분의 넓이와 같으므로

$\dfrac{1}{2}\times\left(\dfrac{7}{3}-b\right)\times\dfrac{6}{7}=\dfrac{1}{7}$

$\therefore b=2$

$\therefore a+b=\dfrac{7}{3}+2=\dfrac{13}{3}$

392 답 ④

$-2\leq x\leq2$에서 $f(x)\geq0$이므로 $k>0$

함수 $y=f(x)$의 그래프와 x축으로 둘러싸인 도형의 넓이가 1이므로

$\dfrac{1}{2}\times4\times2k=1$ $\therefore k=\dfrac{1}{4}$

따라서 X의 확률밀도함수는

$f(x)=\begin{cases}\dfrac{1}{4}x+\dfrac{1}{2} & (-2\leq x\leq0)\\[2mm]-\dfrac{1}{4}x+\dfrac{1}{2} & (0\leq x\leq2)\end{cases}$

이때 $\mathrm{P}\left(-\dfrac{1}{2}\leq X\leq1\right)$은 앞의 그림의 색칠한 부분의 넓이와 같으므로

$1-\left(\dfrac{1}{2}\times\dfrac{3}{2}\times\dfrac{3}{8}\right)-\left(\dfrac{1}{2}\times1\times\dfrac{1}{4}\right)=\dfrac{19}{32}$

따라서 $p=32$, $q=19$이므로 $p+q=32+19=51$

393 답 $\dfrac{1}{3}$

함수 $f(x)$가 $0\leq x\leq3$인 모든 x에 대하여 $f(3-x)=f(3+x)$를 만족시키므로 함수 $f(x)$의 그래프는 직선 $x=3$에 대하여 대칭이다.

이때 $\mathrm{P}(0\leq X\leq6)=1$이므로

$\mathrm{P}(0\leq X\leq3)=\mathrm{P}(3\leq X\leq6)=\dfrac{1}{2}$이고

$\mathrm{P}(2\leq X\leq3)=\mathrm{P}(3\leq X\leq4)=\dfrac{1}{6}$

$\therefore \mathrm{P}(4\leq X\leq6)=\mathrm{P}(3\leq X\leq6)-\mathrm{P}(3\leq X\leq4)$

$=\dfrac{1}{2}-\dfrac{1}{6}=\dfrac{1}{3}$

394 답 $\mathrm{E}(X)=\dfrac{5}{2}$, $\mathrm{V}(X)=\dfrac{11}{12}$, $\sigma(X)=\dfrac{\sqrt{33}}{6}$

단계 1 상수 a의 값 구하기

확률의 총합은 1이므로

$\dfrac{1}{6}+a+\dfrac{1}{3}+\dfrac{1}{6}=1$ $\therefore a=\dfrac{1}{3}$

단계 2 $\mathrm{E}(X)$, $\mathrm{V}(X)$, $\sigma(X)$ 구하기

$\mathrm{E}(X)=1\times\dfrac{1}{6}+2\times\dfrac{1}{3}+3\times\dfrac{1}{3}+4\times\dfrac{1}{6}=\dfrac{5}{2}$

$\mathrm{V}(X)=\mathrm{E}(X^2)-\{\mathrm{E}(X)\}^2$

$=1^2\times\dfrac{1}{6}+2^2\times\dfrac{1}{3}+3^2\times\dfrac{1}{3}+4^2\times\dfrac{1}{6}-\left(\dfrac{5}{2}\right)^2=\dfrac{11}{12}$

$\sigma(X)=\sqrt{\mathrm{V}(X)}=\sqrt{\dfrac{11}{12}}=\dfrac{\sqrt{33}}{6}$

395 답 15

$\mathrm{E}(X)=1\times\dfrac{3}{7}+2\times\dfrac{2}{7}+3\times\dfrac{1}{7}+5\times\dfrac{1}{7}=\dfrac{15}{7}$이므로

$7\mathrm{E}(X)=7\times\dfrac{15}{7}=15$

396 답 ④

확률의 총합은 1이므로

$a+\dfrac{1}{4}+b=1$ $\therefore a+b=\dfrac{3}{4}$ ······ ㉠

$\mathrm{E}(X)=4$에서

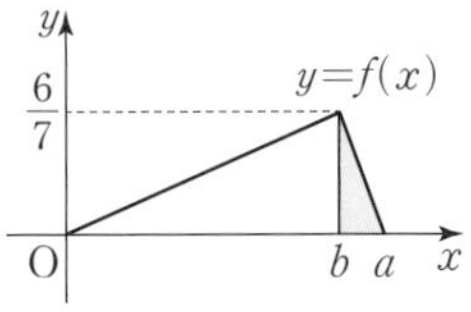

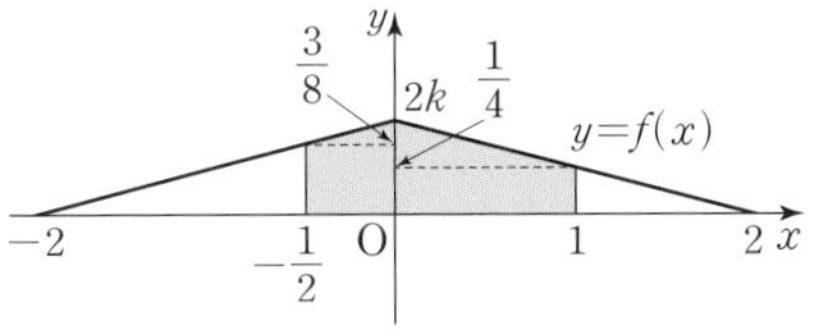

$E(X)=1\times a+3\times\frac{1}{4}+5\times b=4$

$\therefore a+5b=\frac{13}{4}$ $\cdots$ ㉡

㉠, ㉡을 연립하여 풀면 $b=\frac{5}{8}$

397 답 ⑤

$P(0\le X\le 2)=\frac{7}{8}$이므로

$P(X=0)+P(X=1)+P(X=2)=\frac{7}{8}$

$\frac{1}{8}+\frac{3+a}{8}+\frac{1}{8}=\frac{7}{8}$ $\therefore a=2$

$\therefore E(X)=-1\times\frac{1}{8}+0\times\frac{1}{8}+1\times\frac{5}{8}+2\times\frac{1}{8}=\frac{3}{4}$

398 답 41

확률의 총합은 1이므로

$P(X=1)+P(X=2)+P(X=3)+P(X=4)=1$

$a+\frac{1}{2}+\frac{1}{3}+a=1$, $2a=\frac{1}{6}$

$\therefore a=\frac{1}{12}$

$\therefore E(X)=1\times\frac{1}{12}+2\times\frac{1}{2}+3\times\frac{1}{3}+4\times\frac{1}{12}=\frac{29}{12}$

따라서 $p=12$, $q=29$이므로 $p+q=12+29=41$

399 답 ①

$P(X=2)=a$, $P(X=3)=b$라 하면

$P(X=-2)=P(X=2)=a$

$P(X=-3)=P(X=3)=b$

따라서 X의 확률분포를 표로 나타내면 다음과 같다.

X	-3	-2	2	3	합계
$P(X=x)$	b	a	a	b	1

확률의 총합은 1이므로 $b+a+a+b=1$

$\therefore a+b=\frac{1}{2}$ $\cdots$ ㉠

$E(X)=-3b-2a+2a+3b=0$이고 $V(X)=\frac{22}{3}$이므로

$V(X)=E(X^2)-\{E(X)\}^2$에서

$(-3)^2\times b+(-2)^2\times a+2^2\times a+3^2\times b=\frac{22}{3}$

$\therefore 4a+9b=\frac{11}{3}$ $\cdots$ ㉡

㉠, ㉡을 연립하여 풀면 $a=\frac{1}{6}$, $b=\frac{1}{3}$

$X^2=4$에서 $X^2-4=0$, $(X+2)(X-2)=0$

$\therefore X=-2$ 또는 $X=2$

$\therefore P(X^2=4)=P(X=-2)+P(X=2)$

$=a+a=2a=2\times\frac{1}{6}=\frac{1}{3}$

400 답 ④

단계 1 확률변수 X의 확률분포 구하기

확률변수 X가 가질 수 있는 값은 0, 1, 2이고, 그 확률은

$P(X=0)=\frac{1}{2}\times\frac{1}{4}=\frac{1}{8}$

$P(X=1)=\frac{1}{2}\times\frac{1}{4}+\frac{1}{2}\times\frac{3}{4}=\frac{1}{2}$

$P(X=2)=\frac{1}{2}\times\frac{3}{4}=\frac{3}{8}$

따라서 X의 확률분포를 표로 나타내면 다음과 같다.

X	0	1	2	합계
$P(X=x)$	$\frac{1}{8}$	$\frac{1}{2}$	$\frac{3}{8}$	1

단계 2 $E(X)$ 구하기

$E(X)=0\times\frac{1}{8}+1\times\frac{1}{2}+2\times\frac{3}{8}$

$=\frac{5}{4}$

401 답 ⑤

나오는 두 눈의 수를 a, b라 하면 순서쌍 (a, b)에 대하여

$X=0$인 경우

(1, 1), (2, 2), (3, 3), (4, 4), (5, 5), (6, 6)의 6개

$X=1$인 경우

(1, 2), (2, 3), (3, 4), (4, 5), (5, 6), (2, 1), (3, 2), (4, 3), (5, 4), (6, 5)의 10개

$X=2$인 경우

(1, 3), (2, 4), (3, 5), (4, 6), (3, 1), (4, 2), (5, 3), (6, 4)의 8개

$X=3$인 경우

(1, 4), (2, 5), (3, 6), (4, 1), (5, 2), (6, 3)의 6개

$X=4$인 경우

(1, 5), (2, 6), (5, 1), (6, 2)의 4개

$X=5$인 경우 (1, 6), (6, 1)의 2개

즉, 확률변수 X가 가질 수 있는 값은 0, 1, 2, 3, 4, 5이고, 그 확률은

$P(X=0)=\frac{6}{6\times6}=\frac{1}{6}$

$P(X=1)=\frac{10}{6\times6}=\frac{5}{18}$

$P(X=2)=\frac{8}{6\times6}=\frac{2}{9}$

$P(X=3)=\frac{6}{6\times6}=\frac{1}{6}$

$P(X=4)=\frac{4}{6\times6}=\frac{1}{9}$

$P(X=5)=\frac{2}{6\times6}=\frac{1}{18}$

따라서 X의 확률분포를 표로 나타내면 다음과 같다.

X	0	1	2	3	4	5	합계
$P(X=x)$	$\frac{1}{6}$	$\frac{5}{18}$	$\frac{2}{9}$	$\frac{1}{6}$	$\frac{1}{9}$	$\frac{1}{18}$	1

$$\therefore E(X)=0\times\frac{1}{6}+1\times\frac{5}{18}+2\times\frac{2}{9}+3\times\frac{1}{6}+4\times\frac{1}{9}+5\times\frac{1}{18}$$
$$=\frac{35}{18}$$

402 답 ③

확률변수 X가 가질 수 있는 값은 0, 1, 2이고, 그 확률은

$$P(X=0)=\frac{{}_3C_0\times{}_7C_2}{{}_{10}C_2}=\frac{7}{15}$$
$$P(X=1)=\frac{{}_3C_1\times{}_7C_1}{{}_{10}C_2}=\frac{7}{15}$$
$$P(X=2)=\frac{{}_3C_2\times{}_7C_0}{{}_{10}C_2}=\frac{1}{15}$$

따라서 X의 확률분포를 표로 나타내면 다음과 같다.

X	0	1	2	합계
$P(X=x)$	$\frac{7}{15}$	$\frac{7}{15}$	$\frac{1}{15}$	1

$$\therefore E(X)=0\times\frac{7}{15}+1\times\frac{7}{15}+2\times\frac{1}{15}=\frac{3}{5}$$
$$\therefore V(X)=E(X^2)-\{E(X)\}^2$$
$$=0^2\times\frac{7}{15}+1^2\times\frac{7}{15}+2^2\times\frac{1}{15}-\left(\frac{3}{5}\right)^2=\frac{28}{75}$$

403 답 1300원

단계 1 확률변수 X를 정하고 X의 확률분포 구하기

행운권 1장으로 받을 수 있는 상금을 X원이라 하고 X의 확률분포를 표로 나타내면 다음과 같다.

X	0	5000	10000	50000	100000	합계
$P(X=x)$	$\frac{449}{500}$	$\frac{3}{50}$	$\frac{3}{100}$	$\frac{1}{100}$	$\frac{1}{500}$	1

단계 2 기댓값 구하기

$$E(X)=0\times\frac{449}{500}+5000\times\frac{3}{50}+10000\times\frac{3}{100}$$
$$+50000\times\frac{1}{100}+100000\times\frac{1}{500}$$
$$=1300$$

따라서 구하는 기댓값은 1300원이다.

404 답 400원

이 게임을 한 번 해서 받을 수 있는 금액을 X원이라 하면 확률변수 X가 가질 수 있는 값은 0, 100, 200, 300, 500, 600, 700, 800이고, 그 확률은

$$P(X=0)=\frac{1}{2}\times{}_3C_0\left(\frac{1}{2}\right)^3=\frac{1}{16}$$
$$P(X=100)=\frac{1}{2}\times{}_3C_1\left(\frac{1}{2}\right)^3=\frac{3}{16}$$
$$P(X=200)=\frac{1}{2}\times{}_3C_2\left(\frac{1}{2}\right)^3=\frac{3}{16}$$
$$P(X=300)=\frac{1}{2}\times{}_3C_3\left(\frac{1}{2}\right)^3=\frac{1}{16}$$
$$P(X=500)=\frac{1}{2}\times{}_3C_0\left(\frac{1}{2}\right)^3=\frac{1}{16}$$
$$P(X=600)=\frac{1}{2}\times{}_3C_1\left(\frac{1}{2}\right)^3=\frac{3}{16}$$
$$P(X=700)=\frac{1}{2}\times{}_3C_2\left(\frac{1}{2}\right)^3=\frac{3}{16}$$
$$P(X=800)=\frac{1}{2}\times{}_3C_3\left(\frac{1}{2}\right)^3=\frac{1}{16}$$

따라서 X의 확률분포를 표로 나타내면 다음과 같다.

X	0	100	200	300	500	600	700	800	합계
$P(X=x)$	$\frac{1}{16}$	$\frac{3}{16}$	$\frac{3}{16}$	$\frac{1}{16}$	$\frac{1}{16}$	$\frac{3}{16}$	$\frac{3}{16}$	$\frac{1}{16}$	1

$$\therefore E(X)=0\times\frac{1}{16}+100\times\frac{3}{16}+200\times\frac{3}{16}+300\times\frac{1}{16}$$
$$+500\times\frac{1}{16}+600\times\frac{3}{16}+700\times\frac{3}{16}+800\times\frac{1}{16}$$
$$=\frac{6400}{16}=400$$

참고 동전의 앞면을 H, 뒷면을 T라 하고 100원짜리 동전 3개와 500원짜리 동전 1개를 동시에 던져서 나오는 결과를 표로 나타내면 다음과 같다.

100원	100원	100원	500원	받는 금액(원)
H	H	H	H	800
H	H	H	T	300
H	H	T	H	700
H	T	H	H	700
T	H	H	H	700
H	H	T	T	200
H	T	H	T	200
T	H	H	T	200
H	T	T	H	600
T	H	T	H	600
T	T	H	H	600
H	T	T	T	100
T	H	T	T	100
T	T	H	T	100
T	T	T	H	500
T	T	T	T	0

405 답 ③

게임을 한 번 해서 받을 수 있는 금액을 X원이라 하면 확률변수 X가 가질 수 있는 값은 -2400, 4000이다.

따라서 X의 확률분포를 표로 나타내면 다음과 같다.

X	-2400	4000	합계
$P(X=x)$	$\frac{a}{5+a}$	$\frac{5}{5+a}$	1

이 게임을 한 번 해서 받을 수 있는 금액의 기댓값이 1600원이

므로

$-2400\times\frac{a}{5+a}+4000\times\frac{5}{5+a}=1600$

$\frac{-2400a+20000}{5+a}=1600$, $4000a=12000$

$\therefore a=3$

406 답 $\text{E}(Y)=-7$, $\text{V}(Y)=8$, $\sigma(Y)=2\sqrt{2}$

단계 1 확률변수 X의 분산 구하기

$\sigma(X)=\sqrt{2}$이므로 $\text{V}(X)=2$

단계 2 확률변수 $Y=-2X+3$의 평균, 분산, 표준편차 구하기

$\text{E}(Y)=\text{E}(-2X+3)=-2\text{E}(X)+3=-2\times5+3=-7$

$\text{V}(Y)=\text{V}(-2X+3)=(-2)^2\text{V}(X)=4\times2=8$

$\sigma(Y)=\sigma(-2X+3)=|-2|\sigma(X)=2\sqrt{2}$

407 답 ③

$\text{E}(X)=6$, $\text{E}(X^2)=45$이므로

$\text{V}(X)=\text{E}(X^2)-\{\text{E}(X)\}^2=45-6^2=9$

$\therefore \sigma(X)=\sqrt{\text{V}(X)}=\sqrt{9}=3$

$\therefore \sigma(2X+3)=|2|\sigma(X)=2\times3=6$

408 답 ①

$\text{V}(X)=5$, $\text{V}(aX+b)=45$이므로

$a^2\text{V}(X)=45$에서 $5a^2=45$, $a^2=9$

$a<0$이므로 $a=-3$

$\text{E}(X)=-3$, $\text{E}(aX+b)=7$이므로

$a\text{E}(X)+b=7$, $-3\times(-3)+b=7$

$\therefore b=-2$

$\therefore a+b=-3+(-2)=-5$

409 답 ③

$\text{E}(2X+2)=14$이므로 $2\text{E}(X)+2=14$

$\therefore \text{E}(X)=6$

$\sigma(-4X+1)=20$이므로 $|-4|\sigma(X)=20$

$\therefore \sigma(X)=5$

이때 $\text{V}(X)=\text{E}(X^2)-\{\text{E}(X)\}^2$이므로

$\text{E}(X^2)=\text{V}(X)+\{\text{E}(X)\}^2$

$=5^2+6^2=61$

410 답 ①

$\text{E}(X)=a$, $\text{E}(X^2)=4a+5$이므로

$\text{V}(X)=\text{E}(X^2)-\{\text{E}(X)\}^2$

$=4a+5-a^2$

$=-a^2+4a+5$

$=-(a-2)^2+9$

$\text{V}(Y)$가 최대일 때 $\sigma(Y)$가 최대이므로

$\text{V}(Y)=\text{V}\left(\frac{1}{3}X+3\right)=\left(\frac{1}{3}\right)^2\text{V}(X)$

$=\frac{1}{9}\{-(a-2)^2+9\}=-\frac{1}{9}(a-2)^2+1$

따라서 $\text{V}(Y)$는 $a=2$일 때 최댓값 1을 가지므로

$\sigma(Y)$는 $a=2$일 때 최댓값 $\sqrt{1}=1$을 가진다.

> **날선 특강** 이차함수의 최댓값
>
> 이차함수 $f(x)=ax^2+bx+c$의 축의 방정식은 $x=-\frac{b}{2a}$이고
> $x=-\frac{b}{2a}$에서 최댓값 또는 최솟값을 가진다.

411 답 ①

단계 1 상수 a의 값을 구하여 확률분포를 표로 나타내기

확률의 총합은 1이므로

$\frac{1}{6}+3a+2a=1$, $5a=\frac{5}{6}$ $\quad\therefore a=\frac{1}{6}$

따라서 X의 확률분포를 표로 나타내면 다음과 같다.

X	0	1	2	합계
$\text{P}(X=x)$	$\frac{1}{6}$	$\frac{1}{2}$	$\frac{1}{3}$	1

단계 2 $\text{E}(X)$ 구하기

$\text{E}(X)=0\times\frac{1}{6}+1\times\frac{1}{2}+2\times\frac{1}{3}=\frac{7}{6}$

단계 3 $\text{E}(6X+4)$ 구하기

$\text{E}(6X+4)=6\text{E}(X)+4=6\times\frac{7}{6}+4=11$

412 답 ③

확률의 총합은 1이므로 $\frac{2}{5}+a+b=1$

$\therefore a+b=\frac{3}{5}$ $\quad\cdots$ ㉠

$\text{E}(X)=2$이므로 $\text{E}(X)=0\times\frac{2}{5}+2\times a+4\times b=2$

$\therefore a+2b=1$ $\quad\cdots$ ㉡

㉠, ㉡을 연립하여 풀면 $a=\frac{1}{5}$, $b=\frac{2}{5}$

따라서 X의 확률분포를 표로 나타내면 다음과 같다.

X	0	2	4	합계
$\text{P}(X=x)$	$\frac{2}{5}$	$\frac{1}{5}$	$\frac{2}{5}$	1

$\therefore \text{V}(X)=\text{E}(X^2)-\{\text{E}(X)\}^2$

$=0^2\times\frac{2}{5}+2^2\times\frac{1}{5}+4^2\times\frac{2}{5}-2^2=\frac{16}{5}$

$\sigma(X)=\sqrt{\frac{16}{5}}=\frac{4\sqrt{5}}{5}$

$\therefore \sigma(5X+3)=|5|\sigma(X)=5\times\frac{4\sqrt{5}}{5}=4\sqrt{5}$

413 답 $\frac{1}{4}$

확률의 총합은 1이므로

$P(X=-1)+P(X=0)+P(X=1)+P(X=2)=1$

$\frac{-a+2}{10}+\frac{2}{10}+\frac{a+2}{10}+\frac{2a+2}{10}=1$

$\frac{2a+8}{10}=1 \quad \therefore a=1$

$\therefore E(X)=-1\times\frac{1}{10}+0\times\frac{2}{10}+1\times\frac{3}{10}+2\times\frac{4}{10}=1$

$V(X)=E(X^2)-\{E(X)\}^2$

$=(-1)^2\times\frac{1}{10}+0^2\times\frac{2}{10}+1^2\times\frac{3}{10}+2^2\times\frac{4}{10}-1^2=1$

$\therefore V\left(-\frac{1}{2}X+1\right)=\left(-\frac{1}{2}\right)^2V(X)=\frac{1}{4}\times1=\frac{1}{4}$

414 답 7

단계 1 X의 확률분포를 표로 나타내기

X의 확률분포를 표로 나타내면 다음과 같다.

X	1	3	5	합계
$P(X=x)$	$\frac{1}{3}$	$\frac{1}{2}$	$\frac{1}{6}$	1

단계 2 $E(X)$ 구하기

$E(X)=1\times\frac{1}{3}+3\times\frac{1}{2}+5\times\frac{1}{6}=\frac{8}{3}$

단계 3 $E(3X-1)$ 구하기

$E(3X-1)=3E(X)-1=3\times\frac{8}{3}-1=7$

415 답 ②

확률변수 X가 가질 수 있는 값은 0, 1, 2, 3이고, 그 확률은

$P(X=0)={}_3C_0\left(\frac{1}{2}\right)^3=\frac{1}{8}$

$P(X=1)={}_3C_1\left(\frac{1}{2}\right)^3=\frac{3}{8}$

$P(X=2)={}_3C_2\left(\frac{1}{2}\right)^3=\frac{3}{8}$

$P(X=3)={}_3C_3\left(\frac{1}{2}\right)^3=\frac{1}{8}$

따라서 X의 확률분포를 표로 나타내면 다음과 같다.

X	0	1	2	3	합계
$P(X=x)$	$\frac{1}{8}$	$\frac{3}{8}$	$\frac{3}{8}$	$\frac{1}{8}$	1

$\therefore E(X)=0\times\frac{1}{8}+1\times\frac{3}{8}+2\times\frac{3}{8}+3\times\frac{1}{8}=\frac{3}{2}$

$V(X)=E(X^2)-\{E(X)\}^2$

$=0^2\times\frac{1}{8}+1^2\times\frac{3}{8}+2^2\times\frac{3}{8}+3^2\times\frac{1}{8}-\left(\frac{3}{2}\right)^2=\frac{3}{4}$

$\therefore V(Y)=V(2X+3)=2^2V(X)$

$=4\times\frac{3}{4}=3$

416 답 ②

이차방정식 $x^2+2ax+b=0$의 서로 다른 실근은 최대 2개이므로 확률변수 X가 가질 수 있는 값은 0, 1, 2이다.

이차방정식 $x^2+2ax+b=0$의 판별식을 D라 하면

서로 다른 두 허근을 갖는 경우

$\frac{D}{4}=a^2-b<0$에서 $a^2<b$

즉, 순서쌍 (a, b)는

(1, 2), (1, 3), (1, 4), (1, 5), (1, 6), (2, 5), (2, 6)의 7개

$\therefore P(X=0)=\frac{7}{36}$

중근을 갖는 경우 $\frac{D}{4}=a^2-b=0$에서 $a^2=b$

즉, 순서쌍 (a, b)는 (1, 1), (2, 4)의 2개

$\therefore P(X=1)=\frac{2}{36}=\frac{1}{18}$

이때 확률의 총합은 1이므로

$P(X=2)=1-\{P(X=0)+P(X=1)\}$

$=1-\left(\frac{7}{36}+\frac{1}{18}\right)=\frac{3}{4}$

따라서 X의 확률분포를 표로 나타내면 다음과 같다.

X	0	1	2	합계
$P(X=x)$	$\frac{7}{36}$	$\frac{1}{18}$	$\frac{3}{4}$	1

$\therefore E(X)=0\times\frac{7}{36}+1\times\frac{1}{18}+2\times\frac{3}{4}=\frac{14}{9}$

$\therefore E(9X+4)=9E(X)+4=9\times\frac{14}{9}+4=18$

날선 특강 **이차방정식과 판별식**

이차방정식 $ax^2+bx+c=0$의 판별식 $D=b^2-4ac$에 대하여

(1) $D>0$이면 서로 다른 두 실근을 가진다.

(2) $D=0$이면 중근을 가진다.

(3) $D<0$이면 서로 다른 두 허근을 가진다.

417 답 $\frac{1}{8}$

단계 1 상수 k의 값 구하기

$\int_0^1 f(x)dx=1$이므로

$\int_0^1 kx^2dx=\left[\frac{k}{3}x^3\right]_0^1=\frac{k}{3}$에서 $\frac{k}{3}=1$

$\therefore k=3$

단계 2 $P\left(0\le X\le\frac{1}{2}\right)$ 구하기

$$P\left(0\le X\le\frac{1}{2}\right)=\int_0^{\frac{1}{2}}3x^2dx=\left[x^3\right]_0^{\frac{1}{2}}=\frac{1}{8}$$

418 답 ②

$\int_0^2 f(x)\,dx=1$이므로

$\int_0^2 ax^3dx=\left[\frac{a}{4}x^4\right]_0^2=4a$에서 $4a=1$

$\therefore a=\frac{1}{4}$

이때 $P(b\le X\le 1)=\frac{15}{256}$이므로

$$P(b\le X\le 1)=\int_b^1\frac{1}{4}x^3dx=\left[\frac{1}{16}x^4\right]_b^1$$
$$=\frac{1}{16}(1-b^4)$$

에서 $\frac{1}{16}(1-b^4)=\frac{15}{256}$

$b^4=\frac{1}{16}$ $\quad\therefore b=\frac{1}{2}$ ($\because b\ge 0$)

$\therefore ab=\frac{1}{4}\times\frac{1}{2}=\frac{1}{8}$

419 답 $\frac{5}{12}$

$-3\le x\le 3$의 모든 실수 x에 대하여 $f(-x)=f(x)$를 만족시키므로 함수 $f(x)$의 그래프는 y축에 대하여 대칭이다.

$$\therefore \int_0^1 f(x)dx=\int_{-2}^1 f(x)dx-\int_{-2}^0 f(x)dx$$
$$=\int_{-2}^1 f(x)dx-\int_0^2 f(x)dx$$
$$=\frac{1}{3}-\frac{1}{4}=\frac{1}{12}$$

$$\therefore P(-3\le X\le -1)=\int_{-3}^{-1} f(x)dx=\int_1^3 f(x)dx$$
$$=\int_0^3 f(x)dx-\int_0^1 f(x)dx$$
$$=\frac{1}{2}-\frac{1}{12}=\frac{5}{12}$$

참고 $-3\le x\le 3$의 모든 실수 x에 대하여 $f(-x)=f(x)$를 만족시키므로

$\int_0^3 f(x)dx=\int_{-3}^0 f(x)dx=\frac{1}{2}$이고

$\int_0^2 f(x)dx=\int_{-2}^0 f(x)dx=\frac{1}{4}$이다.

420 답 $E(X)=\frac{9}{4}$, $\sigma(X)=\frac{3\sqrt{15}}{20}$

단계 1 정적분을 이용하여 $E(X)$, $\sigma(X)$ 구하기

$$E(X)=\int_0^3\left(x\times\frac{1}{9}x^2\right)dx=\int_0^3\frac{1}{9}x^3\,dx$$
$$=\left[\frac{1}{36}x^4\right]_0^3=\frac{81}{36}=\frac{9}{4}$$

$$V(X)=\int_0^3\left(x^2\times\frac{1}{9}x^2\right)dx-\left(\frac{9}{4}\right)^2$$
$$=\int_0^3\frac{1}{9}x^4dx-\left(\frac{9}{4}\right)^2$$
$$=\left[\frac{1}{45}x^5\right]_0^3-\left(\frac{9}{4}\right)^2$$
$$=\frac{27}{5}-\frac{81}{16}=\frac{27}{80}$$

$$\sigma(X)=\sqrt{\frac{27}{80}}=\frac{3\sqrt{15}}{20}$$

421 답 ②

$$E(X)=\int_0^1(x\times 3x^2)\,dx=\int_0^1 3x^3dx$$
$$=\left[\frac{3}{4}x^4\right]_0^1=\frac{3}{4}$$

$$V(X)=\int_0^1(x^2\times 3x^2)\,dx-\left(\frac{3}{4}\right)^2$$
$$=\int_0^1 3x^4dx-\left(\frac{3}{4}\right)^2$$
$$=\left[\frac{3}{5}x^5\right]_0^1-\left(\frac{3}{4}\right)^2$$
$$=\frac{3}{5}-\frac{9}{16}=\frac{3}{80}$$

$$\therefore V(4X+1)=4^2V(X)$$
$$=16\times\frac{3}{80}=\frac{3}{5}$$

422 답 25

$\int_0^1 f(x)dx=1$이고,

$E(X)=\frac{1}{5}$이므로 $\int_0^1 xf(x)dx=\frac{1}{5}$

이때 $\int_0^1 (ax+5)f(x)dx=10$에서

$$\int_0^1(ax+5)f(x)dx=a\int_0^1 xf(x)dx+5\int_0^1 f(x)dx$$
$$=a\times\frac{1}{5}+5\times 1$$
$$=\frac{a}{5}+5$$

에서 $\frac{a}{5}+5=10$ $\quad\therefore a=25$

실전! 기출 문제 정복하기

본책 73쪽~75쪽

423 답 $\frac{3}{8}$

확률의 총합은 1이므로 $4p+p+2p+p=1$

$8p=1 \quad \therefore p=\frac{1}{8}$

$\therefore \mathrm{P}(1<X<5)=\mathrm{P}(X=2)+\mathrm{P}(X=4)$

$=\frac{1}{8}+\frac{1}{4}=\frac{3}{8}$

424 답 ④

3으로 나누었을 때 나머지는 0, 1, 2이므로 확률변수 X가 가질 수 있는 값은 0, 1, 2이다.

$X=0$인 경우는 3, 6의 2개 $\quad \therefore \mathrm{P}(X=0)=\frac{1}{3}$

$X=1$인 경우는 1, 4의 2개 $\quad \therefore \mathrm{P}(X=1)=\frac{1}{3}$

$X=2$인 경우는 2, 5의 2개 $\quad \therefore \mathrm{P}(X=2)=\frac{1}{3}$

따라서 X의 확률분포를 표로 나타내면 다음과 같다.

X	0	1	2	합계
$\mathrm{P}(X=x)$	$\frac{1}{3}$	$\frac{1}{3}$	$\frac{1}{3}$	1

$\therefore \mathrm{E}(X)=0\times\frac{1}{3}+1\times\frac{1}{3}+2\times\frac{1}{3}=1$

$\therefore \mathrm{E}(3X+1)=3\mathrm{E}(X)+1=3\times1+1=4$

425 답 105

$\mathrm{E}(X)=0\times\frac{2}{10}+1\times\frac{3}{10}+2\times\frac{3}{10}+3\times\frac{2}{10}=\frac{3}{2}$

$\mathrm{V}(X)=0^2\times\frac{2}{10}+1^2\times\frac{3}{10}+2^2\times\frac{3}{10}+3^2\times\frac{2}{10}-\left(\frac{3}{2}\right)^2=\frac{21}{20}$

$\therefore \mathrm{V}(Y)=\mathrm{V}(-10X+1)=(-10)^2\mathrm{V}(X)$

$=100\times\frac{21}{20}=105$

426 답 ⑤

$\mathrm{E}(X)=0\times\left(\frac{1}{2}-a\right)+2\times\frac{1}{2}+3\times a$

$=3a+1$

$\mathrm{V}(X)=\mathrm{E}(X^2)-\{\mathrm{E}(X)\}^2$

$=0^2\times\left(\frac{1}{2}-a\right)+2^2\times\frac{1}{2}+3^2\times a-(3a+1)^2$

$=-9a^2+3a+1$

$=-9\left(a-\frac{1}{6}\right)^2+\frac{5}{4}$

즉, $\mathrm{V}(X)$는 $a=\frac{1}{6}$일 때 최댓값을 가지므로

$\mathrm{E}(X)=3a+1=3\times\frac{1}{6}+1=\frac{3}{2}$

427 답 ⑤

$Y=10X-2.21$이라 하자. 확률변수 Y의 확률분포를 표로 나타내면 다음과 같다.

Y	-1	0	1	합계
$\mathrm{P}(Y=y)$	a	b	$\frac{2}{3}$	1

확률의 총합이 1이므로

$a+b+\frac{2}{3}=1$

$\therefore a+b=\frac{1}{3} \quad \cdots ㉠$

또, $\mathrm{E}(Y)=10\mathrm{E}(X)-2.21=0.5$이므로

$\mathrm{E}(Y)=-1\times a+0\times b+1\times\frac{2}{3}$

$=-a+\frac{2}{3}=\frac{1}{2} \quad \cdots ㉡$

㉠, ㉡에서 $a=\boxed{\frac{1}{6}}$, $b=\boxed{\frac{1}{6}}$

이고 $\mathrm{V}(Y)=(-1)^2\times\frac{1}{6}+0^2\times\frac{1}{6}+1^2\times\frac{2}{3}-\left(\frac{1}{2}\right)^2=\frac{7}{12}$이다.

한편, $Y=10X-2.21$이므로

$\mathrm{V}(Y)=\mathrm{V}(10X-2.21)=10^2\mathrm{V}(X)=\boxed{100}\times\mathrm{V}(X)$이다.

따라서 $\mathrm{V}(X)=\frac{1}{\boxed{100}}\times\frac{7}{12}$이다.

그러므로 $p=\frac{1}{6}$, $q=\frac{1}{6}$, $r=100$이므로

$pqr=\frac{1}{6}\times\frac{1}{6}\times100=\frac{25}{9}$

428 답 $\frac{1}{5}$

함수 $y=f(x)$의 그래프와 x축, y축 및 직선 $x=4$로 둘러싸인 도형의 넓이가 1이므로

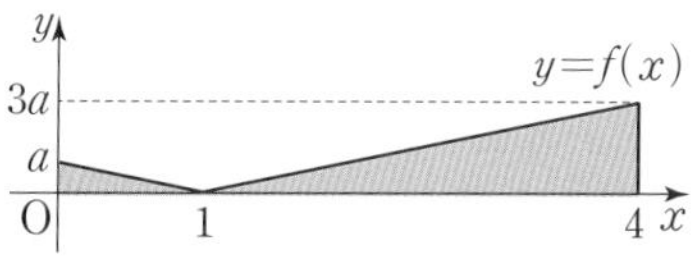

$\frac{1}{2}\times1\times a+\frac{1}{2}\times3\times3a=1$, $5a=1 \quad \therefore a=\frac{1}{5}$

429 답 5

확률밀도함수의 그래프와 x축, y축 및 직선 $x=3$으로 둘러싸인 도형의 넓이가 1이므로

$3k+\frac{1}{2}\times3\times(3k-k)=1$, $3k+3k=1$

$\therefore k=\frac{1}{6}$

$\therefore \mathrm{P}(0\le X\le2)$

$=\left(\frac{1}{6}+\frac{1}{2}\right)\times2\times\frac{1}{2}$

$=\frac{2}{3}$

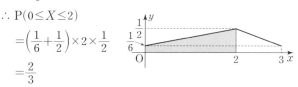

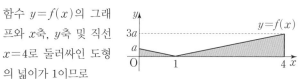

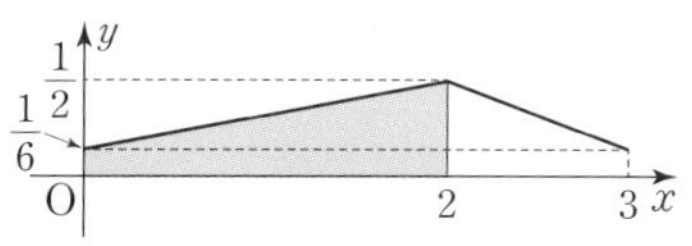

따라서 $p=3$, $q=2$이므로 $p+q=3+2=5$

430 답 10

$P(0\le X\le 3)=1$이므로

$P(0\le X\le 3)=3a=1 \qquad \therefore a=\frac{1}{3}$

$\therefore P(0\le X<a)=P\left(0\le X<\frac{1}{3}\right)$

$=P(0\le X\le 3)-P\left(\frac{1}{3}\le X\le 3\right)$

$=1-\frac{1}{3}\times\left(3-\frac{1}{3}\right)=\frac{1}{9}$

따라서 $p=9$, $q=1$이므로 $p+q=9+1=10$

431 답 28

$P(X=k)=p_k$ $(k=1, 2, 3, 4, 5)$라 하고 X의 확률분포를 표로 나타내면 다음과 같다.

X	1	2	3	4	5	합계
$P(X=x)$	p_1	p_2	p_3	p_4	p_5	1

$E(X)=p_1+2p_2+3p_3+4p_4+5p_5=4$

$\therefore E(Y)=\left(\frac{1}{2}p_1+\frac{1}{10}\right)+2\left(\frac{1}{2}p_2+\frac{1}{10}\right)+\cdots+5\left(\frac{1}{2}p_5+\frac{1}{10}\right)$

$=\frac{1}{2}(p_1+2p_2+3p_3+4p_4+5p_5)+\frac{1+2+3+4+5}{10}$

$=\frac{1}{2}\times E(X)+\frac{3}{2}=\frac{1}{2}\times 4+\frac{3}{2}=\frac{7}{2}$

따라서 $a=\frac{7}{2}$이므로 $8a=8\times\frac{7}{2}=28$

432 답 $\frac{5}{2}$

주사위의 눈의 수가 1인 경우 $X=3$

주사위의 눈의 수가 2인 경우 $X=6$

주사위의 눈의 수가 3인 경우 $X=9$

주사위의 눈의 수가 4인 경우 $X=2$

주사위의 눈의 수가 5인 경우 $X=5$

주사위의 눈의 수가 6인 경우 $X=8$

따라서 X의 확률분포를 표로 나타내면 다음과 같다.

X	2	3	5	6	8	9	합계
$P(X=x)$	$\frac{1}{6}$	$\frac{1}{6}$	$\frac{1}{6}$	$\frac{1}{6}$	$\frac{1}{6}$	$\frac{1}{6}$	1

$\therefore E(X)=2\times\frac{1}{6}+3\times\frac{1}{6}+5\times\frac{1}{6}+6\times\frac{1}{6}+8\times\frac{1}{6}+9\times\frac{1}{6}$

$=\frac{11}{2}$

$V(X)=E(X^2)-\{E(X)\}^2$

$=2^2\times\frac{1}{6}+3^2\times\frac{1}{6}+5^2\times\frac{1}{6}+6^2\times\frac{1}{6}+8^2\times\frac{1}{6}$

$+9^2\times\frac{1}{6}-\left(\frac{11}{2}\right)^2$

$=\frac{25}{4}$

$\therefore \sigma(X)=\sqrt{V(X)}=\sqrt{\frac{25}{4}}=\frac{5}{2}$

433 답 20

5개의 서랍 중 임의로 2개를 배정하는 경우의 수는 ${}_5C_2=10$

확률변수 X가 가질 수 있는 값은 1, 2, 3, 4이므로 배정된 서랍의 번호를 순서쌍 (a, b) $(a<b)$로 나타내면

(i) $X=1$인 경우

(1, 2), (1, 3), (1, 4), (1, 5)의 4개

$\therefore P(X=1)=\frac{4}{10}=\frac{2}{5}$

(ii) $X=2$인 경우

(2, 3), (2, 4), (2, 5)의 3개

$\therefore P(X=2)=\frac{3}{10}$

(iii) $X=3$인 경우

(3, 4), (3, 5)의 2개

$\therefore P(X=3)=\frac{2}{10}=\frac{1}{5}$

(iv) $X=4$인 경우

(4, 5)의 1개

$\therefore P(X=4)=\frac{1}{10}$

따라서 X의 확률분포를 표로 나타내면 다음과 같다.

X	1	2	3	4	합계
$P(X=x)$	$\frac{2}{5}$	$\frac{3}{10}$	$\frac{1}{5}$	$\frac{1}{10}$	1

$\therefore E(X)=1\times\frac{2}{5}+2\times\frac{3}{10}+3\times\frac{1}{5}+4\times\frac{1}{10}=2$

$\therefore E(10X)=10E(X)=10\times 2=20$

434 답 2

$V(X)=16$이고 $V(Y)=V(aX+b)=a^2V(X)=2^2=4$이므로

$a^2V(X)=4$에서 $16a^2=4$, $a^2=\frac{1}{4}$

$a>0$이므로 $a=\frac{1}{2}$

$E(X)=10$이고 $E(Y)=E(aX+b)=aE(X)+b=9$이므로

$aE(X)+b=9$에서 $\frac{1}{2}\times 10+b=9$

$\therefore b=4$

$\therefore ab=\frac{1}{2}\times 4=2$

435 답 $\frac{32}{75}$

확률변수 X가 가질 수 있는 값은 0, 1, 2이고, 그 확률은

$P(X=0)=\frac{{}_4C_0\times{}_6C_2}{{}_{10}C_2}=\frac{1}{3}$

$P(X=1)=\frac{{}_4C_1\times{}_6C_1}{{}_{10}C_2}=\frac{8}{15}$

$P(X=2)=\frac{{}_4C_2\times{}_6C_0}{{}_{10}C_2}=\frac{2}{15}$

따라서 X의 확률분포를 표로 나타내면 다음과 같다.

X	0	1	2	합계
$\mathrm{P}(X=x)$	$\frac{1}{3}$	$\frac{8}{15}$	$\frac{2}{15}$	1

$\therefore \mathrm{E}(X)=0\times\frac{1}{3}+1\times\frac{8}{15}+2\times\frac{2}{15}=\frac{4}{5}$

$\therefore \mathrm{V}(X)=\mathrm{E}(X^2)-\{\mathrm{E}(X)\}^2$

$=0^2\times\frac{1}{3}+1^2\times\frac{8}{15}+2^2\times\frac{2}{15}-\left(\frac{4}{5}\right)^2$

$=\frac{32}{75}$

436 답 ②

$\mathrm{E}(X)=40$, $\sigma(X)=10$이므로

$\mathrm{E}(Y)=\mathrm{E}\left(\frac{11}{10}X+5\right)=\frac{11}{10}\mathrm{E}(X)+5$

$=\frac{11}{10}\times 40+5=49$

$\sigma(Y)=\sigma\left(\frac{11}{10}X+5\right)=\left|\frac{11}{10}\right|\sigma(X)=\frac{11}{10}\times 10=11$

$\therefore \mathrm{E}(Y)+\sigma(Y)=49+11=60$

437 답 $\frac{2}{5}$

단계 1 확률변수 X가 가질 수 있는 값 구하기

검은 공이 4개, 흰 공이 1개 있으므로 확률변수 X가 가질 수 있는 값은 1, 2, 3, 4, 5이다. ……30%

단계 2 각각의 확률 구하기

$\mathrm{P}(X=1)=\frac{1}{5}$

$\mathrm{P}(X=2)=\frac{4}{5}\times\frac{1}{4}=\frac{1}{5}$

$\mathrm{P}(X=3)=\frac{4}{5}\times\frac{3}{4}\times\frac{1}{3}=\frac{1}{5}$

$\mathrm{P}(X=4)=\frac{4}{5}\times\frac{3}{4}\times\frac{2}{3}\times\frac{1}{2}=\frac{1}{5}$

$\mathrm{P}(X=5)=\frac{4}{5}\times\frac{3}{4}\times\frac{2}{3}\times\frac{1}{2}\times 1=\frac{1}{5}$

따라서 X의 확률분포를 표로 나타내면 다음과 같다.

X	1	2	3	4	5	합계
$\mathrm{P}(X=x)$	$\frac{1}{5}$	$\frac{1}{5}$	$\frac{1}{5}$	$\frac{1}{5}$	$\frac{1}{5}$	1

……50%

단계 3 $\mathrm{P}(X>3)$ 구하기

$\mathrm{P}(X>3)=\mathrm{P}(X=4)+\mathrm{P}(X=5)$

$=\frac{1}{5}+\frac{1}{5}=\frac{2}{5}$ ……20%

438 답 $\frac{12}{7}$

단계 1 확률변수 X가 가질 수 있는 값 구하기

확률변수 X가 가질 수 있는 값은 1, $\sqrt{2}$, $\sqrt{3}$ 이다. ……30%

단계 2 X의 확률분포 구하기

(i) $X=1$인 경우

두 꼭짓점이 정육각형의 모서리의 양 끝 점이므로

$\mathrm{P}(X=1)=\frac{12}{{}_8\mathrm{C}_2}=\frac{3}{7}$

(ii) $X=\sqrt{2}$인 경우

두 꼭짓점이 정육각형의 각 면의 대각선의 양 끝 점이므로

$\mathrm{P}(X=\sqrt{2})=\frac{6\times 2}{{}_8\mathrm{C}_2}=\frac{3}{7}$

(iii) $X=\sqrt{3}$인 경우

두 꼭짓점이 정육각형의 대각선의 양 끝 점이므로

$\mathrm{P}(X=\sqrt{3})=\frac{4}{{}_8\mathrm{C}_2}=\frac{1}{7}$

따라서 X의 확률분포를 표로 나타내면 다음과 같다.

X	1	$\sqrt{2}$	$\sqrt{3}$	합계
$\mathrm{P}(X=x)$	$\frac{3}{7}$	$\frac{3}{7}$	$\frac{1}{7}$	1

……50%

단계 3 $\mathrm{E}(X^2)$ 구하기

$\mathrm{E}(X^2)=1^2\times\frac{3}{7}+(\sqrt{2})^2\times\frac{3}{7}+(\sqrt{3})^2\times\frac{1}{7}=\frac{12}{7}$ ……20%

2 이항분포와 정규분포

본책 76쪽~79쪽

439 답 B(5, 0.6)

자유투 성공률이 0.6이므로 5회 던져서 성공하는 횟수 X는 이항분포 B(5, 0.6)을 따른다.

440 답 이항분포를 따르지 않는다.

4개의 공을 차례대로 꺼낼 때 꺼낸 공을 다시 넣지 않으므로 각 시행은 독립이 아니다.
따라서 X는 이항분포를 따르지 않는다.

441 답 $\mathrm{P}(X=x)={}_4\mathrm{C}_x\left(\frac{1}{4}\right)^x\left(\frac{3}{4}\right)^{4-x}$ $(x=0, 1, 2, 3, 4)$

442 답 풀이 참조

$\mathrm{P}(X=0)={}_4\mathrm{C}_0\left(\frac{1}{4}\right)^0\left(\frac{3}{4}\right)^4=\frac{81}{256}$

$\mathrm{P}(X=1)={}_4\mathrm{C}_1\left(\frac{1}{4}\right)^1\left(\frac{3}{4}\right)^3=\frac{27}{64}$

$\mathrm{P}(X=2)={}_4\mathrm{C}_2\left(\frac{1}{4}\right)^2\left(\frac{3}{4}\right)^2=\frac{27}{128}$

$\mathrm{P}(X=3)={}_4\mathrm{C}_3\left(\frac{1}{4}\right)^3\left(\frac{3}{4}\right)^1=\frac{3}{64}$

$\mathrm{P}(X=4)={}_4\mathrm{C}_4\left(\frac{1}{4}\right)^4\left(\frac{3}{4}\right)^0=\frac{1}{256}$

따라서 X의 확률분포를 표로 나타내면 다음과 같다.

X	0	1	2	3	4	합계
$\mathrm{P}(X=x)$	$\frac{81}{256}$	$\frac{27}{64}$	$\frac{27}{128}$	$\frac{3}{64}$	$\frac{1}{256}$	1

443 답 $\mathrm{P}(X=x)={}_{10}\mathrm{C}_x\left(\frac{1}{2}\right)^{10}$ $(x=0, 1, 2, \cdots, 10)$

$\mathrm{P}(X=x)={}_{10}\mathrm{C}_x\left(\frac{1}{2}\right)^x\left(\frac{1}{2}\right)^{10-x}$

$={}_{10}\mathrm{C}_x\left(\frac{1}{2}\right)^{10}$ $(x=0, 1, 2, \cdots, 10)$

444 답 $\frac{45}{1024}$

$\mathrm{P}(X=2)={}_{10}\mathrm{C}_2\left(\frac{1}{2}\right)^{10}=\frac{45}{1024}$

445 답 평균 : 600, 분산 : 200, 표준편차 : $10\sqrt{2}$

$\mathrm{E}(X)=900\times\frac{2}{3}=600$

$\mathrm{V}(X)=900\times\frac{2}{3}\times\frac{1}{3}=200$

$\sigma(X)=\sqrt{200}=10\sqrt{2}$

446 답 평균 : 300, 분산 : 50, 표준편차 : $5\sqrt{2}$

$\mathrm{E}(X)=360\times\frac{5}{6}=300$

$\mathrm{V}(X)=360\times\frac{5}{6}\times\frac{1}{6}=50$

$\sigma(X)=\sqrt{50}=5\sqrt{2}$

447 답 평균 : 70, 분산 : 120, 표준편차 : $2\sqrt{30}$

$\mathrm{E}(X)=160\times\frac{1}{4}=40$

$\mathrm{V}(X)=160\times\frac{1}{4}\times\frac{3}{4}=30$

$\sigma(X)=\sqrt{30}$

따라서 확률변수 $2X-10$의 평균, 분산, 표준편차는

$\mathrm{E}(2X-10)=2\mathrm{E}(X)-10=2\times40-10=70$

$\mathrm{V}(2X-10)=2^2\mathrm{V}(X)=4\times30=120$

$\sigma(2X-10)=|2|\sigma(X)=2\times\sqrt{30}=2\sqrt{30}$

448 답 $\mathrm{N}(5, 2^2)$

449 답 $\mathrm{N}(-10, 4^2)$

450 답 $\mathrm{N}\left(7, \left(\frac{1}{3}\right)^2\right)$

451 답 $\mathrm{N}\left(-\frac{15}{2}, 3^2\right)$

452 답 ○

A 학교의 정규분포 곡선의 대칭축이 B 학교의 정규분포 곡선의 대칭축보다 왼쪽에 있으므로 평균적으로 A 학교의 학생들보다 B 학교의 학생들의 영어 성적이 더 좋다.

453 답 ×

A 학교의 정규분포 곡선이 B 학교의 정규분포 곡선보다 가운데 부분의 높이가 더 높으므로 평균적으로 B 학교의 학생들보다 A 학교의 학생들의 영어 성적이 더 고르다.

454 답 0.9772

$\mathrm{P}(Z\le2)=\mathrm{P}(Z\le0)+\mathrm{P}(0\le Z\le2)$

$=0.5+0.4772=0.9772$

455 답 0.1525

$\mathrm{P}(1\le Z\le2.5)$

$=\mathrm{P}(0\le Z\le2.5)-\mathrm{P}(0\le Z\le1)$

$=0.4938-0.3413=0.1525$

456 답 0.0668

$P(Z\le -1.5)$
$=P(Z\ge 1.5)$
$=P(Z\ge 0)-P(0\le Z\le 1.5)$
$=0.5-0.4332=0.0668$

457 답 0.8543

$P(-1.25\le Z\le 1.75)$
$=P(-1.25\le Z\le 0)+P(0\le Z\le 1.75)$
$=P(0\le Z\le 1.25)+P(0\le Z\le 1.75)$
$=0.3944+0.4599=0.8543$

458 답 $Z=\dfrac{X-25}{3}$

459 답 $Z=3X-39$

$Z=\dfrac{X-13}{\frac{1}{3}}=3X-39$

460 답 0.1151

$P(X\le 244)=P\left(Z\le \dfrac{244-250}{5}\right)$
$=P(Z\le -1.2)=P(Z\ge 1.2)$
$=P(Z\ge 0)-P(0\le Z\le 1.2)$
$=0.5-0.3849=0.1151$

461 답 0.1571

$P(254\le X\le 258)$
$=P\left(\dfrac{254-250}{5}\le Z\le \dfrac{258-250}{5}\right)$
$=P(0.8\le Z\le 1.6)=P(0\le Z\le 1.6)-P(0\le Z\le 0.8)$
$=0.4452-0.2881=0.1571$

462 답 $N(40, (2\sqrt{5})^2)$

$E(X)=80\times\dfrac{1}{2}=40$, $V(X)=80\times\dfrac{1}{2}\times\dfrac{1}{2}=20=(2\sqrt{5})^2$
이때 $n=80$은 충분히 크므로 X는 근사적으로 정규분포 $N(40, (2\sqrt{5})^2)$을 따른다.

463 답 $N(60, (5\sqrt{2})^2)$

$E(X)=360\times\dfrac{1}{6}=60$, $V(X)=360\times\dfrac{1}{6}\times\dfrac{5}{6}=50=(5\sqrt{2})^2$
이때 $n=360$은 충분히 크므로 X는 근사적으로 정규분포 $N(60, (5\sqrt{2})^2)$을 따른다.

464 답 $N(180, (3\sqrt{5})^2)$

$E(X)=240\times\dfrac{3}{4}=180$, $V(X)=240\times\dfrac{3}{4}\times\dfrac{1}{4}=45=(3\sqrt{5})^2$
이때 $n=240$은 충분히 크므로 X는 근사적으로 정규분포 $N(180, (3\sqrt{5})^2)$을 따른다.

465 답 $N(240, (4\sqrt{10})^2)$

$E(X)=720\times\dfrac{1}{3}=240$,

$V(X)=720\times\dfrac{1}{3}\times\dfrac{2}{3}=160=(4\sqrt{10})^2$
이때 $n=720$은 충분히 크므로 X는 근사적으로 정규분포 $N(240, (4\sqrt{10})^2)$을 따른다.

466 답 $N(400, (5\sqrt{6})^2)$

$E(X)=640\times\dfrac{5}{8}=400$,

$V(X)=640\times\dfrac{5}{8}\times\dfrac{3}{8}=150=(5\sqrt{6})^2$
이때 $n=640$은 충분히 크므로 X는 근사적으로 정규분포 $N(400, (5\sqrt{6})^2)$을 따른다.

467 답 $\dfrac{1}{3}$, 150, $\dfrac{1}{3}$, $\dfrac{2}{3}$, 10, 150, 10, 150, 10, 0, 2, 0.4772

확률변수 X가 이항분포 $B\left(450, \dfrac{1}{3}\right)$을 따르므로

$E(X)=450\times\boxed{\dfrac{1}{3}}=\boxed{150}$,

$\sigma(X)=\sqrt{450\times\boxed{\dfrac{1}{3}}\times\boxed{\dfrac{2}{3}}}=\boxed{10}$

이때 450은 충분히 크므로 확률변수 X는 근사적으로 정규분포 $N(\boxed{150}, \boxed{10}^2)$을 따른다.

따라서 확률변수 $Z=\dfrac{X-\boxed{150}}{\boxed{10}}$은 표준정규분포 $N(0, 1)$을 따른다.

$\therefore P(150\le X\le 170)=P\left(\dfrac{150-150}{10}\le Z\le \dfrac{170-150}{10}\right)$
$=P(\boxed{0}\le Z\le \boxed{2})$
$=\boxed{0.4772}$

[468~469]

$E(X)=150\times\dfrac{2}{5}=60$, $V(X)=150\times\dfrac{2}{5}\times\dfrac{3}{5}=36=6^2$
이때 150은 충분히 크므로 확률변수 X는 근사적으로 정규분포 $N(60, 6^2)$을 따른다.

468 답 0.9332

$P(X\le 69)=P\left(Z\le \dfrac{69-60}{6}\right)=P(Z\le 1.5)$
$=P(Z\le 0)+P(0\le Z\le 1.5)$
$=0.5+0.4332=0.9332$

469 답 0.8185

$$P(54\le X\le 72)=P\left(\frac{54-60}{6}\le Z\le \frac{72-60}{6}\right)$$
$$=P(-1\le Z\le 2)$$
$$=P(-1\le Z\le 0)+P(0\le Z\le 2)$$
$$=P(0\le Z\le 1)+P(0\le Z\le 2)$$
$$=0.3413+0.4772=0.8185$$

도전! 유형 연습하기

➔ 본책 80쪽~89쪽

470 답 ②

단계 1 X의 확률질량함수 구하기

확률변수 X가 이항분포 $B\left(8, \frac{1}{2}\right)$을 따르므로

X의 확률질량함수는

$$P(X=x)={}_8C_x\left(\frac{1}{2}\right)^x\left(\frac{1}{2}\right)^{8-x}$$
$$={}_8C_x\left(\frac{1}{2}\right)^8\ (x=0,\ 1,\ 2,\ \cdots,\ 8)$$

단계 2 $P(X=3)$ 구하기

$$P(X=3)={}_8C_3\left(\frac{1}{2}\right)^8=\frac{7}{32}$$

471 답 ②

확률변수 X는 이항분포 $B\left(5, \frac{3}{5}\right)$을 따르므로

X의 확률질량함수는

$$P(X=x)={}_5C_x\left(\frac{3}{5}\right)^x\left(\frac{2}{5}\right)^{5-x}\ (x=0,\ 1,\ 2,\ 3,\ 4,\ 5)$$

$$\therefore P(X=2)={}_5C_2\left(\frac{3}{5}\right)^2\left(\frac{2}{5}\right)^3=\frac{144}{625}$$

472 답 ⑤

안타를 친 횟수를 확률변수 X라 하면

확률변수 X는 이항분포 $B\left(4, \frac{1}{4}\right)$을 따르므로

X의 확률질량함수는

$$P(X=x)={}_4C_x\left(\frac{1}{4}\right)^x\left(\frac{3}{4}\right)^{4-x}\ (x=0,\ 1,\ 2,\ 3,\ 4)$$

따라서 구하는 확률은

$$P(X\le 1)=P(X=0)+P(X=1)$$
$$={}_4C_0\left(\frac{1}{4}\right)^0\left(\frac{3}{4}\right)^4+{}_4C_1\left(\frac{1}{4}\right)^1\left(\frac{3}{4}\right)^3$$
$$=\frac{189}{256}$$

473 답 ④

도영이가 이기는 횟수를 확률변수 X라 하면

확률변수 X는 이항분포 $B\left(5, \frac{1}{3}\right)$을 따르므로

X의 확률질량함수는

$$P(X=x)={}_5C_x\left(\frac{1}{3}\right)^x\left(\frac{2}{3}\right)^{5-x}\ (x=0,\ 1,\ 2,\ 3,\ 4,\ 5)$$

따라서 구하는 확률은

$$P(X\ge 2)=1-P(X\le 1)=1-P(X=0)-P(X=1)$$
$$=1-{}_5C_0\left(\frac{1}{3}\right)^0\left(\frac{2}{3}\right)^5-{}_5C_1\left(\frac{1}{3}\right)^1\left(\frac{2}{3}\right)^4$$
$$=1-\frac{112}{243}=\frac{131}{243}$$

474 답 ③

확률변수 X가 이항분포 $B\left(n, \frac{1}{2}\right)$을 따르므로

X의 확률질량함수는

$$P(X=x)={}_nC_x\left(\frac{1}{2}\right)^x\left(\frac{1}{2}\right)^{n-x}$$
$$={}_nC_x\left(\frac{1}{2}\right)^n\ (x=0,\ 1,\ 2,\ \cdots,\ n)$$

이때 $P(X=2)=10P(X=1)$이 성립하므로

$${}_nC_2\left(\frac{1}{2}\right)^n=10\times{}_nC_1\left(\frac{1}{2}\right)^n$$

$$\frac{n(n-1)}{2}\times\left(\frac{1}{2}\right)^n=10\times n\times\left(\frac{1}{2}\right)^n$$

$$\frac{n-1}{2}=10\qquad \therefore n=21$$

475 답 $\frac{15}{4}$

단계 1 $E(X)=np$임을 이용하여 p의 값 구하기

확률변수 X가 이항분포 $B(20,\ p)$를 따르므로

$E(X)=5$에서 $20p=5$

$$\therefore p=\frac{1}{4}$$

단계 2 $V(X)$ 구하기

$$V(X)=20\times\frac{1}{4}\times\frac{3}{4}=\frac{15}{4}$$

476 답 ③

확률변수 X가 이항분포 $B(10,\ p)$를 따르므로

$E(X)=6$에서 $10p=6$

$$\therefore p=\frac{3}{5}$$

$$\therefore V(X)=10\times\frac{3}{5}\times\frac{2}{5}=\frac{12}{5}$$

이때 $V(X)=E(X^2)-\{E(X)\}^2$이므로

$$E(X^2)=V(X)+\{E(X)\}^2$$
$$=\frac{12}{5}+6^2=\frac{192}{5}$$

477 답 ②

확률변수 X가 이항분포 $B(11,\ p)$를 따르므로

$E(X)=11p,\ V(X)=11p(1-p)$

이때 $\{E(X)\}^2=V(X)$이므로

$(11p)^2=11p(1-p),\ 11p=1-p$

$12p=1 \qquad \therefore p=\frac{1}{12}$

478 답 920

단계 1 X가 따르는 이항분포 구하기

한 개의 주사위를 한 번 던져 3의 배수의 눈이 나올 확률은 $\frac{1}{3}$이고, 이 시행을 90번 반복하므로 확률변수 X는 이항분포 $B\left(90,\ \frac{1}{3}\right)$을 따른다.

단계 2 $E(X)$, $V(X)$ 구하기

$E(X)=90\times\frac{1}{3}=30$

$V(X)=90\times\frac{1}{3}\times\frac{2}{3}=20$

단계 3 $V(X)=E(X^2)-\{E(X)\}^2$임을 이용하여 $E(X^2)$ 구하기

$V(X)=E(X^2)-\{E(X)\}^2$이므로

$E(X^2)=V(X)+\{E(X)\}^2=20+30^2=920$

479 답 ②

확률변수 X는 이항분포 $B\left(200,\ \frac{4}{5}\right)$를 따르므로

$E(X)=200\times\frac{4}{5}=160$

$V(X)=200\times\frac{4}{5}\times\frac{1}{5}=32$

$\therefore E(X)+V(X)=160+32=192$

480 답 ④

흰 공 5개, 검은 공 k개가 들어 있는 주머니에서 한 개의 공을 꺼낼 때, 흰 공이 나올 확률은 $\frac{5}{5+k}$이므로 확률변수 X는 이항분포 $B\left(100,\ \frac{5}{5+k}\right)$를 따른다.

이때 $E(X)=25$이므로 $100\times\frac{5}{5+k}=25 \qquad \therefore k=15$

$\therefore V(X)=100\times\frac{1}{4}\times\frac{3}{4}=\frac{75}{4}$

481 답 ③

남학생 4명, 여학생 2명으로 구성된 모둠에서 임의로 2명씩 선택할 때, 남학생들만 선택될 확률은

$\frac{{}_4C_2\times{}_2C_0}{{}_6C_2}=\frac{2}{5}$

따라서 확률변수 X는 이항분포 $B\left(10,\ \frac{2}{5}\right)$를 따르므로

$E(X)=10\times\frac{2}{5}=4$

482 답 48

단계 1 $V(X)$ 구하기

확률변수 X가 이항분포 $B\left(n,\ \frac{2}{5}\right)$를 따르므로

$E(X)=20$에서 $n\times\frac{2}{5}=20 \qquad \therefore n=50$

$\therefore V(X)=50\times\frac{2}{5}\times\frac{3}{5}=12$

단계 2 $V(-2X+3)$ 구하기

$V(-2X+3)=(-2)^2V(X)=4\times12=48$

483 답 ⑤

$E(5X+1)=11$이므로

$5E(X)+1=11 \qquad \therefore E(X)=2$

$V(5X+1)=40$이므로

$5^2V(X)=40 \qquad \therefore V(X)=\frac{8}{5}$

즉, $E(X)=np=2,\ V(X)=np(1-p)=\frac{8}{5}$이므로

$1-p=\frac{4}{5} \qquad \therefore p=\frac{1}{5}$

$n\times\frac{1}{5}=2$이므로 $n=10$

$\therefore n+p=10+\frac{1}{5}=\frac{51}{5}$

484 답 ②

확률변수 X의 확률질량함수가

$P(X=x)={}_{64}C_x\left(\frac{5}{8}\right)^x\left(\frac{3}{8}\right)^{64-x}\ (x=0,\ 1,\ 2,\ \cdots,\ 64)$

이므로 확률변수 X는 이항분포 $B\left(64,\ \frac{5}{8}\right)$를 따른다.

따라서 $\sigma(X)=\sqrt{64\times\frac{5}{8}\times\frac{3}{8}}=\sqrt{15}$이므로

$\sigma\left(\frac{X}{\sqrt{5}}-7\right)=\left|\frac{1}{\sqrt{5}}\right|\sigma(X)=\frac{1}{\sqrt{5}}\times\sqrt{15}=\sqrt{3}$

485 답 ④

단계 1 정규분포 곡선의 성질을 이용하여 판별하기

① $P(X\le m)=P(X\ge m)=0.5$이고 X가 연속확률변수이므로 $P(X\ge m)=P(X>m)$이다.
$\therefore P(X\le m)=P(X>m)=0.5$

② $f(x)$의 그래프는 $x=m$에 대하여 대칭이고 $f(x)$는 $x=m$에서 최댓값을 갖는다.

③ σ의 값이 일정할 때, m의 값이 클수록 그래프의 대칭축이 오른쪽에 있다.

④ σ의 값이 클수록 그래프는 옆으로 퍼진다.

⑤ 정규분포 $N(n, \sigma^2)$을 따르는 확률변수 Y의 표준편차가 X의 표준편차와 같으므로 $f(x)$, $g(x)$의 그래프의 모양은 서로 같다.

따라서 옳지 않은 것은 ④이다.

486 답 ㄱ, ㄴ, ㄹ

ㄱ. 확률변수 X_1, X_2의 정규분포 곡선이 각각 직선 $x=m_1$, $x=m_2$에 대하여 대칭이므로 $E(X_1)=m_1$, $E(X_2)=m_2$
이때 $m_1<m_2$이므로 $E(X_1)<E(X_2)$ (참)

ㄴ. 확률변수 X_1의 정규분포 곡선이 확률변수 X_2의 정규분포 곡선보다 더 넓게 퍼져있으므로
$V(X_1)>V(X_2)$ (참)

ㄷ. $P(X_1\le m_2)=0.5+P(m_1\le X_1\le m_2)$
$P(X_2\le m_2)=0.5$이므로
$P(X_1\le m_2)>P(X_2\le m_2)$ (거짓)

ㄹ. $0\le P(X_2\le m_1)<P(X_2\le m_2)=0.5$ (참)

따라서 옳은 것은 ㄱ, ㄴ, ㄹ이다.

487 답 ④

확률변수 X의 평균이 20이므로 X의 확률밀도함수는 $x=20$에서 최댓값을 갖고, 정규분포 곡선은 직선 $x=20$에 대하여 대칭이다.

따라서 $P(k-1\le X\le k+5)$가 최대가 되려면

$\frac{(k-1)+(k+5)}{2}=20$, $\frac{2k+4}{2}=20$, $k+2=20$

$\therefore k=18$

참고 $P(k-1\le X\le k+5)$에서 $(k+5)-(k-1)=6$으로 일정하므로 오른쪽 그림과 같이 $\frac{(k-1)+(k+5)}{2}=m$일 때 $P(k-1\le X\le k+5)$가 최대이다.

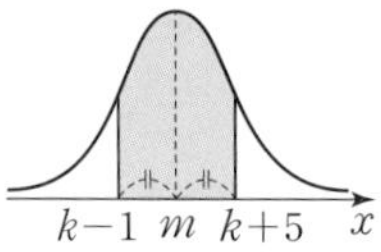

488 답 $a+b$

단계 1 $P(m-\sigma\le X\le m)=P(m\le X\le m+\sigma)$임을 이용하여 정리하기

$P(m-\sigma\le X\le m+\sigma)=2a$에서
$2P(m\le X\le m+\sigma)=2a$
$\therefore P(m\le X\le m+\sigma)=a$
$P(m-3\sigma\le X\le m+3\sigma)=2b$에서
$2P(m\le X\le m+3\sigma)=2b$
$\therefore P(m\le X\le m+3\sigma)=b$

단계 2 $P(m-\sigma\le X\le m+3\sigma)$를 a, b로 나타내기

$P(m-\sigma\le X\le m+3\sigma)$
$=P(m-\sigma\le X\le m)+P(m\le X\le m+3\sigma)$
$=P(m\le X\le m+\sigma)+P(m\le X\le m+3\sigma)$
$=a+b$

489 답 0.8185

$m=50$, $\sigma=5$이므로
$P(45\le X\le 60)$
$=P(50-5\le X\le 50+2\times 5)$
$=P(m-\sigma\le X\le m+2\sigma)$
$=P(m-\sigma\le X\le m)+P(m\le X\le m+2\sigma)$
$=P(m\le X\le m+\sigma)+P(m\le X\le m+2\sigma)$
$=0.3413+0.4772=0.8185$

490 답 12

$P(X\le a)=0.1587$에서
$P(X\le m)-P(a\le X\le m)=0.1587$
$0.5-P(a\le X\le m)=0.1587$
$\therefore P(a\le X\le m)=0.3413$
이때 $P(m\le X\le m+\sigma)=0.3413$이므로
$P(m-\sigma\le X\le m)=0.3413$
$\therefore a=m-\sigma=15-3=12$

491 답 ⑤

단계 1 $P(-z\le Z\le z)=2P(0\le Z\le z)$임을 이용하기

$P(|Z|\le 1.73)=0.9164$에서
$P(-1.73\le Z\le 1.73)=0.9164$
$2P(0\le Z\le 1.73)=0.9164$
$\therefore P(0\le Z\le 1.73)=0.4582$

단계 2 확률 구하기

$P(Z\le 1.73)$
$=P(Z\le 0)+P(0\le Z\le 1.73)$
$=0.5+0.4582=0.9582$

492 답 3.5

$P(Z\le a)=0.8413$에서
$P(Z\le 0)+P(0\le Z\le a)=0.8413$
$0.5+P(0\le Z\le a)=0.8413$
$\therefore P(0\le Z\le a)=0.3413$
이때 $P(0\le Z\le 1)=0.3413$이므로 $a=1$
$P(Z\ge b)=0.0062$에서
$P(Z\ge 0)-P(0\le Z\le b)=0.0062$
$0.5-P(0\le Z\le b)=0.0062$
$\therefore P(0\le Z\le b)=0.4938$
이때 $P(0\le Z\le 2.5)=0.4938$이므로 $b=2.5$
$\therefore a+b=1+2.5=3.5$

493 답 70

단계 1 확률변수 X, Y를 각각 표준화하기

두 확률변수 X, Y가 각각 정규분포 $N(50, 10^2)$, $N(40, 8^2)$을

따르므로

$Z_X=\dfrac{X-50}{10}$, $Z_Y=\dfrac{Y-40}{8}$으로 놓으면 Z_X, Z_Y는 모두 표준정규분포 N(0, 1)을 따른다.

$\mathrm{P}(50\le X\le k)=\mathrm{P}\left(\dfrac{50-50}{10}\le Z_X\le\dfrac{k-50}{10}\right)$

$=\mathrm{P}\left(0\le Z_X\le\dfrac{k-50}{10}\right)$

$\mathrm{P}(24\le Y\le 40)=\mathrm{P}\left(\dfrac{24-40}{8}\le Z_Y\le\dfrac{40-40}{8}\right)$

$=\mathrm{P}(-2\le Z_Y\le 0)=\mathrm{P}(0\le Z_Y\le 2)$

단계 2 k의 값을 구하는 관계식 세우기

$\mathrm{P}(50\le X\le k)=\mathrm{P}(24\le Y\le 40)$이므로

$\mathrm{P}\left(0\le Z_X\le\dfrac{k-50}{10}\right)=\mathrm{P}(0\le Z_Y\le 2)$에서

$\dfrac{k-50}{10}=2 \qquad \therefore k=70$

494 답 ⑤

확률변수 X가 정규분포 $\mathrm{N}(55, 5^2)$을 따르므로 $Z_X=\dfrac{X-55}{5}$로 놓으면 Z_X는 표준정규분포 N(0, 1)을 따른다. 즉,

$\mathrm{P}(55\le X\le k)=\mathrm{P}\left(\dfrac{55-55}{5}\le Z_X\le\dfrac{k-55}{5}\right)$

$=\mathrm{P}\left(0\le Z_X\le\dfrac{k-55}{5}\right)$

또, $\mathrm{P}(-2\le Y\le 0)=\mathrm{P}(0\le Z\le 2)$

이때 $\mathrm{P}(55\le X\le k)=\mathrm{P}(-2\le Y\le 0)$이므로

$\mathrm{P}\left(0\le Z_X\le\dfrac{k-55}{5}\right)=\mathrm{P}(0\le Z\le 2)$에서

$\dfrac{k-55}{5}=2 \qquad \therefore k=65$

495 답 ②

확률변수 X가 정규분포 $\mathrm{N}(m, \sigma^2)$을 따르므로 $Z=\dfrac{X-m}{\sigma}$으로 놓으면 Z는 표준정규분포 N(0, 1)을 따른다.

$\mathrm{P}(|X-m|\le k\sigma)=0.7498$에서

$\mathrm{P}(-k\sigma\le X-m\le k\sigma)=\mathrm{P}\left(-k\le\dfrac{X-m}{\sigma}\le k\right)$

$=\mathrm{P}(-k\le Z\le k)=2\mathrm{P}(0\le Z\le k)$

$=0.7498$

$\therefore \mathrm{P}(0\le Z\le k)=0.3749$

이때 $\mathrm{P}(0\le Z\le 1.15)=0.3749$이므로 $k=1.15$

496 답 ④

단계 1 $Z=\dfrac{X-m}{\sigma}$으로 표준화하기

$Z=\dfrac{X-32}{4}$로 놓으면 Z는 표준정규분포 N(0, 1)을 따른다.

단계 2 Z에 대한 확률로 나타낸 후 확률 구하기

$\mathrm{P}(28\le X\le 38)$

$=\mathrm{P}\left(\dfrac{28-32}{4}\le Z\le\dfrac{38-32}{4}\right)$

$=\mathrm{P}(-1\le Z\le 1.5)$

$=\mathrm{P}(-1\le Z\le 0)+\mathrm{P}(0\le Z\le 1.5)$

$=\mathrm{P}(0\le Z\le 1)+\mathrm{P}(0\le Z\le 1.5)$

$=0.3413+0.4332$

$=0.7745$

497 답 0.9641

$Z=\dfrac{X-270}{5}$으로 놓으면 Z는 표준정규분포 N(0, 1)을 따른다.

$\therefore \mathrm{P}(X\ge 261)$

$=\mathrm{P}\left(Z\ge\dfrac{261-270}{5}\right)$

$=\mathrm{P}(Z\ge -1.8)$

$=\mathrm{P}(-1.8\le Z\le 0)+\mathrm{P}(Z\ge 0)$

$=\mathrm{P}(0\le Z\le 1.8)+\mathrm{P}(Z\ge 0)$

$=0.4641+0.5=0.9641$

498 답 ③

이 제과점에서 판매하는 케이크 한 조각의 열량을 확률변수 X라 하면 X는 정규분포 $\mathrm{N}(350, 8^2)$을 따르므로

$Z=\dfrac{X-350}{8}$으로 놓으면 Z는 표준정규분포 N(0, 1)을 따른다.

따라서 이 제과점에서 구매한 케이크 한 조각의 열량이 340 kcal 이상 356 kcal 이하일 확률은

$\mathrm{P}(340\le X\le 356)$

$=\mathrm{P}\left(\dfrac{340-350}{8}\le Z\le\dfrac{356-350}{8}\right)$

$=\mathrm{P}(-1.25\le Z\le 0.75)$

$=\mathrm{P}(-1.25\le Z\le 0)+\mathrm{P}(0\le Z\le 0.75)$

$=\mathrm{P}(0\le Z\le 1.25)+\mathrm{P}(0\le Z\le 0.75)$

$=0.3944+0.2734=0.6678$

499 답 0.1151

마라톤 대회에서 완주한 참가자들의 완주 시간을 확률변수 X라 하면 X는 정규분포 $\mathrm{N}(300, 50^2)$을 따르므로 $Z=\dfrac{X-300}{50}$으로 놓으면 Z는 표준정규분포 N(0, 1)을 따른다.

따라서 이 대회에서 완주한 참가자 중에서 임의로 한 명을 뽑을 때, 이 참가자의 완주 시간이 4시간 이하일 확률은

$\mathrm{P}(X\le 240)=\mathrm{P}\left(Z\le\dfrac{240-300}{50}\right)$

$=\mathrm{P}(Z\le -1.2)=\mathrm{P}(Z\ge 1.2)$

$=\mathrm{P}(Z\ge 0)-\mathrm{P}(0\le Z\le 1.2)$

$=0.5-0.3849=0.1151$

500 답 0.7745

지난 일주일 동안 휴대폰을 사용한 시간을 확률변수 X라 하면 X는 정규분포 $N(520, 30^2)$을 따르므로 $Z=\frac{X-520}{30}$으로 놓으면 Z는 표준정규분포 $N(0, 1)$을 따른다.
따라서 이 지역에 거주하는 사람들 중에서 임의로 한 명을 선택했을 때, 이 사람이 지난 일주일 동안 휴대폰을 사용한 시간이 490분 이상 565분 이하일 확률은

$$\begin{aligned}P(490\le X\le 565)&=P\left(\frac{490-520}{30}\le Z\le\frac{565-520}{30}\right)\\&=P(-1\le Z\le 1.5)\\&=P(-1\le Z\le 0)+P(0\le Z\le 1.5)\\&=P(0\le Z\le 1)+P(0\le Z\le 1.5)\\&=0.3413+0.4332=0.7745\end{aligned}$$

501 답 10.5

단계 1 $Z=\frac{X-15}{3}$로 표준화하기

확률변수 X는 정규분포 $N(15, 3^2)$을 따르므로 $Z=\frac{X-15}{3}$로 놓으면 Z는 표준정규분포 $N(0, 1)$을 따른다.

단계 2 주어진 확률을 Z에 대한 확률로 나타내기

$P(a\le X\le 21)=0.9104$에서

$P\left(\frac{a-15}{3}\le Z\le\frac{21-15}{3}\right)=0.9104$

$P\left(\frac{a-15}{3}\le Z\le 2\right)=0.9104$

$P\left(\frac{a-15}{3}\le Z\le 0\right)+P(0\le Z\le 2)=0.9104$

$P\left(\frac{a-15}{3}\le Z\le 0\right)+0.4772=0.9104$

$\therefore P\left(\frac{a-15}{3}\le Z\le 0\right)=0.4332$

단계 3 표준정규분포표를 이용하여 미지수의 값 구하기

$P(0\le Z\le 1.5)=0.4332$이므로

$P(-1.5\le Z\le 0)=0.4332$

$\frac{a-15}{3}=-1.5\qquad\therefore a=10.5$

502 답 37

로봇 청소기가 한 번의 충전으로 청소할 수 있는 시간을 확률변수 X라 하면 X는 정규분포 $N(40, 2^2)$을 따르므로 $Z=\frac{X-40}{2}$으로 놓으면 Z는 표준정규분포 $N(0, 1)$을 따른다.

이때 $P(X\ge t)=0.9332$이므로

$P\left(Z\ge\frac{t-40}{2}\right)=0.5+0.4332$

$P\left(\frac{t-40}{2}\le Z\le 0\right)+0.5=0.5+0.4332$

$\therefore P\left(0\le Z\le -\frac{t-40}{2}\right)=0.4332$

이때 $P(0\le Z\le 1.5)=0.4332$이므로 $-\frac{t-40}{2}=1.5$

$\therefore t=37$

503 답 ④

확률변수 X가 정규분포 $N(m, \sigma^2)$을 따르므로 $Z=\frac{X-m}{\sigma}$으로 놓으면 Z는 표준정규분포 $N(0, 1)$을 따른다.

$P(m\le X\le m+10)-P(X\le m-10)=0.1826$에서

$P\left(\frac{m-m}{\sigma}\le Z\le\frac{m+10-m}{\sigma}\right)-P\left(Z\le\frac{m-10-m}{\sigma}\right)=0.1826$

$\therefore P\left(0\le Z\le\frac{10}{\sigma}\right)-P\left(Z\le-\frac{10}{\sigma}\right)=0.1826$

또, $P\left(0\le Z\le\frac{10}{\sigma}\right)+P\left(Z\le-\frac{10}{\sigma}\right)=0.5$이므로

$2P\left(0\le Z\le\frac{10}{\sigma}\right)=0.6826$

$\therefore P\left(0\le Z\le\frac{10}{\sigma}\right)=0.3413$

이때 $P(0\le Z\le 1)=0.3413$이므로 $\frac{10}{\sigma}=1$

$\therefore \sigma=10$

504 답 $a<b$

단계 1 X를 $Z_X=\frac{X-65}{5}$로 표준화하기

확률변수 X가 정규분포 $N(65, 5^2)$을 따르므로 $Z_X=\frac{X-65}{5}$로 놓으면 Z_X는 표준정규분포 $N(0, 1)$을 따른다.

$$\begin{aligned}\therefore P(X\ge 60)&=P\left(Z_X\ge\frac{60-65}{5}\right)\\&=P(Z_X\ge -1)\\&=P(-1\le Z\le 0)+P(Z\ge 0)\\&=P(0\le Z\le 1)+P(Z\ge 0)\\&=0.3413+0.5=0.8413\end{aligned}$$

$\therefore a=0.8413$

단계 2 Y를 $Z_Y=\frac{Y-70}{6}$으로 표준화하기

확률변수 Y가 정규분포 $N(70, 6^2)$을 따르므로 $Z_Y=\frac{Y-70}{6}$으로 놓으면 Z_Y는 표준정규분포 $N(0, 1)$을 따른다.

$$\begin{aligned}\therefore P(Y\ge 61)&=P\left(Z_Y\ge\frac{61-70}{6}\right)\\&=P(Z_Y\ge -1.5)\\&=P(-1.5\le Z_Y\le 0)+P(Z_Y\ge 0)\\&=P(0\le Z_Y\le 1.5)+P(Z_Y\ge 0)\\&=0.4332+0.5=0.9332\end{aligned}$$

$\therefore b=0.9332$

단계 3 a와 b의 대소 비교하기

$a=0.8413$, $b=0.9332$이므로

$a<b$

505 답 국어

준기네 반 전체 학생의 국어, 수학, 영어 성적을 각각 확률변수 X_1, X_2, X_3이라 하면 X_1, X_2, X_3은 각각 정규분포 $N(54, 6^2)$, $N(60, 10^2)$, $N(72, 8^2)$을 따르므로

$Z_1=\frac{X_1-54}{6}$, $Z_2=\frac{X_2-60}{10}$, $Z_3=\frac{X_3-72}{8}$로 놓으면

Z_1, Z_2, Z_3은 모두 표준정규분포 $N(0, 1)$을 따른다.

반 학생들이 준기보다 국어, 수학, 영어 성적이 높을 확률은 각각

$$P(X_1>66)=P\left(Z_1>\frac{66-54}{6}\right)=P(Z_1>2)$$

$$P(X_2>70)=P\left(Z_2>\frac{70-60}{10}\right)=P(Z_2>1)$$

$$P(X_3>68)=P\left(Z_3>\frac{68-72}{8}\right)=P(Z_3>-0.5)$$

이때 $P(Z_3>-0.5)>P(Z_2>1)>P(Z_1>2)$이므로

$P(X_3>68)>P(X_2>70)>P(X_1>66)$

따라서 준기의 성적을 반 전체의 성적과 비교할 때, 상대적으로 가장 성적이 좋은 과목은 국어이다.

506 답 A, B, C

한국, 미국, 일본의 대졸 신입 사원의 월급을 각각 확률변수 X_1, X_2, X_3이라 하면 X_1, X_2, X_3은 각각 정규분포 $N(2100000, 100000^2)$, $N(2500, 300^2)$, $N(230000, 25000^2)$을 따르므로

$Z_1=\frac{X_1-2100000}{100000}$, $Z_2=\frac{X_2-2500}{300}$, $Z_3=\frac{X_3-230000}{25000}$으로 놓으면 Z_1, Z_2, Z_3은 모두 표준정규분포 $N(0, 1)$을 따른다.

한국, 미국, 일본의 다른 대졸 신입 사원들이 A, B, C보다 월급을 더 많이 받을 확률은 각각

$$P(X_1>2240000)=P\left(Z_1>\frac{2240000-2100000}{100000}\right)$$
$$=P(Z_1>1.4)$$

$$P(X_2>2740)=P\left(Z_2>\frac{2740-2500}{300}\right)=P(Z_2>0.8)$$

$$P(X_3>240000)=P\left(Z_3>\frac{240000-230000}{25000}\right)=P(Z_3>0.4)$$

이때 $P(Z_3>0.4)>P(Z_2>0.8)>P(Z_1>1.4)$이므로

$P(X_3>240000)>P(X_2>2740)>P(X_1>2240000)$

따라서 자국 내에서 상대적으로 월급을 많이 받는 사람을 순서대로 나열하면 A, B, C의 순이다.

507 답 4분기

태환이의 반 전체 학생의 1분기, 2분기, 3분기, 4분기 윗몸일으키기의 기록을 각각 확률변수 X_1, X_2, X_3, X_4라 하면 X_1, X_2, X_3, X_4는 각각 정규분포 $N(70, 10^2)$, $N(60, 8^2)$, $N(62, 4^2)$, $N(66, 12^2)$을 따르므로

$Z_1=\frac{X_1-70}{10}$, $Z_2=\frac{X_2-60}{8}$, $Z_3=\frac{X_3-62}{4}$, $Z_4=\frac{X_4-66}{12}$

으로 놓으면 Z_1, Z_2, Z_3, Z_4는 모두 표준정규분포 $N(0, 1)$을 따른다.

반 학생들이 각 분기에 태환이보다 윗몸일으키기의 기록이 좋을 확률은 각각

$$P(X_1>80)=P\left(Z_1>\frac{80-70}{10}\right)=P(Z_1>1)$$

$$P(X_2>72)=P\left(Z_2>\frac{72-60}{8}\right)=P(Z_2>1.5)$$

$$P(X_3>70)=P\left(Z_3>\frac{70-62}{4}\right)=P(Z_3>2)$$

$$P(X_4>75)=P\left(Z_4>\frac{75-66}{12}\right)=P(Z_4>0.75)$$

이때 $P(Z_4>0.75)>P(Z_1>1)>P(Z_2>1.5)>P(Z_3>2)$이므로 $P(X_4>75)>P(X_1>80)>P(X_2>72)>P(X_3>70)$

따라서 태환이가 반 학생들과 비교하여 상대적으로 기록이 가장 낮았던 분기는 4분기이다.

508 답 ①

단계 1 확률변수 X를 정하고 표준화하기

복숭아의 무게를 확률변수 X라 하면 X는 정규분포 $N(180, 25^2)$을 따르므로 $Z=\frac{X-180}{25}$으로 놓으면 Z는 표준정규분포 $N(0, 1)$을 따른다.

단계 2 X가 주어진 범위에 속할 확률 구하기

$$P(X\geq 230)=P\left(Z\geq\frac{230-180}{25}\right)=P(Z\geq 2)$$
$$=P(Z\geq 0)-P(0\leq Z\leq 2)$$
$$=0.5-0.48=0.02$$

단계 3 조건을 만족시키는 복숭아의 개수 구하기

무게가 230 g 이상인 복숭아의 개수는

$2000\times 0.02=40$

509 답 910

학생의 키를 확률변수 X라 하면 X는 정규분포 $N(164, 6^2)$을 따르므로 $Z=\frac{X-164}{6}$로 놓으면 Z는 표준정규분포 $N(0, 1)$을 따른다.

$\therefore P(155\leq X\leq 176)$

$$=P\left(\frac{155-164}{6}\leq Z\leq\frac{176-164}{6}\right)$$
$$=P(-1.5\leq Z\leq 2)$$
$$=P(-1.5\leq Z\leq 0)+P(0\leq Z\leq 2)$$
$$=P(0\leq Z\leq 1.5)+P(0\leq Z\leq 2)$$
$$=0.43+0.48=0.91$$

따라서 키가 155 cm 이상 176 cm 이하인 학생의 수는
$1000\times0.91=910$

510 답 ③

학생의 시력을 확률변수 X라 하면 X는 정규분포 $N(0.8,\ 0.3^2)$을 따르므로 $Z=\frac{X-0.8}{0.3}$로 놓으면 Z는 표준정규분포 $N(0,\ 1)$을 따른다.

$\therefore P(X\leq0.5)=P\left(Z\leq\frac{0.5-0.8}{0.3}\right)=P(Z\leq-1)$
$=P(Z\geq1)=P(Z\geq0)-P(0\leq Z\leq1)$
$=0.5-0.34=0.16$

따라서 시력 교정 권고 대상인 학생의 수는
$900\times0.16=144$

511 답 ②

책장의 무게를 확률변수 X라 하면 X는 정규분포 $N(60,\ 3^2)$을 따르므로 $Z=\frac{X-60}{3}$으로 놓으면 Z는 표준정규분포 $N(0,\ 1)$을 따른다.

$\therefore P(X\leq55.5)+P(X\geq66)$
$=P\left(Z\leq\frac{55.5-60}{3}\right)+P\left(Z\geq\frac{66-60}{3}\right)$
$=P(Z\leq-1.5)+P(Z\geq2)$
$=P(Z\geq1.5)+P(Z\geq2)$
$=P(Z\geq0)-P(0\leq Z\leq1.5)+P(Z\geq0)-P(0\leq Z\leq2)$
$=0.5-0.43+0.5-0.48=0.07+0.02=0.09$

따라서 불량품으로 분류되는 책장의 개수는
$300\times0.09=27$

512 답 181.5 cm

단계 1 확률변수 X를 정하고 표준화하기

멀리뛰기 기록을 확률변수 X라 하면 X는 정규분포 $N(144,\ 25^2)$을 따르므로 $Z=\frac{X-144}{25}$로 놓으면 Z는 표준정규분포 $N(0,\ 1)$을 따른다.

단계 2 $P(X\geq a)=\frac{7}{100}$을 만족시키는 a의 최솟값 구하기

메달을 받은 학생의 최저 기록을 a cm라 하면

$P(X\geq a)=0.07,\ P\left(Z\geq\frac{a-144}{25}\right)=0.07$

$P(Z\geq0)-P\left(0\leq Z\leq\frac{a-144}{25}\right)=0.07$

$0.5-P\left(0\leq Z\leq\frac{a-144}{25}\right)=0.07$

$P\left(0\leq Z\leq\frac{a-144}{25}\right)=0.43$

이때 $P(0\leq Z\leq1.5)=0.43$이므로 $\frac{a-144}{25}=1.5$

$\therefore a=181.5$

따라서 메달을 받은 학생의 최저 기록은 181.5 cm이다.

513 답 71점

응시자의 시험 점수를 확률변수 X라 하면 X는 정규분포 $N(65,\ 4^2)$을 따르므로 $Z=\frac{X-65}{4}$로 놓으면 Z는 표준정규분포 $N(0,\ 1)$을 따른다.

합격자의 최저 점수를 a점이라 하면

$P(X\geq a)=\frac{334}{5000}=0.0668,\ P\left(Z\geq\frac{a-65}{4}\right)=0.0668$

$P(Z\geq0)-P\left(0\leq Z\leq\frac{a-65}{4}\right)=0.0668$

$0.5-P\left(0\leq Z\leq\frac{a-65}{4}\right)=0.0668$

$\therefore P\left(0\leq Z\leq\frac{a-65}{4}\right)=0.4332$

이때 $P(0\leq Z\leq1.5)=0.4332$이므로 $\frac{a-65}{4}=1.5$

$\therefore a=71$

따라서 합격자의 최저 점수는 71점이다.

514 답 ⑤

참가자들의 점수를 확률변수 X라 하면 X는 정규분포 $N(71,\ 10^2)$을 따르므로 $Z=\frac{X-71}{10}$로 놓으면 Z는 표준정규분포 $N(0,\ 1)$을 따른다.

5명의 4배수를 1차 합격자로 선발하므로 1000명 중 상위 20명 안에 들어야 한다.

1차 합격자의 최저 점수를 a점이라 하면

$P(X\geq a)=\frac{20}{1000}=0.02,\ P\left(Z\geq\frac{a-71}{10}\right)=0.02$

$P(Z\geq0)-P\left(0\leq Z\leq\frac{a-71}{10}\right)=0.02$

$0.5-P\left(0\leq Z\leq\frac{a-71}{10}\right)=0.02$

$\therefore P\left(0\leq Z\leq\frac{a-71}{10}\right)=0.48$

이때 $P(0\leq Z\leq2)=0.48$이므로 $\frac{a-71}{10}=2$

$\therefore a=91$

따라서 1차 합격자의 최저 점수는 91점이다.

515 답 182.96 cm

남학생의 키를 확률변수 X라 하면 X는 정규분포 $N(170,\ 9^2)$을 따르므로 $Z=\frac{X-170}{9}$으로 놓으면 Z는 표준정규분포 $N(0,\ 1)$을 따른다.

400명 중에서 키가 큰 쪽에서 30번째인 남학생의 키를 a cm라 하면

$P(X \ge a)=\frac{30}{400}=0.075$, $P\left(Z \ge \frac{a-170}{9}\right)=0.075$

$P(Z \ge 0)-P\left(0 \le Z \le \frac{a-170}{9}\right)=0.075$

$0.5-P\left(0 \le Z \le \frac{a-170}{9}\right)=0.075$

$\therefore P\left(0 \le Z \le \frac{a-170}{9}\right)=0.425$

이때 $P(0 \le Z \le 1.44)=0.425$이므로 $\frac{a-170}{9}=1.44$

$\therefore a=182.96$

따라서 키가 큰 쪽에서 30번째인 학생의 키는 182.96 cm이다.

516 답 ②

단계 1 X의 평균과 분산 구하기

확률변수 X가 이항분포 $B\left(400, \frac{1}{5}\right)$을 따르므로

$E(X)=400 \times \frac{1}{5}=80$

$V(X)=400 \times \frac{1}{5} \times \frac{4}{5}=64$

단계 2 X가 근사적으로 따르는 정규분포 구하기

이때 $n=400$은 충분히 큰 수이므로 X는 근사적으로 정규분포 $N(80, 8^2)$을 따른다.

단계 3 확률 구하기

$Z=\frac{X-80}{8}$으로 놓으면 Z는 표준정규분포 $N(0, 1)$을 따르므로

$P(X \le 84)=P\left(Z \le \frac{84-80}{8}\right)$
$=P(Z \le 0.5)$
$=P(Z \le 0)+P(0 \le Z \le 0.5)$
$=0.5+0.1915=0.6915$

517 답 ④

확률변수 X가 이항분포 $B(450, p)$를 따르고 $E(X)=300$이므로

$450 \times p=300 \quad \therefore p=\frac{2}{3}$

$\therefore V(X)=450 \times \frac{2}{3} \times \frac{1}{3}=100$

이때 $n=450$은 충분히 큰 수이므로 X는 근사적으로 정규분포 $N(300, 10^2)$을 따른다.

518 답 0.9938

확률변수 X가 이항분포 $B\left(n, \frac{2}{5}\right)$를 따르고 $E(X)=240$이므로

$n \times \frac{2}{5}=240 \quad \therefore n=600$

$\therefore V(X)=600 \times \frac{2}{5} \times \frac{3}{5}=144$

이때 $n=600$은 충분히 큰 수이므로 X는 근사적으로 정규분포 $N(240, 12^2)$을 따른다.

$Z=\frac{X-240}{12}$으로 놓으면 Z는 표준정규분포 $N(0, 1)$을 따르므로

$P\left(X \le \frac{9}{20}n\right)=P(X \le 270)$
$=P\left(Z \le \frac{270-240}{12}\right)=P(Z \le 2.5)$
$=P(Z \le 0)+P(0 \le Z \le 2.5)$
$=0.5+0.4938=0.9938$

519 답 0.9772

단계 1 확률변수 X가 따르는 이항분포 $B(n, p)$ 구하기

동전 2개가 모두 뒷면이 나오는 횟수를 확률변수 X라 하면 X는 이항분포 $B\left(192, \frac{1}{4}\right)$을 따른다.

단계 2 $E(X)=np$, $V(X)=npq$ 구하기

$E(X)=192 \times \frac{1}{4}=48$

$V(X)=192 \times \frac{1}{4} \times \frac{3}{4}=36$

단계 3 X가 근사적으로 따르는 정규분포 $N(np, npq)$ 구하기

이때 $n=192$는 충분히 큰 수이므로 X는 근사적으로 정규분포 $N(48, 6^2)$을 따른다.

단계 4 표준화하여 확률 구하기

$Z=\frac{X-48}{6}$로 놓으면 Z는 표준정규분포 $N(0, 1)$을 따르므로

$P(X \le 60)=P\left(Z \le \frac{60-48}{6}\right)$
$=P(Z \le 2)$
$=P(Z \le 0)+P(0 \le Z \le 2)$
$=0.5+0.4772=0.9772$

520 답 ④

치료되는 환자의 수를 확률변수 X라 하면 X는 이항분포 $B\left(900, \frac{9}{10}\right)$를 따르므로

$E(X)=900 \times \frac{9}{10}=810$

$V(X)=900 \times \frac{9}{10} \times \frac{1}{10}=81$

이때 $n=900$은 충분히 큰 수이므로 X는 근사적으로 정규분포 $N(810, 9^2)$을 따른다.

$Z=\frac{X-810}{9}$으로 놓으면 Z는 표준정규분포 $N(0, 1)$을 따르므로

$P(X \ge 819)=P\left(Z \ge \frac{819-810}{9}\right)$
$=P(Z \ge 1)$
$=P(Z \ge 0)-P(0 \le Z \le 1)$
$=0.5-0.3413=0.1587$

521 답 0.8849

10점 과녁에 명중시키는 횟수를 확률변수 X라 하면 X는 이항분포 $B\left(180, \frac{1}{6}\right)$을 따르므로

$E(X)=180\times\frac{1}{6}=30$

$V(X)=180\times\frac{1}{6}\times\frac{5}{6}=25$

이때 $n=180$은 충분히 큰 수이므로 X는 근사적으로 정규분포 $N(30, 5^2)$을 따른다.

$Z=\frac{X-30}{5}$으로 놓으면 Z는 표준정규분포 $N(0, 1)$을 따르므로

$$\begin{aligned}P(X\ge 24)&=P\left(Z\ge\frac{24-30}{5}\right)\\&=P(Z\ge -1.2)\\&=P(-1.2\le Z\le 0)+P(Z\ge 0)\\&=P(0\le Z\le 1.2)+P(Z\ge 0)\\&=0.3849+0.5=0.8849\end{aligned}$$

522 답 ②

A 회사 제품을 택하는 고객의 수를 확률변수 X라 하면 한 고객이 A 회사 제품을 택할 확률은 $\frac{20}{100}=\frac{1}{5}$이므로 X는 이항분포 $B\left(225, \frac{1}{5}\right)$을 따른다.

$\therefore E(X)=225\times\frac{1}{5}=45,\ V(X)=225\times\frac{1}{5}\times\frac{4}{5}=36$

이때 $n=225$는 충분히 큰 수이므로 X는 근사적으로 정규분포 $N(45, 6^2)$을 따른다.

$Z=\frac{X-45}{6}$로 놓으면 Z는 표준정규분포 $N(0, 1)$을 따르므로

$$\begin{aligned}P(X\ge 48)&=P\left(Z\ge\frac{48-45}{6}\right)\\&=P(Z\ge 0.5)=P(Z\ge 0)-P(0\le Z\le 0.5)\\&=0.5-0.1915=0.3085\end{aligned}$$

523 답 0.9938

예약하여 실제로 탑승하러 온 사람의 수를 확률변수 X라 하면 X는 이항분포 $B\left(400, \frac{4}{5}\right)$를 따르므로

$E(X)=400\times\frac{4}{5}=320,\ V(X)=400\times\frac{4}{5}\times\frac{1}{5}=64$

이때 $n=400$은 충분히 큰 수이므로 X는 근사적으로 정규분포 $N(320, 8^2)$을 따른다.

$Z=\frac{X-320}{8}$으로 놓으면 Z는 표준정규분포 $N(0, 1)$을 따르므로

$$\begin{aligned}P(X\le 340)&=P\left(Z\le\frac{340-320}{8}\right)\\&=P(Z\le 2.5)\\&=P(Z\le 0)+P(0\le Z\le 2.5)\\&=0.5+0.4938=0.9938\end{aligned}$$

524 답 284.4

단계 1 확률변수 X가 근사적으로 따르는 정규분포 구하기

확률변수 X가 이항분포 $B\left(1200, \frac{1}{4}\right)$을 따르므로

$E(X)=1200\times\frac{1}{4}=300,\ V(X)=1200\times\frac{1}{4}\times\frac{3}{4}=225$

이때 $n=1200$은 충분히 큰 수이므로 X는 근사적으로 정규분포 $N(300, 15^2)$을 따른다.

단계 2 확률변수 X를 표준화하여 a의 관계식 세우기

$Z=\frac{X-300}{15}$으로 놓으면 Z는 표준정규분포 $N(0, 1)$을 따르므로

$P(X\le a)=0.15$에서 $P\left(Z\le\frac{a-300}{15}\right)=0.15$

$P(Z\le 0)-P\left(\frac{a-300}{15}\le Z\le 0\right)=0.15$

$0.5\quad P\left(\frac{a-300}{15}\le Z\le 0\right)=0.15$

$\therefore P\left(\frac{a-300}{15}\le Z\le 0\right)=0.35$

단계 3 a의 값 구하기

$P(0\le Z\le 1.04)=0.35$이므로

$P(-1.04\le Z\le 0)=0.35$

$\frac{a-300}{15}=-1.04 \qquad \therefore a=284.4$

525 답 ⑤

확률변수 X는 이항분포 $B\left(256, \frac{1}{2}\right)$을 따르므로

$E(X)=256\times\frac{1}{2}=128,\ V(X)=256\times\frac{1}{2}\times\frac{1}{2}=64$

이때 $n=256$은 충분히 큰 수이므로 X는 근사적으로 정규분포 $N(128, 8^2)$을 따른다.

$Z=\frac{X-128}{8}$로 놓으면 Z는 표준정규분포 $N(0, 1)$을 따르므로

$P(120\le X\le a)=0.8185$에서

$P\left(\frac{120-128}{8}\le Z\le\frac{a-128}{8}\right)=0.8185$

$P\left(-1\le Z\le\frac{a-128}{8}\right)=0.8185$

$P(-1\le Z\le 0)+P\left(0\le Z\le\frac{a-128}{8}\right)=0.8185$

$P(0\le Z\le 1)+P\left(0\le Z\le\frac{a-128}{8}\right)=0.8185$

$0.3413+P\left(0\le Z\le\frac{a-128}{8}\right)=0.8185$

$\therefore P\left(0\le Z\le\frac{a-128}{8}\right)=0.4772$

이때 $P(0\le Z\le 2)=0.4772$이므로 $\frac{a-128}{8}=2 \qquad \therefore a=144$

실전! 기출 문제 정복하기

➜ 본책 90쪽~93쪽

526 답 ②

한 개의 주사위를 던져서 짝수의 눈이 나올 확률은 $\frac{1}{2}$이고, 이를 100번 반복하므로 확률변수 X는 이항분포 $B\left(100,\ \frac{1}{2}\right)$을 따른다.

이때 $E(X)=100\times\frac{1}{2}=50$, $V(X)=100\times\frac{1}{2}\times\frac{1}{2}=25$이고, $n=100$은 충분히 큰 수이므로 X는 정규분포 $N(50,\ 5^2)$을 따른다.

527 답 20

확률변수 X가 이항분포 $B\left(n,\ \frac{1}{3}\right)$을 따르므로

$V(X)=n\times\frac{1}{3}\times\frac{2}{3}=\frac{2}{9}n$

따라서 $V(3X)=3^2V(X)=9\times\frac{2}{9}n=2n$이므로

$2n=40$ $\qquad\therefore n=20$

528 답 250

$E(2X+5)=185$에서 $2E(X)+5=185$

$\therefore E(X)=90$

$\sigma(2X+5)=12$에서 $|2|\sigma(X)=12$ $\qquad\therefore \sigma(X)=6$

따라서 $np=90$, $np(1-p)=36$이므로

$90(1-p)=36$, $1-p=\frac{2}{5}$ $\qquad\therefore p=\frac{3}{5}$, $n=150$

$\therefore \frac{n}{p}=150\times\frac{5}{3}=250$

529 답 ①

확률변수 X는 이항분포 $B(10,\ p)$를 따르므로

$E(X)=10p$, $V(X)=10p(1-p)$

이때 $E(X)=V(\sqrt{3}X)=(\sqrt{3})^2V(X)$에서

$10p=30p(1-p)$ $\qquad\therefore p=\frac{2}{3}$ $(\because 0<p<1)$

$$\therefore P(X\le1)=P(X=0)+P(X=1)$$
$$={}_{10}C_0\left(\frac{2}{3}\right)^0\left(\frac{1}{3}\right)^{10}+{}_{10}C_1\left(\frac{2}{3}\right)^1\left(\frac{1}{3}\right)^9$$
$$=\frac{1}{3^{10}}+\frac{20}{3^{10}}=\frac{7}{3^9}$$

> **날선특강** 이항분포를 따르는 확률변수의 확률질량함수
>
> 확률변수 X가 이항분포 $B(n,\ p)$를 따를 때, X의 확률질량함수는
>
> ➡ $P(X=x)={}_nC_xp^x(1-p)^{n-x}$ (단, $x=0,\ 1,\ 2,\ \cdots,\ n$)

530 답 ③

A 회사의 스마트폰을 사용하는 사람의 비율이 0.45이므로 확률변수 X는 이항분포 $B(100,\ 0.45)$를 따른다.

따라서 $V(X)=100\times\frac{9}{20}\times\frac{11}{20}=\frac{99}{4}$이므로

$$V(-2X+5)=(-2)^2V(X)$$
$$=4\times\frac{99}{4}=99$$

531 답 ⑤

$0<x<3$에서 $f(x)>0$이므로 $f(m)>0$에서 $0<m<3$

따라서 사건 A가 일어나려면 $m=1$ 또는 $m=2$이어야 하므로

$P(A)=\frac{2}{6}=\frac{1}{3}$

따라서 확률변수 X는 이항분포 $B\left(15,\ \frac{1}{3}\right)$을 따르므로

$E(X)=15\times\frac{1}{3}=5$

532 답 71

확률변수 X는 이항분포 $B(64,\ p)$를 따르므로

$E(X)=64p=8$에서 $p=\frac{1}{8}$

$\therefore V(X)=64\times\frac{1}{8}\times\frac{7}{8}=7$

이때 $V(X)=E(X^2)-\{E(X)\}^2$이므로

$$E(X^2)=V(X)+\{E(X)\}^2$$
$$=7+8^2=71$$

533 답 ③

확률변수 X가 정규분포 $N(12,\ 3^2)$을 따르므로 X의 정규분포곡선은 직선 $x=12$에 대하여 대칭이다.

따라서 $P(X\le6)=P\left(X\ge\frac{a}{2}\right)$이므로

$\frac{6+\frac{a}{2}}{2}=12$ $\qquad\therefore a=36$

534 답 0.785

확률변수 X가 정규분포 $N(50,\ 5^2)$을 따르므로

$Z=\frac{X-50}{5}$으로 놓으면 Z는 표준정규분포 $N(0,\ 1)$을 따른다.

$$\therefore P(43.9\le X\le56.3)$$
$$=P\left(\frac{43.9-50}{5}\le Z\le\frac{56.3-50}{5}\right)$$
$$=P(-1.22\le Z\le1.26)$$
$$=P(-1.22\le Z\le0)+P(0\le Z\le1.26)$$
$$=P(0\le Z\le1.22)+P(0\le Z\le1.26)$$
$$=0.3888+0.3962$$
$$=0.785$$

535 답 ①

확률변수 X가 정규분포 $N(20, \sigma^2)$을 따르므로

$Z=\frac{X-20}{\sigma}$으로 놓으면 Z는 표준정규분포 $N(0, 1)$을 따른다.

$P(20+2\sigma \le X \le 20+3\sigma)=a$에서

$P\left(\frac{20+2\sigma-20}{\sigma} \le Z \le \frac{20+3\sigma-20}{\sigma}\right)=a$

$\therefore P(2 \le Z \le 3)=a$

$P(20-3\sigma \le X \le 20+3\sigma)=b$에서

$P\left(\frac{20-3\sigma-20}{\sigma} \le Z \le \frac{20+3\sigma-20}{\sigma}\right)=b$

$\therefore P(-3 \le Z \le 3)=b$

$\therefore P(20-2\sigma \le X \le 20+2\sigma)$

$=P\left(\frac{20-2\sigma-20}{\sigma} \le Z \le \frac{20+2\sigma-20}{\sigma}\right)$

$=P(-2 \le Z \le 2)=2P(0 \le Z \le 2)$

$=2\left\{\frac{1}{2}P(-3 \le Z \le 3)-P(2 \le Z \le 3)\right\}$

$=2\left(\frac{1}{2}b-a\right)=b-2a$

536 답 ③

두 확률변수 X, Y가 각각 정규분포 $N(10, 2^2)$, $N(m, 4^2)$을 따르므로 $Z_X=\frac{X-10}{2}$, $Z_Y=\frac{Y-m}{4}$으로 놓으면 Z_X, Z_Y는 모두 표준정규분포 $N(0, 1)$을 따른다.

$\therefore P(m-8 \le X \le 10)=P\left(\frac{m-8-10}{2} \le Z_X \le \frac{10-10}{2}\right)$

$=P\left(\frac{m-18}{2} \le Z_X \le 0\right)$

$P(m \le Y \le 24)=P\left(\frac{m-m}{4} \le Z_Y \le \frac{24-m}{4}\right)$

$=P\left(0 \le Z_Y \le \frac{24-m}{4}\right)$

이때 $P(m-8 \le X \le 10)=P(m \le Y \le 24)$이므로

$P\left(\frac{m-18}{2} \le Z_X \le 0\right)=P\left(0 \le Z_Y \le \frac{24-m}{4}\right)$에서

$-\frac{m-18}{2}=\frac{24-m}{4}$, $-2m+36=24-m$

$\therefore m=12$

537 답 ④

조건 (가)에서 $P(X \ge 64)=P(X \le 56)$이므로

$E(X)=m=\frac{64+56}{2}=60$

조건 (나)에서 $E(X^2)=3616$이므로

$V(X)=E(X^2)-\{E(X)\}^2$

$=3616-60^2=16$

$\therefore \sigma(X)=4$

이때 주어진 표에서

$P(m \le X \le m+2\sigma)=P\left(\frac{m-m}{\sigma} \le Z \le \frac{m+2\sigma-m}{\sigma}\right)$

$=P(0 \le Z \le 2)=0.4772$

$\therefore P(X \le 68)=P\left(Z \le \frac{68-60}{4}\right)=P(Z \le 2)$

$=P(Z \le 0)+P(0 \le Z \le 2)$

$=0.5+0.4772=0.9772$

538 답 0.9772

확률변수 X가 정규분포 $N(100, \sigma^2)$을 따르므로

$Z=\frac{X-100}{\sigma}$으로 놓으면 Z는 표준정규분포 $N(0, 1)$을 따른다.

$P(100 \le X \le 106)=0.4332$에서

$P\left(\frac{100-100}{\sigma} \le Z \le \frac{106-100}{\sigma}\right)=0.4332$

$\therefore P\left(0 \le Z \le \frac{6}{\sigma}\right)=0.4332$

이때 $P(0 \le Z \le 1.5)=0.4332$이므로

$\frac{6}{\sigma}=1.5$ $\therefore \sigma=4$

$\therefore P(X \le 108)=P\left(Z \le \frac{108-100}{4}\right)$

$=P(Z \le 2)=P(Z \le 0)+P(0 \le Z \le 2)$

$=0.5+0.4772=0.9772$

539 답 0.6247

전구 한 개의 수명을 확률변수 X라 하면 X는 정규분포 $N(500, 40^2)$을 따르므로 $Z=\frac{X-500}{40}$으로 놓으면 Z는 표준정규분포 $N(0, 1)$을 따른다.

$\therefore P(480 \le X \le 560)=P\left(\frac{480-500}{40} \le Z \le \frac{560-500}{40}\right)$

$=P(-0.5 \le Z \le 1.5)$

$=P(-0.5 \le Z \le 0)+P(0 \le Z \le 1.5)$

$=P(0 \le Z \le 0.5)+P(0 \le Z \le 1.5)$

$=0.1915+0.4332=0.6247$

540 답 ③

쌀의 무게를 확률변수 X라 하면 X는 정규분포 $N(1.5, 0.2^2)$을 따르므로 $Z=\frac{X-1.5}{0.2}$로 놓으면 Z는 표준정규분포 $N(0, 1)$을 따른다.

$\therefore P(1.3 \le X \le 1.8)=P\left(\frac{1.3-1.5}{0.2} \le Z \le \frac{1.8-1.5}{0.2}\right)$

$=P(-1 \le Z \le 1.5)$

$=P(-1 \le Z \le 0)+P(0 \le Z \le 1.5)$

$=P(0 \le Z \le 1)+P(0 \le Z \le 1.5)$

$=0.3413+0.4332=0.7745$

541 답 70.3점

수험생들의 점수를 확률변수 X라 하면 X는 정규분포 $\mathrm{N}(60,\ 5^2)$을 따르므로 $Z=\frac{X-60}{5}$으로 놓으면 Z는 표준정규분포 $\mathrm{N}(0,\ 1)$을 따른다.

이때 경쟁률이 50 : 1, 즉 $\frac{1}{50}=0.02$이므로 상위 2 % 이내에 들어야 합격이 된다.

합격자의 최저 점수를 a점이라 하면

$\mathrm{P}(X\geq a)=0.02$에서 $\mathrm{P}\left(Z\geq\frac{a-60}{5}\right)=0.02$

$\mathrm{P}(Z\geq 0)-\mathrm{P}\left(0\leq Z\leq\frac{a-60}{5}\right)=0.02$

$0.5-\mathrm{P}\left(0\leq Z\leq\frac{a-60}{5}\right)=0.02$

$\therefore \mathrm{P}\left(0\leq Z\leq\frac{a-60}{5}\right)=0.48$

이때 $\mathrm{P}(0\leq Z\leq 2.06)=0.48$이므로

$\frac{a-60}{5}=2.06 \qquad \therefore a=70.3$

따라서 합격자의 최저 점수는 70.3점이다.

542 답 ②

확률변수 X는 이항분포 $\mathrm{B}\left(400,\ \frac{1}{2}\right)$을 따르므로

$\mathrm{E}(X)=400\times\frac{1}{2}=200$

$\mathrm{V}(X)=400\times\frac{1}{2}\times\frac{1}{2}=100$

이때 $n=400$은 충분히 큰 수이므로 X는 근사적으로 정규분포 $\mathrm{N}(200,\ 10^2)$을 따른다.

$Z=\frac{X-200}{10}$으로 놓으면 Z는 표준정규분포 $\mathrm{N}(0,\ 1)$을 따르므로

$\mathrm{P}(X\leq k)=0.8413$에서

$\mathrm{P}\left(Z\leq\frac{k-200}{10}\right)=0.8413$

$\mathrm{P}(Z\leq 0)+\mathrm{P}\left(0\leq Z\leq\frac{k-200}{10}\right)=0.8413$

$0.5+\mathrm{P}\left(0\leq Z\leq\frac{k-200}{10}\right)=0.8413$

$\therefore \mathrm{P}\left(0\leq Z\leq\frac{k-200}{10}\right)=0.3413$

이때 $\mathrm{P}(0\leq Z\leq 1)=0.3413$이므로

$\frac{k-200}{10}=1 \qquad \therefore k=210$

543 답 ①

지하철을 이용하는 학생의 수를 확률변수 X라 하고, 대중교통을 이용하는 사건을 A, 지하철을 이용하는 사건을 B라 하면

$\mathrm{P}(A)=0.8,\ \mathrm{P}(B|A)=0.75$이므로

$\mathrm{P}(A\cap B)=\mathrm{P}(A)\mathrm{P}(B|A)=0.8\times 0.75=0.6$

따라서 확률변수 X는 이항분포 $\mathrm{B}(600,\ 0.6)$을 따르므로

$\mathrm{E}(X)=600\times 0.6=360,\ \mathrm{V}(X)=600\times 0.6\times 0.4=144$

이때 $n=600$은 충분히 큰 수이므로 X는 근사적으로 정규분포 $\mathrm{N}(360,\ 12^2)$을 따른다.

$Z=\frac{X-360}{12}$으로 놓으면 Z는 표준정규분포 $\mathrm{N}(0,\ 1)$을 따르므로

$\mathrm{P}(X\geq 384)=\mathrm{P}\left(Z\geq\frac{384-360}{12}\right)$

$=\mathrm{P}(Z\geq 2)=\mathrm{P}(Z\geq 0)-\mathrm{P}(0\leq Z\leq 2)$

$=0.5-0.4772=0.0228$

544 답 10

단계 1 확률변수 X를 정하고 표준화하기

아파트 주민들이 일주일 동안 운동하는 시간을 확률변수 X라 하면 X는 정규분포 $\mathrm{N}(102,\ 4^2)$을 따르므로 $Z=\frac{X-102}{4}$로 놓으면 Z는 표준정규분포 $\mathrm{N}(0,\ 1)$을 따른다. ······40%

단계 2 X가 주어진 범위에 속할 확률 구하기

$\mathrm{P}(X\geq 110)=\mathrm{P}\left(Z\geq\frac{110-102}{4}\right)$

$=\mathrm{P}(Z\geq 2)=\mathrm{P}(Z\geq 0)-\mathrm{P}(0\leq Z\leq 2)$

$=0.5-0.48=0.02$ ······40%

단계 3 조건을 만족시키는 주민의 수 구하기

일주일 동안 운동하는 시간이 110분 이상인 주민의 수는

$500\times 0.02=10$ ······20%

545 답 0.1587

단계 1 확률변수 X를 정하고 X의 분포 구하기

조사에 응한 사람 1200명 중에서 AB형의 혈액형을 가진 사람의 수를 확률변수 X라 하면 X는 이항분포 $\mathrm{B}\left(1200,\ \frac{1}{4}\right)$을 따른다. ······40%

단계 2 X가 근사적으로 따르는 정규분포 구하기

$\mathrm{E}(X)=1200\times\frac{1}{4}=300$

$\mathrm{V}(X)=1200\times\frac{1}{4}\times\frac{3}{4}=225$

이때 $n=1200$은 충분히 큰 수이므로 X는 근사적으로 정규분포 $\mathrm{N}(300,\ 15^2)$을 따른다. ······40%

단계 3 확률 구하기

$Z=\frac{X-300}{15}$으로 놓으면 Z는 표준정규분포 $\mathrm{N}(0,\ 1)$을 따르므로

$\mathrm{P}(X\geq 315)=\mathrm{P}\left(Z\geq\frac{315-300}{15}\right)=\mathrm{P}(Z\geq 1)$

$=\mathrm{P}(Z\geq 0)-\mathrm{P}(0\leq Z\leq 1)$

$=0.5-0.3413=0.1587$ ······20%

3 통계적 추정

본책 94쪽~96쪽

546 답 표본조사

547 답 전수조사

548 답 표본조사

549 답 36

6장의 카드에서 2장을 뽑는 중복순열의 수와 같으므로

${}_6\Pi_2=6^2=36$

550 답 30

6장의 카드에서 2장을 뽑는 순열의 수와 같으므로

${}_6P_2=6\times5=30$

551 답 $\overline{X}=3$, $S^2=4$, $S=2$

$\overline{X}=\frac{1}{3}\times(1+3+5)=3$

$S^2=\frac{1}{3-1}\times\{(1-3)^2+(3-3)^2+(5-3)^2\}=4$

$S=\sqrt{4}=2$

552 답 $\overline{X}=3$, $S^2=3$, $S=\sqrt{3}$

$\overline{X}=\frac{1}{3}\times(2+2+5)=3$

$S^2=\frac{1}{3-1}\times\{(2-3)^2+(2-3)^2+(5-3)^2\}=3$

$S=\sqrt{3}$

553 답 $E(\overline{X})=20$, $V(\overline{X})=\frac{1}{4}$, $\sigma(\overline{X})=\frac{1}{2}$

모평균이 20, 모표준편차가 3, 표본의 크기가 36이므로

$E(\overline{X})=20$, $V(\overline{X})=\frac{9}{36}=\frac{1}{4}$, $\sigma(\overline{X})=\frac{3}{\sqrt{36}}=\frac{1}{2}$

554 답 $E(\overline{X})=-5$, $V(\overline{X})=\frac{1}{400}$, $\sigma(\overline{X})=\frac{1}{20}$

모평균이 -5, 모표준편차가 $\frac{1}{2}$, 표본의 크기가 100이므로

$E(\overline{X})=-5$, $V(\overline{X})=\frac{\frac{1}{4}}{100}=\frac{1}{400}$, $\sigma(\overline{X})=\frac{\frac{1}{2}}{\sqrt{100}}=\frac{1}{20}$

555 답 $E(\overline{X})=1$, $V(\overline{X})=\frac{1}{3}$, $\sigma(\overline{X})=\frac{\sqrt{3}}{3}$

$E(X)=0\times\frac{3}{8}+1\times\frac{3}{8}+2\times\frac{1}{8}+3\times\frac{1}{8}=1$

$V(X)=0^2\times\frac{3}{8}+1^2\times\frac{3}{8}+2^2\times\frac{1}{8}+3^2\times\frac{1}{8}-1^2=1$

이때 표본의 크기가 3이므로

$E(\overline{X})=1$, $V(\overline{X})=\frac{1}{3}$, $\sigma(\overline{X})=\frac{1}{\sqrt{3}}=\frac{\sqrt{3}}{3}$

556 답 $E(\overline{X})=1$, $V(\overline{X})=\frac{1}{8}$, $\sigma(\overline{X})=\frac{\sqrt{2}}{4}$

카드에 적힌 숫자를 확률변수 X라 하고 X의 확률분포를 표로 나타내면 다음과 같다.

X	0	1	2	합계
$P(X=x)$	$\frac{1}{4}$	$\frac{1}{2}$	$\frac{1}{4}$	1

$\therefore E(X)=0\times\frac{1}{4}+1\times\frac{1}{2}+2\times\frac{1}{4}=1$

$V(X)=0^2\times\frac{1}{4}+1^2\times\frac{1}{2}+2^2\times\frac{1}{4}-1^2=\frac{1}{2}$

이때 표본의 크기가 4이므로

$E(\overline{X})=1$, $V(\overline{X})=\frac{\frac{1}{2}}{4}=\frac{1}{8}$, $\sigma(\overline{X})=\frac{\frac{1}{\sqrt{2}}}{\sqrt{4}}=\frac{\sqrt{2}}{4}$

557 답 $N\left(10, \left(\frac{2}{3}\right)^2\right)$

모평균이 10, 모표준편차가 4, 표본의 크기가 36이므로

$E(\overline{X})=10$

$\sigma(\overline{X})=\frac{4}{\sqrt{36}}=\frac{2}{3}$

따라서 표본평균 $\overline{X}$는 정규분포 $N\left(10, \left(\frac{2}{3}\right)^2\right)$을 따른다.

558 답 $N\left(-50, \left(\frac{1}{2}\right)^2\right)$

모평균이 -50, 모표준편차가 6, 표본의 크기가 144이므로

$E(\overline{X})=-50$

$\sigma(\overline{X})=\frac{6}{\sqrt{144}}=\frac{1}{2}$

따라서 표본평균 $\overline{X}$는 정규분포 $N\left(-50, \left(\frac{1}{2}\right)^2\right)$을 따른다.

559 답 $58.04\le m\le 61.96$

모평균 m에 대한 신뢰도 95 %의 신뢰구간은

$60-1.96\times\frac{8}{\sqrt{64}}\le m\le 60+1.96\times\frac{8}{\sqrt{64}}$

$\therefore 58.04\le m\le 61.96$

560 답 $57.42\le m\le 62.58$

모평균 m에 대한 신뢰도 99 %의 신뢰구간은

$60-2.58\times\frac{8}{\sqrt{64}}\le m\le 60+2.58\times\frac{8}{\sqrt{64}}$

$\therefore 57.42 \le m \le 62.58$

561 답 1.96

모평균 m에 대한 신뢰도 95 %의 신뢰구간의 길이는

$2\times1.96\times\frac{5}{\sqrt{100}}=1.96$

562 답 2.58

모평균 m에 대한 신뢰도 99 %의 신뢰구간의 길이는

$2\times2.58\times\frac{5}{\sqrt{100}}=2.58$

563 답 $7.626\le m\le 9.174$

표본평균이 8.4, 표본의 크기가 64이고 표본의 크기 64는 충분히 크므로 모표준편차 대신 표본표준편차 2.4를 사용하여 신뢰구간을 구할 수 있다.

따라서 모평균 m에 대한 신뢰도 99 %의 신뢰구간은

$8.4-2.58\times\frac{2.4}{\sqrt{64}}\le m\le 8.4+2.58\times\frac{2.4}{\sqrt{64}}$

$8.4-0.774\le m\le 8.4+0.774$

$\therefore 7.626\le m\le 9.174$

564 답 5.88

모표준편차는 6, 표본의 크기는 16이므로

모평균 m에 대한 신뢰도 95 %의 신뢰구간의 길이는

$2\times1.96\times\frac{6}{\sqrt{16}}=5.88$

도전! 유형 연습하기

→ 본책 97쪽~104쪽

565 답 66

단계 1 $\mathrm{E}(\overline{X})=m$을 이용하여 $\mathrm{E}(\overline{X})$ 구하기

모평균이 42이므로 $\mathrm{E}(\overline{X})=42$

단계 2 $\mathrm{V}(\overline{X})=\frac{\sigma^2}{n}$을 이용하여 $\mathrm{V}(\overline{X})$ 구하기

모분산이 $12^2=144$, 표본의 크기가 6이므로

$\mathrm{V}(\overline{X})=\frac{144}{6}=24$

단계 3 $\mathrm{E}(\overline{X})+\mathrm{V}(\overline{X})$의 값 구하기

$\mathrm{E}(\overline{X})+\mathrm{V}(\overline{X})=42+24=66$

566 답 ③

모평균이 20, 모분산이 $8^2=64$, 표본의 크기가 16이므로

$\mathrm{E}(\overline{X})=20$

$\mathrm{V}(\overline{X})=\frac{64}{16}=4$

이때 $\mathrm{V}(\overline{X})=\mathrm{E}(\overline{X}^2)-\{\mathrm{E}(\overline{X})\}^2$이므로

$\mathrm{E}(\overline{X}^2)=\mathrm{V}(\overline{X})+\{\mathrm{E}(\overline{X})\}^2$

$=4+20^2=404$

567 답 ②

모표준편차가 26, 표본의 크기가 n이므로

$\sigma(\overline{X})=\frac{26}{\sqrt{n}}$

이때 $\sigma(\overline{X})\le5$이므로 $\frac{26}{\sqrt{n}}\le5$

$\sqrt{n}\ge5.2 \quad \therefore n\ge27.04$

따라서 자연수 n의 최솟값은 28이다.

568 답 54

모평균이 48이므로 $\mathrm{E}(\overline{X})=48 \quad \therefore m=48$

모분산이 σ^2, 표본의 크기가 9이므로

$\sigma(\overline{X})=\frac{\sigma}{\sqrt{9}}=2 \quad \therefore \sigma=6$

$\therefore m+\sigma=48+6=54$

569 답 $\mathrm{E}(\overline{X})=0$, $\mathrm{V}(\overline{X})=\frac{3}{50}$, $\sigma(\overline{X})=\frac{\sqrt{6}}{10}$

단계 1 확률의 총합이 1임을 이용하여 상수 a의 값 구하기

확률의 총합은 1이므로

$\frac{1}{4}+a+\frac{1}{2}=1 \quad \therefore a=\frac{1}{4}$

단계 2 모평균과 모분산 구하기

모평균 $\mathrm{E}(X)=(-2)\times\frac{1}{4}+0\times\frac{1}{4}+1\times\frac{1}{2}=0$

모분산 $\mathrm{V}(X)=(-2)^2\times\frac{1}{4}+0^2\times\frac{1}{4}+1^2\times\frac{1}{2}-0^2=\frac{3}{2}$

단계 3 표본평균 $\overline{X}$의 평균, 분산, 표준편차 구하기

표본의 크기가 25이므로 표본평균 $\overline{X}$의 평균, 분산, 표준편차는

$\mathrm{E}(\overline{X})=0$, $\mathrm{V}(\overline{X})=\frac{\frac{3}{2}}{25}=\frac{3}{50}$, $\sigma(\overline{X})=\sqrt{\frac{3}{50}}=\frac{\sqrt{6}}{10}$

570 답 $\frac{7}{8}$

모평균 $\mathrm{E}(X)=0\times\frac{1}{4}+1\times a+2\times b=a+2b$

이때 $\mathrm{E}(\overline{X})=\frac{7}{8}$이고 $\mathrm{E}(X)=\mathrm{E}(\overline{X})$이므로

$a+2b=\frac{7}{8}$

571 답 ④

$E(\overline{X})=23$이고 $E(X)=E(\overline{X})$이므로

$E(X)=15\times\left(\frac{4}{5}-a\right)+25\times\frac{1}{5}+35\times a=23$

$12-15a+5+35a=23$

$20a=6 \qquad \therefore a=\frac{3}{10}$

따라서 확률변수 X의 확률분포를 표로 나타내면 다음과 같다.

X	15	25	35	합계
$P(X=x)$	$\frac{1}{2}$	$\frac{1}{5}$	$\frac{3}{10}$	1

이때 추출한 표본의 값을 차례로 X_1, X_2라 하면

$P(\overline{X}=25)$

$=P(X_1=15)\times P(X_2=35)+P(X_1=25)\times P(X_2=25)$
$+P(X_1=35)\times P(X_2=15)$

$=\frac{1}{2}\times\frac{3}{10}+\frac{1}{5}\times\frac{1}{5}+\frac{3}{10}\times\frac{1}{2}$

$=\frac{3}{20}+\frac{1}{25}+\frac{3}{20}=\frac{17}{50}$

따라서 $p=50$, $q=17$이므로 $p+q=50+17=67$

572 답 ③

$E(X)=\frac{1+3+5+7+9}{5}=5$

$V(X)=\frac{(1-5)^2+(3-5)^2+(5-5)^2+(7-5)^2+(9-5)^2}{5}$

$=\frac{16+4+0+4+16}{5}=8$

이때 표본의 크기가 4이므로

$E(\overline{X})=5$, $V(\overline{X})=\frac{8}{4}=2$

따라서 표본평균 $\overline{X}$의 평균과 분산의 합은 $5+2=7$

573 답 ⑤

주머니에서 임의로 한 개의 공을 꺼낼 때, 공에 적힌 수를 확률변수 X라 하고 X의 확률분포를 표로 나타내면 다음과 같다.

X	1	2	3	합계
$P(X=x)$	$\frac{1}{6}$	$\frac{1}{3}$	$\frac{1}{2}$	1

$\therefore E(X)=1\times\frac{1}{6}+2\times\frac{1}{3}+3\times\frac{1}{2}=\frac{7}{3}$

$V(X)=1^2\times\frac{1}{6}+2^2\times\frac{1}{3}+3^2\times\frac{1}{2}-\left(\frac{7}{3}\right)^2=\frac{5}{9}$

이때 표본의 크기가 5이므로

$E(\overline{X})=\frac{7}{3}$, $V(\overline{X})=\frac{\frac{5}{9}}{5}=\frac{1}{9}$

따라서 $V(\overline{X})=E(\overline{X}^2)-\{E(\overline{X})\}^2$이므로

$E(\overline{X}^2)=V(\overline{X})+\{E(\overline{X})\}^2$

$=\frac{1}{9}+\left(\frac{7}{3}\right)^2=\frac{50}{9}$

574 답 ②

확률변수 X는 이항분포 $B\left(64, \frac{1}{4}\right)$을 따르므로

$V(X)=64\times\frac{1}{4}\times\frac{3}{4}=12$

이때 표본의 크기가 n이고 $V(\overline{X})=3$이므로

$\frac{12}{n}=3 \qquad \therefore n=4$

575 답 $N(54, 7^2)$

단계 1 확률변수 X를 정하고 X의 분포 구하기

어느 회사 직원들이 출근하는 데 걸리는 시간을 확률변수 X라 하면 X는 정규분포 $N(54, 28^2)$을 따른다.

단계 2 모평균과 표본평균의 관계로부터 표본평균 $\overline{X}$의 분포 구하기

표본의 크기가 16이므로 표본평균 $\overline{X}$는 정규분포 $N\left(54, \frac{28^2}{16}\right)$, 즉 $N(54, 7^2)$을 따른다.

576 답 ①

모집단이 정규분포 $N(15, \sigma^2)$을 따르고 표본의 크기가 144이므로 표본평균 $\overline{X}$는 정규분포 $N\left(15, \frac{\sigma^2}{144}\right)$을 따른다.

따라서 $m=15$, $\frac{\sigma^2}{144}=\frac{1}{16}$이므로 $m=15$, $\sigma=3$

$\therefore m+\sigma=15+3=18$

577 답 0.044

단계 1 확률변수 X를 정하고 X의 분포 구하기

제품의 무게를 확률변수 X라 하면 X는 정규분포 $N(240, 18^2)$을 따르므로 $Z=\frac{X-240}{18}$으로 놓으면 Z는 표준정규분포 $N(0, 1)$을 따른다.

단계 2 확률변수 X의 확률 구하기

$p_1=P(X\geq 204)=P\left(Z\geq\frac{204-240}{18}\right)$

$=P(Z\geq -2)=P(-2\leq Z\leq 0)+P(Z\geq 0)$

$=P(0\leq Z\leq 2)+P(Z\geq 0)$

$=0.4772+0.5=0.9772$

단계 3 표본평균 $\overline{X}$의 분포 구하기

모집단이 정규분포 $N(240, 18^2)$을 따르고 표본의 크기가 9이므로 표본평균 $\overline{X}$는 정규분포 $N\left(240, \frac{18^2}{9}\right)$, 즉 $N(240, 6^2)$을 따른다.

$Z=\frac{\overline{X}-240}{6}$으로 놓으면 Z는 표준정규분포 $N(0, 1)$을 따른다.

단계 4 표본평균 $\overline{X}$의 확률 구하기

$p_2=P(\overline{X}\leq 249)=P\left(Z\leq\frac{249-240}{6}\right)$

$=\mathrm{P}(Z\le 1.5)=\mathrm{P}(Z\le 0)+\mathrm{P}(0\le Z\le 1.5)$
$=0.5+0.4332=0.9332$

단계 5 p_1-p_2의 값 구하기

$p_1-p_2=0.9772-0.9332=0.044$

578 답 ①

일주일 동안 운동 시간을 확률변수 X라 하면 X는 정규분포 $\mathrm{N}(86,\ 12^2)$을 따르고 표본의 크기가 16이므로 표본평균 $\overline{X}$는 정규분포 $\mathrm{N}\left(86,\ \frac{12^2}{16}\right)$, 즉 $\mathrm{N}(86,\ 3^2)$을 따른다.

$Z=\frac{\overline{X}-86}{3}$으로 놓으면 Z는 표준정규분포 $\mathrm{N}(0,\ 1)$을 따르므로

$$\begin{aligned}\mathrm{P}(\overline{X}\le 80)&=\mathrm{P}\left(Z\le\frac{80-86}{3}\right)\\&=\mathrm{P}(Z\le -2)=\mathrm{P}(Z\ge 2)\\&=\mathrm{P}(Z\ge 0)-\mathrm{P}(0\le Z\le 2)\\&=0.5-0.4772=0.0228\end{aligned}$$

579 답 0.8041

포도 한 송이의 무게를 확률변수 X라 하면 X는 정규분포 $\mathrm{N}(320,\ 20^2)$을 따르고 표본의 크기가 16이므로 표본평균 $\overline{X}$는 정규분포 $\mathrm{N}\left(320,\ \frac{20^2}{16}\right)$, 즉 $\mathrm{N}(320,\ 5^2)$을 따른다.

$Z=\frac{\overline{X}-320}{5}$으로 놓으면 Z는 표준정규분포 $\mathrm{N}(0,\ 1)$을 따르므로

$$\begin{aligned}\mathrm{P}(314\le\overline{X}\le 327)&=\mathrm{P}\left(\frac{314-320}{5}\le Z\le\frac{327-320}{5}\right)\\&=\mathrm{P}(-1.2\le Z\le 1.4)\\&=\mathrm{P}(-1.2\le Z\le 0)+\mathrm{P}(0\le Z\le 1.4)\\&=\mathrm{P}(0\le Z\le 1.2)+\mathrm{P}(0\le Z\le 1.4)\\&=0.3849+0.4192\\&=0.8041\end{aligned}$$

580 답 324

모집단이 정규분포 $\mathrm{N}(320,\ 28^2)$을 따르고 표본의 크기가 49이므로 표본평균 $\overline{X}$는 정규분포 $\mathrm{N}\left(320,\ \frac{28^2}{49}\right)$, 즉 $\mathrm{N}(320,\ 4^2)$을 따른다.

$Z=\frac{\overline{X}-320}{4}$으로 놓으면 Z는 표준정규분포 $\mathrm{N}(0,\ 1)$을 따르므로

$\mathrm{P}(\overline{X}\ge k)=0.1587$에서 $\mathrm{P}\left(Z\ge\frac{k-320}{4}\right)=0.1587$

$\mathrm{P}(Z\ge 0)-\mathrm{P}\left(0\le Z\le\frac{k-320}{4}\right)=0.1587$

$0.5-\mathrm{P}\left(0\le Z\le\frac{k-320}{4}\right)=0.1587$

$\therefore\ \mathrm{P}\left(0\le Z\le\frac{k-320}{4}\right)=0.3413$

이때 $\mathrm{P}(0\le Z\le 1)=0.3413$이므로

$\frac{k-320}{4}=1\qquad\therefore\ k=324$

581 답 ⑤

표본평균 $\overline{X}$는 정규분포 $\mathrm{N}\left(32,\ \frac{4^2}{n}\right)$을 따르므로 $Z=\dfrac{\overline{X}-32}{\frac{4}{\sqrt{n}}}$로 놓으면 Z는 표준정규분포 $\mathrm{N}(0,\ 1)$을 따른다.

ㄱ. $\mathrm{V}(\overline{X})=\frac{4^2}{n}=\frac{16}{n}$ (참)

ㄴ. $\mathrm{P}(\overline{X}\le 32-a)=\mathrm{P}\left(Z\le\dfrac{32-a-32}{\frac{4}{\sqrt{n}}}\right)=\mathrm{P}\left(Z\le-\frac{a\sqrt{n}}{4}\right)$

$\mathrm{P}(\overline{X}\ge 32+a)=\mathrm{P}\left(Z\ge\dfrac{32+a-32}{\frac{4}{\sqrt{n}}}\right)=\mathrm{P}\left(Z\ge\frac{a\sqrt{n}}{4}\right)$

$=\mathrm{P}\left(Z\le-\frac{a\sqrt{n}}{4}\right)$

$\therefore\ \mathrm{P}(\overline{X}\le 32-a)=\mathrm{P}(\overline{X}\ge 32+a)$ (참)

ㄷ. $\mathrm{P}(\overline{X}\ge a)=\mathrm{P}\left(Z\ge\dfrac{a-32}{\frac{4}{\sqrt{n}}}\right)=\mathrm{P}\left(Z\le-\dfrac{a-32}{\frac{4}{\sqrt{n}}}\right)$이므로

$-\dfrac{a-32}{\frac{4}{\sqrt{n}}}=b,\ a-32=-\frac{4}{\sqrt{n}}b$

$\therefore\ a+\frac{4}{\sqrt{n}}b=32$ (참)

따라서 옳은 것은 ㄱ, ㄴ, ㄷ이다.

582 답 0.8413

공용 자전거의 1회 이용 시간을 확률변수 X라 하면 X는 정규분포 $\mathrm{N}(70,\ 15^2)$을 따르고 표본의 크기가 25이므로 표본평균 $\overline{X}$는 정규분포 $\mathrm{N}\left(70,\ \frac{15^2}{25}\right)$, 즉 $\mathrm{N}(70,\ 3^2)$을 따른다.

$Z=\frac{\overline{X}-70}{3}$으로 놓으면 Z는 표준정규분포 $\mathrm{N}(0,\ 1)$을 따르므로

$$\begin{aligned}\mathrm{P}(25\overline{X}\ge 1675)&=\mathrm{P}(\overline{X}\ge 67)\\&=\mathrm{P}\left(Z\ge\frac{67-70}{3}\right)=\mathrm{P}(Z\ge -1)\\&=\mathrm{P}(-1\le Z\le 0)+\mathrm{P}(Z\ge 0)\\&=\mathrm{P}(0\le Z\le 1)+\mathrm{P}(Z\ge 0)\\&=0.3413+0.5=0.8413\end{aligned}$$

583 답 9

단계 1 확률변수 X를 정하고 X의 분포 구하기

신생아의 체중을 확률변수 X라 하면 X는 정규분포 $\mathrm{N}(3.2,\ 0.6^2)$을 따른다.

단계 2 표본평균 $\overline{X}$의 분포 구하기

표본의 크기가 n이므로 표본평균 $\overline{X}$는 정규분포 $\mathrm{N}\left(3.2,\ \frac{0.6^2}{n}\right)$

을 따른다.

$Z=\dfrac{\overline{X}-3.2}{\dfrac{0.6}{\sqrt{n}}}$로 놓으면 Z는 표준정규분포 $\mathrm{N}(0,\ 1)$을 따른다.

단계 3 주어진 확률값을 이용하여 n에 대한 관계식 세우기

$\mathrm{P}(\overline{X}\ge 2.8)=0.9772$에서 $\mathrm{P}\left(Z\ge\dfrac{2.8-3.2}{\dfrac{0.6}{\sqrt{n}}}\right)=0.9772$

$\mathrm{P}\left(Z\ge-\dfrac{2\sqrt{n}}{3}\right)=0.9772$

$\mathrm{P}\left(-\dfrac{2\sqrt{n}}{3}\le Z\le 0\right)+\mathrm{P}(Z\ge 0)=0.9772$

$\mathrm{P}\left(0\le Z\le\dfrac{2\sqrt{n}}{3}\right)+\mathrm{P}(Z\ge 0)=0.9772$

$\mathrm{P}\left(0\le Z\le\dfrac{2\sqrt{n}}{3}\right)+0.5=0.9772$

$\therefore\ \mathrm{P}\left(0\le Z\le\dfrac{2\sqrt{n}}{3}\right)=0.4772$

단계 4 표준정규분포표를 이용하여 n의 값 구하기

이때 $\mathrm{P}(0\le Z\le 2)=0.4772$이므로

$\dfrac{2\sqrt{n}}{3}=2,\ \sqrt{n}=3\qquad\therefore\ n=9$

584 답 16

달걀 한 개의 무게를 확률변수 X라 하면 X는 정규분포 $\mathrm{N}(60,\ 6^2)$을 따르고 표본의 크기가 n이므로 표본평균 $\overline{X}$는 정규분포 $\mathrm{N}\left(60,\ \dfrac{6^2}{n}\right)$을 따른다.

$Z=\dfrac{\overline{X}-60}{\dfrac{6}{\sqrt{n}}}$으로 놓으면 Z는 표준정규분포 $\mathrm{N}(0,\ 1)$을 따르므로

$\mathrm{P}(\overline{X}\ge 62.25)=0.0668$에서 $\mathrm{P}\left(Z\ge\dfrac{62.25-60}{\dfrac{6}{\sqrt{n}}}\right)=0.0668$

$\mathrm{P}\left(Z\ge\dfrac{2.25\sqrt{n}}{6}\right)=0.0668$

$\mathrm{P}(Z\ge 0)-\mathrm{P}\left(0\le Z\le\dfrac{2.25\sqrt{n}}{6}\right)=0.0668$

$0.5-\mathrm{P}\left(0\le Z\le\dfrac{2.25\sqrt{n}}{6}\right)=0.0668$

$\therefore\ \mathrm{P}\left(0\le Z\le\dfrac{2.25\sqrt{n}}{6}\right)=0.4332$

이때 $\mathrm{P}(0\le Z\le 1.5)=0.4332$이므로

$\dfrac{2.25\sqrt{n}}{6}=1.5,\ \sqrt{n}=4\qquad\therefore\ n=16$

585 답 49

모집단이 정규분포 $\mathrm{N}(130,\ 14^2)$을 따르고 표본의 크기가 n이므로 표본평균 $\overline{X}$는 정규분포 $\mathrm{N}\left(130,\ \dfrac{14^2}{n}\right)$을 따른다.

$Z=\dfrac{\overline{X}-130}{\dfrac{14}{\sqrt{n}}}$으로 놓으면 Z는 표준정규분포 $\mathrm{N}(0,\ 1)$을 따르므로

$\mathrm{P}(|\overline{X}-130|\le 2.6)=0.8$에서

$\mathrm{P}(-2.6\le\overline{X}-130\le 2.6)=0.8$

$\mathrm{P}\left(-\dfrac{2.6}{\dfrac{14}{\sqrt{n}}}\le Z\le\dfrac{2.6}{\dfrac{14}{\sqrt{n}}}\right)=0.8$

$\mathrm{P}\left(-\dfrac{13\sqrt{n}}{70}\le Z\le\dfrac{13\sqrt{n}}{70}\right)=0.8$

$\mathrm{P}\left(-\dfrac{13\sqrt{n}}{70}\le Z\le 0\right)+\mathrm{P}\left(0\le Z\le\dfrac{13\sqrt{n}}{70}\right)=0.8$

$\mathrm{P}\left(0\le Z\le\dfrac{13\sqrt{n}}{70}\right)+\mathrm{P}\left(0\le Z\le\dfrac{13\sqrt{n}}{70}\right)=0.8$

$2\mathrm{P}\left(0\le Z\le\dfrac{13\sqrt{n}}{70}\right)=0.8$

$\therefore\ \mathrm{P}\left(0\le Z\le\dfrac{13\sqrt{n}}{70}\right)=0.4$

이때 $\mathrm{P}(0\le Z\le 1.3)=0.4$이므로

$\dfrac{13\sqrt{n}}{70}=1.3,\ \sqrt{n}=7\qquad\therefore\ n=49$

586 답 ③

모집단이 정규분포 $\mathrm{N}(5,\ 5^2)$을 따르고 표본의 크기가 n이므로 표본평균 $\overline{X}$는 정규분포 $\mathrm{N}\left(5,\ \dfrac{5^2}{n}\right)$, 즉 $\mathrm{N}\left(5,\ \left(\dfrac{5}{\sqrt{n}}\right)^2\right)$을 따른다.

$Z=\dfrac{\overline{X}-5}{\dfrac{5}{\sqrt{n}}}$로 놓으면 Z는 표준정규분포 $\mathrm{N}(0,\ 1)$을 따르므로

$\mathrm{P}\left(\overline{X}\le 2.58\times\dfrac{5}{\sqrt{n}}\right)\le 0.05$에서 $\mathrm{P}(Z\le 2.58-\sqrt{n})\le 0.05$

$\mathrm{P}(Z\ge\sqrt{n}-2.58)\le 0.05$

$\mathrm{P}(Z\ge 0)-\mathrm{P}(0\le Z\le\sqrt{n}-2.58)\le 0.05$

$0.5-\mathrm{P}(0\le Z\le\sqrt{n}-2.58)\le 0.05$

$\therefore\ \mathrm{P}(0\le Z\le\sqrt{n}-2.58)\ge 0.45$

이때 $\mathrm{P}(0\le Z\le 1.65)=0.45$이므로

$\sqrt{n}-2.58\ge 1.65,\ \sqrt{n}\ge 4.23$

$\therefore\ n\ge 17.8929$

따라서 구하는 n의 최솟값은 18이다.

587 답 $396.08\le m\le 403.92$

단계 1 표본평균, 모표준편차, 표본의 크기 파악하기

표본평균이 400, 모표준편차가 16, 표본의 크기가 64이다.

단계 2 신뢰구간 구하기

모평균 m에 대한 신뢰도 95 %의 신뢰구간은

$400-1.96\times\dfrac{16}{\sqrt{64}}\le m\le 400+1.96\times\dfrac{16}{\sqrt{64}}$

$\therefore\ 396.08\le m\le 403.92$

588 답 $9.71\le m\le 12.29$

표본평균이 11, 모표준편차가 2.5, 표본의 크기가 25이므로 모

평균 m에 대한 신뢰도 99 %의 신뢰구간은

$$11-2.58\times\frac{2.5}{\sqrt{25}}\le m\le 11+2.58\times\frac{2.5}{\sqrt{25}}$$

$\therefore\ 9.71\le m\le 12.29$

589 답 $58.7\le m\le 65.3$

표본평균이 62, 모표준편차가 8, 표본의 크기가 16이고 $\mathrm{P}(|Z|\le 1.65)=0.90$이므로 모평균 m에 대한 신뢰도 90 %의 신뢰구간은

$$62-1.65\times\frac{8}{\sqrt{16}}\le m\le 62+1.65\times\frac{8}{\sqrt{16}}$$

$\therefore\ 58.7\le m\le 65.3$

590 답 $81.08\le m\le 88.92$

단계 1 표본평균, 표본표준편차, 표본의 크기 파악하기

표본평균이 85, 표본의 크기가 64이고, 표본의 크기 64는 충분히 크므로 모표준편차 대신 표본표준편차 16을 사용하여 신뢰구간을 구할 수 있다.

단계 2 신뢰구간 구하기

모평균 m에 대한 신뢰도 95 %의 신뢰구간은

$$85-1.96\times\frac{16}{\sqrt{64}}\le m\le 85+1.96\times\frac{16}{\sqrt{64}}$$

$\therefore\ 81.08\le m\le 88.92$

591 답 $1194.12\le m\le 1205.88$

표본평균이 1200, 표본의 크기가 400이고, 표본의 크기 400은 충분히 크므로 모표준편차 대신 표본표준편차 60을 사용하여 신뢰구간을 구할 수 있다.

따라서 모평균 m에 대한 신뢰도 95 %의 신뢰구간은

$$1200-1.96\times\frac{60}{\sqrt{400}}\le m\le 1200+1.96\times\frac{60}{\sqrt{400}}$$

$\therefore\ 1194.12\le m\le 1205.88$

592 답 ③

단계 1 n을 사용하여 신뢰구간의 식 세우기

표본평균이 350, 모표준편차가 20이므로 모평균 m에 대한 신뢰도 95 %의 신뢰구간은

$$350-1.96\times\frac{20}{\sqrt{n}}\le m\le 350+1.96\times\frac{20}{\sqrt{n}}$$

단계 2 주어진 신뢰구간과 구한 신뢰구간 비교하기

이때 $342.16\le m\le 357.84$이므로

$$350-1.96\times\frac{20}{\sqrt{n}}=342.16$$

$$350+1.96\times\frac{20}{\sqrt{n}}=357.84$$

단계 3 n의 값 구하기

즉, $1.96\times\frac{20}{\sqrt{n}}=7.84$이므로 $\sqrt{n}=5$

$\therefore\ n=25$

593 답 81

표본평균이 1800, 모표준편차가 90이므로 모평균 m에 대한 신뢰도 99 %의 신뢰구간은

$$1800-2.58\times\frac{90}{\sqrt{n}}\le m\le 1800+2.58\times\frac{90}{\sqrt{n}}$$

이때 $1774.2\le m\le 1825.8$이므로

$$1800-2.58\times\frac{90}{\sqrt{n}}=1774.2$$

$$1800+2.58\times\frac{90}{\sqrt{n}}=1825.8$$

따라서 $2.58\times\frac{90}{\sqrt{n}}=25.8$이므로 $\sqrt{n}=9$

$\therefore\ n=81$

594 답 ④

표본평균이 25, 표본표준편차가 5인 결과를 이용하여 추정한 모평균 m에 대한 신뢰도 95 %의 신뢰구간은

$$25-1.96\times\frac{5}{\sqrt{n}}\le m\le 25+1.96\times\frac{5}{\sqrt{n}}$$

이때 $24.02\le m\le a$이므로

$25-1.96\times\frac{5}{\sqrt{n}}=24.02$, $\sqrt{n}=10$ $\qquad\therefore\ n=100$

따라서 $a=25+1.96\times\frac{5}{\sqrt{100}}=25.98$이므로

$n+a=100+25.98=125.98$

595 답 ④

단계 1 모표준편차, 표본의 크기 파악하기

모표준편차가 16, 표본의 크기가 64이다.

단계 2 신뢰구간의 길이 구하기

신뢰도 99 %로 추정한 신뢰구간의 길이는

$$2\times 2.58\times\frac{16}{\sqrt{64}}=10.32$$

596 답 7.2

모표준편차가 15, 표본의 크기가 36이고, $\mathrm{P}(|Z|\le 1.44)=0.85$이므로 신뢰도 85 %로 추정한 신뢰구간의 길이는

$$2\times 1.44\times\frac{15}{\sqrt{36}}=7.2$$

597 답 ③

모표준편차를 σ라 하면

표본의 크기가 n일 때, 모평균을 신뢰도 95 %로 추정한 신뢰구간의 길이는

$l_1=2\times 2\times\frac{\sigma}{\sqrt{n}}$ $\qquad\therefore\ l_1=\frac{4\sigma}{\sqrt{n}}$

표본의 크기가 $9n$일 때, 모평균을 신뢰도 99 %로 추정한 신뢰구간의 길이는

$l_2=2\times2.6\times\frac{\sigma}{\sqrt{9n}}$ $\quad\therefore l_2=\frac{5.2\sigma}{3\sqrt{n}}$

따라서 $l_2=\frac{5.2\sigma}{3\sqrt{n}}=\frac{1.3}{3}\times\frac{4\sigma}{\sqrt{n}}=\frac{1.3}{3}\times l_1$이므로

$3l_2=1.3l_1$ $\quad\therefore 13l_1=30l_2$

598 답 400

단계 1 n을 사용하여 신뢰구간의 길이를 구하는 식 세우기

모표준편차가 20이므로 모평균을 신뢰도 95 %로 추정한 신뢰구간의 길이는

$2\times1.96\times\frac{20}{\sqrt{n}}$

단계 2 주어진 신뢰구간의 길이를 이용하여 n의 값 구하기

이때 신뢰구간의 길이가 3.92이므로

$2\times1.96\times\frac{20}{\sqrt{n}}=3.92$, $\sqrt{n}=20$

$\therefore n=400$

599 답 ③

모표준편차가 26, 표본의 크기가 n이므로 모평균을 신뢰도 95 %로 추정한 신뢰구간의 길이는

$2\times1.96\times\frac{26}{\sqrt{n}}$

이때 신뢰구간의 길이가 7.84이므로

$2\times1.96\times\frac{26}{\sqrt{n}}=7.84$, $\sqrt{n}=13$

$\therefore n=169$

600 답 ③

모표준편차가 20, 표본의 크기가 16이므로 모평균을 신뢰도 95 %로 추정한 신뢰구간의 길이는

$l_1=2\times2\times\frac{20}{\sqrt{16}}=20$

모표준편차가 20, 표본의 크기가 n이므로 모평균을 신뢰도 99 %로 추정한 신뢰구간의 길이는

$l_2=2\times2.6\times\frac{20}{\sqrt{n}}=\frac{104}{\sqrt{n}}$

$l_1>l_2$이므로 $20>\frac{104}{\sqrt{n}}$

$\sqrt{n}>5.2$ $\quad\therefore n>27.04$

따라서 n의 값의 최솟값은 28이다.

601 답 ⑤

모표준편차가 6, 표본의 크기가 n이므로 모평균을 신뢰도 99 %로 추정한 신뢰구간의 길이가 3 이하가 되려면

$2\times2.6\times\frac{6}{\sqrt{n}}\le3$, $\sqrt{n}\ge10.4$

$\therefore n\ge108.16$

따라서 n의 값의 최솟값은 109이다.

602 답 99

단계 1 신뢰구간의 길이를 구하는 식 세우기

모표준편차가 21, 표본의 크기가 49이므로

$P(|Z|\le k)=\frac{\alpha}{100}$라 하면 모평균을 신뢰도 α %로 추정한 신뢰구간의 길이는

$2k\times\frac{21}{\sqrt{49}}$

단계 2 주어진 신뢰구간의 길이를 이용하여 k의 값 구하기

신뢰구간의 길이가 15.48이므로

$2k\times\frac{21}{\sqrt{49}}=15.48$, $6k=15.48$

$\therefore k=2.58$

단계 3 α의 값 구하기

$P(|Z|\le2.58)=0.99$이므로 $\frac{\alpha}{100}=0.99$

$\therefore \alpha=99$

603 답 88

모표준편차가 15, 표본의 크기가 100이므로

$P(|Z|\le k)=\frac{\alpha}{100}$라 하면 모평균을 신뢰도 α %로 추정한 신뢰구간의 길이는

$2k\times\frac{15}{\sqrt{100}}$

이때 신뢰구간의 길이가 4.65이므로

$2k\times\frac{15}{\sqrt{100}}=4.65$, $3k=4.65$

$\therefore k=1.55$

즉, $P(0\le Z\le1.55)=0.44$이므로

$$P(-1.55\le Z\le1.55)=2P(0\le Z\le1.55)=2\times0.44=0.88$$

따라서 $P(|Z|\le1.55)=0.88$이므로 $\frac{\alpha}{100}=0.88$

$\therefore \alpha=88$

604 답 6.6

모표준편차가 24, 표본의 크기가 144이므로

$P(|Z|\le k)=\frac{\alpha}{100}$라 하면 모평균을 신뢰도 α %로 추정한 신뢰구간의 길이는

$2k\times\frac{24}{\sqrt{144}}$

신뢰구간의 길이가 4.16이므로

$2k\times\frac{24}{\sqrt{144}}=4.16,\ 4k=4.16 \qquad \therefore k=1.04$

이때 $\mathrm{P}(0\le Z\le 1.04)=0.35$이므로

$\mathrm{P}(-1.04\le Z\le 1.04)=2\mathrm{P}(0\le Z\le 1.04)$

$=2\times 0.35=0.70$

즉, $\mathrm{P}(|Z|\le 1.04)=0.70$이므로 $\frac{a}{100}=0.70$

$\therefore a=70$

따라서 모평균을 신뢰도 $(0.5a+55)$ %, 즉 신뢰도 90 %로 추정한 신뢰구간의 길이는 $\mathrm{P}(0\le Z\le 1.65)=0.45$에서

$\mathrm{P}(-1.65\le Z\le 1.65)=2\mathrm{P}(0\le Z\le 1.65)=0.90$이므로

$2\times 1.65\times\frac{24}{\sqrt{144}}=6.6$

605 답 ④

단계 1 신뢰구간의 길이를 구하는 식 세우기

정규분포 $\mathrm{N}(m,\ \sigma^2)$을 따르는 모집단에서 크기가 n인 표본을 임의추출하여 모평균을 추정할 때 신뢰구간의 길이는

$2k\times\frac{\sigma}{\sqrt{n}}$ (단, k는 상수)

단계 2 신뢰구간의 길이에 대한 식을 변형하여 a의 값 구하기

신뢰구간의 길이가 $\frac{1}{3}$배가 되어야 하므로

$\frac{1}{3}\times 2k\times\frac{\sigma}{\sqrt{n}}=2k\times\frac{\sigma}{\sqrt{9n}}$

따라서 표본의 크기가 $9n$, 즉 9배가 되면 신뢰구간의 길이는 $\frac{1}{3}$배가 된다.

$\therefore a=9$

606 답 ②

정규분포 $\mathrm{N}(m,\ \sigma^2)$을 따르는 모집단에서 크기가 n인 표본을 임의추출하여 모평균을 신뢰도 α %로 추정한 신뢰구간의 길이는

$2k\times\frac{\sigma}{\sqrt{n}}\left(\text{단, } \mathrm{P}(|Z|\le k)=\frac{\alpha}{100}\right)$

ㄱ. 신뢰도를 높이면 k의 값이 커지므로 신뢰구간의 길이는 길어진다. (참)

ㄴ. 표본의 크기가 작아지면 $\sqrt{n}$의 값이 작아지므로 신뢰구간의 길이는 길어진다. (거짓)

ㄷ. 신뢰도를 낮추면 k의 값이 작아지고 표본의 크기를 작게 하면 $\sqrt{n}$의 값이 작아지므로 신뢰구간의 길이가 반드시 길어진다고 할 수 없다. (거짓)

ㄹ. 표본의 크기가 커지면 $\sqrt{n}$의 값이 커지고, 신뢰도를 낮추면 k의 값이 작아지므로 신뢰구간의 길이는 짧아진다. (참)

따라서 옳은 것은 ㄱ, ㄹ이다.

607 답 57

단계 1 신뢰구간의 식을 $|m-\bar{x}|\le k\times\frac{\sigma}{\sqrt{n}}$로 나타내기

표본평균이 $\bar{x}$, 모표준편차가 15, 표본의 크기가 n이므로 모평균 m을 신뢰도 95 %로 추정한 신뢰구간은

$\bar{x}-2\times\frac{15}{\sqrt{n}}\le m\le\bar{x}+2\times\frac{15}{\sqrt{n}}$

$-2\times\frac{15}{\sqrt{n}}\le m-\bar{x}\le 2\times\frac{15}{\sqrt{n}}$

$\therefore |m-\bar{x}|\le 2\times\frac{15}{\sqrt{n}}$

단계 2 $|m-\bar{x}|\le 4$를 만족시키는 n의 값의 최솟값 구하기

이때 $|m-\bar{x}|\le 4$가 되려면

$2\times\frac{15}{\sqrt{n}}\le 4,\ \sqrt{n}\ge 7.5$

$\therefore n\ge 56.25$

따라서 n의 값의 최솟값은 57이다.

608 답 ④

표본평균을 $\bar{x}$라 하면 모표준편차가 40, 표본의 크기가 n이므로 모평균 m을 신뢰도 99 %로 추정한 신뢰구간은

$\bar{x}-2.6\times\frac{40}{\sqrt{n}}\le m\le\bar{x}+2.6\times\frac{40}{\sqrt{n}}$

$-2.6\times\frac{40}{\sqrt{n}}\le m-\bar{x}\le 2.6\times\frac{40}{\sqrt{n}}$

$\therefore |m-\bar{x}|\le 2.6\times\frac{40}{\sqrt{n}}$

이때 모평균 m과 표본평균 $\bar{x}$의 차가 13 이하가 되려면

$2.6\times\frac{40}{\sqrt{n}}\le 13,\ \sqrt{n}\ge 8$

$\therefore n\ge 64$

따라서 n의 값의 최솟값은 64이다.

609 답 36

표본평균을 $\bar{x}$, 모표준편차를 σ라 하면 표본의 크기가 n이므로 모평균 m을 신뢰도 95 %로 추정한 신뢰구간은

$\bar{x}-2\times\frac{\sigma}{\sqrt{n}}\le m\le\bar{x}+2\times\frac{\sigma}{\sqrt{n}}$

$-2\times\frac{\sigma}{\sqrt{n}}\le m-\bar{x}\le 2\times\frac{\sigma}{\sqrt{n}}$

$\therefore |m-\bar{x}|\le\frac{2\sigma}{\sqrt{n}}$

모평균 m과 표본평균 $\bar{x}$의 차가 $\frac{1}{3}\sigma$ 이하이어야 하므로

$\frac{2\sigma}{\sqrt{n}}\le\frac{1}{3}\sigma,\ \sqrt{n}\ge 6$

$\therefore n\ge 36$

따라서 n의 값의 최솟값은 36이다.

실전! 기출 문제 정복하기

본책 105쪽~107쪽

610 답 ③

$\sigma(\overline{X})=3$이므로 $\dfrac{15}{\sqrt{n}}=3$

$\sqrt{n}=5 \quad \therefore n=25$

611 답 $\dfrac{1}{4}$

확률의 총합은 1이므로

$\dfrac{1}{6}+a+b=1$

$\therefore a+b=\dfrac{5}{6} \qquad \cdots ㉠$

$E(X)=-1\times\dfrac{1}{6}+0\times a+1\times b=-\dfrac{1}{6}+b$

이때 $E(X)=\dfrac{1}{3}$이므로

$-\dfrac{1}{6}+b=\dfrac{1}{3} \qquad \cdots ㉡$

㉠, ㉡을 연립하여 풀면 $a=\dfrac{1}{3}$, $b=\dfrac{1}{2}$

$\therefore V(X)=(-1)^2\times\dfrac{1}{6}+0^2\times\dfrac{1}{3}+1^2\times\dfrac{1}{2}-\left(\dfrac{1}{3}\right)^2=\dfrac{5}{9}$

이때 표본의 크기가 4이므로

$E(\overline{X})=\dfrac{1}{3}$, $V(\overline{X})=\dfrac{\frac{5}{9}}{4}=\dfrac{5}{36}$

따라서 $V(\overline{X})=E(\overline{X}^2)-\{E(\overline{X})\}^2$이므로

$E(\overline{X}^2)=V(\overline{X})+\{E(\overline{X})\}^2$

$=\dfrac{5}{36}+\left(\dfrac{1}{3}\right)^2=\dfrac{1}{4}$

612 답 ⑤

한 번의 시행에서 공에 적혀 있는 수를 확률변수 X라 하고 X의 확률분포를 표로 나타내면 다음과 같다.

X	1	2	3	합계
$P(X=x)$	$\frac{1}{8}$	$\frac{1}{4}$	$\frac{5}{8}$	1

이때 2번의 시행 후 꺼낸 공에 적혀 있는 수의 평균 $\overline{X}=2$가 되기 위한 순서쌍은 (1, 3), (2, 2), (3, 1)이므로

$P(\overline{X}=2)=\dfrac{1}{8}\times\dfrac{5}{8}+\dfrac{1}{4}\times\dfrac{1}{4}+\dfrac{5}{8}\times\dfrac{1}{8}$

$=\dfrac{5}{64}+\dfrac{1}{16}+\dfrac{5}{64}=\dfrac{7}{32}$

613 답 506

음료수 한 병의 용량을 확률변수 X라 하면 X는 정규분포 $N(m,\ 10^2)$을 따르고 표본의 크기가 25이므로 표본평균 $\overline{X}$는 정규분포 $N\left(m,\ \dfrac{10^2}{25}\right)$, 즉 $N(m,\ 2^2)$을 따른다.

$Z=\dfrac{\overline{X}-m}{2}$으로 놓으면 Z는 표준정규분포 $N(0,\ 1)$을 따르므로

$P(\overline{X}\ge 500)=0.9987$에서 $P\left(Z\ge\dfrac{500-m}{2}\right)=0.9987$

$P\left(\dfrac{500-m}{2}\le Z\le 0\right)+P(Z\ge 0)=0.9987$

$P\left(0\le Z\le\dfrac{m-500}{2}\right)+0.5=0.9987$

$\therefore P\left(0\le Z\le\dfrac{m-500}{2}\right)=0.4987$

이때 $P(0\le Z\le 3)=0.4987$이므로

$\dfrac{m-500}{2}=3$

$\therefore m=506$

614 답 ①

'○○ 뉴스'의 방송 시간을 확률변수 X라 하면 X는 정규분포 $N(50,\ 2^2)$을 따르고 표본의 크기가 9이므로 표본평균 $\overline{X}$는 정규분포 $N\left(50,\ \dfrac{2^2}{9}\right)$, 즉 $N\left(50,\ \left(\dfrac{2}{3}\right)^2\right)$을 따른다.

$Z=\dfrac{\overline{X}-50}{\frac{2}{3}}$으로 놓으면 Z는 표준정규분포 $N(0,\ 1)$을 따르므로

$P(49\le\overline{X}\le 51)=P\left(\dfrac{49-50}{\frac{2}{3}}\le Z\le\dfrac{51-50}{\frac{2}{3}}\right)$

$=P(-1.5\le Z\le 1.5)=2P(0\le Z\le 1.5)$

$=2\times 0.4332=0.8664$

615 답 25

대중교통을 이용하여 출근하는 직장인의 월 교통비를 확률변수 X라 하면 X는 정규분포 $N(8,\ 1.2^2)$을 따르고 표본의 크기가 n인 표본평균 $\overline{X}$는 정규분포 $N\left(8,\ \dfrac{1.2^2}{n}\right)$을 따른다.

$Z=\dfrac{\overline{X}-8}{\frac{1.2}{\sqrt{n}}}$로 놓으면 Z는 표준정규분포 $N(0,\ 1)$을 따르므로

$P(7.76\le\overline{X}\le 8.24)\ge 0.6826$

$P\left(\dfrac{7.76-8}{\frac{1.2}{\sqrt{n}}}\le Z\le\dfrac{8.24-8}{\frac{1.2}{\sqrt{n}}}\right)\ge 0.6826$

$P\left(-\dfrac{\sqrt{n}}{5}\le Z\le\dfrac{\sqrt{n}}{5}\right)\ge 0.6826$

$2P\left(0\le Z\le\dfrac{\sqrt{n}}{5}\right)\ge 0.6826$

$\therefore P\left(0\le Z\le\dfrac{\sqrt{n}}{5}\right)\ge 0.3413$

이때 $P(0\le Z\le 1)=0.3413$이므로 $\dfrac{\sqrt{n}}{5}\ge 1 \qquad \therefore n\ge 25$

따라서 n의 값의 최솟값은 25이다.

616 답 ①

정규분포 $N(50, 8^2)$을 따르는 모집단에서 크기가 16인 표본을 임의추출하여 구한 표본평균 $\overline{X}$는 정규분포 $N\left(50, \dfrac{8^2}{16}\right)$, 즉 $N(50, 2^2)$을 따른다.

또, 정규분포 $N(75, \sigma^2)$을 따르는 모집단에서 크기가 25인 표본을 임의추출하여 구한 표본평균 $\overline{Y}$는 정규분포 $N\left(75, \dfrac{\sigma^2}{25}\right)$, 즉 $N\left(75, \left(\dfrac{\sigma}{5}\right)^2\right)$을 따른다.

$Z_X = \dfrac{\overline{X}-50}{2}$, $Z_Y = \dfrac{\overline{Y}-75}{\frac{\sigma}{5}}$로 놓으면 Z_X, Z_Y는 모두 표준정

규분포 $N(0, 1)$을 따르므로

$$P(\overline{X} \leq 53) = P\left(Z_X \leq \dfrac{53-50}{2}\right)$$
$$= P(Z_X \leq 1.5)$$
$$= P(Z_X \leq 0) + P(0 \leq Z_X \leq 1.5)$$

$$P(\overline{Y} \leq 69) = P\left(Z_Y \leq \dfrac{69-75}{\frac{\sigma}{5}}\right)$$
$$= P\left(Z_Y \leq -\dfrac{30}{\sigma}\right)$$
$$= P(Z_Y \leq 0) - P\left(-\dfrac{30}{\sigma} \leq Z_Y \leq 0\right)$$
$$= P(Z_Y \leq 0) - P\left(0 \leq Z_Y \leq \dfrac{30}{\sigma}\right)$$

이때 $P(\overline{X} \leq 53) + P(\overline{Y} \leq 69) = 1$이므로

$$P(0 \leq Z_X \leq 1.5) = P\left(0 \leq Z_Y \leq \dfrac{30}{\sigma}\right)$$

따라서 $\dfrac{30}{\sigma} = 1.5$이므로 $\sigma = 20$

$$\therefore P(\overline{Y} \geq 71) = P\left(Z_Y \geq \dfrac{71-75}{4}\right)$$
$$= P(Z_Y \geq -1)$$
$$= P(Z_Y \leq 0) + P(0 \leq Z_Y \leq 1)$$
$$= 0.5 + 0.3413$$
$$= 0.8413$$

617 답 $135.7 \leq m \leq 144.3$

표본평균이 140, 모표준편차가 15, 표본의 크기가 81이므로 모평균 m에 대한 신뢰도 99 %의 신뢰구간은

$$140 - 2.58 \times \dfrac{15}{\sqrt{81}} \leq m \leq 140 + 2.58 \times \dfrac{15}{\sqrt{81}}$$

$$\therefore 135.7 \leq m \leq 144.3$$

618 답 8

모표준편차가 20, 표본의 크기가 100이므로 모평균을 신뢰도 95 %로 추정한 신뢰구간의 길이는

$$2 \times 2 \times \dfrac{20}{\sqrt{100}} = 8$$

619 답 ③

표본평균이 24.34, 표본의 크기가 16이므로 모평균 m에 대한 신뢰도 95 %의 신뢰구간은

$$24.34 - 1.96 \times \dfrac{\sigma}{\sqrt{16}} \leq m \leq 24.34 + 1.96 \times \dfrac{\sigma}{\sqrt{16}}$$

이때 $23.36 \leq m \leq a$이므로

$$24.34 - 1.96 \times \dfrac{\sigma}{\sqrt{16}} = 23.36$$

$$1.96 \times \dfrac{\sigma}{\sqrt{16}} = 0.98 \qquad \therefore \sigma = 2$$

따라서 $a = 24.34 + 1.96 \times \dfrac{2}{4} = 25.32$이므로

$$a + \sigma = 25.32 + 2 = 27.32$$

620 답 ㄴ, ㄹ

정규분포 $N(m, \sigma^2)$을 따르는 모집단에서 크기가 n_1인 표본의 표본평균을 $\overline{x_1}$이라 하면 $P(|Z| \leq k_1) = \dfrac{\alpha}{100}$일 때, 모평균을 신뢰도 α %로 추정한 신뢰구간은

$$\overline{x_1} - k_1 \times \dfrac{\sigma}{\sqrt{n_1}} \leq m \leq \overline{x_1} + k_1 \times \dfrac{\sigma}{\sqrt{n_1}}$$

또, 정규분포 $N(m, \sigma^2)$을 따르는 모집단에서 크기가 n_2인 표본의 표본평균을 $\overline{x_2}$라 하면 $P(|Z| \leq k_2) = \dfrac{\beta}{100}$일 때, 모평균을 신뢰도 β %로 추정한 신뢰구간은

$$\overline{x_2} - k_2 \times \dfrac{\sigma}{\sqrt{n_2}} \leq m \leq \overline{x_2} + k_2 \times \dfrac{\sigma}{\sqrt{n_2}}$$

$b - a = 2 \times k_1 \times \dfrac{\sigma}{\sqrt{n_1}}$, $d - c = 2 \times k_2 \times \dfrac{\sigma}{\sqrt{n_2}}$

ㄱ. $\alpha = \beta$이면 $k_1 = k_2$
  $\therefore \alpha = \beta$, $n_1 < n_2$이면 $b - a > d - c$이다. (거짓)

ㄴ. $\alpha < \beta$이면 $k_1 < k_2$
  $\therefore n_1 = n_2$, $\alpha < \beta$이면 $b - a < d - c$이다. (참)

ㄷ. $n_1 = n_2$, $\alpha = \beta$이지만 $\overline{x_1} \neq \overline{x_2}$이면 서로 다른 신뢰구간을 나타낼 수 있으므로 반드시 $a = c$, $b = d$라 할 수 없다. (거짓)

ㄹ. $b - a = 2 \times k_1 \times \dfrac{\sigma}{\sqrt{n_1}}$에서

  $n_1 = 9n_2$를 대입하면 $b - a = 2 \times k_1 \times \dfrac{\sigma}{\sqrt{9n_2}}$

  $\therefore b - a = \dfrac{1}{3}\left(2 \times k_1 \times \dfrac{\sigma}{\sqrt{n_2}}\right)$

  이때 $\alpha = \beta$이면 $k_1 = k_2$이므로

  $b - a = \dfrac{1}{3}\left(2 \times k_2 \times \dfrac{\sigma}{\sqrt{n_2}}\right) = \dfrac{1}{3}(d - c)$

  $\therefore 3(b - a) = d - c$ (참)

따라서 옳은 것은 ㄴ, ㄹ이다.

621 답 97

표본평균이 $\overline{x}$, 모표준편차가 10, 표본의 크기가 n이므로 모평균 m을 신뢰도 95 %로 추정한 신뢰구간은

$\bar{x}-1.96\times\frac{10}{\sqrt{n}}\le m\le\bar{x}+1.96\times\frac{10}{\sqrt{n}}$

$-1.96\times\frac{10}{\sqrt{n}}\le m-\bar{x}\le 1.96\times\frac{10}{\sqrt{n}}$

$\therefore\ |m-\bar{x}|\le 1.96\times\frac{10}{\sqrt{n}}$

이때 $|m-\bar{x}|\le 2$가 되려면

$1.96\times\frac{10}{\sqrt{n}}\le 2,\ \sqrt{n}\ge 9.8$

$\therefore\ n\ge 96.04$

따라서 n의 값의 최솟값은 97이다.

622 답 0.3085

단계 1 표본평균 $\overline{X}$의 분포 구하기

초콜릿바 한 개의 무게를 확률변수 X라 하면 X는 정규분포 $\mathrm{N}(150,\ 20^2)$을 따르고 표본의 크기가 4이므로 표본평균 $\overline{X}$는 정규분포 $\mathrm{N}\left(150,\ \frac{20^2}{4}\right)$, 즉 $\mathrm{N}(150,\ 10^2)$을 따른다.

$Z=\frac{\overline{X}-150}{10}$으로 놓으면 Z는 표준정규분포 $\mathrm{N}(0,\ 1)$을 따른다.

······40%

단계 2 불량품으로 판정되는 경우를 식으로 나타내기

불량품으로 판정되려면 $4\overline{X}\le 580$에서

$\overline{X}\le 145$ ······20%

단계 3 불량품일 확률 구하기

$$\begin{aligned}\mathrm{P}(\overline{X}\le 145)&=\mathrm{P}\left(Z\le\frac{145-150}{10}\right)\\&=\mathrm{P}(Z\le -0.5)\\&=\mathrm{P}(Z\ge 0)-\mathrm{P}(0\le Z\le 0.5)\\&=0.5-0.1915\\&=0.3085\end{aligned}$$

······40%

623 답 256

단계 1 신뢰도 99 %의 신뢰구간을 이용하여 $\bar{x}$, σ의 값 구하기

표본평균이 $\bar{x}$일 때

모평균 m을 신뢰도 99 %로 추정한 신뢰구간은

$\bar{x}-2.58\times\frac{\sigma}{\sqrt{16}}\le m\le\bar{x}+2.58\times\frac{\sigma}{\sqrt{16}}$

이때 $150.42\le m\le 155.58$이므로

$\bar{x}-2.58\times\frac{\sigma}{\sqrt{16}}=150.42$ ··· ㉠

$\bar{x}+2.58\times\frac{\sigma}{\sqrt{16}}=155.58$ ··· ㉡

㉠, ㉡을 연립하여 풀면 $\bar{x}=153,\ \sigma=4$ ······40%

단계 2 신뢰도 95 %의 신뢰구간 구하기

표본평균이 $\overline{x'}$일 때

모평균 m을 신뢰도 95 %로 추정한 신뢰구간은

$\overline{x'}-1.96\times\frac{4}{\sqrt{n}}\le m\le\overline{x'}+1.96\times\frac{4}{\sqrt{n}}$

이때 $152.76\le m\le 153.74$이므로

$\overline{x'}-1.96\times\frac{4}{\sqrt{n}}=152.76$ ··· ㉢

$\overline{x'}+1.96\times\frac{4}{\sqrt{n}}=153.74$ ··· ㉣ ······40%

단계 3 n의 값 구하기

㉣－㉢을 하면 $2\times 1.96\times\frac{4}{\sqrt{n}}=0.98$

$\sqrt{n}=16$ $\quad\therefore\ n=256$ ······20%

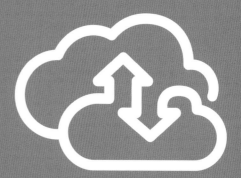

정답
및
풀이

필요한 유형으로 꽉 채운 핵심유형서

날선 유형

날선 유형

필요한 유형으로 꽉 채운 핵심유형서

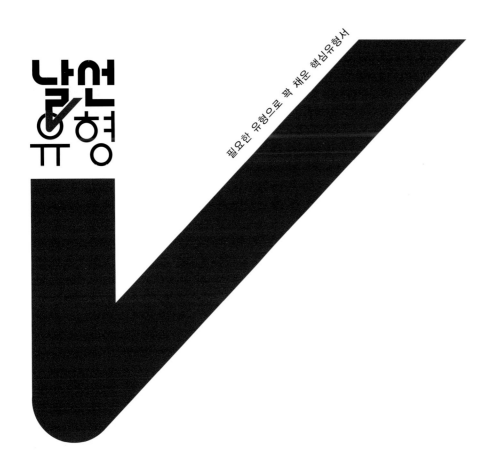

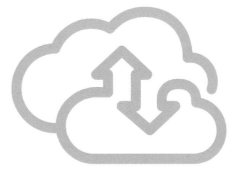